# À ESPERA DE UM MILAGRE

STEPHEN KING

# À ESPERA DE UM MILAGRE

*Tradução*
M. H. C. Côrtes

*16ª reimpressão*

*Grafia atualizada segundo o Acordo Ortográfico da Língua Portuguesa de 1990, que entrou em vigor no Brasil em 2009.*

*Título original*
The Green Mile

*Capa*
Rodrigo Rodrigues

*Imagem de capa*
Walt Seng/NonStock/Getty Images

*Copidesque*
Regiane Winarski

*Revisão*
Cristiane Marinho

CIP-Brasil. Catalogação na fonte
Sindicato Nacional dos Editores de Livros, RJ

K64e
King, Stephen
À espera de um milagre: um romance em seis partes / Stephen King; tradução de M.H.C. Côrtes. – 2ª ed. – Rio de Janeiro: Objetiva, 2013.

Tradução de: The Green Mile.
ISBN 978-85-8105-037-9

1. Ficção americana. I. Côrtes, M.H.C. II. Título.

11-7036 CDD: 813
CDU: 821.111(73)-3


EDITORA SCHWARCZ S.A.
Praça Floriano, 19, sala 3001 – Cinelândia
20031-050 – Rio de Janeiro – RJ
Telefone: (21) 3993-7510
www.companhiadasletras.com.br
www.blogdacompanhia.com.br
facebook.com/editorasuma
instagram.com/editorasuma
twitter.com/Suma_BR

# Sumário

# Introdução

Passo por períodos de insônia, fato que não surpreenderá as pessoas que leram o romance que descreve as peripécias de Ralph Roberts. Por isso, procuro ter uma história bem à mão para aquelas noites em que o sono não vem. Conto uma história dessas para mim mesmo enquanto fico deitado no escuro, redigindo-as mentalmente, exatamente como faria numa máquina de escrever ou num processador de texto, frequentemente voltando atrás e mudando palavras, acrescentando ideias, eliminando trechos, montando o diálogo. A cada noite, recomeço do princípio, avançando um pouco mais antes de pegar no sono. Geralmente, lá pela quinta ou sexta noite, sei de cor vários pedaços longos de prosa. É provável que isso pareça meio maluco, mas é tranquilizante. E como passatempo, ganha disparado de ficar contando carneirinhos.

Essas histórias acabam perdendo a graça, do mesmo modo que um livro depois de ser lido várias vezes. ("Jogue esse fora e compre outro novo, Stephen", dizia minha mãe às vezes, olhando com irritação uma revista em quadrinhos ou um livro de que eu gostava muito. "Isso aí já está gasto de tanto você ler.") Então é hora de procurar uma história nova e, durante meus acessos de falta de sono, fico na esperança de que logo me virá outra, porque as horas em claro são horas longas.

Em 1992 ou 1993, estava trabalhando numa história dessas chamada "O que engana seus olhos". Era sobre um homem condenado à morte, um negro enorme, que passa a se interessar por truques com as mãos à medida que se aproxima a data de sua execução. A história devia ser contada na primeira pessoa, por um velho preso de confiança, que empurra um carrinho com livros pelos blocos de celas e também vende cigarros, novidades e pequenas criações como tônico para os cabelos e aviões feitos de papel encerado. No final da história, logo antes da execução, eu queria que esse preso enorme, Luke Coffey, se fizesse desaparecer.

A ideia era boa, mas a história, para mim, não estava dando certo. Parecia que tinha tentado mudá-la de cem maneiras diferentes, mas continuava, a meu ver, não dando certo. Dei ao narrador um camundongo de estimação, que ia em cima do carrinho, achando que isso podia ajudar a história, mas não adiantou. A melhor parte era o começo: "Aconteceu em 1932, quando a penitenciária estadual ainda ficava em Evans Notch... e, é claro, também estava lá a cadeira elétrica, que os detentos chamavam de 'Velha Fagulha'." Para mim isso dava certo, mas nada mais encaixava bem. Acabei por descartar Luke Coffey e as moedas que sumiam, em favor de uma história a respeito de um planeta em que as pessoas, por alguma razão, viravam canibais quando chovia... E ainda gosto dessa história, de modo que não falem dela, ouviram?

Então, cerca de um ano e meio mais tarde, a ideia do corredor da morte me voltou à cabeça, só que, dessa vez, com uma orientação diferente. Suponhamos, imaginei eu. que o sujeito grandalhão fosse alguma espécie de curandeiro, em vez de um candidato a mágico, um simplório condenado por assassinatos que não só não cometera, como tentara fazer reverter.

Cheguei à conclusão de que essa história era boa demais para ficar brincando com ela na hora de dormir, embora eu a tivesse começado no escuro, e ressuscitei o parágrafo inicial quase palavra por palavra e montei o primeiro capítulo na cabeça antes de começar a escrever. O narrador passou a ser o guarda das celas dos condenados à morte, em vez de um preso de confiança. Luke Coffey se tornou John Coffey (com uma tirada de chapéu para William Faulkner, cuja figura parecida com Cristo é Joe Christmas), e o camundongo se tornou... Bem, o sr. Guizos.

Vi logo que era uma boa história, mas ia ser muito difícil escrevê-la. Havia outras coisas acontecendo na minha vida que pareciam mais fáceis (o texto para a minissérie de televisão *The Shining* era uma delas) e estava me agarrando a *À Espera de um Milagre* pela ponta dos dedos.

Sentia-me como se estivesse criando um mundo quase da estaca zero, pois não sabia praticamente nada sobre a vida no bloco de celas dos condenados à morte, numa área da fronteira no Sul, na época da Depressão. É claro que a pesquisa podia resolver isso, mas achei que ela poderia destruir a sensação frágil de assombro que havia encontrado na história. Alguma parte de mim sabia desde o princípio que o que eu queria não era realidade, mas um mito. De modo que fui me esforçando para diante, amontoando palavras na esperança de uma centelha, uma revelação, alguma espécie de milagre de fundo de quintal.

O milagre se deu sob a forma de um fax de Ralph Vicinanza, meu agente para direitos autorais no exterior, que estivera conversando com um editor britânico sobre a forma de romance serializado que Charles Dickens utilizara um século antes. Ralph perguntou, daquele jeito sem entusiasmo de quem acha que a sugestão não vai dar em nada, se eu estaria interessado em tentar fazer algo assim. Meu caro, agarrei a ideia imediatamente. Percebi que, se concordasse com um projeto assim, teria que terminar *À Espera de um Milagre*. De modo que, sentindo-me como um legionário romano pondo fogo na ponte sobre o Rubicão, telefonei para Ralph e pedi-lhe que fechasse o negócio. Assim ele fez, e o resto vocês sabem. John Coffey, Paul Edgecombe, Brutal Howell, Percy Wetmore, todos eles assumiram seus lugares e fizeram a história acontecer. Foi sem dúvida alguma um grande barato.

*À Espera de um Milagre* teve uma espécie de aceitação mágica que eu jamais esperara. Na realidade, pensei que ele podia muito bem ser um desastre do ponto de vista comercial. A reação dos leitores foi maravilhosa, e dessa vez, até mesmo a maioria dos críticos foi junto. Acho que devo uma boa parte da aceitação popular do livro às sugestões de grande percepção de minha mulher, bem como boa parte do êxito comercial ao intenso trabalho empreendido em favor do livro pelo pessoal da Dutton Signet.

Contudo, a experiência em si foi só minha. Escrevi como um alucinado, tentando cumprir o cronograma maluco de impressão e, ao mesmo tempo, tentando criar um livro de tal maneira que cada parte tivesse seu próprio miniclímax, esperando que tudo se encaixasse e sabendo que seria enforcado se assim não acontecesse. Em uma ou duas vezes, me perguntei se Charles Dickens se sentira da mesma forma, como que esperando que as questões levantadas na trama se resolvessem sozinhas, e acho que sim. Felizmente para o velho Charles, Deus lhe proporcionou um pouco mais no que se refere a talento.

Lembro-me de ter pensado um par de vezes que devia estar deixando atrás de mim uma esteira dos mais incríveis anacronismos, mas acabou havendo uma quantidade extraordinariamente pequena deles. Até mesmo a revistinha de quadrinhos "quentes" de Popeye e Olívia Palito acabou acertando na mosca: logo depois da publicação da Parte 6, alguém me mandou uma cópia de uma revista em quadrinhos assim, publicada por volta de 1927. Num quadro memorável, Dudu está mandando brasa na Olívia e comendo um hambúrguer ao mesmo tempo. Puxa, não há nada como a imaginação humana, não é mesmo?

Depois da publicação bem-sucedida de *À Espera de um Milagre*, debateu-se muito sobre como, ou se, ele deveria ser lançado sob a forma de um romance completo. A publicação em série foi para mim, bem como para alguns leitores, uma coisa desagradável, porque o preço era muito alto para um livrinho: cerca de 48 reais pelas seis partes (mas bem menos se compradas em lojas de descontos). Por essa razão, um conjunto numa caixa nunca parecera a melhor solução. Este formato, uma edição comum, a um preço mais acessível, pareceu ser a solução ideal. De modo que aqui está ele, quase todo tal como foi publicado antes (na realidade, mudei o instante em que Percy Wetmore, amarrado numa camisa de força, levanta uma das mãos para enxugar o suor do rosto).

Em algum momento gostaria de fazer uma revisão completa, transformá-lo num romance que não pôde sair direito neste formato, e lançá-lo novamente. Até que chegue esse momento, vamos ter que aceitar isto aqui. Estou contente por tantos leitores terem gostado dele. Aliás, sabem, no final das contas, acabou sendo uma história muito boa para a hora de dormir.

— *Stephen King*
Bangor, Maine
6 de fevereiro de 1997

# Prefácio

## Uma Carta

27 de outubro de 1995

Querido Leitor Fiel,

A vida é um negócio instável. A história que começa neste pequeno livro existe neste formato devido a um comentário feito por acaso por um corretor imobiliário que não conheço. Isso aconteceu há um ano, em Long Island. Ralph Vicinanza é um velho amigo meu e também parceiro de negócios (o que ele faz é vender os direitos de publicação de livros e contos no exterior). Ele tinha acabado de alugar uma casa por lá. O corretor comentou que a casa "parecia algo saído de um conto de Charles Dickens".

Ralph ainda estava com esse comentário na cabeça quando recebeu seu primeiro hóspede, o editor britânico Malcolm Edwards. Repetiu o que ouvira para Edwards, e começaram a conversar sobre Dickens. Edwards mencionou o fato de que Dickens tinha publicado muitos de seus romances em capítulos, tanto dobrados dentro de revistas como soltos, sob a forma de folheto (não sei exatamente a origem desta palavra, usada no sentido de livro pequeno, mas sempre adorei seu jeito de intimidade e simpatia). Edwards acrescentou que alguns dos romances foram, na realidade, escritos e revistos na iminência da publicação. Aparentemente, Charles Dickens era um romancista que não temia prazos.

Os romances seriados de Dickens tiveram enorme popularidade. Na verdade, foram tão populares que um deles precipitou uma tragédia em Baltimore. Um grupo grande de fãs de Dickens se amontoou num cais, na expectativa da chegada de um navio inglês que trazia exemplares do último capítulo de *Loja de Antiguidades*. Vários dos leitores foram empurrados, caíram n'água e se afogaram.

Não creio que nem Malcolm nem Ralph desejasse que alguém se afogasse, mas ficaram curiosos sobre o que aconteceria caso se experimentasse hoje em dia fazer uma publicação como um seriado. Nenhum dos dois tinha conhecimento de que isso já foi feito em pelo menos duas ocasiões (realmente, não há nada de novo sob o sol). Tom Wolfe publicou a primeira versão de seu romance *A Fogueira das Vaidades* como seriado na revista *Rolling Stone*, e Michael McDowell (*The Amulet, Gilded Needles, The Elementals* e a peça de teatro *Beetlejuice*) publicou uma obra chamada *Blackwater* sob a forma de capítulos, em brochuras. Essa obra, uma história de terror sobre uma família do Sul dos Estados Unidos, cujos membros tinham a desagradável característica familiar de se transformarem em crocodilos, não foi a melhor de McDowell, mas, mesmo assim, proporcionou bom êxito para a Avon Books.

Os dois homens especularam ainda sobre o que poderia acontecer se um autor de ficção popular fosse tentar atualmente publicar um romance no formato de pequenos livros, ou seja, pequenas brochuras que poderiam ser vendidas por uma ou duas libras na Grã-Bretanha, ou talvez três dólares nos Estados Unidos (onde a maioria dos livros de bolso custa de 6,99 a 7,99 dólares). Malcolm disse que alguém como Stephen King poderia fazer uma tentativa interessante com algo assim, e daí a conversa passou para outros tópicos.

Ralph como que se esqueceu da ideia, mas ela lhe voltou no outono de 1995, logo após seu regresso da Feira do Livro de Frankfurt, uma espécie de espetáculo internacional do ramo, no qual cada dia representa um desenlace para agentes estrangeiros como Ralph. Ele expôs a ideia de seriado/livreto, junto com diversos outros assuntos, a maioria dos quais mereceu recusas automáticas.

Entretanto, a ideia do livreto não teve uma recusa automática. Ao contrário da entrevista para a *Playboy* japonesa ou da excursão às Repúblicas Bálticas com todas as despesas pagas, ela fez surgir uma centelha luminosa na minha imaginação. Não me considero uma versão moderna de Dickens (se uma pessoa assim existe, provavelmente é John Irving ou Salman Rushdie) mas sempre adorei histórias narradas em episódios.

É um formato com que primeiro me deparei no *The Saturday Evening Post*, e gostei dele porque o final de cada episódio fazia do leitor um participante quase em pé de igualdade com o escritor: dispunha-se de uma semana inteira para tentar deduzir como seria a próxima contorção da cobra. Além disso, parece-me que essas histórias são lidas e vivenciadas com maior *intensidade*, porque vêm em porções. Você não as poderia engolir de uma só vez, mesmo que quisesse (e se a história fosse boa, você teria vontade de devorá-la toda de uma vez).

Porém, o melhor de tudo é que, na minha casa, frequentemente líamos histórias assim em voz alta: meu irmão David numa noite, eu mesmo na seguinte, depois vinha a vez da minha mãe na terceira, e depois de volta para meu irmão. Era uma oportunidade incomum de desfrutar de um trabalho escrito da mesma maneira como gostávamos de ir ao cinema ou assistir a programas de TV (*Rawhide*, *Bonanza*, *Rota 66*) juntos: eram atividades de família. Só muitos anos depois é que vim a descobrir que as famílias daquela época tinham desfrutado dos romances de Dickens de maneira muito semelhante, com a única diferença de que os momentos de ansiedade, junto da lareira, sobre o destino de Pip, Oliver e David Copperfield se estendiam ao longo de *anos*, em vez de por um par de meses (até os seriados mais longos do *Post* raramente se estendiam por mais de oito episódios).

Havia uma outra coisa de que eu gostava nessa ideia, uma atração que, desconfio, só pode ser sentida inteiramente por autores de contos de suspense e histórias de assombração: numa história que é publicada em capítulos, o autor ganha sobre o leitor uma ascendência que só assim pode atingir. Dito de forma simples, Leitor Fiel, você não pode saltar umas páginas para a frente e ver como as coisas vão acabar.

Ainda me lembro da vez em que entrei na sala, quando tinha uns 12 anos, e vi minha mãe, sentada na sua cadeira de balanço preferida, dando uma olhadela no fim de um livro de Agatha Christie enquanto com um dedo marcava o ponto em que de fato estava, lá pela página cinquenta. Fiquei estupefato e lhe disse isso (lembre-se de que eu tinha 12 anos, idade em que os meninos começam pela primeira vez a perceber que sabem tudo), insinuando que ler o fim de um livro de mistério antes de efetivamente chegar lá estava no mesmo pé que comer a substância branca do meio de biscoitos recheados e depois jogar fora os biscoitos propriamente ditos. Ela deu sua maravilhosa gargalhada descontraída e disse que talvez isso fosse verdade, mas às vezes ela simplesmente não conseguia resistir à tentação. Ceder à tentação era um conceito que eu podia compreender, pois isso acontecia muito comigo, mesmo aos 12 anos. Porém, aqui está, por fim, uma cura divertida para essa tentação. Até que o último episódio chegue às livrarias, ninguém vai saber como *À Espera de um Milagre* termina... E isso pode incluir a mim próprio.

Embora Ralph Vicinanza não tivesse a menor possibilidade de sabê-lo, mencionara a ideia de um livro em episódios no que foi, para mim, o momento psicológico perfeito. Eu andara cogitando uma ideia para uma história sobre um tema ao qual, sempre desconfiei, acabaria chegando mais cedo ou mais tarde: a cadeira elétrica. A "Velha Fagulha" me fascinou desde o meu primeiro filme de James Cagney, e os primeiros contos do Corredor da Morte que li (em um livro chamado *Twenty Thousand Years in Sing Sing*, escrito pelo guarda penitenciário Lewis E. Lawes) incendiaram o lado mais sombrio da minha imaginação. Como seria caminhar aqueles últimos 35 metros até a cadeira elétrica, sabendo que iria morrer ali? Como seria ser o homem que teria que afivelar o condenado na cadeira, ou ligar a chave de força? O que um trabalho como esse faria com alguém? Ou, mais horripilante ainda, o que poderia lhe acrescentar?

Tinha experimentado essas ideias básicas, sempre como uma tentativa, numa quantidade de estruturas diferentes nos últimos vinte ou trinta anos. Escrevi uma história bem-sucedida que se passava em uma prisão (*Rita Hayworth e a Redenção de Shawshank*), e meio que tinha chegado à conclusão de que provavelmente essa teria sido a última para mim, quando me veio essa ideia. Ela tinha uma porção de coisas de que eu gostava, mas acima de tudo o tom decente do narrador: discreto, honesto, talvez um pouco espantado, ele é a própria síntese de um narrador no estilo Stephen King, se é que isso existe. Então me pus a trabalhar, mas de um jeito hesitante, começando e parando o tempo todo. A maior parte do segundo capítulo foi escrita enquanto eu esperava o trem em Fenway Park, atrasado devido à chuva!

Quando Ralph telefonou, eu já tinha enchido um caderno com páginas manuscritas de *À Espera de um Milagre* e me dei conta de que estava construindo uma história quando devia estar empregando meu tempo em limpar minha escrivaninha para as revisões de um livro já escrito (*Desespe-*

*ro,* que você verá em breve, Leitor Fiel). Na altura a que havia chegado com *À Espera*, geralmente há apenas duas opções: pôr de lado (provavelmente para nunca mais pegar de novo) ou largar tudo o mais e mandar brasa.

Ralph sugeriu uma possível terceira opção, uma história que podia ser escrita do mesmo modo em que deveria ser lida: por episódios. E gostei também do risco: se eu falhasse ou não fosse até o fim, subitamente cerca de um milhão de leitores estariam bradando pelo meu sangue. Ninguém sabe disso melhor do que eu, afora minha secretária, Juliann Eugley. Nós recebemos dúzias de cartas toda semana, exigindo o próximo livro do ciclo da *Torre Negra* (tenham paciência, seguidores de Roland: em cerca de um ano sua espera chegará ao fim, eu prometo). Uma delas continha um retrato Polaroid de um ursinho de pelúcia amarrado com correntes, com um bilhete feito de letras recortadas de manchetes de jornal e capas de revista que dizia: PUBLIQUE O PRÓXIMO LIVRO DA *TORRE NEGRA* IMEDIATAMENTE OU O URSO MORRE. Afixei-o no meu escritório, tanto para me recordar da minha responsabilidade quanto de como é maravilhoso ter pessoas que de fato se importam, ao menos um pouco, com as criaturas de nossa própria imaginação.

De qualquer modo, resolvi publicar *À Espera de um Milagre* num seriado de pequenos livretos, à maneira do século XIX, e espero que vocês me escrevam para dizer (a) se gostaram da história e (b) se gostaram da forma raramente usada, mas bastante divertida do sistema de entrega. Ela indubitavelmente emprestou uma energia especial à redação da história, embora neste momento (uma noite chuvosa de outubro de 1995) ainda esteja longe do término, mesmo numa primeira versão bruta, e o desfecho continue incerto. Mas isso é parte da excitação da coisa toda. A esta altura estou dirigindo no meio de um nevoeiro espesso, com o acelerador apertado até o fundo.

Mais do que tudo quero dizer que, se você quando estiver lendo a história tiver ao menos a metade do prazer que eu tive quando a escrevi, ambos estaremos ganhando. Divirta-se. E por que você não a lê em voz alta com uma pessoa amiga? No mínimo, isso reduzirá o tempo que falta até que o próximo episódio esteja nas bancas e livrarias.

Nesse meio-tempo, cuidem-se e façam o bem uns aos outros.

***Stephen King***

PARTE UM

---

# AS DUAS MENINAS MORTAS

# 1

Aconteceu em 1932, quando a penitenciária estadual ainda ficava em Cold Mountain. E, é claro, a cadeira elétrica também estava lá.

Os detentos faziam piadas sobre a cadeira do mesmo modo que as pessoas fazem piadas sobre coisas que lhes dão medo, mas que não podem ser evitadas. Chamavam-na de "Velha Fagulha" ou "Carga Pesada". Faziam piadas a respeito da conta de eletricidade e de como o diretor Moores iria cozinhar a sua ceia do Dia de Ação de Graças naquele outono, já que sua mulher, Melinda, estava doente demais para cozinhar.

Mas, para os que efetivamente teriam que se sentar naquela cadeira, logo a situação perdia a graça. Presidi as 78 execuções durante o tempo que passei em Cold Mountain (esse é um número sobre o qual nunca me confundi, e me lembrarei dele no meu leito de morte) e acho que a maioria daqueles homens finalmente se apercebia por completo do que lhes estava acontecendo quando seus tornozelos estavam sendo afivelados ao carvalho sólido das pernas da Velha Fagulha. Vinha-lhes então a percepção (podia-se vê-la enchendo seus olhos, uma espécie de pavor frio) de que suas pernas tinham encerrado suas carreiras. O sangue ainda fluía nelas, os músculos ainda estavam fortes, mas mesmo assim elas estavam liquidadas: nunca mais iriam caminhar um quilômetro sequer nem dançar com uma moça em uma festa. Os clientes da

Velha Fagulha percebiam sua morte a partir dos tornozelos. Havia um saco de seda negra que era colocado nas suas cabeças depois de balbuciarem suas últimas palavras incoerentes. O saco supostamente era para o bem deles, porém eu sempre achei que, na verdade, era para o nosso bem, para impedir-nos de ver a horrível onda de horror nos olhos deles quando se davam conta de que iam morrer com humilhação.

Em Cold Mountain não havia um corredor da morte, apenas o Bloco E, isolado dos outros quatro e com aproximadamente um quarto das dimensões deles, de tijolos em vez de madeira, com um telhado horroroso de metal que no verão resplandecia como um olho em delírio. Havia seis celas lá dentro, três de cada lado de um largo corredor central, cada uma quase o dobro das celas dos outros quatro blocos. Cada uma abrigava apenas um ocupante. Ótimas acomodações para uma prisão (principalmente nos anos 1930), mas os detentos as trocariam por celas em quaisquer dos outros quatro blocos. Pode acreditar, eles teriam trocado.

Durante os meus anos como superintendente de bloco, nunca todas as seis celas ficaram ocupadas ao mesmo tempo — é preciso agradecer a Deus pelas pequenas bençãos. O máximo foram quatro, brancos e negros misturados (em Cold Mountain não havia segregação alguma entre os mortos-vivos) e isso era uma pequena amostra do inferno. Um deles era uma mulher, Beverly McCall. Era negra como um ás de espadas e linda como o pecado que nunca tivemos coragem de cometer. Tinha seu marido a espancado por seis anos, mas não aturaria um único dia de traição. Na noite em que descobriu que ele a estava traindo, ficou esperando, no topo da escada que conduzia ao apartamento em cima da barbearia, pelo infeliz do Lester McCall, conhecido por seus amigos (e, presumivelmente, pela amante de curtíssima duração) como Cortador. Esperou até que ele estivesse a meio caminho de tirar o sobretudo e então despejou-lhe as entranhas traidoras por cima dos sapatos bicolores. Usou uma das navalhas do próprio Cortador. Duas noites antes da data em que devia se sentar na Velha Fagulha, chamou-me à sua cela e disse que tinha recebido num sonho a visita do seu pai de santo. Ele lhe tinha dito que devia abandonar seu nome de escrava e morrer com seu nome de pessoa livre, Matuomi. Esse era o seu pedido, que sua ordem de execução fosse lida com o nome de Beverly Matuomi. Imagino que seu pai de santo não lhe havia dado nenhum prenome ou, ao menos um que ela pudesse entender. Eu disse que estava bem, certo, sem problema. Aqueles anos como chefe dos guardas me tinham ensinado a nunca recusar nada a um condenado a menos que não tivesse outro jeito. No caso de Beverly Matuomi, não fazia a menor diferença. O governador telefonou no dia seguinte, por volta das três da tarde, mudando a sentença dela para prisão perpétua na Colônia Penal para Mulheres de Grassy Valley — só penal e nada de pênis, costumávamos dizer naquela época. Confesso que fiquei contente ao ver a bunda redonda de Bev indo para a esquerda ao invés de para a direita quando ela chegou diante da mesa da guarda.

Uns 35 anos depois — tinha que ser pelo menos 35 — vi aquele nome na página de avisos fúnebres do jornal, abaixo do retrato de uma senhora negra de rosto magro, com uma nuvem de cabelos brancos e óculos com cristais na armação. Era Beverly. Passara os últimos dez anos de sua vida como uma mulher livre, dizia o obituário, e tinha salvado a biblioteca da cidadezinha de Raines Falls praticamente sozinha. Também lecionara na escola dominical e tinha sido muito querida naquele pequeno fim de mundo. A manchete dizia BIBLIOTECÁRIA MORRE DE ATAQUE CARDÍACO, e abaixo, em tipo menor, quase como uma lembrança tardia: *Passou Mais de Duas Décadas na Prisão por Homicídio*. Somente os olhos, grandes e radiantes por trás dos óculos com cristais na armação, eram iguais. Eram os olhos de uma mulher que, mesmo com setenta e tantos anos, não hesitaria em sacar uma navalha caso o impulso parecesse premente. Sabe como são os assassinos, mesmo que acabem como velhas bibliotecárias em cidadezinhas sonolentas. Pelo menos saberia se tivesse passado tanto tempo como eu tomando conta de assassinos. Só houve uma ocasião em que tive dúvida. É por isso, acho eu, que decidi escrever.

O corredor largo no centro do Bloco E tinha o piso coberto com linóleo da cor de limões velhos, de modo que o que nas outras prisões era chamado de Último Quilômetro, em Cold Mountain era às vezes chamado de Corredor Verde. Calculo que media umas sessenta passadas grandes de sul a norte, do começo ao fim. No fim ficava a solitária. No começo havia uma bifurcação. Virar para a esquerda significava a vida, se você chamasse de vida o que transcorria no pátio de exercícios escaldante. E muitos assim chamavam. Muitos levavam essa vida durante anos, sem quaisquer efeitos adversos aparentes. Ladrões, piromaníacos e criminosos sexuais, todos batendo papo, fazendo caminhadas e negociando.

Entretanto, era só virar para a direita e as coisas ficavam diferentes. Primeiro você entrava na minha sala (onde o carpete também era verde, algo que eu estava sempre querendo trocar, mas nunca chegava a fazer) e passava em frente à minha mesa, que era ladeada à esquerda pela bandeira dos Estados Unidos e à direita pela bandeira estadual. No lado oposto havia duas portas. Uma dava para um pequeno banheiro usado por mim e pelos guardas do Bloco E (e às vezes até pelo diretor Moores). A outra se abria para uma espécie de depósito. Aquele era o fim para quem percorria o Corredor Verde.

Era uma porta pequena. Quando eu passava por ela, tinha de abaixar a cabeça, e John Coffey teve de se sentar e se arrastar. Logo adiante havia um patamar pequeno, e depois três degraus de cimento até uma salinha com piso de madeira. Era uma sala deprimente, sem aquecimento e com um teto de metal, igual ao do bloco ao qual estava anexado. Durante o inverno, o frio ali era tão intenso que víamos o hálito das pessoas, e no verão, o calor era sufocante. Na execução de Elmer Manfred, acho que foi em julho ou agosto de 1930, nove testemunhas desmaiaram.

Do lado esquerdo do depósito havia vida. Ferramentas (dentro de armários trancados com correntes, como se fossem carabinas em vez de pás e picaretas), pedaços de tecido, sacas de sementes para o plantio de primavera nas hortas da prisão, caixas de papel higiênico, engradados com chapas lisas para a fábrica de placas de automóvel da prisão... Até mesmo sacos de cal para a marcação do losango de beisebol e do campo de futebol americano (os presos jogavam no que era conhecido como o Pasto, e as tardes de outono eram aguardadas com ansiedade em Cold Mountain).

Do lado direito havia morte: a própria Velha Fagulha, assentada numa plataforma de madeira no canto sudeste do depósito, com sólidas pernas de carvalho, braços largos que tinham absorvido o suor aterrorizado de homens nos minutos derradeiros de suas vidas e o capacete de metal, geralmente pendurado no espaldar da cadeira, como um gorro de um menino-robô numa história em quadrinhos de Buck Rogers. Um fio saía dele e entrava por um orifício vedado na parede de concreto por trás da cadeira. De um lado havia um balde de latão. Quem olhasse dentro dele veria uma rodela de esponja, cortada no tamanho exato para se ajustar ao capacete metálico. Antes das execuções, ela era empapada de água salobra para proporcionar melhor condutividade à descarga de eletricidade de corrente contínua que passava pelo fio, seguia através da esponja e penetrava no cérebro do condenado.

## 2

1932 foi o ano de John Coffey. Os detalhes estão nos jornais caso alguém tenha interesse em procurá-los — alguém com mais energia do que um velho definhando no final da vida em um lar para idosos na Geórgia. Lembro-me de que foi um outono quente, muito quente mesmo. Um outubro que foi quase como agosto, e a mulher do diretor, Melinda, estava no hospital em Indianola. Foi quando tive a pior infecção urinária da minha vida, não o bastante para que eu fosse internado, mas para me fazer desejar estar morto cada vez que tinha que mijar. Foi o outono de Delacroix, o francesinho meio careca com o camundongo, aquele que apareceu no verão e que fazia aquele número engraçadinho com o carretel. Porém, o mais importante é que foi o outono em que John Coffey veio para o Bloco E, condenado à morte pelo estupro e assassinato das gêmeas Detterick.

Havia quatro ou cinco guardas no bloco em cada turno, mas muitos deles eram temporários. Dean Stanton, Harry Terwilliger e Brutus Howell (a quem os homens chamavam de Brutal, mas era de brincadeira, pois ele não faria mal a uma mosca, a menos que fosse preciso, apesar do seu tamanho) estão todos mortos agora, bem como Percy Wetmore, que *era* brutal de verdade... Além de ser burro. Percy não tinha que estar no Bloco E, onde um temperamento violento era inútil e às vezes perigoso, mas ele era parente da mulher do governador e por isso ficava ali.

Foi Percy Wetmore quem conduziu John Coffey ao bloco, com o berro supostamente tradicional de "Homem morto caminhando! Homem morto caminhando por aqui!".

Mesmo já sendo outubro, ainda estava tão quente quanto às dobradiças do inferno. A porta do pátio de exercício se abriu, deixando entrar uma inundação de luz intensa e o maior homem que vi na minha vida, salvo alguns dos sujeitos do basquete que aparecem na TV da sala de recreação desse lar para babões rabugentos em que vim parar. Ele tinha correntes nos braços e cruzando seu peito largo. Estava com grilhões de ferro nos tornozelos e arrastava uma corrente entre eles que fazia um barulho como uma cascata de moedas enquanto caminhava pelo corredor verde, entre as celas. Percy Wetmore estava de um lado dele, o pequeno Harry Terwilliger do outro, e os dois pareciam crianças andando ao lado de um urso capturado. Até Brutus Howell parecia um garoto ao lado de Coffey, e ele tinha mais de um metro e oitenta de altura, ombros largos, e havia jogado futebol americano na Universidade Estadual de Louisiana até ser reprovado e voltar para o interior.

John Coffey era negro, como a maioria dos homens que vinha passar uma temporada no Bloco E antes de morrer no colo da Velha Fagulha, e tinha dois metros e cinco de altura. Mas não era esguio como aqueles sujeitos do basquete na TV. Tinha os ombros largos e o peito forte, coberto de músculos por todo lado. Tinham posto nele uma roupa jeans do maior tamanho que encontraram no depósito, mas ainda assim as bainhas da calça ficavam no meio das batatas das pernas cheias de cicatrizes. A camisa estava aberta até abaixo do peito e as mangas iam até um ponto dos antebraços. Segurava o boné com a mão enorme, e era melhor assim. Sobre a careca reluzente, pareceria o tipo de boné usado por um mico de realejo, só que azul em vez de vermelho. Dava a impressão de que poderia romper as correntes que o prendiam com a mesma facilidade com que se rompem as fitas de presentes de Natal, mas quando se olhava nos olhos dele, via-se que ele não faria nada disso. Não que parecessem imbecilizados, embora Percy pensasse isso e logo começasse a chamá-lo de idiota. Pareciam *perdidos*. Ele não parava de olhar ao redor, como se tentasse entender onde estava. Talvez até *quem* ele era. Meu primeiro pensamento foi de que ele parecia um Sansão negro, mas depois de Dalila ter-lhe raspado a cabeça com sua mão desleal e retirado dele toda a alegria.

— Homem morto caminhando! — trombeteava Percy, puxando pela manga aquele homem do tamanho de um urso, como se realmente achasse que era capaz de movê-lo mesmo que Coffey resolvesse que não queria mais andar. Harry não disse nada, mas estava com uma expressão encabulada. — Homem morto...

— Chega disso — falei. Estava dentro da cela que seria de Coffey, sentado no catre. É claro que eu sabia que ele estava a caminho e fora dar-lhe as boas-vindas, mas não tinha a menor ideia do verdadeiro tamanho do homem até vê-lo. Percy me lançou um olhar que dizia que todos sabiam que eu era um imbecil (com exceção do bobo grandalhão, é claro, que só sabia como estuprar e assassinar menininhas), mas não falou nada.

Os três pararam do lado de fora da cela, que estava toda aberta. Fiz um aceno de cabeça para Harry, que perguntou:

— Tem certeza de que quer ficar aí dentro com ele, chefe? — Não era comum ouvir Harry Terwilliger parecer nervoso daquele jeito. Ele estivera lá ao meu lado durante as rebeliões de seis ou sete anos antes e nunca titubeara, nem mesmo quando começaram a circular boatos de que alguns tinham armas de fogo. Agora, porém, ele parecia nervoso.

— Você vai me dar trabalho, garotão? — perguntei, sentado no catre e tentando não demonstrar como me sentia infeliz. Aquela infecção urinária que mencionei não estava ainda tão ruim como ficou depois, mas não era nenhuma brincadeira, posso garantir.

Coffey abanou a cabeça lentamente: uma vez para a esquerda, uma vez para a direita e depois parou de volta no centro. Depois que os olhos dele me encontraram, nunca mais me largaram.

Harry estava com os formulários de Coffey em uma prancheta.

— Entregue a ele — eu disse para Harry. — Ponha na mão dele.

Harry assim fez. O abobalhado pegou-a como se fosse um sonâmbulo.

— Agora, traga para mim, garotão — disse eu. Coffey assim fez, as correntes tilintando e chacoalhando. Teve que abaixar a cabeça para entrar na cela.

Olhei-o de alto a baixo, mais para registrar sua altura como um fato e não como uma ilusão de ótica. Era real: dois metros e cinco. Seu peso constava como 130kg, mas acho que era apenas uma estimativa. Ele devia pesar uns 145kg, talvez até 160kg. No espaço destinado a cicatrizes e sinais particulares, havia uma palavra escrita em letra de imprensa, na caligrafia trabalhosa de Magnusson, o velho preso com privilégios especiais que cuidava dos Registros: *Numerosos*.

Ergui os olhos. Coffey tinha se mexido um pouco para o lado, e eu podia ver Harry de pé, do outro lado do corredor, em frente à cela de Delacroix. Ele era nosso único outro prisioneiro no Bloco E quando Coffey chegou. Del era um homem franzino, calvo, com a expressão preocupada de um contador que sabe que logo vão descobrir que desviou dinheiro. Estava com o camundongo amestrado no ombro.

Percy Wetmore estava encostado no portal da cela que acabara de se tornar a cela de John Coffey. Tirara seu cassetete de peroba da capa de couro feita sob medida na qual o carregava e estava batendo com ele na palma da mão do jeito que faz um homem quando tem um brinquedo que quer usar. De repente, não suportei vê-lo ali. Talvez fosse o calor fora de época, talvez fosse a infecção urinária me esquentando a virilha e tornando quase insuportável a coceira dentro da minha cueca de flanela, talvez fosse saber que o estado me mandara um negro que era quase um idiota para ser executado, e estava claro que Percy queria antes trabalhar um pouco em cima dele. Provavelmente eram todas essas coisas. O que quer que fosse, por uns instantes parei de me preocupar com as ligações políticas de Percy.

— Percy — disse eu. — Estão fazendo a mudança lá na enfermaria.

— Bill Dodge está encarregado desse grupo...

— Sei que está — falei. — Vá ajudá-lo.

— Isso não é trabalho meu — retrucou Percy. — Esse granfeitor é trabalho meu. — *Granfeitor* era o nome de gozação que Percy dava aos grandalhões: uma combinação de *grande* e *malfeitor*. Ele não gostava dos grandalhões. Ele não era magricela como Harry Terwilliger, mas era baixo. Uma espécie de galinho-de-briga, do tipo que gosta de implicar, principalmente quando está em posição de vantagen. E era vaidoso com o cabelo. Não conseguia parar de mexer nele.

— Então seu trabalho terminou — falei. — Vá lá para a enfermaria.

Ele fez uma careta. Bill Dodge e seus homens estavam carregando caixas e pilhas de lençóis, e até mesmo camas. A enfermaria toda estava indo para um novo edifício pré-fabricado no lado oeste da prisão. Trabalho cansativo e pesado. Percy Wetmore não queria nada disso.

— Eles têm todos os homens de que precisam — disse ele.

— Então vá até lá e dê uma de assistente do chefe — redargui, elevando a voz. Vi Harry fazer uma careta e não lhe dei atenção. Se o governador mandasse o diretor me despedir por me meter com a pessoa errada, quem é que Hal Moores ia botar no meu lugar? Percy? Parecia piada. — Na verdade, não me interessa o que você vai fazer, Percy, basta que você fique fora daqui por algum tempo.

Por um momento achei que ele não ia ceder e aí haveria um problema sério. Coffey continuou de pé ali esse tempo todo, como o maior relógio parado do mundo. Depois Percy enfiou seu cassetete de volta na capa (coisa da mais tola vaidade) e foi andando com arrogância pelo corredor. Não me lembro de quem estava sentado na mesa da guarda naquele dia, talvez um dos temporários, mas Percy não deve ter gostado do jeito dele, pois rosnou enquanto passava:

— Tire esse sorrisinho da sua cara de merda ou eu mesmo tiro para você.

Houve um chacoalhar de chaves, uma explosão súbita de luz do sol vinda do pátio e então Percy Wetmore sumiu, pelo menos por um tempo. O camundongo de Delacroix corria sem parar de um ombro para o outro do francesinho, mexendo seus bigodes finíssimos.

— Fique quieto, sr. Guizos — disse, e o camundongo se deteve no ombro esquerdo como se entendesse. — Fique muito parado e muito quieto. — No sotaque cantado de cajun* de Delacroix, a palavra *quieto* tinha um som exótico e estrangeiro — *qui-iet'*.

— Vá se deitar, Del — disse eu com rispidez. — Vá descansar. Você também não tem nada com isso.

Ele fez como mandei. Delacroix estuprou uma menina, matou-a e jogou o corpo atrás do edifício onde ela morava, embebeu-o em óleo combustível e ateou-lhe fogo, numa tentativa atrapalhada de destruir a prova do crime que cometera. O fogo se alastrou para o edifício e mais seis pessoas morreram, dentre elas, duas crianças. Era o único ato criminoso que tinha dentro de si, e agora era apenas um homem de modos suaves, com uma expressão preocupada, calvo e com cabelos compridos e desgrenhados sobre a nuca. Logo, logo, iria se sentar na Velha Fagulha

* Descendência de imigrantes franceses do Estado de Louisiana. (N. do T.)

e ela lhe daria fim... Mas o impulso que fizera com que ele cometesse aquela coisa horrível já tinha sumido, e agora ele ficava deitado no catre, deixando seu pequeno companheiro correr guinchando pelas mãos. De um certo modo, isso era o pior: a Velha Fagulha nunca fritava o que havia dentro deles, e as drogas que atualmente são injetadas não fazem isso adormecer. Isso sai, salta para dentro de alguma outra pessoa e nos deixa para matar as carcaças que, de qualquer jeito, não estão mais vivas.

Voltei minha atenção para o gigante.

— Se eu deixar o Harry tirar essas correntes, você vai ficar bonzinho?

Ele confirmou com a cabeça. Foi como quando tinha abanado a cabeça: para baixo, para cima, de volta para o centro. Seus olhos estranhos pararam em mim. Havia neles uma espécie de paz, mas não do tipo em que eu sabia poder confiar. Chamei Harry com o dedo, ele entrou e soltou as correntes. Ele não demonstrou medo algum, nem mesmo quando se ajoelhou entre as grossas pernas de Coffey para soltar os grilhões dos tornozelos, e isso me tranquilizou um pouco. Fora Percy que deixara Harry nervoso, e eu confiava nos instintos dele. Confiava nos instintos de todos os homens do meu dia a dia no Bloco E, com exceção de Percy.

Tenho um discursinho padrão que faço para os homens recém-chegados ao bloco, mas hesitei no caso de Coffey, porque ele não parecia normal, e não só pelo tamanho.

Quando Harry se afastou (Coffey tinha permanecido imóvel durante toda a cerimônia da retirada dos ferros, plácido como um cavalo Percheron), olhei para minha nova responsabilidade batendo na prancheta com o polegar e disse:

— Você fala, garotão?

— Sim senhor, patrão, falo — respondeu. A voz dele era retumbante, grave e tranquila. Fez-me pensar num motor de trator recém-regulado. Ele não tinha o sotaque arrastado do sul, mas havia uma espécie de construção sulista no seu modo de falar que observei depois. Era como se ele *viesse* do sul, mas não *fosse* do sul. Não parecia analfabeto, mas tampouco parecia ter instrução. Na sua maneira de falar, como em tantas outras coisas, ele era um mistério. Eram sobretudo os olhos dele que me perturbavam. Eles pareciam pacificamente vazios, como se ele estivesse flutuando longe, muito longe.

— Seu nome é John Coffey.

— Sim, senhor, patrão, como o que se toma com leite, só que não se escreve do mesmo jeito.

— Então você sabe soletrar, é? Ler e escrever?

— Só meu nome, patrão — disse ele com serenidade.

Dei um suspiro, depois fiz para ele uma versão curta do meu discurso padrão. Já tinha chegado à conclusão de que ele não ia causar nenhum problema. Eu estava tanto certo como errado.

— Meu nome é Paul Edgecombe — falei. — Sou o superintendente do Bloco E, o chefe dos guardas. Se quiser alguma coisa de mim, peça para me chamarem usando meu nome. Se eu não estiver aqui, chame esse outro homem. O nome dele é Harry Terwilliger. Ou chame o sr. Stanton ou o sr. Howell. Entendeu?

Coffey fez que sim com a cabeça.

— Só não espere ter o que quiser a menos que nós achemos que é o que você precisa. Isso aqui não é hotel. Continua me acompanhando?

Ele tornou a confirmar com a cabeça.

— Aqui é um lugar sossegado, garotão. Não é como o resto da prisão. São só você e o Delacroix aqui. Você não vai trabalhar. Na maior parte do tempo, você vai só ficar sentado. Vai ter a oportunidade de refletir sobre as coisas. — Era tempo demais para a maioria deles, mas isso eu não disse. — Às vezes ligamos o rádio, se tudo estiver em ordem. Você gosta de rádio?

Assentiu com a cabeça, mas de forma dúbia, como se não tivesse certeza do que era um rádio. Mais tarde descobri que isso era verdade, de certo modo: Coffey sabia o que eram as coisas quando as via de novo, mas nesse meio-tempo ele se esquecia delas. Conhecia os personagens de *Our Gal Sunday*, mas tinha apenas uma vaga lembrança do que estavam fazendo no último episódio.

— Se você se comportar, vai comer na hora certa, nunca verá a solitária no final do corredor nem terá que usar um daqueles paletós de lona que são abotoados nas costas. Vai ter duas horas no pátio todas as tardes, de quatro às seis, exceto nos sábados, quando o resto da população da prisão joga futebol americano. Receberá suas visitas nos domingos de tarde, se tiver alguém que queira visitá-lo. Tem, Coffey?

Ele abanou a cabeça.

— Não tenho ninguém, patrão — respondeu.

— Bem, seu advogado, então.

— Acho que vi as costas dele pela última vez — falou. — Ele foi emprestado para mim. Acho que ele não vai conseguir achar o caminho até aqui, nas montanhas.

Olhei bem para ele para ver se estava tentando ser engraçadinho, mas pareceu que não. E eu nem esperava outra coisa. Os recursos de apelação não existiam para gente como John Coffey, não naquela época. Tinham o seu dia de julgamento e depois o mundo se esquecia deles até ver uma notinha no jornal dizendo que um certo sujeito tinha sido eletrocutado por volta da meia-noite. Mas um homem com mulher, filhos ou amigos por quem esperar nas tardes de domingo era mais fácil de controlar, se parecesse que controle ia ser um problema. Mas ali isso não parecia um problema, o que era bom. Porque ele era grande demais.

Remexi-me um pouco no catre, depois resolvi que talvez me sentisse um pouco mais confortável nas partes inferiores se ficasse de pé. Ele se afastou de mim respeitosamente e juntou as mãos na frente do corpo.

— O seu tempo aqui pode ser fácil ou difícil, garotão, só depende de você. Estou aqui para lhe dizer que será melhor se você facilitar as coisas para todos nós, porque dá tudo no mesmo no final. Nós o trataremos tão bem quanto você merecer. Você tem alguma pergunta?

— Vocês deixam uma luz acesa depois da hora de dormir? — perguntou imediatamente, como se só estivesse esperando por uma oportunidade.

Pisquei ao ouvir isso. Os recém-chegados ao Bloco E me tinham feito um bocado de perguntas esquisitas, uma vez até sobre o tamanho dos peitos da minha mulher, mas essa nunca.

Coffey estava sorrindo um pouco sem jeito, como se soubesse que nós o acharíamos bobo, mas não tinha como evitar.

— Porque às vezes eu fico com um pouco de medo no escuro — disse ele. — Se é um lugar que não conheço.

Olhei para ele, para o tamanhão dele, e me senti estranhamente comovido. Eles nos comoviam, sabe. Nós não os víamos nos piores momentos, executando seus horrores como demônios numa forja.

— Fica bastante claro aqui a noite inteira — falei. — Metade das luzes ao longo do Corredor Verde fica acesa das nove até as cinco da manhã. — Então me dei conta de que ele não teria a menor ideia do que eu estava dizendo, pois não distinguia o Corredor Verde da margem do Mississippi, de modo que apontei: — No corredor.

Ele assentiu, aliviado. Eu também não tinha certeza se ele sabia o que era um corredor, mas ele podia ver as lâmpadas de 200 watts nas suas gaiolas de arame.

Então fiz algo que nunca fizera antes com um preso: estendi-lhe a mão. Até hoje não sei por quê. Talvez tenha sido por ele perguntar sobre as luzes. Isso fez Harry Terwilliger piscar. Coffey apertou minha mão com uma delicadeza surpreendente. Minha mão quase desapareceu na dele, e foi só isso. Havia mais um rato na minha ratoeira. Terminamos. Saí da cela. Harry fechou a porta e passou os dois ferrolhos. Coffey ficou onde estava por mais um ou dois minutos, como se não soubesse o que fazer a seguir, e então sentou-se no catre, juntou suas mãos de gigante entre os joelhos e baixou a cabeça como um homem que está se lamentando ou rezando. Então ele disse uma coisa, naquela voz estranha, quase sulista. Ouvi com absoluta clareza e, embora até então não soubesse muito sobre o que ele tinha feito (não é preciso saber o que um homem fez para alimentá-lo e cuidar dele até que chegue a hora de pagar pelo que deve), ainda assim senti um calafrio.

— Não pude evitar, patrão — disse ele. — Tentei retirar, mas já era tarde demais.

## 3

— Você vai ter uns probleminhas com Percy — disse Harry enquanto íamos andando pelo corredor e entrávamos na minha sala. Dean Stanton, uma espécie de terceiro na escala de comando (na verdade, não tínhamos nada disso, e Percy Wetmore faria questão de corrigir isso num segundo), estava sentado à minha escrivaninha atualizando os arquivos, tarefa que eu parecia nunca encontrar tempo para fazer. Ele mal ergueu os olhos quando entramos, apenas ajustou os óculos com o polegar e mergulhou de volta na papelada.

— Tenho tido problemas com esse caipira desde o dia em que ele chegou aqui — disse eu, puxando a calça para baixo e fazendo uma careta. — Ouviram o que ele estava berrando quando trouxe aquele grandalhão?

— Não podia deixar de ouvir — falou Harry. — Eu estava lá, lembra?

— Eu estava na privada e ouvi muito bem — disse Dean. Puxou uma folha de papel, levantou-a contra a luz para que eu pudesse ver que nela havia, além da escrita, uma marca de xícara de café, e depois jogou-a no lixo. — "Homem morto caminhando". Deve ter lido isso numa daquelas revistas de que gosta tanto.

E provavelmente tinha mesmo. Percy Wetmore era leitor assíduo de *Argosy*, *Stag* e *Men's Adventure*. Parecia que em cada edição havia uma história de prisão, e Percy as lia com avidez, como um homem fazendo uma pesquisa. Era como se estivesse tentando descobrir como agir e achava que encontraria essa informação naquelas revistas. Começara a trabalhar conosco logo depois que executamos Anthony Ray, o assassino da machadinha. Ele ainda não tinha participado de uma execução, apesar de já ter testemunhado uma da sala de controle.

— Ele tem contatos — disse Harry. — É bem relacionado. Você vai ter que responder por tê-lo mandado sair do bloco e vai ter que responder ainda mais por esperar que ele faça algum trabalho de verdade.

— Eu não espero isso — disse eu, e não esperava. Mas tinha esperanças. Bill Dodge não era do tipo que deixava um homem ficar parado olhando os outros. — Por enquanto, estou mais interessado no grandalhão. Ele vai nos criar problemas?

Harry abanou a cabeça com vigor.

— No tribunal do condado de Trapingus, ele ficou quieto como um cordeiro — disse Dean. Tirou os óculos sem aros e começou a limpá-los no colete. — É claro que tinham posto mais correntes nele do que as que Scrooge viu no fantasma de Marley,* mas ele podia ter armado o diabo se quisesse. Foi um trocadilho, filho.**

---

* Referência à conhecida obra de Dickens, "Um Conto de Natal". (N. do T.)

** Trata-se de trocadilho intraduzível entre Dickens, o autor, e *dickens*, pseudônimo para designar o diabo. (N. do T.)

— Eu sei — retruquei, embora não soubesse. Mas detesto deixar Dean Stanton levar vantagem sobre mim.

— Sujeito grande, não é? — falou Dean.

— É sim — concordei. — Monstruosamente grande.

— Provavelmente vamos ter que aumentar a força da Velha Fagulha para Cozimento Máximo para fritar-lhe o rabo.

— Não se preocupe com a Velha Fagulha — disse eu, distraído. — Ela transforma os grandes em pequenos.

Dean apertou as laterais do nariz, onde havia duas manchas vermelhas feitas pelos óculos, e assentiu.

— É mesmo. Há algo de verdade nisso.

Perguntei:

— Algum de vocês sabe de onde ele veio antes de aparecer em... Tefton? Foi em Tefton, não foi?

— Certo — disse Dean. — Tefton, no condado de Trapingus. Parece que ninguém sabe, antes de ele aparecer lá e fazer o que fez. Acho que ele apenas vagava por aí. Talvez você consiga descobrir um pouco mais nos jornais da biblioteca da prisão, se estiver mesmo interessado. Provavelmente não vão mexer nisso até a semana que vem. — Ele sorriu. — Mas você talvez tenha que ouvir seu amiguinho Percy xingando e gemendo no andar de cima.

— Talvez eu vá dar uma espiada — disse eu, e foi o que fiz naquela tarde.

A biblioteca da prisão ficava nos fundos do edifício que ia ser transformado na oficina da prisão. Pelo menos, esse era o plano. Eu achava que era mais uma atitude eleitoreira, mas estávamos na Depressão e guardei minhas opiniões para mim, do modo como devia ter ficado calado a respeito de Percy, mas às vezes um homem simplesmente não consegue manter o bico fechado. Na maioria das vezes, a boca de um homem lhe cria mais problemas do que seu pinto jamais poderia criar. A oficina de automóveis nunca foi montada. Na primavera seguinte, a prisão foi deslocada 100 quilômetros na estrada que ia para Brighton. Acho que foram mais negociatas. Mais atos eleitoreiros. Para mim não tinha importância.

A administração tinha passado para um edifício novo, no lado leste do pátio. A enfermaria estava sendo transferida (de quem tinha sido a brilhante ideia de colocar a enfermaria no segundo andar era apenas mais um dos mistérios da vida). A biblioteca estava parcialmente abastecida (não que jamais tivesse tido muita coisa) e estava vazia. O velho edifício era como um caixote quente, meio enfiado entre os Blocos A e B. Os banheiros dos dois ficavam encostados nele e o edifício inteiro estava sempre exalando aquele vago odor de mijo, o que provavelmente era a única boa razão para a mudança. A biblioteca tinha a forma de um L e não era muito maior do que o meu escritório. Procurei um ventilador, mas tinham levado todos. Devia estar fazendo uns 38ºC lá dentro, e pude sentir aquele latejar quente na virilha quando me sentei. Como um dente infeccionado. Sei que isso é absurdo, considerando-se a região de que estou falando, mas é a única coisa com que posso comparar. Ficava muito pior durante e logo depois de mijar, o que eu acabara de fazer antes de ir até ali.

No final das contas, havia um outro sujeito lá: um velho preso, de confiança, chamado Gibbons, cochilando no canto com um faroeste no colo e o chapéu puxado sobre os olhos. O calor não o estava incomodando, nem os grunhidos, baques e palavrões ocasionais vindos da enfermaria no andar de cima (onde deveria estar pelo menos uns seis graus mais quente, e eu esperava que Percy Wetmore estivesse gostando). Não incomodei o velho e fui para a perna curta do L, onde ficavam guardados os jornais. Pensei que podiam ter sido levados embora junto com os ventiladores, a despeito do que dissera Dean. Mas ainda estavam ali, e a história sobre as gêmeas Detterick foi bem fácil de encontrar: tinha sido notícia de primeira página desde quando o crime fora cometido, em junho, até o julgamento, no final de agosto e em setembro.

Logo me esqueci do calor, dos baques no andar de cima e do rouco assobio do velho Gibbons. A ideia daquelas menininhas de 9 anos, com cabeças e cabelos fofos louros e sorrisos encantadores como os das Gêmeas Bobbsey, em contraste com a escuridão volumosa de Coffey era desagradável, mas impossível de ser ignorada. Dado seu tamanho, era fácil imaginá-lo literalmente comendo-as, como um gigante num conto de fadas. O que ele *tinha* feito era ainda pior, e ele tivera sorte de não ter sido simplesmente linchado lá na margem do rio. Isso se considerarmos que ficar esperando para caminhar pelo Corredor Verde e se sentar no colo da Velha Fagulha seja ter sorte.

# 4

O rei algodão tinha sido deposto no Sul setenta anos antes de todas essas coisas acontecerem e nunca mais seria rei de novo, mas naqueles anos da década de 1930, teve um pequeno ressurgimento. Não havia mais as grandes plantações de algodão, porém havia quarenta ou cinquenta prósperas fazendas de algodão na parte sul do estado. Klaus Detterick era dono de uma delas. Pelos padrões dos anos 1950, ele seria considerado como estando um degrau acima da pobreza, mas pelos dos anos 1930 ele era considerado como estando bem de vida porque pagava sua conta na mercearia em dinheiro no final da maioria dos meses e era capaz de olhar o presidente do banco bem nos olhos caso se cruzassem na rua. A casa da fazenda era limpa e espaçosa. Além do algodão, havia dois outros bens: galinhas e algumas vacas. Ele e a mulher tinham três filhos: Howard, de uns 12 anos, e as gêmeas, Cora e Kathe.

Em uma noite morna de junho daquele ano, as meninas pediram e receberam permissão para dormir na varanda lateral, fechada com tela, que se estendia por todo o comprimento da casa. Isso era um grande evento para elas. A mãe lhes deu um beijo de boa-noite pouco antes das nove, quando a última luz tinha sumido do céu. Foi a última vez em que as viu antes de estarem nos seus caixões e o agente funerário tivesse consertado a pior parte dos danos.

Naquela época, as famílias do campo iam cedo para a cama, "logo que ficava escuro debaixo da mesa", dizia minha mãe às vezes, e dormiam profundamente. Sem dúvida assim dormiram Klaus, Marjorie e Howie Detterick na noite em que as gêmeas foram apanhadas. Era quase certo que Klaus teria sido acordado por Bowser, o velho e grande mestiço de collie da família, se ele tivesse latido. Mas Bowser não latiu. Nem naquela noite nem nunca mais.

Klaus se levantou com a primeira luz da manhã para fazer a ordenha. A varanda ficava do lado da casa oposto ao celeiro, e Klaus não pensou em ir dar uma olhada nas meninas. O fato de que Bowser não se juntara a ele tampouco era causa para alarme. O cão tinha grande desprezo pelas vacas e pelas galinhas, e geralmente se escondia na sua casinha atrás do celeiro quando essas tarefas estavam sendo realizadas, a menos que fosse chamado, e só se fosse chamado com energia.

Marjorie desceu uns 15 minutos depois que o marido tinha enfiado as botas no quartinho de ferramentas e saíra com passos fortes para o estábulo. Começou a preparar o café, pôs o bacon para fritar. Os cheiros combinados atraíram Howie, que desceu de seu quarto no sotão, mas não as meninas da varanda. Ela mandou Howie buscá-las enquanto estalava ovos na gordura do bacon. Klaus ia querer que as meninas pegassem ovos frescos logo que terminasse o café da manhã. Só que não se tomou café da manhã na casa dos Detterick naquela manhã. Howie voltou da varanda branco como papel e com os olhos, que antes estavam inchados de dormir, inteiramente arregalados.

— Elas sumiram — disse ele.

Marjorie foi até a varanda, inicialmente mais aborrecida do que alarmada. Mais tarde disse que tinha imaginado, se é que tinha imaginado alguma coisa, que as meninas resolveram dar uma volta e pegar flores com a luz do alvorecer. Ou alguma outra tolice de meninas. Uma olhada e entendeu por que Howie tinha ficado pálido.

Berrou por Klaus, *gritou histérica* por Klaus, que veio numa corrida desabalada, as botas de trabalho esbranquiçadas pelo meio balde de leite que tinha derramado nelas. O que encontrou no alpendre teria amolecido as pernas do mais valente dos pais. Os cobertores nos quais as meninas se tinham enrolado à medida que a noite avançou e ficou mais fria tinham sido atirados para um canto. A porta de tela tinha sido arrancada da dobradiça superior e agora estava pendurada, torta, no portal. E sobre as tábuas, tanto da varanda como dos degraus diante da porta de tela mutilada, havia manchas grandes de sangue.

Marjorie implorou ao marido para não sair à caça das meninas sozinho e para não levar o filho se achasse que tinha que ir atrás delas, mas podia ter poupado o fôlego. Ele pegou a espingarda que guardava carregada no quartinho de ferramentas, bem no alto, fora do alcance de mãos miúdas, e deu a Howie a 22 que estavam guardando para o aniversário dele em julho. Então saíram, nenhum dos dois dando a menor atenção à mulher que, aos gritos e em prantos, queria saber o que fariam se topassem com um bando de vagabundos errantes ou um punhado de negros maus fugidos da fazenda em Laduc. Nisso eu acho que os homens estavam certos, sabe. O sangue não estava mais úmido, mas ainda estava pegajoso e mais próximo do vermelho vivo do que do grená que aparece quando o sangue já está bem seco. O sequestro não tinha ocorrido há muito tempo. Klaus deve ter raciocinado que ainda havia uma chance para as meninas e estava decidido a buscá-la.

Nenhum dos dois sabia rastrear. Eles eram catadores, não caçadores, homens que entravam no mato atrás de guaxinins e veados na estação de caça não porque tivessem muita vontade, mas porque era o que se costumava fazer. E o quintal em volta da casa era uma área de terra coberta de pegadas que não queriam dizer nada. Contornaram o celeiro e logo viram por que Bowser, que era ruim de mordida, mas bom de latido, não tinha dado o alarme. Estava caído, metade dentro e metade fora da casinha, que tinha sido feita com sobras das tábuas do celeiro (havia uma placa com a palavra Bowser escrita com capricho por cima do buraco curvo da frente — vi uma fotografia dela num dos jornais), a cabeça virada quase inteiramente para trás. Teria sido preciso um homem de enorme força para fazer uma coisa assim num animal tão grande, disse mais tarde o promotor para o júri do caso John Coffey, e então olhou por muito tempo e de forma estudada para o réu gigantesco, sentado atrás da mesa da defesa, com os olhos baixos e usando um macacão novinho em folha que o estado comprara e que por si só parecia a própria condenação. Ao lado do cão, Klaus e Howie encontraram restos de linguiça cozida. A teoria, bem fundada, não tenho dúvida, era de que Coffey tinha primeiro atraído o cão com pedaços dela e então, quando Bowser começou a comer a última linguiça, estendera as mãos e lhe quebrara o pescoço com um giro forte dos pulsos.

Por trás do celeiro ficava o pasto norte de Detterick, onde nesse dia nenhuma vaca iria pastar. Estava úmido do orvalho da manhã e, cruzando-o em diagonal para o noroeste, clara como o dia, estava a trilha marcada pela passagem de um homem.

Mesmo no seu estado de quase histeria, Klaus Detterick inicialmente hesitou em segui-la. Não era medo do homem ou dos homens que tinham levado suas filhas, era medo de estar seguindo pela trilha por onde o sequestrador viera, de ir exatamente na direção errada num momento em que cada segundo fazia diferença.

Howie resolveu o dilema puxando um pedaço de pano amarelo de um arbusto que crescia logo adiante do limite do quintal. Esse mesmo pedaço de pano foi mostrado a Klaus quando ele estava sentado no banco das testemunhas e ele começou a chorar ao identificá-lo como um pedaço do short de dormir de sua filha Kathe. Vinte metros adiante, pendente de um galho que se projetava de um arbusto de zimbro, encontraram um pedaço de tecido verde-claro que coincidia com a camisolinha que Cora estava usando quando dera o beijo de boa-noite em sua mamãe e em seu papai.

Os Detterick, pai e filho, saíram quase correndo, segurando as armas à frente, como fazem os soldados quando estão atravessando um território em disputa sob fogo intenso. Se há uma coisa daquele dia com a qual me espanto é que o menino, correndo desesperadamente atrás do pai (e muitas vezes com o risco de ser deixado inteiramente para trás), não tenha caído e disparado uma bala nas costas de Klaus Detterick.

A casa da fazenda estava ligada à central da telefonista (outro sinal para os vizinhos de que os Detterick estavam prosperando, pelo menos de forma moderada, em tempos desastrosos) e Marjorie utilizou-a para telefonar para todos os vizinhos que também estavam ligados a ela, contando-lhes o desastre que se tinha abatido como um raio que caísse de um céu azul, sabendo que cada chamada produziria círculos concêntricos superpostos, como pedrinhas atiradas rapidamente em um laguinho de águas paradas. Depois ergueu o fone pela última vez e disse aquelas palavras que eram quase uma marca registrada dos primeiros sistemas telefônicos daquela época, pelo menos na zona rural do sul do país: — Alô, central, você está na linha?

A central estava, mas por um instante não conseguiu falar nada. Aquela mulher respeitável estava completamente aturdida. Por fim conseguiu dizer:

— Sim, senhora, sra. Detterick, sem dúvida que estou, oh meu querido Jesus abençoado, estou rezando agora mesmo para que suas garotinhas estejam bem...

— Sim, obrigada — disse Marjorie. — Mas trate de dizer ao Senhor que espere o tempo suficiente para você me passar para o escritório do xerife em Tefton, está bem?

O xerife do condado de Trapingus era um veterano com nariz vermelho de bebedor de uísque, uma pança que parecia um barril e uma massa de cabelos brancos tão finos que pareciam pelos de limpador de cachimbo. Eu o conhecia bem. Ele estivera em Cold Mountain muitas vezes para ver os que ele chamava de "seus meninos" serem despachados para o além. As testemunhas de execução se sentavam nas mesmas cadeiras dobráveis em que você provavelmente também já se sentou em uma ou duas ocasiões, em enterros, ceias da igreja ou bingos nas associações de fazendeiros (na realidade, pegávamos as nossas emprestadas da Associação Laço Místico nº 44 naquela época), e todas as vezes em que o xerife Homer Cribus se sentava em uma, eu ficava esperando o estalido seco que indicaria o desabamento. Eu temia e torcia por esse dia, ao mesmo tempo, mas foi um dia que nunca veio. Pouco tempo depois (não pode ter sido mais de um verão depois que as meninas Detterick foram sequestradas), ele sofreu um ataque cardíaco no seu escritório, aparentemente enquanto estava transando com uma moça negra de 17 anos chamada Daphne Shurtleff. Houve muito falatório sobre isso, pois ele estava sempre exibindo sua mulher e seus seis filhos por todo lado quando chegava a época das eleições. Aquela era a época em que, se você queria se candidatar a alguma coisa, o ditado era que você tinha que "ser batista ou não ser nada". Mas as pessoas adoram um hipócrita, pois reconhecem um dos seus, e é sempre bom quando alguém é apanhado com as calças abaixadas e o pinto levantado, e esse alguém não é você.

Além de ser um hipócrita, era um incompetente, o tipo de sujeito que se fazia fotografar afagando a gata de alguma senhora, quando tinha sido outro — o vice-xerife Rob McGee, por exemplo — quem na verdade tinha arriscado quebrar uma clavícula ao subir na árvore onde estava a senhorita Gatinha e trazê-la para baixo.

McGee ouviu Marjorie Detterick tagarelar durante talvez uns dois minutos, depois a interrompeu com quatro ou cinco perguntas, rápidas e curtas, como um lutador treinado disparando pequenos socos ao rosto, do tipo de socos que são tão rápidos e tão fortes que o sangue brota antes da dor. Quando obteve as respostas que queria, disse:

— Vou chamar Bobo Marchant. Ele tem cães. Fique onde está, sra. Detterick. Se seu marido e seu filho voltarem, faça com que eles fiquem aí também. Ou pelo menos tente.

Nesse meio-tempo, o marido e o filho dela tinham seguido a trilha do sequestrador por 4 quilômetros e meio para noroeste, mas a perderam quando ela deixou o campo aberto e penetrou num bosque de pinheiros. Como eu disse, eles eram fazendeiros, não caçadores, e àquela altura sabiam que estavam atrás de um animal. Ao longo do caminho, tinham encontrado a blusa que casava com o short de Kathe e outro pedaço da camisola de Cora. Ambas as peças estavam empapadas de sangue, e nem Klaus nem Howie estavam mais com a mesma pressa do princípio. Àquela altura, uma espécie de certeza fria devia estar se insinuando sobre suas esperanças, escorrendo do mesmo jeito que faz a água fria, que desce porque é mais pesada.

Procuraram por indícios em volta, num trecho do bosque, mas não encontraram nada. Buscaram num segundo lugar, com o mesmo resultado negativo. Depois num terceiro. Dessa vez encontraram um leque de sangue espalhado sobre as agulhas caídas de um pinheiro. Foram um pouco na direção que ele parecia apontar e então recomeçaram o processo de procurar em volta. Eram então umas nove da manhã, e eles começaram a ouvir homens falando alto e cachorros ladrando atrás de si. Rob McGee tinha reunido um grupo de busca improvisado no espaço de tempo que o xerife Cribus levaria para terminar sua primeira xícara de café adoçado com conhaque, e por volta das 9h15 alcançaram Klaus e Howie Detterick, ambos tropeçando desesperados em volta da orla do bosque. Os homens logo retomaram a busca, com os cães de Bobo mostrando o caminho. McGee deixou que Klaus e Howie seguissem com eles (eles não voltariam mesmo que lhes ordenasse, independente do quanto temiam o desfecho, e McGee deve ter visto isso), mas os obrigou a descarregar suas armas. McGee disse que os outros tinham feito o mesmo, era mais seguro. O que nem ele nem ninguém lhes disse foi que os Detterick eram os únicos a quem tinha sido pedido que entregassem a munição ao vice-xerife. Meio confusos e só querendo chegar ao final do pesadelo e acabar logo com aquilo, fizeram como ele lhes pedira. Quando Rob McGee conseguiu que os Detterick descarregassem suas armas e lhe entregassem a munição, provavelmente salvou a infeliz vida de John Coffey.

Os cães, latindo e fazendo muito barulho, os arrastaram por mais 3 quilômetros e meio de pequenos pinheiros, sempre no rumo aproximado do noroeste. Então chegaram à margem do rio Trapingus, que naquele trecho é largo e lento, correndo para o sudeste em meio a colinas baixas e arborizadas onde famílias com sobrenomes como Cray,

Robinette e Duplissey ainda fabricavam seus próprios bandolins e frequentemente cuspiam fora seus dentes podres enquanto estavam arando o campo. Era uma área rural onde os homens eram capazes de pegar serpentes com as mãos na manhã de domingo e deitar-se em abraços carnais com suas filhas na noite de domingo. Eu conhecia essas famílias. A maioria delas tinha enviado uma refeição para a Fagulha de tempos em tempos. Os homens do grupo de busca podiam ver, no lado oposto do rio, o sol de junho se refletindo nos trilhos de aço de um ramal da Great Southern. Cerca de um quilômetro e meio rio abaixo, uma ponte de madeira atravessava em direção aos campos de carvão de West Green.

Ali encontraram uma área ampla de capim e de moitas baixas pisoteadas, tão coberta de sangue que muitos dos homens tiveram que se precipitar para dentro do bosque para se livrar do que tinham comido no café da manhã. Também encontraram o resto da camisolinha de Cora nessa área ensanguentada, e Howie, que até então aguentara tudo de forma admirável, cambaleou nos braços do pai e quase desmaiou.

Foi ali que os cães de Bobo Marchant tiveram seu primeiro e único desentendimento do dia. Havia seis ao todo, dois sabujos, dois mastins e um par desses vira-latas que parecem terriers e que os sulistas da fronteira chamam de caça-gambás. Os caça-gambás queriam ir para noroeste, rio acima pela margem do Trapingus, e o resto queria ir à direção oposta, para sudeste. Ficaram todos emaranhados nas coleiras e, embora os jornais não tivessem dito nada sobre essa parte, posso imaginar os palavrões horríveis que Bobo deve ter despejado sobre eles enquanto usava as mãos, sem dúvida a parte mais bem-educada dele, para acalmá-los. Nos meus tempos, conheci alguns homens que caçavam com cães, e minha experiência me ensinou que eles se comportam exatamente como a gente espera.

Bobo encurtou as correias de todos, juntando-os bem, e depois passou a camisolinha rasgada de Cora Detterick nos focinhos deles, como para recordar-lhes o que estavam fazendo no campo num dia em que a temperatura ia chegar aos 35ºC ao meio-dia, e mosquitos sobrevoavam as cabeças dos homens em pequenas nuvens. Os caça-gambás deram outra farejada, resolveram voltar a trabalhar em união, e lá se foram todos acompanhando a correnteza, latindo a plenos pulmões.

Não se passaram nem dez minutos e os homens pararam, percebendo que podiam ouvir mais do que apenas os cães. Era mais um uivo do que um latido, um som que nenhum cão jamais emitira, nem mesmo nos seus instantes finais de agonia. Era um som que nenhum deles jamais ouvira *qualquer coisa* emitir, mas souberam imediatamente, todos eles, que era um homem. Assim disseram e acredito neles. Acho que eu também teria percebido isso. Já ouvi homens berrarem exatamente desse jeito, acho eu, a caminho da cadeira elétrica. Não muitos — a maioria se fecha e vai em silêncio ou fazendo piadas, como se fosse um piquenique de escola —, mas alguns. Geralmente são os que acreditam no inferno como um lugar de verdade e sabem o que está esperando por eles no final do Corredor Verde.

Bobo tornou a juntar os cães pelas coleiras. Eram cães valiosos, e ele não tinha nenhuma intenção de perdê-los para o psicopata que estava uivando e balbuciando logo adiante. Os outros homens recarregaram e engatilharam suas armas. Aqueles uivos tinham dado calafrios em todos eles e feito com que o suor que lhes escorria pelos braços e pelas costas parecesse água gelada. Quando homens sentem calafrios assim, precisam de um líder para seguir em frente, e o vice-xerife McGee os liderou. Pôs-se na frente e caminhou com passos firmes (mas aposto que ele não estava *se sentindo* muito firme naquele exato momento) até um grupo de árvores baixas que se projetava para fora do bosque à direita, com os demais andando devagar, nervosos, a uns cinco passos atrás dele. Deteve-se apenas uma vez, para indicar ao maior deles, Sam Hollis, que ficasse perto de Klaus Detterick.

Do outro lado das árvores havia mais campo aberto, se estendendo até o bosque do lado direito. Para a esquerda, ficava uma encosta suave e comprida até a margem do rio. Todos ficaram onde estavam, paralisados. Acho que dariam tudo para deixar de ter visto o que estava diante deles e que ninguém jamais esqueceria. É esse tipo de pesadelo, explícito e quase brilhando sob o sol, que fica atrás das cortinas e mobílias das vidas comuns: ceias de igreja, passeios por trilhas no campo, trabalho honesto, beijos de amor na cama. Cada homem tem uma caveira e, eu lhe digo, há uma caveira na vida de todos os homens. Eles a viram naquele dia, aqueles homens. Eles viram o que às vezes há atrás de um sorriso.

Sentado na margem do rio, com um macacão desbotado e manchado de sangue, estava o maior homem que qualquer um deles jamais vira: John Coffey. Seus pés enormes, de dedos separados, estavam descalços. Usava uma bandana vermelha desbotada na cabeça, do jeito que uma mulher do campo usaria um lenço para entrar na igreja. Mosquitos o circundavam numa nuvem negra. Aninhado em cada braço estava o corpo de uma menina nua. Seus cabelos louros, que tinham sido encaracolados e leves como cachos de mimosa, agora estavam grudados na cabeça e estriados de vermelho. O homem que as segurava estava sentado, uivando para o céu como um bezerro alucinado, suas bochechas escuras cobertas de lágrimas, sua fisionomia contorcida numa máscara monstruosa de sofrimento. Respirava em espasmos, com o peito se enchendo até forçar as fivelas dos suspensórios do macacão e depois soltando o imenso volume de ar em outro daqueles uivos. Frequentemente lemos nos jornais que "o assassino não demonstrava nenhum remorso", mas não era o que se via ali. John Coffey estava dilacerado pelo que fizera. Mas sobreviveria. As meninas não. Elas tinham sido dilaceradas da forma mais literal.

Ninguém parecia saber por quanto tempo tinham ficado parados ali, olhando para aquele homem uivando que, por sua vez, estava olhando por cima da grande superfície lisa do rio para um trem do outro lado, descendo veloz pelos trilhos em direção à ponte que cruzava o rio. Pareceu-lhes que ficaram olhando durante uma hora ou para sempre, e no entanto o trem não pareceu avançar, parecia estar correndo no mesmo lugar, como uma criança fazendo birra, e o sol não passou para trás de uma nuvem e a visão não se apagou dos seus olhos. Estava ali, diante deles, tão real quanto uma mordida de cachorro. O negro balançava o corpo para a frente e para trás; Cora e Kathe balançavam com ele, como bonecas nos braços de um gigante. Os músculos manchados de sangue nos braços enormes e nus do homem se contraíam e se relaxavam, se contraíam e se relaxavam, se contraíam e se relaxavam.

Foi Klaus Detterick quem interrompeu a cena. Aos gritos, atirou-se sobre o monstro que tinha estuprado e matado suas filhas. Sam Hollis sabia o que tinha que fazer e tentou, mas não conseguiu. Ele era 15 centímetros mais alto do que Klaus e tinha pelo menos 30 quilos a mais, mas Klaus afastou com facilidade os braços com que Sam tentou envolvê-lo. Klaus voou pelo campo aberto à sua frente e desferiu um pontapé voador na cabeça de Coffey. Sua bota, coberta de leite que secara e azedara com o calor, acertou em cheio na têmpora esquerda de Coffey, que não pareceu sentir nada. Continuou apenas sentado ali, se lamentando e se balançando, olhando para o outro lado do rio. Da forma como imagino a cena, ele podia ser como uma imagem retirada de algum sermão pentecostal no meio de bosques de pinheiros, o fiel seguidor da Cruz olhando ao longe na direção da Terra de Goshen... Isto é, se não fossem os cadáveres.

Foi preciso quatro homens para arrancar o fazendeiro histérico de cima de John Coffey, e, antes que o conseguissem, ele acertou-lhe não sei quantas boas pancadas. Não parecia fazer diferença alguma para Coffey, de uma maneira ou de outra: ele continuou olhando para o outro lado do rio e se lamuriando. Quanto a Detterick, quando finalmente foi arrancado de cima de Coffey, perdeu toda a ânsia de lutar, como se uma estranha corrente elétrica estivesse passando pelo corpo do negro gigantesco (você vai ter que me desculpar, mas ainda tenho uma tendência a pensar em metáforas elétricas), e quando o contato de Detterick com aquela fonte de força finalmente se rompeu, ele ficou prostrado como um homem atirado para trás por um fio desencapado. Ficou ajoelhado, com as pernas abertas, na margem do rio, cobrindo o rosto com as mãos, soluçando. Howie juntou-se a ele e se abraçaram, testa contra testa.

Dois homens ficaram tomando conta deles enquanto os demais formaram um círculo de rifles em volta do negro que gemia e se balançava. Ele continuava parecendo não se dar conta de que havia ali outras pessoas além dele. McGee avançou, passou o peso do corpo de um pé para o outro, hesitante, depois se agachou.

— Ei, você — falou ele num tom suave, e Coffey se calou imediatamente. McGee olhou para olhos que estavam vermelhos de tanto chorar. E ainda continuavam a verter lágrimas, como se alguém tivesse deixado uma torneira aberta dentro deles. Aqueles olhos choravam e, no entanto, estavam de alguma forma insensíveis... Distantes e serenos. Eram os olhos mais estranhos que jamais vira na minha vida, e McGee sentiu praticamente a mesma coisa. "Como os olhos de um animal que nunca viu um homem antes", dissera a um repórter pouco antes do julgamento.

— Ei, você, está me ouvindo? — perguntou McGee.

Lentamente, Coffey confirmou com a cabeça. Ainda continuava com os braços em torno das suas bonecas indescritíveis, cujos queixos estavam caídos sobre o peito, de modo que seus rostos não podiam ser vistos direito, uma das poucas graças que Deus resolveu conceder naquele dia.

— Você tem nome? — indagou McGee.

— John Coffey — respondeu ele numa voz grossa e embargada pelo choro. — Coffey, como o que se toma com leite, só que não se escreve do mesmo jeito.

McGee assentiu com a cabeça e depois apontou com um polegar para o bolso no peito do macacão de Coffey, onde algo fazia volume. Pareceu a McGee que podia ser um revólver, não que um homem do tamanho de Coffey precisasse de um revólver para causar grandes danos se resolvesse perder a calma.

— O que está aí dentro, John Coffey? Por acaso é uma arma? Uma pistola?

— Não senhor — disse Coffey na sua voz grossa e com aqueles olhos estranhos, vertendo lágrimas e agoniados por cima, distantes e esquisitamente serenos por baixo, como se o verdadeiro John Coffey estivesse em algum outro lugar, olhando para algum outro panorama onde menininhas assassinadas não fossem nada para causar agitação, não se desviaram dos do vice-xerife McGee por um instante. — É só meu almoço.

— Ah, é, seu almoço, é? — perguntou McGee, e Coffey confirmou com a cabeça e disse sim senhor com os olhos chorando e uma secreção transparente escorrendo-lhe do nariz. — E onde é que alguém como você conseguiu um almoço, John Coffey? — continuou, obrigando-se a permanecer calmo, embora então pudesse sentir o cheiro das meninas e pudesse ver as moscas pousando nas partes delas que estavam úmidas. Mais tarde ele disse que o pior eram os cabelos delas... E isso não estava em nenhuma matéria de jornal, pois foi considerado macabro demais para leitura familiar. Não, isso eu obtive do repórter que escreveu a história, o sr. Hammersmith. Procurei-o depois, porque John Coffey veio a se tornar uma obsessão para mim. McGee contou para esse repórter que os cabelos louros delas não estavam mais louros. Estavam castanhos. O sangue havia escorrido deles até os rostos como se tivesse sido uma tintura malfeita, e não era preciso ser médico para ver que seus crânios frágeis tinham sido esmagados um contra o outro com aqueles braços poderosos. Provavelmente elas estavam chorando. Provavelmente ele quisera fazê-las parar. Se as meninas tiveram sorte, isso aconteceu antes dos estupros.

Pensar ficava muito difícil para um homem vendo aquilo, mesmo um homem tão decidido como era o vice-xerife McGee. Não pensar direito podia ocasionar equívocos, talvez mais derramamento de sangue. McGee respirou fundo e se acalmou. Ou pelo menos, tentou.

— Senhor, não me lembro direito, quero ser bicho se me lembro — disse Coffey na sua voz embargada de choro —, mas é um almoço mesmo, sanduíche e acho que pickles.

— Talvez eu mesmo possa ver, se você não se importa — falou McGee. — Agora, John Coffey, não se mexa. Não se mexa, rapaz, porque há armas apontadas para você em quantidade suficiente para fazer você sumir da cintura para cima se sequer mover um dedo.

Coffey ficou olhando para o outro lado do rio e não se mexeu enquanto McGee enfiou a mão suavemente no bolso do peito daquele macacão e retirou alguma coisa embrulhada em papel de jornal, amarrado com um pedaço de barbante de açougueiro. McGee arrebentou o barbante e abriu o papel, embora tivesse certeza de que era exatamente o que Coffey tinha dito, um almoço. Havia um sanduíche de bacon e tomate e uma panqueca enrolada com geleia. Havia também pickles, embrulhado em um pedaço de uma página de quadrinhos que John Coffey nunca seria capaz de entender. Não havia nenhuma linguiça. Bowser tinha comido as linguiças do almoço de John Coffey.

McGee passou o lanche por cima do ombro para um dos homens sem tirar os olhos de Coffey. Agachado daquele jeito, estava perto demais para permitir que sua atenção se desviasse por um segundo que fosse. O almoço, embrulhado de novo e amarrado por via das dúvidas, finalmente acabou com Bobo Marchant, que o colocou no seu bornal, onde guardava petiscos para os cães (e algumas iscas de pesca, eu diria). Não foi apresentado como prova no julgamento — a justiça nessa parte do mundo é rápida, mas não tão rápida quanto o sumiço de um sanduíche de bacon e tomate —, mas fotos dele sim.

— O que é que houve aqui, John Coffey? — indagou McGee na sua voz baixa e séria. — Você pode me dizer?

E Coffey falou para McGee e os outros quase exatamente a mesma coisa que falou para mim. Foram também as últimas palavras que o promotor repetiu para o júri no julgamento de Coffey.

— Não pude evitar — falou John Coffey, segurando nos braços as meninas nuas, assassinadas e violadas. As lágrimas começaram a correr-lhe pelo rosto de novo. — Tentei retirar, mas já era tarde demais.

— Rapaz, você está preso por assassinato — disse McGee, e então cuspiu na cara de John Coffey.

O júri ficou fora deliberando durante 45 minutos. Mais ou menos o tempo suficiente para almoçarem. Pergunto-me se tiveram estômago para isso.

## 5

Acho que você sabe que não descobri tudo isso numa tarde quente de outubro na biblioteca prestes a ser fechada da prisão, de um conjunto de jornais velhos empilhados em dois caixotes de laranjas Pomona, mas descobri o suficiente para ter dificuldade em dormir naquela noite. Quando minha mulher se levantou às duas da manhã e me encontrou na cozinha, tomando coalhada e fumando cigarros de palha Bugler, perguntou-me o que estava errado e menti para ela numa das poucas vezes no decurso dos nossos 43 anos de casados. Disse que tivera outra discussão com Percy Wetmore. Tinha mesmo, é claro, mas essa não era a razão pela qual ela me encontrara acordado tão tarde. Geralmente eu conseguia deixar os problemas com Percy no escritório.

— Bem, esqueça-se dessa maçã podre e vamos voltar para a cama — disse ela. — Tenho uma coisa que vai ajudá-lo a dormir, e você pode usar tanto quanto quiser.

— Isso parece bom, mas acho melhor deixarmos para outro dia — respondi. — Estou com alguma coisa nas vias urinárias e não quero passar para você.

Ela levantou uma sobrancelha.

— Nas vias urinárias? — disse. — Acho que você deve ter se metido com a garota de esquina errada na última vez que esteve em Baton Rouge.

Nunca estive em Baton Rouge e nunca sequer toquei numa garota de esquina, e nós dois sabíamos disso.

— É apenas uma infecção urinária — disse eu. — Minha mãe costumava dizer que os meninos pegavam isso por mijar quando estava soprando o vento norte.

— Sua mãe também ficava em casa o dia todo quando derramava sal na mesa — disse minha mulher. — O dr. Sadler...

— Não, senhora — falei, erguendo a mão. — Ele vai querer que eu tome sulfa, e vou ficar vomitando por todos os cantos do escritório até o final da semana. Isso vai passar, mas nesse meio-tempo, acho que é melhor deixarmos a diversão de lado.

Ela beijou-me a testa logo acima da minha sobrancelha esquerda, o que sempre me faz sentir cócegas, como Janice bem sabia.

— Pobrezinho. Como se não bastasse aquele horroroso do Percy Wetmore. Venha logo para a cama.

Obedeci, mas antes fui até a varanda dos fundos para esvaziar a bexiga (e primeiro conferi a direção do vento com um dedo molhado, pois o que nossos pais nos dizem quando somos pequenos raramente fica esquecido, mesmo que possa ser tolice). Mijar ao ar livre é uma das alegrias da vida no campo que os poetas nunca chegaram a descobrir, mas naquela noite não foi nenhuma alegria: o líquido que saía de mim queimava como um fio de óleo de lamparina acesa. Entretanto, achei que tinha sido um pouco pior naquela tarde e *sabia* que tinha sido pior nos dois ou três dias anteriores. Eu tinha esperança de que talvez estivesse começando a ficar bom. Nunca uma esperança foi mais infundada. Ninguém me tinha dito que às vezes um bichinho que se mete lá dentro, onde é quente e úmido, pode tirar um ou dois dias para descansar antes de retornar com força outra vez. Ficaria surpreso de saber disso. Ficaria ainda mais surpreso de saber que, dentro de mais 15 ou vinte anos, haveria pílulas que liquidariam esse tipo de infecção do seu organismo em tempo recorde. E embora essas pílulas pudessem fazer você sentir o estômago um pouco embrulhado ou lhe soltar os intestinos, quase nunca faziam você vomitar como as pílulas de sulfa do dr. Sadler.

Em 1932 não havia muito que se pudesse fazer a não ser esperar e tentar ignorar aquela sensação de que alguém tinha derramado óleo de lamparina dentro do seu pênis e depois encostara um fósforo nele.

Terminei minha guimba, fui para o quarto e finalmente consegui dormir. Sonhei com meninas com sorrisos tímidos e sangue nos cabelos.

## 6

Na manhã seguinte havia uma folha de memorando cor-de-rosa sobre minha escrivaninha, pedindo que passasse pelo escritório do diretor assim que pudesse. Sabia do que se tratava: havia regras não escritas mas muito importantes, e eu tinha deixado de obedecê-las durante algum tempo no dia anterior. Adiei o máximo que pude. Suponho que era como ir ao médico por causa do meu problema urinário. Sempre achei que se dava importância demais a esse negócio de "acabar logo com isso".

Não fui correndo ao escritório do diretor Moores. Em vez disso, tirei a jaqueta de lã do meu uniforme, pendurei-a no encosto da minha cadeira e depois liguei o ventilador no canto, pois era outro dia de calor. Então me sentei e comecei a examinar a folha de ocorrências da noite feita por Brutus Howell. Não havia nada ali para ficar alarmado. Delacroix tinha chorado um pouco depois de se deitar (fazia isso na maioria das noites e, tenho certeza, mais por ele próprio do que pelas pessoas que ele tinha queimado vivas) e depois tinha tirado o sr. Guizos, o camundongo, da caixa de charutos onde dormia. Isso o tinha acalmado, e dormira como um bebê o resto da noite. O mais provável era que o sr. Guizos tivesse passado a noite sobre a barriga de Delacroix, com sua cauda enrolada sobre as patas, os olhos sem piscar. Era como se Deus tivesse resolvido que Delacroix precisava de um anjo da guarda, mas, na Sua sabedoria, decretara que só um camundongo serviria para um rato como nosso amigo homicida de Louisiana. É claro que tudo isso não estava no relatório de Brutal, mas eu tinha dado plantões noturnos em quantidade suficiente para preencher as entrelinhas. Havia uma anotação curta sobre Coffey: "Ficou deitado acordado, a maior parte do tempo sossegado. Pode ter chorado um pouco. Tentei puxar uma conversa, mas depois de algumas respostas grunhidas de Coffey, desisti. Talvez Paul ou Harry tenham mais sorte."

Na verdade, "puxar uma conversa" estava na essência do nosso trabalho. Não o sabia então, mas olhando para trás com a perspectiva privilegiada dessa estranha velhice (acho que todas as velhices parecem estranhas para as pessoas que têm que suportá-las), compreendo isso e também por que não percebia naquela época: era grande demais, tão essencial para nosso trabalho como a respiração é para nossa vida. Não era importante que os temporários fossem bons em "puxar uma conversa", mas era vital para mim, Harry, Brutal e Dean. E era uma das razões pelas quais Percy Wetmore era um tamanho desastre. Os detentos o odiavam e os guardas o odiavam... Presumivelmente todo o mundo o odiava, com exceção de seus contatos políticos, o próprio Percy, e talvez (mas só talvez) a mãe dele. Ele era como uma dose de arsênico borrifada sobre um bolo de casamento, e acho que soube que ele representava encrenca desde o começo. Era um acidente esperando para acontecer. Quanto ao resto de nós, teríamos rido da ideia de que funcionávamos de forma muito mais útil como psiquiatras dos condenados do que como seus guardas (uma parte de mim ainda quer rir dessa ideia hoje em dia), mas sabíamos como puxar uma conversa. E sem a conversa, homens que estavam com a Velha Fagulha pela frente tinham o mau hábito de ficar loucos.

Fiz uma anotação na parte de baixo do relatório de Brutal para conversar com John Coffey, ou ao menos tentar, e depois passei para um bilhete de Curtis Anderson, o assistente do diretor. Dizia que ele, Anderson, estava esperando para dentro em pouco uma ordem de DDE para Edward Delacrois (erro de grafia de Anderson: o nome do homem na verdade era Eduard Delacroix). DDE queria dizer data de execução, e segundo o bilhete, Curtis soubera de boa fonte que o francesinho ia dar sua caminhada pouco antes da Noite das Bruxas: 27 de outubro era seu palpite, e os palpites de Curtis Anderson eram muito bem fundamentados. Porém, antes disso, podíamos esperar um novo residente, de nome William Wharton. Na caligrafia inclinada para trás e um tanto efeminada, Curtis escrevera: "Ele é o que se poderia chamar de 'uma criança problema'. Louco desvairado e com orgulho disso. Vagueou por todo o estado durante mais ou menos um ano e, por fim, acertou em cheio. Matou três pessoas num assalto, uma delas uma mulher grávida, e matou uma quarta pessoa na fuga. Um patrulheiro estadual. Só deixou de acertar uma freira e um cego." Sorri um pouco ao ler isso. "Wharton tem 19 anos e uma tatuagem na parte superior do braço esquerdo com os dizeres *Billy the Kid*. Você vai ter que lhe dar uns tapas uma ou duas vezes, isso eu garanto, mas tenha cuidado quando der. *Esse homem simplesmente não se importa com nada*." Tinha sublinhado duas vezes essa opinião, depois concluiu: "Além disso, ele é capaz de demorar por aí. Está impetrando recursos, e existe o fato de que é menor."

Um garoto maluco, impetrando recursos, com tendência a se demorar por algum tempo. Ora, isso tudo parecia ótimo. De repente o dia pareceu mais quente do que nunca, e eu não podia mais ficar retardando ir ver o diretor Moores.

Trabalhei para três diretores durante meus anos como guarda em Cold Mountain, e Hal Moores foi o último e melhor deles. Disparado. Honesto, direto, sem o espírito brincalhão rudimentar de Curtis Anderson, porém dotado da habilidade política necessária para reter seu emprego durante aqueles anos sombrios... E com integridade bastante para não se deixar seduzir pelo jogo. Não iria subir mais, porém isso parecia estar bem para ele. Tinha então 58 ou 59 anos e um rosto com rugas profundas que lhe davam uma aparência de sabujo com que Bobo Marchant provavelmente se sentiria perfeitamente à vontade. Tinha cabelos brancos e suas mãos tremiam, mas era forte. No ano anterior, quando um preso correra para ele no pátio de exercício com uma estaca pontiaguda feita de uma ripa de caixote, Moores ficou firme, agarrou o pulso do agressor e torceu-o com tanta força que os ossos se partiram com um som semelhante ao de gravetos secos queimando num fogo vivo. O agressor, esquecendo todas as suas queixas, ajoelhou-se na terra e começou a berrar por sua mãe. Na sua voz bem-educada, com sotaque sulista, Moores disse:

— Eu não sou ela, mas se fosse, levantaria minha saia e mijaria em você com as entranhas que lhe deram a luz.

Quando entrei no escritório, ele fez menção de se levantar e eu fiz sinal com a mão para que ficasse sentado. Sentei-me diante dele, em frente à escrivaninha, e comecei por perguntar por sua mulher. Só que na nossa parte do mundo, não é assim que se faz. O que perguntei foi:

— Como vai aquela sua moça bonita? — como se Melinda só tivesse visto 17 verões em vez de 62 ou 63. Meu interesse era sincero. Ela era uma mulher que eu próprio poderia ter amado e com quem poderia ter-me casado, se as linhas de nossas vidas tivessem coincidido, mas também não me importava de desviá-lo um pouco do assunto principal.

Ele suspirou fundo.

— Não muito bem, Paul. Ela não está nada bem.

— Mais dores de cabeça?

— Só uma nesta semana, mas foi a pior de todas. Deixou-a de cama durante a maior parte do dia anteontem. E agora ela apareceu com uma fraqueza na mão direita... — Ele ergueu a própria mão direita, com manchas senis. Ambos a vimos tremer acima do mata-borrão por um ou dois segundos, e depois ele a abaixou novamente. Podia ver que ele daria praticamente qualquer coisa para não ter que me dizer o que estava dizendo, e eu teria dado praticamente qualquer coisa para não ter que escutar. As dores de cabeça de Melinda tinham começado na primavera, e durante todo o verão seguinte seu médico dizia que eram "enxaquecas por causa da tensão nervosa", talvez causada pelo estresse da aproximação da aposentadoria de Hal. Só que ambos *mal podiam esperar* pela aposentadoria, e minha própria mulher me dissera que a enxaqueca não é um mal de velhos e sim de jovens. Quando as pessoas que padeciam de enxaquecas chegavam à idade de Melinda Moores, geralmente melhoravam em vez de piorar. E agora essa fraqueza na mão. Não me parecia tensão nervosa, parecia mais um maldito derrame.

— O dr. Haverstrom quer que ela vá ao hospital em Indianola — disse Moores. — Fazer uns exames. Ele quer dizer umas chapas de raios X da cabeça. E quem sabe o que mais. Ela está apavorada. — Fez uma pausa e depois acrescentou: — Para dizer a verdade, eu também.

— É, mas faça com que ela vá — disse eu. — Não espere. Se for alguma coisa que eles possam ver com raios X, pode acabar sendo alguma coisa em que eles podem dar um jeito.

— É — concordou ele, e então, só por um instante, o único durante aquela parte do encontro, segundo me recordo, nossos olhos se encontraram e assim permaneceram por um tempo. Estabeleceu-se entre nós aquela espécie de entendimento perfeito e total que não necessita de palavras. Podia ser um derrame, sim. Também podia ser um câncer crescendo no cérebro dela, e se fosse isso, as chances de que os médicos em Indianola pudessem fazer qualquer coisa eram escassas, quase nulas. Estávamos em 1932, lembre-se, quando até mesmo algo relativamente tão simples como uma infecção urinária era tome sulfa e vomite ou sofra e espere.

— Obrigado por seu interesse, Paul. Agora vamos falar sobre Percy Wetmore.

Dei um gemido e cobri os olhos.

— Recebi um telefonema da capital estadual hoje de manhã — disse o diretor num tom sereno. — Foi um telefonema furioso, como estou certo de que você pode imaginar. Paul, o governador é tão casado que ele nem raciocina, se você entende o que quero dizer. E a mulher dele tem um irmão que tem um filho. Esse filho é Percy Wetmore. Percy telefonou para o pai ontem à noite e o pai de Percy telefonou para a tia de Percy. Preciso delinear o resto disso para você?

— Não — disse eu. — Percy foi se queixar. Bem como o maricas da escola dizendo à professora que viu João e Maria se esfregando no vestiário.

— É — concordou Moores —, é mais ou menos isso.

— Você sabe o que aconteceu quando Delacroix chegou aqui? — perguntei. — Com Percy e aquele maldito cassetete de peroba?

— Sei, mas...

— E você sabe como ele vai batendo com ele nas grades às vezes, só para se divertir. Ele é mau e ele é burro, e não sei quanto tempo mais vou aturá-lo. Essa é a verdade.

Conhecíamo-nos há cinco anos. Isso pode ser bastante tempo para homens que se dão bem, especialmente quando parte do trabalho é trocar a vida pela morte. O que estou dizendo é que ele entendia o que eu queria dizer. Não que eu iria pedir demissão, não com a Depressão dando voltas do lado de fora das paredes da prisão como um criminoso perigoso, que não podia ser engaiolado como os nossos detentos. Homens melhores do que eu estavam nas estradas ou pegando carona nos vagões de carga. Eu tinha sorte e sabia disso: meus filhos estavam crescidos e eu tirara de cima de mim a hipoteca, aquele bloco de mármore de 100 quilos, fazia dois anos. Mas um homem precisa comer, e a mulher dele também. Além disso, costumávamos mandar para nossa filha e genro vinte pratas sempre que podíamos (e às vezes quando não podíamos, mas as cartas de Jane tinham um tom particularmente desesperado). Ele era professor secundário desempregado, e se isso não justificava ficar desesperado naquela época, então a palavra não significa nada. Portanto, não, ninguém deixava para trás um trabalho com salário garantido como o meu... Isto é, não de cabeça fria. Mas naquele outono, minha cabeça não estava fria. As temperaturas do lado de fora estavam altas demais para a estação, e a infecção se arrastando dentro de mim tinha feito o termostato subir ainda mais. E quando um homem está nesse tipo de situação, às vezes seu punho dispara independente da sua própria vontade. E se você acerta um homem como Percy Wetmore uma vez, é melhor continuar batendo, porque não dá pra voltar atrás.

— Aguente — disse Moores com calma. — Foi para lhe dizer isso que o chamei aqui. Sei de boa fonte, na realidade, a pessoa que me telefonou hoje de manhã, que Percy deu entrada num pedido para Briar, e que esse pedido será deferido.

— Briar — disse eu. Era Briar Ridge, um dos dois hospitais do estado. — O que esse garoto está fazendo? Uma excursão pelos estabelecimentos estaduais?

— É um cargo administrativo. Melhor salário e papéis para empurrar em vez de camas de hospital no auge do calor do dia. — Ele lançou-me um sorriso. — Sabe, Paul, você poderia já ter se livrado dele se não o tivesse colocado na sala de controle com Van Hay quando o Cacique deu os últimos passos.

Por um instante o que ele disse pareceu tão esquisito que não consegui perceber a que estava se referindo. Talvez eu não estivesse *querendo* perceber.

— Em que outro posto poderia colocá-lo? — perguntei. — Deus meu, ele mal sabe o que faz no bloco! Fazer dele membro da equipe de execução propriamente dita... — Não concluí. Não podia concluir. As possibilidades de fazer besteira pareciam intermináveis.

— Apesar disso, você faria bem em colocá-lo na equipe para Delacroix. Isto é, se quer se ver livre dele.

Olhei para ele boquiaberto. Por fim consegui situar as coisas no seu lugar, de modo a poder falar.

— O que você está dizendo? Que ele quer ter a experiência bem de perto, de onde possa sentir o cheiro das bolas do sujeito sendo cozinhadas?

Moores encolheu os ombros. Seus olhos, tão suaves quando falara sobre sua mulher, agora estavam duros.

— As bolas de Delacroix vão ser cozinhadas quer Wetmore esteja ou não na equipe — disse ele. — Certo?

— É, mas ele pode fazer alguma besteira. Na realidade, Hal, é quase *inevitável* que ele faça. E diante de umas trinta testemunhas. Repórteres vindos até de Louisiana.

— Você e Brutus Howell tratarão de impedir que ele faça — disse Moores. — E se ele fizer, vai para a ficha dele, e ainda estará lá muito depois que acabem suas ligações com o governo. Entendeu?

Entendi. Fez-me ficar enojado e assustado, mas entendi.

— Ele pode querer ficar para Coffey, mas se tivermos sorte, terá o que precisa com Delacroix. Trate apenas de colocá-lo na equipe para essa aí.

Tinha planejado meter Percy na sala de controle novamente, depois embaixo, no túnel, tomando conta da maca que levaria Delacroix para o rabecão do outro lado da rua, mas descartei todos esses planos sem pensar duas vezes. Assenti com a cabeça. Tinha consciência de que estava assumindo um risco dos infernos, mas não me importei. Se me ajudasse a me ver livre de Percy Wetmore, eu torceria o nariz do próprio diabo. Ele podia participar dessa execução, colocar o capacete e depois olhar pela grelha e dizer a Van Hay para começar quando ele avisasse, podia ficar olhando o francesinho tremer com o choque que ele, Percy Wetmore, tinha liberado. Ele que tivesse sua excitaçãozinha perversa, se isso era o que o assassinato aprovado pelo estado representava para ele. Ele que fosse para Briar Ridge, onde teria seu próprio escritório, com um ventilador para refrescá-lo. E se o tio dele perdesse na próxima eleição e ele tivesse que descobrir como era o trabalho no duro mundo tostado de sol onde nem todos os maus elementos estavam trancafiados atrás das grades e às vezes você mesmo levava uma surra, tanto melhor.

— Muito bem — disse eu, pondo-me de pé. — Vou colocá-lo na frente para Delacroix. E, nesse meio-tempo, vou manter a paz.

— Bom — disse ele, e também se levantou. — A propósito, como anda aquele seu probleminha? — Apontou com delicadeza na direção da minha virilha.

— Parece que está um pouco melhor.

— Que bom. — Acompanhou-me até a porta. — E quanto a Coffey? Será que vai causar problemas?

— Acho que não — respondi. — Até agora ele tem estado quieto como um galo morto. Ele é estranho, tem *olhos* estranhos, mas é sossegado. Mas vamos ficar de olho nele. Não se preocupe com isso.

— É claro que você sabe o que ele fez.

— Claro.

A essa altura estava me levando para a sala de espera, onde a velha srta. Hannah estava sentada, datilografando na sua Underwood como, ao que parecia, vinha fazendo desde o fim da última Era Glacial. Eu estava contente por ir embora. Levando tudo em consideração, sentia-me como se tivesse me saído bem. E era bom saber que, afinal de contas, havia uma chance de sobreviver a Percy.

— Mande meu carinho a Melinda — disse eu. — E não fique imaginando o pior. Provavelmente isso vai acabar não sendo mais do que enxaquecas, no final das contas.

— Sem dúvida — falou ele e, por baixo dos olhos tristes, os lábios sorriram. A combinação era quase de assustar.

Quanto a mim, voltei para o Bloco E para iniciar mais um dia. Havia papéis para ler e escrever, havia pisos que tinham que ser lavados, havia refeições a serem servidas, uma lista de plantão para ser feita para a semana seguinte, havia uma centena de detalhes para tratar. Mas, sobretudo, havia a espera: numa prisão há sempre muito disso, tanto que não acaba nunca. Espera para que Eduard Delacroix percorresse o Corredor Verde, espera para que William Wharton chegasse com expressão de desdém e com a tatuagem de Billy the Kid, e, acima de tudo, espera para que Percy Wetmore saísse da minha vida.

## 7

O camundongo de Delacroix era um dos mistérios de Deus. Antes daquele verão, jamais vira um no Bloco E e jamais vi outro depois daquele outono, quando Delacroix deixou nossa companhia numa noite quente e cheia de trovões em outubro — deixou-nos de uma maneira tão indescritível que mal posso fazer-me recordá-la. Delacroix afirmava ter amestrado o camundongo, que começara sua vida conosco como Willie do Barco a Vapor, mas eu realmente acho que foi ao contrário. Dean Stanton achava a mesma coisa, e Brutal também. Ambos estavam lá na noite em que o camundongo fez sua primeira aparição e, como Brutal dizia: "O bicho já tava meio amestrado e era duas vezes mais esperto do que o cajun que pensava ser seu dono."

Dean e eu estávamos no meu escritório, revendo a caixa de registros relativa ao ano anterior, nos preparando para escrever as cartas de acompanhamento para as testemunhas de cinco execuções e escrever acompanhamentos de acompanhamentos em relação a outras seis, que se estendiam até o ano de 1929. Basicamente, queríamos saber apenas uma coisa: estavam satisfeitos com o serviço? Sei que isso parece grotesco, mas era uma consideração importante. Como cidadãos pagadores de impostos, eram nossos clientes, embora de um tipo muito especial. Um homem ou uma mulher que se dispõe a comparecer à meia-noite para assistir à morte de alguém tem que ter uma razão especial para estar ali, uma necessidade urgente, e se a execução é uma forma apropriada de castigo, então essa necessidade precisa ser satisfeita. Tiveram um pesadelo. O propósito da execução é mostrar-lhes que o pesadelo acabou. Talvez até funcione desse jeito. Às vezes.

— Ei! — falou Brutal do lado de fora da sala, onde estava sentado à mesa da guarda no começo do corredor. — Ei, vocês dois! Venham até aqui!

Dean e eu nos entreolhamos com a mesma expressão de preocupação, pensando que alguma coisa tinha acontecido com o índio de Oklahoma (seu nome era Arlen Bitterbuck, mas nós o chamávamos de Cacique... ou, no caso de Harry Terwilliger, Cacique Queijo de Cabra, porque Harry afirmava que era esse o cheiro que ele tinha) ou com o camarada que chamávamos de Presidente. Mas aí Brutal começou a rir e nos apressamos para ver o que estava acontecendo. Dar risadas no Bloco E parecia tão errado como dar risadas numa igreja.

O velho Toot-Toot, o preso de confiança que naquela época estava encarregado do carrinho de comida, tinha passado com suas guloseimas, e Brutal tinha feito um estoque para uma noite comprida: três sanduíches, dois refrigerantes e duas fatias de torta. E também uma porção de salada de batatas que Toot certamente surrupiara da cozinha da prisão, onde supostamente ele não podia entrar. Brutal estava com o livro de registro aberto à sua frente e por um milagre ainda não tinha derramado nada nele. É verdade que ele acabara de começar seu turno.

— O quê? — perguntou Dean. — O que é?

— A assembleia estadual deve ter aberto a bolsa o suficiente para contratar outro guarda neste ano — disse Brutal, ainda rindo. — Olhem só pra lá.

Ele apontou, e vimos o camundongo. Comecei também a rir, e Dean se juntou a nós. Não podíamos mesmo evitar, porque um guarda fazendo suas rondas de inspeção a cada 15 minutos era exatamente como aquele camundongo: um guarda minúsculo, peludo, certificando-se de que ninguém estava tentando fugir ou cometer suicídio. Ele saltitava um pouco na nossa direção pelo Corredor Verde, depois virava a cabeça de um lado para o outro, como se estivesse conferindo as celas. Depois dava outra corridinha para diante. O fato de que podíamos escutar ambos os nossos detentos de então roncando tranquilos apesar de toda a gritaria e risada tornava tudo ainda mais engraçado.

Era um camundongo marrom perfeitamente comum, salvo pela maneira como parecia estar conferindo o interior das celas. Ele até entrou em uma ou duas delas, esgueirando-se agilmente por entre as grades inferiores de uma maneira que, imagino, causaria inveja a muitos dos nossos detentos, passados e presentes. Só que, é claro, os presos estariam sempre querendo esgueirar-se *para fora*.

O camundongo não entrou em nenhuma das duas celas ocupadas, só nas que estavam vazias. Finalmente, chegou quase até o ponto em que nós estávamos. O tempo todo fiquei esperando que ele desse meia-volta, mas não deu. Não demonstrava o menor medo de nós.

— Não é normal que um camundongo se aproxime de pessoas desse jeito — comentou Dean, um pouco nervoso. — Talvez esteja com raiva.

— Oh, meu Deus — disse Brutal com a boca cheia de um sanduíche de carne em conserva. — O grande perito em camundongos. O Homem dos Camundongos. Está vendo-o espumar pela boca, Homem dos Camundongos?

— Nem consigo ver a boca — disse Dean, e isso nos fez rir novamente. Eu também não conseguia ver-lhe a boca, mas podia enxergar as pequenas contas escuras que eram seus olhos, e a mim não pareciam loucos nem raivosos. Pareciam interessados e inteligentes. Já levei homens para a morte, homens com almas supostamente imortais, que tinham ar mais idiota do que aquele camundongo.

Ele veio numa corridinha pelo Corredor Verde até um ponto que ficava a menos de um metro da mesa da guarda, que não era nada de especial, como você pode estar imaginando, mas apenas o tipo de mesa por trás da qual os professores costumavam se sentar na escola. E lá ele parou, enrolando a cauda em torno das patas com o mesmo cuidado de uma senhora idosa ajeitando as saias.

Parei imediatamente de rir, sentindo subitamente um frio atravessar-me a pele e ir até os ossos. Quero dizer que não sei por que me senti desse jeito, pois ninguém gosta de revelar alguma coisa que vai fazê-lo parecer ridículo, mas é claro que sei, e se sou capaz de dizer a verdade sobre o resto, acho que posso dizer a verdade sobre isso. Por um instante, me imaginei sendo aquele camundongo, não um guarda, mas apenas mais um criminoso ali no Corredor Verde, condenado e sentenciado, mas ainda conseguindo erguer os olhos valentemente para uma mesa que devia parecer-lhe ter quilômetros de altura (como a cadeira do Juízo de Deus sem dúvida nos parecerá um dia) e para os gigantes de voz forte, vestidos de azul, que se sentavam por trás dela. Gigantes que abatiam os da sua espécie com espingardas de ar comprimido, que os esmagavam com vassouras ou lhes preparavam armadilhas, armadilhas que lhes quebravam a espinha enquanto eles avançavam cuidadosamente por cima da palavra VICTOR para mordiscar o queijo sobre a pequena placa de cobre.

Não havia nenhuma vassoura perto da mesa da guarda, mas havia um balde com um esfregão dentro. Pouco antes de me sentar diante da caixa de registros com Dean, eu tinha feito meu trabalho de lavar o piso de linóleo verde e as seis celas. Vi que Dean fizera menção de pegar o esfregão para dar uma pancada com ele no camundongo. Segurei o pulso dele quando ele tocou no cabo fino de madeira.

— Deixe-o em paz — falei.

Ele deu de ombros e retirou a mão. Tive a sensação de que ele, como eu, não queria mais esmigalhar o camundongo.

Brutal arrancou um naco do sanduíche de carne e segurou-o na frente da mesa, apertando-o delicadamente entre dois dedos. O camundongo pareceu olhar para cima com um interesse ainda maior, como se soubesse exatamente o que era. Provavelmente sabia. Pude ver seus bigodes estremecerem enquanto remexia o nariz.

— Ah, Brutal, não! — exclamou Dean e depois olhou para mim. — Não o deixe fazer isso, Paul! Se ele der de comer a essa maldita coisa, podemos perfeitamente estender um tapete de boas-vindas para qualquer coisa de quatro pernas.

— Só quero ver o que ele vai fazer — disse Brutal. — Como se fosse ao interesse da ciência. — Olhou para mim. Eu era o chefe, mesmo em pequenos desvios da rotina como esse. Pensei no assunto e dei de ombros, como se não tivesse muita importância. A verdade é que eu também queria ver o que ele iria fazer.

Bem, ele comeu, é claro. Afinal de contas, estávamos em meio a uma depressão. Mas o *modo* como ele comeu nos fascinou a todos. Ele se aproximou do fragmento de sanduíche, cheirou em volta dele e então se sentou sobre as patas traseiras. Como um cachorro fazendo um truque, agarrou-o e retirou o pão para chegar à carne. Fez isso de maneira tão proposital e consciente como um homem comendo um bom prato de rosbife no restaurante predileto. Nunca vi um animal comer assim, nem mesmo um cão doméstico bem-ensinado. E durante todo o tempo em que estava comendo, jamais tirou os olhos de nós.

— Ou é um camundongo esperto ou está com uma fome dos infernos — disse uma nova voz. Era Bitterbuck. Tinha despertado e agora estava de pé, junto das grades de sua cela, vestindo apenas um short. Havia um cigarro de palha preso entre o segundo e o terceiro dedos da mão direita, e o cabelo cinza-escuro lhe caía em duas tranças sobre os ombros, que um dia tinham provavelmente sido musculosos, mas que agora começavam a ficar flácidos.

— Você tem algum conhecimento especial de índio a respeito de camundongos, Cacique? — perguntou Brutal, observando o camundongo comendo. Estávamos todos bastante fascinados pela maneira habilidosa com que segurava o pedaço de carne com as patas dianteiras, de vez em quando dando-lhe voltas ou olhando para ela como se a estivesse admirando ou apreciando.

— Não — respondeu Bitterbuck. — Conheci um guerreiro que tinha um par do que ele dizia serem luvas de pele de camundongo, mas não acreditei. — Depois deu uma gargalhada, como se tudo não passasse de uma piada, e se afastou das grades. Ouvimos o catre ranger quando ele se deitou de novo.

Este pareceu ser o sinal para o camundongo ir embora. Terminou o que estava segurando, deu uma cheirada no que sobrara (quase só pão com mostarda amarela) e depois olhou de volta para nós, como se quisesse se lembrar de nossos rostos caso nos encontrássemos novamente. Aí deu meia-volta e saiu correndo na direção de onde tinha vindo, dessa vez sem se deter em qualquer inspeção das celas. Sua pressa me fez pensar no Coelho Branco de *Alice no País das Maravilhas*, e dei um sorriso. Ele não parou diante da porta da solitária, mas se enfiou por baixo dela. A solitária tinha paredes forradas, para as pessoas que estavam de miolo um pouco mole. Quando não estávamos precisando dela para a finalidade a qual tinha sido feita, guardávamos ali material de limpeza e alguns livros (a maioria era de histórias de faroeste por Clarence Mulford, mas um, só emprestado em ocasiões especiais, continha uma história com profusas ilustrações em que Popeye, Brutus e até Dudu, a fera do hambúrguer, se revezavam comendo Olívia Palito). Havia também coisas para trabalhos manuais, inclusive os lápis pastel que depois Delacroix utilizou muito bem. Não que ele já fosse problema nosso; lembre-se, isso foi antes. Além disso, na solitária também havia o casaco que ninguém queria usar: branco, feito de lona costurada em camada dupla, com botões, fivelas e presilhas subindo pelas costas. Todos nós sabíamos como prender uma criança-problema naquela camisa de força bem depressinha. Nossos meninos perdidos não ficavam violentos com frequência, mas quando ficavam, meu caro, não esperávamos que a situação melhorasse por conta própria.

Brutal esticou a mão para dentro da gaveta que ficava no centro da mesa, sobre o espaço para os joelhos, e retirou o livro grande, encadernado em couro, com a palavra VISITANTES gravada na frente, em folha de ouro. Geralmente, esse livro ficava na gaveta por meses a fio. Quando um preso recebia visita, a menos que fosse um advogado ou padre, ele era levado para a sala ao lado do refeitório, que estava reservada especialmente para essa finalidade. Nós a chamávamos de A Galeria. Não sei por quê.

— O que você acha que *está fazendo*? — perguntou Dean Stanton, espiando por cima da armação dos óculos quando Brutal abriu o livro e foi passando pomposamente pelas páginas de anos passados repletas de visitantes de homens agora mortos.

— Obedecendo à Regra 19 — respondeu Brutal, achando a página da época. Pegou o lápis e lambeu a ponta, um hábito desagradável do qual não conseguia se livrar, e preparou-se para escrever. A Regra 19 dizia simplesmente: "Cada visitante do Bloco E deverá exibir um passe amarelo da Administração e será registrado *imediatamente*."

— Ele ficou maluco — disse Dean para mim.

— Ele não nos mostrou seu passe, mas dessa vez vou deixar passar — falou Brutal. Deu mais uma lambida na ponta do lápis, para dar sorte, depois escreveu 21:49 na coluna intitulada ENTRADA NO BLOCO.

— Claro, por que não, os chefes provavelmente abrem exceções para camundongos — disse eu.

— Claro que sim — concordou Brutal. — Eles não têm bolsos. — Virou-se para olhar para o relógio de parede atrás da mesa, depois escreveu 22h01 na coluna intitulada SAÍDA DO BLOCO. O espaço maior entre esses dois números era intitulado NOME DO VISITANTE. Depois de pensar intensamente por um momento, provavelmente para reforçar a limitada capacidade de escrita, pois tenho certeza de que já estava com a ideia na cabeça, Brutus Howell escreveu cuidadosamente Willie do Barco a Vapor, que era como a maioria das pessoas chamava Mickey Mouse naquela época. Era devido àquele primeiro desenho animado falado, no qual ele girava os olhos, mexia as cadeiras e puxava o cordel do apito na cabina do comandante do barco a vapor.

— Pronto — disse Brutal, fechando o livro com força e repondo-o na gaveta —, tudo feito e acabado.

Dei uma risada, mas Dean, que não conseguia deixar de levar as coisas a sério mesmo quando via que era uma brincadeira, estava franzindo a testa e limpando os óculos freneticamente.

— Você vai ter problemas se alguém vir isso. — Hesitou e acrescentou. — O alguém errado. — Hesitou novamente, passando seu olhar míope ao redor, quase como se esperasse ver que as paredes tinham orelhas, antes de concluir: — Alguém como Percy Puxe-meu--Saco-e-Vá-para-o-Céu Wetmore.

— Hã — disse Brutal. — O dia em que Percy Wetmore sentar a bunda magra aqui nessa mesa será o dia em que eu me demito.

— Você não vai precisar fazer isso — falou Dean. — Eles vão botar você na rua por escrever piadas no livro de visitantes se Percy disser a palavra certa na orelha certa. E ele pode. Você sabe que pode.

Brutal olhou fixo para ele, mas não disse nada. Achei que ele iria apagar o que tinha escrito depois. E se ele não apagasse, eu apagaria.

Na noite seguinte, depois de levar primeiro Bitterbuck e depois o Presidente até o Bloco D, onde dávamos banho de chuveiro no nosso grupo depois que os presos comuns estavam trancados nas celas, Brutal me perguntou se não devíamos dar uma olhada em Willie do Barco a Vapor lá na solitária.

— Acho que devíamos — respondi. Tínhamos dado boas risadas por causa daquele camundongo na noite anterior, mas sabia que se Brutal e eu o encontrássemos lá na solitária, especialmente se descobríssemos que ele tinha roído um lugar numa das paredes forradas para fazer seu ninho, nós o mataríamos. É melhor matar o explorador, por mais divertido que ele seja, do que ter que conviver com os seguidores. E eu não devia precisar lhe dizer que nenhum de nós tinha muitos problemas de consciência com um pequeno assassinato de camundongo. Afinal de contas, era para matar ratos que o estado nos pagava.

Mas não encontramos Willie do Barco a Vapor, que mais tarde seria conhecido como sr. Guizos, naquela noite, nem aninhado nas paredes forradas nem por trás da pilha de quinquilharias acumuladas que retiramos para o corredor. Aliás, havia uma grande quantidade de quinquilharias, mais do que eu esperava, porque fazia muito tempo que não usávamos a solitária. Isso iria mudar com a chegada de William Wharton, mas, é claro, não sabíamos disso então. Que sorte a nossa.

— Onde é que ele se meteu? — perguntou Brutal por fim, enxugando o suor da nuca com uma bandana azul. — Nenhum buraco, nenhuma fenda... Tem aquilo ali, mas... — Apontou para o ralo no chão. Um camundongo poderia passar pela grade, mas por baixo dela havia uma tela fina de aço através da qual nem uma mosca poderia passar. — Como foi que ele entrou? Como foi que ele saiu?

— Não sei — respondi.

— Ele entrou aqui dentro, não entrou? Quero dizer, nós três o vimos.

— Foi, bem por baixo da porta. Teve que se espremer um pouco, mas passou.

— Puxa vida — disse Brutal, uma palavra que parecia estranha, vinda de um homem grande daquele jeito. — Ainda bem que os detentos não podem ficar pequenos assim, não é?

— Pode apostar que sim — disse eu, correndo os olhos pelas paredes forradas mais uma vez, procurando um buraco, uma fenda, qualquer coisa. Não havia nada. — Venha. Vamos embora.

Willie do Barco a Vapor apareceu de novo três noites depois, quando Harry Terwilliger estava na mesa da guarda. Percy também estava de serviço e perseguiu o camundongo de volta pelo Corredor Verde com o mesmo esfregão que Dean tinha pensado em usar. O roedor escapou de Percy com facilidade, enfiando-se pela fresta por baixo da porta da solitária, vencendo toda a briga. Xingando o mais alto que podia, Percy destravou a porta e carregou para fora toda aquela merda de novo. Foi engraçado e assustador ao mesmo tempo, disse Harry. Percy jurava que pegaria o maldito camundongo e arrancaria a cabeça empestada dele todinha, mas é claro que não conseguiu. Suando e descabelado, com a camisa do uniforme para fora da calça, ele voltou para a mesa da guarda meia hora depois, tirando os cabelos de cima dos olhos e dizendo a Harry (que tinha ficado lendo calmamente durante toda essa agitação) que ia pôr uma fita isolante na parte inferior daquela porta. *Isso* ia resolver o problema daquela praga, declarou.

— O que você achar melhor, Percy — disse Harry, virando uma página do romance barato que estava lendo. Achou que Percy ia se esquecer de bloquear a fresta por baixo da porta, e tinha razão.

## 8

Mais adiante naquele inverno, muito depois desses acontecimentos, uma noite Brutal veio até mim quando só estávamos nós dois, com o Bloco E temporariamente desocupado e todos os outros guardas distribuídos para outros blocos. Percy tinha partido para Briar Ridge.

— Venha cá — disse Brutal numa voz fina, engraçada, que me fez olhar para ele de repente. Tinha acabado de entrar, saindo de uma noite fria, e estava tirando a neve dos ombros do meu casaco antes de pendurá-lo.

— Há algo errado? — perguntei.

— Não — respondeu —, mas encontrei o esconderijo do sr. Guizos. Quero dizer, quando ele veio pela primeira vez, antes de Delacroix o adotar. Você quer ver?

Claro que eu queria. Segui-o pelo Corredor Verde até a solitária. Todas as coisas que guardávamos lá estavam no corredor. Aparentemente, Brutal tinha aproveitado a interrupção no tráfego de fregueses para fazer uma faxina. A porta estava aberta, e vi o balde lá dentro. O piso, da mesma tonalidade enjoativa de verde-claro do próprio Corredor Verde, estava secando em estrias. De pé no centro do piso havia uma escada de abrir, que geralmente ficava guardada na sala de depósito que também servia de parada final para os condenados. Havia uma prateleira que se projetava da parte traseira da escada, perto do topo, o tipo de coisa que um operário usaria para apoiar a caixa de ferramentas ou um pintor o balde de tinta com que estivesse trabalhando. Havia uma lanterna de pilha sobre ela, e Brutal passou-a para mim.

— Suba até lá. Você é mais baixo do que eu, de modo que vai ter que subir quase tudo, mas eu seguro suas pernas.

— Sinto cócegas nelas — disse eu, começando a subir. — Principalmente nos joelhos.

— Prestarei atenção nisso.

— Ainda bem — disse eu —, porque uma bacia quebrada é um preço muito alto a pagar só para descobrir as origens de um camundongo.

— Hã?

— Deixa pra lá. — A essa altura, estava com a cabeça junto da lâmpada, no centro do teto, e podia sentir a escada gingando um pouco com meu peso. Podia escutar o vento de inverno gemendo do lado de fora. — Apenas trate de me segurar.

— Estou segurando, não se preocupe. — Ele agarrou meus tornozelos com firmeza e subi mais um degrau. Agora minha cabeça estava a menos de 30 centímetros do teto, e eu podia enxergar as teias que algumas aranhas empreendedoras tinham tecido nos vértices onde as vigas do telhado se juntavam. Passeei a luz em volta, mas não vi nada que compensasse o risco de estar ali em cima.

— Não — falou Brutal. — Você está olhando para muito longe, Paul. Olhe para a sua esquerda, onde aquelas duas vigas se juntam. Está vendo? Uma delas está meio sem cor.

— Estou vendo.

— Coloque a luz na junta.

Assim fiz e quase imediatamente vi o que ele queria que eu visse. As vigas tinham sido presas com pinos de madeira, meia dúzia deles, e um tinha sumido, deixando um orifício preto, circular, do tamanho de uma moeda de 25 centavos. Olhei para ele, depois olhei desconfiado por cima do ombro para Brutal.

— Era um camundongo pequeno — disse eu —, mas tão pequeno assim? Cara, acho que não.

— Mas foi por aí que ele passou — disse Brutal. — Tenho absoluta certeza.

— Não vejo como pode ter tanta certeza.

— Incline-se mais para perto. Não se preocupe, estou segurando. Dê uma cheirada.

Fiz como ele pediu, tateando com uma das mãos em busca de uma das outras vigas e me sentindo melhor quando consegui agarrá-la. O vento lá fora deu outra lufada e o ar saiu daquele buraco bem no meu rosto. Pude sentir o cheiro agudo de uma noite de inverno na fronteira do sul... E alguma outra coisa também.

Cheiro de hortelã.

*Não deixe acontecer nada com o sr. Guizos*, eu podia ouvir Delacroix dizendo numa voz que não ficava firme. Podia ouvir isso e podia sentir o calor do sr. Guizos quando o francês o entregou a mim, apenas um camundongo, mais esperto do que a maioria da sua espécie, sem dúvida, mas ainda assim, apenas um camundongo. *Não deixe aquele sujeito malvado machucar meu camundongo*, disse ele, e eu prometi, como sempre prometia para eles no final, quando percorrer o Corredor Verde não era mais um mito ou uma hipótese, mas algo que eles de fato teriam que fazer. Pode pôr essa carta no correio para meu irmão, que não vejo há vinte anos? Prometo. Pode rezar 15 Ave-Marias pela minha alma? Prometo. Pode me deixar morrer com meu nome de santo e fazer com que seja escrito na minha tumba? Prometo. Era o jeito de fazê-los ir e portar-se bem, o jeito de fazê-los se sentar na cadeira no final do Corredor Verde com a sanidade ainda intacta. É claro que não conseguia cumprir todas essas promessas, mas cumpri a que fiz a Delacroix. Quanto ao próprio francês, foi um inferno. O sujeito malvado machucou Delacroix e muito. Oh, eu sei o que ele tinha feito, sim, mas ninguém merecia o que aconteceu com Eduard Delacroix quando ele caiu no abraço selvagem da Velha Fagulha.

Cheiro de hortelã.

E alguma outra coisa. Alguma coisa no fundo, dentro do buraco.

Tirei uma caneta do bolso do peito com a mão direita, ainda segurando a lanterna com a esquerda, sem me preocupar mais que Brutal, sem querer, me fizesse cócegas nos joelhos sensíveis. Tirei a tampa da caneta com uma só mão, depois meti a ponta lá dentro e puxei uma coisa para fora. Era uma pequenina lasca de madeira que tinha sido tingida de amarelo vivo, e uma vez mais ouvi a voz de Delacroix, tão nitidamente agora que seu espírito poderia estar pairando ali conosco naquele aposento, no qual William Wharton passou tanto do seu tempo.

*Ei, vocês, caras!* disse a voz dessa vez, a voz risonha e maravilhada de um homem que se esqueceu, pelo menos por um pouco de tempo, de onde está e o que espera por ele. *Venham ver o que o sr. Guizos é capaz de fazer!*

— Deus meu — murmurei. Senti como se tivesse perdido o fôlego.

— Você encontrou mais uma, não foi? — perguntou Brutal. — Encontrei três ou quatro.

Desci e pus a luz sobre a palma da mão dele, grande e aberta. Havia várias lasquinhas de madeira espalhadas nela, como varetas de duendes. Duas eram amarelas, como a que eu encontrara. Uma era verde e a outra era vermelha. Não tinham sido pintadas e sim coloridas, com lápis de cera Crayola.

— Puxa — disse eu com a voz baixa e trêmula. — Por quê? Por que estão lá em cima?

— Quando eu era menino, não era alto como sou agora — disse Brutal. — A maior parte do que cresci foi entre 15 e 17 anos. Até então eu era um tampinha. E quando fui para a escola pela primeira vez, me senti tão pequeno... Ora, tão pequeno como um camundongo, acho que se poderia dizer. Estava apavorado. Então sabe o que eu fiz?

Abanei a cabeça. Do lado de fora, outra lufada de vento. Nos ângulos formados pelas vigas, as teias de aranha se sacudiam nas correntes de ar como renda despedaçada. Nunca estivera num lugar que me dava tanto a sensação de ser assombrado, e foi naquele momento, enquanto estávamos parados ali olhando para os restos em lascas do carretel que tinha causado tantos problemas, que minha cabeça começou a perceber o que meu coração tinha entendido desde que John Coffey tinha percorrido o Corredor Verde: eu não podia mais fazer esse trabalho. Com ou sem a Depressão, não podia mais olhar muitos outros homens passarem pelo meu escritório a caminho da morte. Talvez não suportasse ver nem mais um.

— Pedi a minha mãe um de seus lenços — disse Brutal. — Assim, quando me sentia pequeno e com vontade de chorar, podia tirá-lo discretamente do bolso, cheirar o perfume dela e não me sentir tão mal.

— Você acha que aquele camundongo arrancou com os dentes uns pedaços daquele carretel colorido para se lembrar de Delacroix? Que um *camundongo*...

Ele ergueu os olhos. Por um instante pensei ter visto lágrimas nos olhos dele, mas acho que me enganei a esse respeito.

— Eu não disse nada, Paul. Mas encontrei-as lá em cima e senti o cheiro de hortelã, do mesmo jeito que você. Você sabe que sentiu. E não posso mais fazer isso. Não *vou* mais fazer isso. Se visse só mais um homem naquela cadeira, eu morreria. Vou requerer minha transferência para o Centro Correcional de Meninos na segunda-feira. Se conseguir antes do próximo, ótimo. Se não, peço demissão e volto a trabalhar em fazendas.

— O que é que você já colheu na vida, além de pedras?

— Não tem importância.

— Eu sei que não — disse eu. — Acho que vou me juntar a você.

Ele olhou bem para mim, para se certificar de que eu não estava apenas brincando com ele, depois assentiu com a cabeça como se tivéssemos feito um acordo. O vento deu outra lufada, dessa vez com força o bastante para fazer as vigas rangerem, e nós dois olhamos inquietos para as paredes forradas. Acho que por um instante pudemos ouvir William Wharton, não Billy the Kid, não ele, para nós ele tinha sido Bill Selvagem desde seu primeiro dia no bloco, gritando e dando gargalhadas, nos dizendo que ficaríamos doidos de alegria quando livrássemos dele, dizendo-nos que nunca o esqueceríamos. Nisso ele tinha razão.

Quanto ao que Brutal e eu combinamos naquela noite na solitária, acabou acontecendo daquele jeito mesmo. Foi quase como se tivéssemos feito um juramento solene sobre aqueles pedacinhos de madeira colorida. Nenhum dos dois tornou a participar de outra execução. A de John Coffey foi a última.

PARTE DOIS

---

# O RATO
# NO CORREDOR

# 1

O asilo para velhos onde estou passando minha última etapa de colocar os pingos nos is chama-se Georgia Pines. Está a uns 100 quilômetros de Atlanta e a cerca de duzentos anos-luz da vida como é levada pela maioria das pessoas — digamos, pessoas com menos de 80 anos de idade. Você que está lendo isto deve ter cuidado para que não haja um lugar como esse à espera no seu futuro. Não é um lugar cruel, pelo menos na sua maior parte. Tem TV a cabo, a comida é boa (embora haja pouco nela que um homem possa mastigar), porém, à sua maneira, é uma arapuca do mesmo modo que o Bloco E em Cold Mountain.

Existe até um sujeito aqui que me lembra um pouco Percy Wetmore, que obteve seu emprego no Corredor Verde porque era parente do governador. Duvido que esse sujeito seja aparentado com qualquer pessoa importante, embora aja como se fosse. O nome dele é Brad Dolan. Está sempre penteando o cabelo, como Percy fazia, e tem sempre alguma coisa para ler enfiada no bolso de trás. Com Percy eram revistas como *Argosy* e *Men's Adventure*; com Brad são livretos chamados *Piadas Sujas* e *Piadas Idiotas*. Ele está sempre perguntando às pessoas por que o francês atravessou a rua, de quantos polacos se precisa para atarraxar uma lâmpada ou quantos carregadores de caixão são necessários para um enterro no Harlem. Tal como Percy, Brad é um pobre de espírito que acha que nada é engraçado se não for perverso.

Uma coisa que Brad disse outro dia me pareceu de fato inteligente, mas não lhe dou muito crédito por isso. Até mesmo um relógio parado está certo duas vezes por dia, como diz o provérbio. "Você tem sorte de não estar com aquela doença de Alzheimer, Paulie", foi o que ele disse. Detesto que ele me chame assim, de Paulie, mas ele continua de qualquer jeito. Já desisti de pedir a ele que pare. Há outros ditos, que não chegam a ser provérbios, que se aplicam a Brad Dolan: "Pode-se levar um cavalo até a água, mas não se pode obrigá-lo a beber" é um deles; "Pode-se enfeitá-lo, mas não se pode fazê-lo sair" é outro. Em sua teimosia, ele também é como Percy.

Quando fez seu comentário sobre Alzheimer, ele estava limpando o piso do solário, onde eu estava revendo as páginas que já tinha escrito. Há uma grande quantidade delas, e acho que haverá muito mais antes que eu termine.

— Essa Alzheimer, você sabe o que é na verdade?

— Não — disse eu —, mas tenho certeza de que você vai me dizer, Brad.

— É a AIDS das pessoas velhas — falou ele e depois caiu na gargalhada, quá-quá-quá-*quá!*, exatamente como faz quando conta aquelas piadas idiotas.

Mas eu não ri, porque o que ele falou atingiu um ponto sensível em algum lugar. Não que eu esteja com Alzheimer. Embora haja muitos desses casos à vista aqui no belo Georgia Pines, eu mesmo só sofro dos problemas comuns de memória de gente velha. Esses problemas parecem ter mais a ver com *quando* em vez de *o quê*. Olhando para o que escrevi até agora, me ocorre que *me lembro* de tudo que aconteceu em 1932; é a sequência dos fatos que às vezes fica confusa na minha cabeça. No entanto, se tiver cuidado, acho que consigo manter até isso na ordem certa. Mais ou menos.

John Coffey veio para o Bloco E e o Corredor Verde em outubro daquele ano, condenado pelo assassinato das gêmeas Detterick, de 9 anos de idade. Esse é o meu marco principal, e se não tirar o olho dele devo ir perfeitamente bem. William "Bill Selvagem" Wharton veio depois de Coffey; Delacroix veio antes. Assim como o rato, o que Brutus

Howell (Brutal para os amigos) chamou de Willy do Barco a Vapor, e Delacroix acabou chamando de sr. Guizos.

Como quer que você o chamasse, o rato veio primeiro, até mesmo antes de Del. Ainda era verão quando ele apareceu, e nós tínhamos dois outros presos no Corredor Verde: o Cacique, Arlen Bitterbuck, e o Presidente, Arthur Flanders.

Aquele rato. Aquele maldito rato. Delacroix o adorava, mas Percy Wetmore certamente não.

Percy o odiara desde o princípio.

## 2

O rato voltou uns três dias depois que Percy saiu correndo atrás dele pelo Corredor Verde naquela primeira vez. Dean Stanton e Bill Dodge estavam falando sobre política, o que queria dizer, naquela época, que estavam falando de Roosevelt e Hoover (Herbert, não J. Edgar). Estavam comendo biscoitos Ritz de uma caixa que Dean tinha comprado do velho Toot-Toot mais ou menos uma hora antes. Percy estava de pé no portal do escritório, treinando sacar rápido o cassetete de que ele gostava tanto, enquanto escutava. Ele o sacava daquela capa ridícula, feita à mão, que tinha conseguido em algum lugar, depois o girava nos dedos (ou tentava fazê-lo; na maioria das vezes o teria deixado cair se não fosse a correia de couro cru que punha em volta do pulso), depois tornava a enfiá-lo na capa. Eu estava de folga naquela noite, mas recebi o relatório completo de Dean na noite seguinte.

O rato veio pelo Corredor Verde do mesmo jeito que antes, saltitando, depois parando e dando a impressão de que estava conferindo as celas vazias. Depois de fazer um pouco isso, ele continuava saltitando, sem desanimar, como se soubesse o tempo todo que ia ser uma busca longa, e estava disposto a isso.

Dessa vez o Presidente estava acordado, de pé junto da porta da cela. Aquele sujeito era uma figura, conseguindo parecer elegante até no uniforme azul de presidiário. Nós sabíamos só pelo seu jeitão que ele não tinha sido feito para a Velha Fagulha, e tínhamos razão: menos de uma semana depois da segunda corrida que Percy deu naquele rato, a sentença do Presidente foi alterada para prisão perpétua, e ele se juntou à população comum.

— Olhe aqui! — berrou ele. — Tem um rato aqui dentro! Que espécie de birosca vocês estão mantendo aqui, afinal de contas? — Ele estava meio rindo, mas Dean disse que também parecia estar indignado, como se nem mesmo uma condenação por assassinato fosse suficiente para tirar a empáfia de sua alma. Ele tinha sido o chefe regional de uma empresa chamada Associados de Operações Imobiliárias do Meio-Sul, e se julgara esperto o bastante para sair impune de ter empurrado seu pai meio senil pela janela de um terceiro andar e receber o pagamento de uma indenização em dobro por seguro de vida integral. Nisso se enganara, mas talvez por pouco.

— Cala a boca, seu boçal — disse Percy, mas isso foi mais ou menos automático. Estava de olho no rato. Tinha recolocado o cassetete no lugar e tirado do bolso uma das suas revistas, mas então atirou a revista sobre a mesa da guarda e sacou o cassetete novamente. Começou a batê-lo com ar distraído nos nós dos dedos da mão esquerda.

— Filho da mãe — falou Bill Dodge. — Nunca vi um rato aqui antes.

— Ora, ele até que é meio engraçadinho — disse Dean. — E não tem medo nenhum.

— Como é que você sabe?

— Esteve aqui outra noite. Percy também o viu. Brutal o chama de Willy do Barco a Vapor.

Percy fez um olhar de escárnio ao ouvir isso, mas naquele momento não chegou a dizer nada. Agora estava batendo o cassetete mais depressa no dorso da mão.

— Olhe só isso — disse Dean. — Ele veio até aqui junto da mesa da outra vez. Quero ver se vai fazer o mesmo de novo.

Ele assim fez, passando ao largo do Presidente no trajeto, como se não gostasse do cheiro do nosso parricida residente. Conferiu duas das celas vazias, deu uma corrida até um dos catres vazios, sem colchão, para dar uma cheirada, depois voltou para o corredor. E, durante todo esse tempo, Percy ficou ali, batendo de leve, sem falar muito dessa vez, querendo fazê-lo se arrepender de ter voltado. Querendo dar-lhe uma lição.

— Ainda bem que vocês não precisam colocá-lo na Fagulha — disse Bill, não conseguindo reprimir seu interesse. — Ia ser o diabo colocar as alças e o capacete nele.

Percy continuou sem dizer nada, mas muito lentamente apertou o cassetete entre os dedos, do modo como um homem seguraria um bom charuto.

O rato parou onde tinha parado antes, a não mais de um metro da mesa da guarda, erguendo os olhos para Dean como um preso diante da banca de um juiz. Lançou um olhar para Bill por um instante, depois voltou sua atenção para Dean. Mal parecia ter notado Percy.

— Tenho de reconhecer que ele é valente — comentou Bill. Elevou um pouco o tom da voz. — Ei! Ei! Willy do Barco a Vapor!

O rato estremeceu um pouco e sacudiu as orelhas rápido, mas não fugiu nem deu sinal de querer fugir.

— Agora olhe isso — disse Dean, lembrando-se de como Brutal tinha dado um pouco do sanduíche de carne ao bichinho. — Não sei se ele vai fazer de novo, mas...

Partiu um pedaço do biscoito Ritz e deixou-o cair na frente do rato. Ele apenas olhou com seus olhos pretos, vivos, para o fragmento alaranjado por um ou dois segundos, os bigodes finos estremecendo enquanto ele farejava. Depois esticou as patas dianteiras, pegou o biscoito, sentou-se e começou a comer.

— Ora, macacos me mordam! — exclamou Bill. — Come tão bem como um pároco na casa paroquial na noite de sábado!

— Para mim parece mais com um crioulo comendo melancia — observou Percy, mas nenhum dos guardas lhe deu qualquer atenção. Aliás, tampouco o Cacique ou o Presidente. O rato terminou o biscoito, mas continuou sentado, parecendo estar se equilibrando sobre sua cauda talentosamente enroscada, elevando os olhos para os gigantes vestidos de azul.

— Me deixa tentar — falou Bill. Partiu outro pedaço de biscoito, debruçou-se por cima da mesa e deixou-o cair com cuidado. O rato cheirou, mas não tocou.

— Ué — disse Bill. — Deve estar cheio.

— Que nada — retrucou Dean —, ele sabe que você é um temporário, é só isso.

— Sou temporário, é? Essa é boa! Fico aqui quase tanto quanto Harry Terwilliger! Talvez até mais!

— Calma, velho, calma — disse Dean com um sorriso. — Mas olhe e veja se não tenho razão. — Lançou outro pedaço por cima da mesa. O rato pegou esse e começou a comer de novo, ainda ignorando por completo a contribuição de Bill Dodge. Mas antes que ele tivesse dado uma ou duas mordidinhas, Percy atirou o cassetete nele, lançando-o como se fosse um dardo.

O rato era um alvo pequeno, e há que se dar ao diabo o que lhe é devido; tinha sido um lançamento perversamente bom e poderia ter acertado em cheio na cabeça de "Willy" se seus reflexos não fossem afiados como cacos de vidro. Ele se abaixou, exatamente como teria feito um ser humano, e largou o pedaço de biscoito. O cassetete pesado de peroba passou-lhe tão perto da cabeça e da espinha que fez o pelo dele levantar (pelo menos foi isso que Dean falou, de modo que passo adiante, embora não esteja certo de acreditar), depois bateu no piso de linóleo verde e saltou de encontro às grades de uma cela vazia. O rato não esperou para ver se tinha sido um equívoco. Aparentando ter-se lembrado de que tinha um compromisso urgente em outro lugar, deu meia-volta e partiu pelo corredor na direção da solitária num segundo.

Percy urrou de frustração, pois sabia como tinha chegado perto, e saiu atrás dele novamente. Bill Dodge tentou agarrá-lo pelo braço, provavelmente por puro instinto, mas Percy se desvencilhou dele. Mesmo assim, disse Dean, provavelmente foi esse gesto que salvou a vida de Willy do Barco a Vapor, e ainda assim foi por pouco. Percy não queria apenas matar o rato, mas *esmigalhá-lo*, de modo que saiu correndo, dando uns saltos grandes e cômicos, como um cervo, batendo com força as botinas pesadas no chão. O rato mal conseguiu se esquivar dos dois últimos saltos de Percy, primeiro guinando para um lado e depois para o outro. Meteu-se por debaixo da porta com um último aceno de sua cauda comprida e rosada, e adeus forasteiro — sumiu.

— *Merda!* — berrou Percy e bateu com a palma da mão na porta. Depois começou a procurar no seu molho de chaves, pretendendo entrar na solitária e continuar a perseguição.

Dean veio pelo corredor atrás dele, propositadamente andando devagar a fim de controlar suas emoções. Uma parte dele queria rir de

Percy, contou-me ele, mas outra parte queria agarrar o homem, fazê-lo dar meia-volta, empurrá-lo de encontro à porta da solitária e dar-lhe uma boa surra. A maior parte disso foi só pelo susto. Nosso trabalho no Bloco E era manter a agitação no ponto mínimo, e agitação era praticamente o sobrenome de Percy Wetmore. Trabalhar com ele era como tentar desarmar uma bomba com alguém de pé atrás de você e de vez em quando batendo um par de pratos. Numa palavra, perturbador. Dean disse que podia ver essa perturbação nos olhos de Arlen Bitterbuck. Até mesmo nos do Presidente, embora esse cavalheiro geralmente fosse tão frio como um pepino em conserva.

E havia também outra coisa. Em algum canto da mente, Dean já tinha começado a aceitar o rato como... Bem, talvez não como um amigo, mas como parte da vida no bloco. Isso tornava errado o que Percy tinha feito e o que estava tentando fazer. Nem mesmo se o que queria fazer era contra um rato. E o fato de que Percy nunca entenderia como era possível que não estivesse certo era um perfeito exemplo de como ele era inteiramente inadequado para o trabalho que acreditava estar fazendo.

Quando Dean chegou ao fim do corredor, tinha recuperado o controle e sabia como devia lidar com a questão. A única coisa que era inteiramente insuportável para Percy era fazer papel de bobo e nós todos sabíamos disso.

— Puxa vida, tapeado de novo — disse ele, sorrindo um pouco, mexendo com Percy.

Percy lançou-lhe um olhar feio e tirou o cabelo da testa.

— Cuidado com o que fala, Quatro-Olhos. Estou irritado. Não me faça ficar pior.

— Então é dia de mudança de novo? — disse Dean, sem chegar a rir, mas rindo com os olhos. — Bem, quando você botar tudo para fora dessa vez, se importa de passar pano no chão?

Percy olhou para a porta. Olhou para as chaves. Pensou em mais uma longa, quente e infrutífera vasculhada na solitária com as paredes acolchoadas enquanto todos iam ficar em volta, olhando para ele. O Cacique e o Presidente também.

— Que o diabo me carregue se eu entender o que é tão engraçado — falou. — Não precisamos de ratos neste bloco, já temos pragas suficientes aqui dentro.

— Como você quiser, Percy — falou Dean, levantando as mãos. Houve um instante ali, contou-me na noite seguinte, em que ele achou que Percy bem poderia ter saltado em cima dele.

Bill Dodge veio vindo devagar e apaziguou os ânimos.

— Acho que você deixou cair isto — disse ele e entregou o cassetete para Percy. — Uns 2 centímetros para baixo e você teria partido a espinha do miserável.

Ao ouvir isso, Percy estufou o peito.

— É, não foi um mau lançamento — retrucou, recolocando com cuidado seu rompe cabeça na capa ridícula. — Eu era lançador no time de beisebol da escola. Atirava duas em seguida que ninguém acertava. (Threw two no-hitters)

— Puxa, é mesmo? — disse Bill, e o tom de voz respeitoso (embora tenha piscado para Dean quando Percy se virou) foi suficiente para desanuviar a situação.

— É isso aí — disse Percy. — Pus um pra fora em Knoxville. Aqueles meninos da cidade nem souberam o que tinha caído em cima deles. Botei os dois pra andar. Poderia ter sido um jogo perfeito se o árbitro não fosse um boçal.

Dean podia ter deixado como estava, mas era mais antigo do que Percy, e parte do trabalho do mais antigo é instruir. E naquela época, antes de Coffey, antes de Delacroix, ele ainda achava que Percy era capaz de aprender. Então ele esticou a mão e agarrou o pulso do homem mais moço.

— Você deve pensar no que estava fazendo agorinha mesmo — aconselhou Dean. Sua intenção, disse Dean depois, era parecer sério, mas sem repreender. Sem repreender *muito*, pelo menos.

Só que com Percy isso não dava certo. Ele podia não aprender, mas nós, eventualmente, aprenderíamos.

— Olha aqui, Quatro-Olhos, eu sei o que você estava fazendo: tentando pegar aquele rato! Você é cego?

— Você também deu um susto danado em Bill, em mim e neles — falou Dean, apontando na direção de Bitterbuck e Flanders.

— E daí? — perguntou Percy, erguendo o corpo. — Caso você não tenha notado, eles não estão no jardim de infância. Embora vocês os tratem a maior parte do tempo como se estivessem.

— Bem, não gosto de levar sustos — rosnou Bill —, e trabalho aqui, Wetmore, caso você não tenha notado. *Eu* não sou um dos seus boçais.

Percy dirigiu-lhe um olhar um pouco incerto, com os olhos apertados.

— E nós não os assustamos mais do que o necessário, porque eles estão sob um bocado de tensão — disse Dean, ainda mantendo a voz baixa. — Homens que estão sob tensão são capazes de estourar. Machucar a si próprios. Machucar outras pessoas. Às vezes colocar gente como nós em dificuldades também.

Percy fez uma careta ao ouvir isso. "Em dificuldades" era uma ideia que tinha poder sobre ele. Criar dificuldades estava bem. Ficar em dificuldades, não.

— Nosso trabalho é falar, não gritar — disse Dean. — Um homem que fica gritando com os presos é um homem que perdeu o controle.

Percy sabia quem tinha escrito esse roteiro: eu. O chefe. Não havia nenhum sentimento de amizade entre Percy Wetmore e Paul Edgecombe, e isso aconteceu quando ainda era verão, lembre-se, muito antes de começarem as festividades.

— Será melhor para você — falou Dean — se pensar neste lugar como uma enfermaria de tratamento intensivo num hospital. É melhor ficar tranquilo...

— Penso nele como um balde de mijo que serve para afogar ratos — disse Percy — e é só. Agora, deixe-me ir embora.

Desvencilhou-se com força da mão de Dean, passou entre ele e Bill, e foi andando pelo corredor com a cabeça abaixada. Passou perto demais do lado do Presidente, perto o bastante para que Flanders pudesse esticar as mãos, agarrá-lo e talvez lhe golpear a cabeça várias vezes com seu próprio cassetete se fosse esse tipo de homem. É claro que ele não era, mas o Cacique talvez fosse. Se tivesse a oportunidade, o Cacique poderia ter aplicado uma surra dessas em Percy só para lhe dar uma lição. O que Dean me disse sobre esse assunto quando me contou essa história na noite seguinte ficou comigo desde então, porque acabou sendo uma espécie de profecia.

— Wetmore não entende que não tem nenhum poder sobre eles — disse Dean. — Que nada que possa fazer pode realmente piorar as coisas para eles, que eles só podem ser eletrocutados uma vez. Até que meta isso na cabeça, ele vai ser um perigo para ele próprio e para todo mundo lá.

Percy entrou no meu escritório e bateu a porta atrás de si.

— Ora, ora — disse Bill. — Ele é mesmo um testículo inchado e com uma infecção séria.

— Você não sabe nem a metade da história — falou Dean.

— Oh, olhe para o lado positivo — disse Bill. Estava sempre dizendo às pessoas que olhassem para o lado positivo; chegava a um ponto em que você ficava com vontade de dar-lhe um murro no nariz toda vez que isso lhe saía da boca. — Pelo menos seu rato que faz gracinhas escapou.

— É, mas nós não vamos mais vê-lo — retrucou Dean. — Acho que agora Percy Wetmore o assustou de vez.

## 3

Isso era lógico, mas estava errado. O rato voltou logo na noite seguinte, que calhou ser a primeira das duas noites de folga de Percy Wetmore antes de ele passar para o turno da noite.

Willy do Barco a Vapor apareceu por volta das sete. Eu estava lá para ver seu reaparecimento, assim como Dean. Harry Terwilliger também. Harry estava na mesa da guarda. Tecnicamente eu trabalhava no período diurno, mas tinha ficado por ali para passar mais uma hora com o Cacique, cujo fim estava se aproximando. Bitterbuck era impassível por fora, de acordo com a tradição de sua tribo, mas eu podia ver o medo crescendo dentro dele como uma flor envenenada. Então nós conversávamos. Podia-se conversar com eles durante o dia, mas não era tão bom, com os berros e as conversas (para não mencionar as ocasionais brigas) que vinham do pátio de exercícios, o barulho das máquinas da oficina de fabricação de placas de automóvel, o grito ocasional de um guarda mandando alguém largar aquela picareta, pegar aquela enxada ou simplesmente mover a bunda até lá, Harvey. Depois das quatro ficava um pouco melhor, e depois das seis, melhor ainda. O momento ideal era de seis às oito. Depois desse período, podíamos ver os pensamentos sombrios começarem a tomar conta das mentes deles novamente. Podíamos perceber isso nos olhos deles, como sombras da tarde, e era melhor parar. Eles ainda ouviam o que estávamos dizendo, mas para eles não fazia mais sentido. Depois das oito eles estavam se preparando para as rondas da noite e imaginando como iam sentir o capacete sendo posto com força na cabeça deles, e como ia ser o cheiro dentro do saco preto enfiado sobre seus rostos suarentos.

Mas peguei o Cacique num momento bom. Contou-me sobre sua primeira mulher e como tinham construído juntos uma cabana em Montana. Aqueles tinham sido os dias mais felizes de sua vida, disse ele. A água era tão pura e tão fria que dava a impressão de cortar a boca cada vez que se bebia.

— Ei, sr. Edgecombe — falou. — O senhor acha que se um homem se arrepende com sinceridade do que fez de errado, pode conseguir voltar para o tempo em que foi mais feliz e viver lá para sempre? Será que o céu é assim?

— Eu já acreditei exatamente na mesma coisa — respondi, o que era uma mentira da qual não me arrependi nem um pouco. Tinha aprendido sobre coisas eternas no colo lindo de minha mãe, e o que eu acreditava era no que o Bom Livro diz sobre assassinos: que para eles não há vida eterna. Acho que eles vão direto para o inferno, onde ardem em tormento até que Deus finalmente faz o sinal de cabeça a Gabriel para que toque a Trompa do Juízo Final. Quando ele tocar, eles vão fechar os olhos de vez... E provavelmente vão ficar contentes de ir embora. Porém, nunca dei nem um indício de tais crenças para Bitterbuck ou para qualquer deles. Acho que, no fundo dos seus corações, eles sabiam. Onde está seu irmão, o sangue dele clama por mim debaixo da terra, disse Deus a Caim, e duvido que essas palavras fossem grande surpresa para aquela criança-problema. Aposto que ele ouvia o sangue de Abel gemendo para ele debaixo da terra a cada passo que dava.

Quando eu saí, o Cacique estava sorrindo, talvez pensando na cabana em Montana e em sua mulher deitada, com os seios nus diante da luz do fogo da lareira. Ele iria caminhar num fogo mais quente em breve, eu não tinha dúvida.

Voltei pelo corredor e Dean me contou sobre seu incidente com Percy na noite anterior. Acho que ele tinha ficado por ali esperando só por isso, e fiquei ouvindo com atenção. Sempre ouvia com atenção quando o assunto era Percy, porque concordava 100 por cento com Dean: eu achava que Percy era o tipo de homem que podia causar um bocado de problemas, tanto para todos nós como para ele próprio.

Quando Dean estava terminando, o velho Toot-Toot veio vindo com seu carrinho vermelho de lanches, que estava coberto de citações da Bíblia escritas à mão ("arrependei-vos porque o Senhor julgará Seu povo", Deut. 32:36, "E certamente o sangue de suas vidas exigirei", Gen. 9:5, e outros pensamentos alegres e animadores), e nos vendeu alguns sanduíches e refrigerantes. Dean estava procurando moedas no bolso e dizendo que não veríamos Willy nunca mais, que o maldito Percy Wetmore o tinha assustado para sempre, quando o velho Toot-Toot disse:

— O que é isso aí, então?

Nós olhamos, e lá vinha o rato do momento, saltitando pelo meio do Corredor Verde. Vinha um pouco, depois parava, dava uma olhada em volta com olhinhos brilhantes parecendo duas gotas de piche, depois andava de novo.

— Ei, rato! — falou o Cacique, e o rato parou e olhou para ele, os bigodes tremendo. Vou lhe dizer, era exatamente como se o danado do bicho soubesse que o tinham chamado. — Você é alguma espécie de guia espiritual? — Bitterbuck atirou um pedacinho de queijo do seu jantar para o rato. Caiu bem na frente dele, mas Willy do Barco a Vapor mal olhou. Ele apenas continuou no seu caminho, vindo pelo Corredor Verde, olhando para dentro das celas vazias.

— Chefe Edgecombe! — chamou em voz alta o Presidente. — O senhor acha que esse miserável sabe que Wetmore não está aqui? Por Deus, eu acho que sabe.

Eu estava pensando a mesma coisa, mas não ia dizer em voz alta.

Harry entrou no corredor, puxando a calça para cima do jeito que sempre fazia depois que havia passado alguns minutos se aliviando na latrina, e ficou ali parado com os olhos arregalados. Toot-Toot também estava olhando fixo, com um sorriso leve produzindo efeitos desagradáveis na metade inferior e desdentada do rosto.

O rato parou no que se estava tornando seu ponto de costume, enroscou a cauda em volta das patas e olhou para nós. Mais uma vez veio-me a recordação de fotos que tinha visto de juízes proferindo sentenças para presos infelizes... No entanto, alguma vez houvera um preso tão pequeno e destemido como aquele? Não que ele fosse um preso de verdade, é claro, pois podia ir e vir quando bem quisesse. Porém, essa ideia não me saía da cabeça, e novamente me ocorreu que cada um de nós ia se sentir pequeno assim quando estivéssemos nos aproximando da cadeira de julgamento de Deus depois que nossas vidas terminassem, mas muito poucos de nós seríamos capazes de parecer tão sem medo.

— Não acredito — disse o velho Toot-Toot. — Ali está ele sentado, posudo como Billy-que-se-Danem-Todos.

— Você ainda não viu nada, Toot — disse Harry. — Veja isto. — Enfiou a mão no bolso da camisa e tirou de lá uma fatia de maçã com canela, embrulhada em papel encerado. Partiu uma ponta e atirou-a no chão. Estava seca e dura, e achei que ia quicar para trás do rato, mas ele esticou uma pata, tão despreocupadamente como um homem tentando esmagar uma mosca para passar o tempo, e derrubou-a de lado. Todos nós rimos de admiração e surpresa, uma explosão ruidosa que devia ter feito o rato sair em disparada, mas ele mal estremeceu. Pegou o pedaço de maçã seca com as patas, deu umas duas lambidas, depois a deixou cair e ergueu os olhos para nós como se estivesse dizendo: Não está ruim, o que mais vocês têm?

Toot-Toot abriu as portinholas do carrinho, retirou um sanduíche, desembrulhou-o e partiu um pedaço de mortadela.

— Nem se dê ao trabalho — disse Dean.

— Como assim? — perguntou Toot-Toot. — Não há rato no mundo que deixe passar um pedaço de mortadela se puder agarrá-lo. Você é um sujeito maluco!

Mas eu sabia que Dean tinha razão, e pude ver pela expressão de Harry que ele também sabia. Havia os temporários e havia os regulares. De algum modo, aquele rato parecia saber a diferença. Maluquice, mas era verdade.

O velho Toot-Toot atirou o pedaço de mortadela no chão, e obviamente o rato nem quis saber dele. Deu uma cheirada e depois recuou um passo.

— Essa não dá pra acreditar — disse o velho Toot-Toot, num tom ofendido.

Estendi a mão.

— Dê para mim.

— O quê, o sanduíche?

— Esse mesmo. Eu pago.

Toot-Toot passou-o para mim. Levantei a parte de cima do pão, arranquei outro pedaço da mortadela e deixei-o cair na frente da mesa da guarda. O rato avançou imediatamente, pegou-o com as patas e começou a comer. A mortadela estava terminada num piscar de olhos.

— Que o diabo me *carregue*! — exclamou Toot-Toot. — Que inferno! Dá isso aqui!

Pegou de volta o sanduíche, apanhou um pedaço bem maior do salame e deixou-o cair tão perto do rato que Willy do Barco a Vapor quase acabou usando-o como chapéu. Ele recuou novamente, deu uma cheirada (sem dúvida, nenhum rato jamais tirou a sorte grande assim durante a Depressão, pelo menos não no *nosso* estado) e depois ergueu os olhos para nós.

— Vamos, coma! — falou Toot-Toot, parecendo mais ofendido do que nunca. — Que que tá errado com você?

Dean pegou o sanduíche e deixou cair um pedaço de mortadela. Àquela altura, o evento parecia um estranho ofício de comunhão. O rato pegou-o imediatamente e o engoliu de uma vez. Depois deu meia-volta e voltou pelo corredor para a solitária, parando no caminho para dar uma olhada em umas duas celas e fazer uma rápida incursão em uma terceira. Mais uma vez veio-me a ideia de que ele estava procurando alguém, e dessa vez demorei um pouco para abandoná-la...

— Não vou falar sobre isso — disse Harry. Parecia como se estivesse só meio brincando e meio falando sério. — Em primeiro lugar, ninguém vai ligar. Em segundo, se ligassem, não iam acreditar em mim.

— Ele só comeu quando vocês deram, caras — disse Toot-Toot. Abanou a cabeça, descrente, depois se curvou com esforço, pegou o que o rato tinha desprezado e jogou dentro da sua própria bocarra desdentada, onde começou o trabalho de mascar com as gengivas. — Agora, por que ele fez isso?

— Tenho uma melhor — disse Harry. — Como é que ele sabia que Percy estava de folga?

— Não sabia — disse eu. — Foi apenas uma coincidência esse rato aparecer aqui hoje de noite.

Só que, à medida que se passavam os dias, estava ficando cada vez mais difícil acreditar nisso, pois o rato só aparecia quando Percy estava de folga, num outro plantão ou em outra parte da prisão. Nós, Harry, Dean, Brutal e eu, chegamos à conclusão de que ele devia conhecer a voz de Percy ou o cheiro dele. Evitamos cuidadosamente conversar muito sobre o próprio rato, *em pessoa*. Parecíamos ter decidido, sem dizer uma palavra, que isso podia contribuir muito para estragar algo que era especial... E lindo, em virtude de seu aspecto peculiar e delicado. Afinal de contas, Willy nos tinha escolhido, de algum modo que não compreendo, mesmo até hoje. Talvez Harry tivesse chegado mais perto quando disse que não ia adiantar de nada contar para outras pessoas, não apenas porque não iam acreditar, mas porque não iam ligar.

## 4

Então chegou a hora da execução de Arlen Bitterbuck, que na realidade não era cacique, mas sim o primeiro ancião de sua tribo na Reserva Washita, bem como membro do Conselho dos Cherokees. Ele matara um homem quando estava bêbado. Na realidade, quando ambos estavam bêbados. O Cacique esmagou a cabeça do homem com um bloco de concreto. A disputa era por um par de botas. Assim sendo, o *meu* conselho de anciãos tinha resolvido que sua vida deveria terminar em 17 de julho daquele verão chuvoso.

As horas de visitação para a maioria dos presos em Cold Mountain eram inflexíveis como vigas de aço, mas isso não se aplicava aos nossos meninos do Bloco E. Então, no dia 16, Bitterbuck teve permissão para ir até a sala comprida ao lado do refeitório: a Galeria. Ela era dividida ao meio no sentido do comprimento por uma tela de aço entremeada de arame farpado. Ali o Cacique receberia a visita de sua segunda esposa e daqueles dentre os seus filhos que ainda mantinham relações com ele. Era a ocasião das despedidas.

Foi levado até lá por Bill Dodge e dois outros temporários. O resto de nós tinha trabalho a fazer: uma hora para fazer dois ensaios pelo menos. Três, se conseguíssemos.

Percy não reclamou muito de ser posto na sala de controle com Jack Van Hay para a eletrocussão de Bitterbuck. Ele era novo demais para saber se tinha recebido um posto bom ou ruim. O que ele sabia era que tinha uma janela retangular, fechada com tela, por onde olhar, e embora ele pudesse não gostar de estar olhando para as costas da cadeira elétrica em vez da frente, ainda estaria suficientemente perto para ver saltar as fagulhas.

Do outro lado da janela havia um telefone preto de parede, sem manivela e sem a rodela para discar. Esse telefone só recebia chamadas e só de um lugar: o gabinete do governador. Ao longo dos anos vi muitos filmes de prisão em que o telefone toca bem quando estão se preparando para acionar a chave de força para dar conta de algum infeliz. O nosso, porém, em todos os meus anos no Bloco E, não tocou nem uma só vez. No cinema, a salvação é barata. A inocência também. Você paga 25 centavos e o que recebe tem o valor equivalente a 25 centavos. A vida real custa mais caro, e a maioria das respostas é diferente.

Tínhamos um manequim de alfaiate no túnel que seguia até o rabecão, e dispúnhamos do velho Toot-Toot para o resto. Com o passar dos anos, Toot tinha se tornado o substituto tradicional do condenado, tão consagrado pela tradição quanto o peru que se come no Natal, quer você goste ou não de peru. Quase todos os outros guardas gostavam dele, achavam graça no sotaque divertido dele, também francês, porém canadense em lugar de cajun, e suavizado pelos anos de encarceramento no sul do país. Até Brutal se divertia com o velho Toot. Mas eu não. Achava que ele era, à sua moda, uma versão mais velha e mais atenuada de Percy Wetmore, um homem fresco demais para matar e cozinhar a carne que comia, mas que, mesmo assim, simplesmente *adorava* o cheiro de churrasco.

Estávamos todos lá para o ensaio, tal como estaríamos todos lá para o espetáculo principal. Brutus Howell tinha sido "destacado", como nós dizíamos, o que queria dizer que ele iria colocar o capacete, monitorar a linha direta do governador, chamar o médico que ficava num canto se fosse preciso, e dar a ordem final para acionar quando chegasse a hora. Se tudo corresse bem, ninguém teria qualquer mérito. Se não corresse bem, Brutal seria acusado pelas testemunhas e eu seria acusado pelo diretor. Nenhum de nós se queixava disso; não teria adiantado nada. O mundo gira, é só isso. Você pode se segurar e girar com ele, ou se levantar para reclamar e ser lançado para fora.

Dean, Harry Terwilliger e eu andamos até a cela do Cacique para o primeiro ensaio apenas uns três minutos depois que Bill e seus homens tinham escoltado Bitterbuck para fora do bloco e até a Galeria. A porta da cela estava aberta e o velho Toot-Toot estava sentado no catre do Cacique, com os cabelos brancos e finos despenteados.

— Tem manchas de gozo pelo lençol todo — observou Toot-Toot. — Ele deve ter tentado se livrar disso antes que vocês o botassem pra ferver. — E deu umas risadinhas feito cacarejos.

— Cala a boca, Toot — disse Dean. — Vamos fazer isso com seriedade.

— Tá bem — falou Toot-Toot, imediatamente compondo sua fisionomia para mostrar uma expressão de gravidade portentosa. Mas os olhos estavam brilhando. O velho Toot nunca parecia tão vivo como quando estava passando por morto.

Dei um passo à frente.

— Arlen Bitterbuck, como funcionário deste tribunal e do estado de bla-blá, tenho um mandado de bla-blá, dita execução a ter lugar às doze-zero-um, no dia bla-blá, por favor queira dar um passo à frente.

Toot se levantou do catre.

— Estou dando um passo à frente, estou dando um passo à frente, estou dando um passo à frente — falou.

— Vire-se — disse Dean, e quando Toot-Toot se virou, Dean examinou o topo cheio de caspa da cabeça dele. O topo da cabeça do Cacique seria raspado na noite seguinte, e a verificação de Dean servia para se certificar de que não era preciso nenhum retoque. Pelos recém-crescidos podiam prejudicar a condução da eletricidade e dificultar as coisas. Tudo que estávamos fazendo nesse dia era para tornar as coisas mais fáceis.

— Muito bem, Arlen, vamos embora — disse eu para Toot--Toot, e saímos andando.

— Estou indo pelo corredor, estou indo pelo corredor, estou indo pelo corredor — falou Toot. Eu estava do lado esquerdo dele, e Dean do direito. Harry estava bem atrás dele. No fim do corredor, dobramos à direita, afastando-nos da vida como era vivida no pátio de exercícios e em direção à morte como era morrida no depósito. Entramos na minha sala, e Toot se prostrou de joelhos sem que tivesse que ser mandado. Ele conhecia bem o roteiro, provavelmente melhor do que qualquer um de nós. Só Deus sabia há quanto tempo mais do que nós ele estava lá.

— Estou rezando, estou rezando, estou rezando — disse Toot-Toot, erguendo suas mãos retorcidas. Elas pareciam com aquela imagem famosa, você sabe de qual estou falando. — O Senhor é meu pastor, e assim por diante.

— Quem vem para Bitterbuck? — perguntou Harry. — Nós não vamos ter algum feiticeiro Cherokee aqui dentro sacudindo o pinto, vamos?

— Na realidade...

— Ainda rezando, ainda rezando, ainda acertando as contas com Jesus — disse Toot me interrompendo.

— Cale a boca, seu velho esquisito — ordenou Dean.

— Estou rezando!

— Então reze em silêncio.

— Por que vocês estão demorando? — Brutal berrou do depósito. Ele também tinha sido esvaziado para nosso uso. Estávamos novamente na zona de matança, sim senhor. Era uma coisa que quase dava para sentir o cheiro.

— Aguenta as pontas, aí! — berrou Harry de volta. — Deixa de ser tão impaciente!

— Rezando — disse Toot, abrindo seu sorriso largo e desagradável. — Rezando por paciência, apenas um pouco da maldita paciência.

— Na realidade, Bitterbuck diz que é cristão — falei para eles —, e está perfeitamente satisfeito com esse sujeito batista que veio para Tillman Clark. Schuster é o nome dele. Aliás, gosto dele. É rápido e não os faz ficarem inquietos. De pé, Toot. Já rezou o bastante por um dia.

— Andando — disse Toot. — Andando de novo, andando de novo, sim senhor, andando no Corredor Verde.

Baixo como era, ainda assim teve de se abaixar um pouco para passar pela porta no lado oposto. Nós tivemos de nos abaixar ainda mais. Esse era um momento vulnerável com um preso de verdade e, quando olhei para a plataforma onde ficava a Velha Fagulha e vi Brutal com a arma na mão, balancei a cabeça num sinal de aprovação. Bem como tinha de ser.

Toot-Toot desceu os degraus e parou. As cadeiras dobráveis de madeira, umas quarenta delas, já estavam no lugar. Bitterbuck iria atravessar até a plataforma num ângulo que o manteria a uma distância segura dos espectadores sentados, e haveria mais meia dúzia de guardas como medida de segurança. Bill Dodge estaria encarregado deles. Nunca tivéramos uma testemunha ameaçada por um preso condenado, apesar de ser, reconhecidamente, um arranjo duro... E era assim que eu pretendia que continuasse.

— Prontos, rapazes? — perguntou Toot quando recompusemos nossa formação original ao pé dos degraus que desciam da minha sala. Confirmei com a cabeça e caminhamos para a plataforma. Muitas vezes pensei que o que nós mais parecíamos era uma guarda da bandeira que tinha se esquecido da bandeira.

— O que eu tenho que fazer? — indagou em voz alta Percy, por trás da tela de arame entre o depósito e a sala de controle.

— Olhe e aprenda — respondi.

— E fique com as mãos longe da sua linguiça — murmurou Harry. Mas Toot-Toot escutou e deu uma risada.

Nós o escoltamos até a plataforma e Toot se virou por conta própria. Era o velho veterano em ação.

— Sentando — disse ele —, sentando, sentando, me sentando no colo da Velha Fagulha.

Apoiei o joelho direito no chão, diante da perna direita dele. Dean apoiou o joelho esquerdo, diante da perna esquerda. Era nesse ponto que nós ficaríamos mais vulneráveis a um ataque físico, caso o condenado ficasse desvairado, o que de vez em quando acontecia. Nós dois colocamos o joelho flexionado ligeiramente para dentro, para proteger a área pélvica. Baixamos o queixo para proteger a garganta. E, é claro, nos movemos para prender os tornozelos dele o mais depressa possível. O Cacique estaria usando chinelos ao dar seu passeio derradeiro, mas "poderia ter sido pior" não serviria de muito consolo para um homem com a laringe partida. Ou se contorcendo no chão com as bolas inchando até ficarem do tamanho de jarros de geleia, enquanto os cerca de quarenta espectadores, muitos deles cavalheiros da imprensa, ficavam sentados naquelas cadeiras de salão de associação rural, assistindo à coisa toda.

Prendemos os tornozelos de Toot-Toot. A alça do lado de Dean era ligeiramente maior, porque levava a corrente elétrica. Quando Bitterbuck se sentasse na noite seguinte, estaria com a canela esquerda raspada. Os índios, via de regra, têm pouco pelos no corpo, mas não podíamos correr nenhum risco.

Enquanto prendíamos os tornozelos de Toot-Toot, Brutal prendia o pulso direito. Harry avançou silenciosamente e prendeu o esquerdo. Quando terminaram, Harry sinalizou com a cabeça para Brutal, e este falou para Van Hay:

— Primeira etapa!

Ouvi Percy perguntando a Jack Van Hay o que isso queria dizer (era difícil acreditar como sabia pouca coisa, como havia captado pouca coisa durante o tempo que passara no Bloco E) e o murmúrio com que Van Hay explicou. Naquele momento, *Primeira etapa* não queria dizer nada, mas quando escutasse Brutal dizer isso na noite seguinte, Van Hay giraria o controle que acionava o gerador da prisão atrás do Bloco B. As testemunhas ouviriam o gerador emitir um zumbido baixo e constante, e as luzes pela prisão toda ficariam mais fortes. Nos outros blocos de celas, os prisioneiros observariam aquelas luzes fortes demais e achariam que tinha acontecido, que a execução estava terminada, quando na realidade estava apenas começando.

Brutal deu a volta em torno da cadeira para que Toot pudesse vê-lo.

— Arlen Bitterbuck, você foi condenado a morrer na cadeira elétrica, por sentença proferida por um júri de seus semelhantes e aplicada por um juiz respeitável deste estado. Deus salve o povo deste estado. Você tem algo a dizer antes que a sentença seja executada?

— Tenho — disse Toot com os olhos brilhando, os lábios formando um sorriso largo e desdentado de felicidade. — Quero um jantar de frango assado com molho e batatas, quero cagar no seu chapéu e preciso que Mae West sente em cima da minha cara porque sou um filho da mãe cheio de tesão.

Brutal tentou manter a expressão severa, mas foi impossível. Atirou a cabeça para trás e começou a rir. Dean desabou sobre a borda da plataforma como se tivesse levado um tiro na barriga, com a cabeça entre os joelhos, uivando como um coiote, com uma das mãos espalmada sobre a testa como se estivesse querendo manter os miolos no lugar. Harry estava batendo com a cabeça na parede e fazendo *hã-hã-hã* como se estivesse com um bolo de comida entalado na garganta. Até Jack Van Hay, um homem que não era famoso por seu senso de humor, estava rindo. É claro que eu próprio também tive vontade, mas de algum modo me controlei. Na noite seguinte ia ser pra valer, e um homem ia morrer ali onde Toot-Toot estava sentado.

— Cale-se, Brutal — disse eu. — Você também, Dean. Harry. E Toot, a próxima observação como essa que sair da sua boca será a última. Mandarei Van Hay executar a segunda etapa pra valer.

Toot me deu um sorriso como que dizendo: essa foi boa, chefe Edgecombe, boa mesmo. O sorriso se desmanchou num olhar intrigado quando viu que eu não sorri de volta.

— O que tá errado com você? — perguntou.

— Não tem graça — retruquei. — É isso que está errado, e se você não é esperto o bastante para entender, o melhor é ficar com a boca fechada. — Só que era engraçado, à sua maneira, e acho que foi isso que me fez ficar furioso.

Olhei em volta, vi Brutal olhando fixo para mim, ainda sorrindo um pouco.

— Porra — falei —, estou ficando velho demais para esse trabalho.

— Nada disso — falou Brutal. — Você está em plena forma, Paul. — Mas eu não estava, nem ele, pelo menos não no que se referia a esse maldito trabalho, e ambos sabíamos disso. De qualquer modo, o importante é que o ataque de risos parou. Isso foi bom, porque a última coisa que eu queria era que alguém se lembrasse da observação engraçadinha de Toot na noite seguinte e começasse a rir de novo. Você poderia dizer que isso era impossível, um guarda rindo descontroladamente enquanto escoltava um condenado diante das testemunhas para a cadeira elétrica, mas quando os homens estão sob estresse, pode acontecer *qualquer coisa*. E de uma coisa assim, as pessoas iriam falar durante vinte anos.

— Você vai ficar quieto, Toot? — perguntei.

— Vou — respondeu, seu rosto virado parecendo o da criança mais amuada e mais velha do mundo.

Assenti para que Brutal prosseguisse com o ensaio. Ele pegou o saco preto do gancho de latão que havia nas costas da cadeira e enfiou-o na cabeça de Toot-Toot, puxando-o bem até abaixo do queixo, fazendo com que o buraco no topo se abrisse ao máximo. Então Brutal se inclinou, pegou a rodela de esponja molhada do balde, apertou-a com um dedo e depois lambeu a ponta do dedo. Depois disso, colocou a esponja de volta no balde. No dia seguinte, não faria isso. No dia seguinte iria meter a rodela dentro do capacete, pendurado nas costas da cadeira. Mas hoje não, não havia necessidade de molhar a cabeça do velho Toot.

O capacete era de aço e, com as correias dependuradas de cada lado, parecia o de um soldado. Brutal colocou-o na cabeça do velho Toot-Toot, apertando-o sobre o buraco na cobertura preta da cabeça.

— Recebendo o capacete, recebendo o capacete, recebendo o capacete — falou Toot, e agora sua voz parecia apertada e abafada ao mesmo tempo. As correias mantinham sua mandíbula quase fechada, e achei que Brutal as tinha apertado um pouco além do que estritamente devia para fins de ensaio. Ele deu um passo para trás, ficou de frente para as cadeiras vazias e falou:

— Arlen Bitterbuck, agora a corrente elétrica passará pelo seu corpo até que você esteja morto, de acordo com a lei do estado. Que Deus tenha piedade da sua alma.

Brutal virou-se para o retângulo coberto com a tela de metal.

— Segunda etapa.

O velho Toot, talvez tentando resgatar seu surto anterior de genialidade cômica, começou a se sacudir e a estremecer na cadeira, como os clientes de verdade da Velha Fagulha raramente faziam.

— Agora estou sendo fritado! — exclamou. — Fritado! Friiitado! *Aaaaah!* Virei um peru assado!

Vi que Harry e Dean não estavam olhando para isso. Tinham-se virado na direção oposta da Fagulha e estavam olhando para o outro lado do depósito, para a porta que levava à minha sala.

— Ora, que o diabo me carregue — disse Harry. — Uma das testemunhas veio um dia antes.

Sentado no portal, com a cauda enrolada certinha em volta das patas, olhando com os olhos brilhantes cor de piche estava o rato.

## 5

A execução correu bem. Se algum dia houve uma que se pudesse chamar de "boa" (proposição da qual duvido muito), então foi a execução de Arlen Bitterbuck, ancião do conselho dos Cherokees Washitas. Ele não fez as tranças direito, pois as mãos estavam tremendo demais para fazer um bom trabalho, e sua filha mais velha, uma mulher de trinta e tantos anos, teve permissão para fazer as tranças bem direitinho. Ela queria entremear umas penas nas pontas, das asas de um falcão, seu pássaro totem, mas eu não podia permitir isso. Elas podiam pegar fogo. É claro que eu não lhe disse isso, disse apenas que era contra o regulamento. Ela não protestou, apenas inclinou a cabeça e colocou as mãos nas têmporas para indicar sua decepção e desaprovação. Aquela mulher se portou com grande dignidade, e com isso praticamente fez com que seu pai fizesse o mesmo.

Quando chegou a hora, o Cacique deixou a cela sem qualquer protesto ou resistência. Às vezes, tínhamos de arrancar os dedos deles das grades (na minha época, quebrei um ou dois, e nunca mais esqueci o barulho abafado do osso se partindo), porém o Cacique não foi um desses, graças a Deus. Ele caminhou firme pelo Corredor Verde até a minha sala e lá se prostrou de joelhos para rezar com o Irmão Schuster, que viera da Igreja Batista da Luz Celestial. Schuster leu alguns salmos para o Cacique, que começou a chorar quando ele chegou àquele que fala de se deitar ao lado de águas tranquilas. Mas não foi ruim, não houve histeria, nada assim. Ocorreu-me que ele estava pensando sobre água tranquila tão pura e tão fria que dava a impressão de cortar a boca cada vez que se bebia um pouco.

Na realidade, gosto de vê-los chorar um pouco. Quando eles não choram é que fico preocupado.

Muitos homens não conseguem se pôr de pé sem ajuda depois de estar ajoelhado, mas o Cacique se saiu bem nesse departamento. A princípio ele oscilou um pouco, como se estivesse com a cabeça zonza, e

Dean estendeu a mão para firmá-lo, mas Bitterbuck já tinha recuperado o equilíbrio sozinho, de modo que fomos em frente.

Quase todas as cadeiras estavam ocupadas, com as pessoas sentadas nelas murmurando entre si em voz baixa, como fazem quando estão esperando que comece um casamento ou um enterro. Essa foi a única ocasião em que o Cacique titubeou. Não sei se foi alguma pessoa em particular que o incomodou ou todas elas juntas, mas pude ouvir um gemido baixo começar a subir-lhe pela garganta e de repente o braço que eu estava segurando passou a opor uma resistência que não existia antes. Pelo canto do olho vi Harry Terwilliger se deslocando para interromper o recuo do Cacique caso Bitterbuck decidisse de repente que ia dificultar.

Aumentei a pressão no cotovelo dele e bati com um dedo na parte de dentro do braço.

— Calma, Cacique — disse pelo canto da boca, sem mover os lábios. — A única coisa de que a maioria dessas pessoas vai se lembrar é de como você se foi, então dê a elas alguma coisa boa. Mostre-lhes como se porta um Washita.

Ele me olhou de lado e assentiu ligeiramente com a cabeça. Depois pegou uma das tranças que a filha tinha feito e beijou-a. Olhei para Brutal, de pé em posição de descanso, resplandecente em seu uniforme azul, todos os botões da jaqueta polidos e reluzentes, o quepe assentado perfeitamente na cabeça grande. Dirigi-lhe um pequeno aceno de cabeça, que ele retribuiu imediatamente, avançando para ajudar Bitterbuck a subir na plataforma caso ele precisasse de ajuda. Acabou que não foi preciso.

Passou-se menos de um minuto do momento em que Bitterbuck se sentou na cadeira até o momento em que Brutal falou "Segunda etapa!" em voz suave, olhando para trás. As luzes diminuíram novamente, mas só um pouco. Se não estivesse prestando atenção, você nem notaria. Isso queria dizer que Van Hay tinha acionado a chave junto da qual algum espirituoso tinha posto uma etiqueta dizendo SECADOR DE CABELO DE MABEL. Ouviu-se um zumbido baixo saindo do capacete e Bitterbuck se projetou para a frente, de encontro às alças nas pernas e braços e à correia que lhe retinha o tórax. Encostado na parede, o médico assistia impassível, com os lábios apertados tão finos que sua boca parecia uma única sutura branca. Não houve nenhum tremor nem sacudida, como o velho Toot-Toot tinha feito no ensaio, apenas aquele projetar-se com força para a frente, como um homem pode projetar os quadris para diante ao ter um orgasmo poderoso. A camisa azul do Cacique se distendeu, forçando os botões, criando pequenos sorrisos forçados de carne entre eles.

E havia um cheiro. Não era propriamente ruim, mas desagradável pelas associações de ideia que suscitava. Nunca consegui descer ao porão da casa de minha neta quando me levam lá, embora seja ali que o filhinho dela tem o conjunto de trem elétrico Lionel, que ele adoraria partilhar com o bisavô. Tenho certeza de que você já adivinhou que não me importo com os trens. É o transformador que eu não suporto. O jeito como ele emite um zumbido. E o *cheiro* que tem quando fica quente. Mesmo depois de todos esses anos, aquele cheiro me lembra Cold Mountain.

Van Hay deu-lhe trinta segundos, depois desligou a corrente. O médico avançou e auscultou com o estetoscópio. Agora não havia nenhuma conversa entre as testemunhas. O médico se empertigou e olhou através da tela.

— Desordenado — disse ele, e descreveu uns círculos com um dedo. Tinha escutado umas poucas batidas erráticas do coração, provavelmente tão insignificantes quanto os últimos tremores de uma galinha decapitada, mas era melhor não correr riscos. Não se ia querer que ele de repente se sentasse na maca quando estivesse na metade do túnel, berrando que se sentia como se estivesse pegando fogo.

Van Hay ligou de novo e o Cacique se projetou para a frente de novo, contorcendo-se um pouco de um lado para o outro, tomado pela corrente. Dessa vez, quando o médico auscultou novamente, balançou a cabeça num sinal positivo. Mais uma vez tínhamos conseguido destruir aquilo que não éramos capazes de criar. Algumas das testemunhas tinham começado de novo a falar naquelas vozes baixas; a maioria ficou sentada com a cabeça baixa, olhando para o chão, como se estivesse espantada. Ou envergonhadas.

Harry e Dean vieram com a padiola. Na realidade, era tarefa de Percy pegar numa das pontas, mas ele não sabia e ninguém se incomodou em dizer-lhe. O Cacique, ainda com o capuz de seda negra, foi posto nela por Brutal e por mim, e o carregamos pela porta que levava para o túnel o mais rápido que nos era possível sem chegar a correr.

Havia fumaça, demais até, saindo do buraco no topo do capuz, junto com um fedor horrível.

— Puxa, cara! — exclamou Percy, com a voz trêmula. — Que cheiro é esse?

— Apenas saia do meu caminho e fique fora dele — disse Brutal, empurrando-o para passar por ele e ir até a parede onde estava pendurado um extintor de incêndio. Era um daqueles modelos antigos, que se tinha que bombear. Nesse meio-tempo, Dean tinha retirado o capuz. Não estava tão ruim quanto podia estar. A trança esquerda de Bitterbuck estava fumegando como uma pilha de folhas úmidas.

— Deixe essa coisa pra lá — falei para Brutal. Não queria ter que limpar uma carga de gosma química do rosto do homem morto antes de colocá-lo na parte de trás do rabecão. Dei uns tapas na cabeça do Cacique (com Percy olhando fixamente para mim com os olhos arregalados o tempo todo) até que a fumaça parou de subir. Então descemos com o corpo pelos 12 degraus de madeira até o túnel. Ali era frio e úmido como um calabouço, com o plinc-plinc oco de água pingando. As lâmpadas dependuradas, com discos toscos de lata, feitos na oficina da prisão, revelavam um tubo de tijolos que corria 10 metros por baixo da estrada. A parte superior era curva e molhada. Isso fazia com que eu me sentisse como um personagem de uma história de Edgar Allan Poe todas as vezes que entrava nele.

Havia uma maca com rodas à espera. Colocamos Bitterbuck nela e fizemos uma última verificação para ter certeza de que o fogo no cabelo estava apagado. Aquela trança estava bastante queimada, e fiquei com pena ao ver que o pequeno nó bem feito daquele lado da cabeça agora não passava de um calombo enegrecido.

Percy deu um tapa no rosto do homem morto. O ruído seco da palma da mão dele fez todos nós darmos um pulo. Percy olhou para nós com um sorriso atrevido nos lábios, os olhos faiscando. Depois tornou a olhar para Bitterbuck.

— Adiós, Cacique — disse ele. — Espero que o inferno seja quente o bastante para você.

— Não faça isso — falou Brutal, com a voz soando funda e declamatória dentro do túnel gotejante. — Ele pagou o que devia. Está de novo quite com a casa. Não ponha as mãos nele.

— Ora, vá se catar — disse Percy, mas recuou hesitante quando Brutal se moveu na sua direção, a sombra se elevando por trás dele como a sombra daquele gorila na história sobre a rua Morgue. Mas em vez de agarrar Percy, Brutal pegou a maca e começou a empurrar Arlen Bitterbuck lentamente na direção da extremidade oposta do túnel, onde sua última condução estava esperando, estacionada no acostamento de terra da estrada. As rodas duras de borracha da maca gemiam sobre as tábuas e sua sombra caminhava sobre a parede curva de tijolos, deslizando e sumindo. Dean e Harry pegaram o lençol que havia na traseira da maca e puxaram-no até cobrir o rosto do Cacique, que já tinha começado a ficar com aquela aparência de cera inexpressiva dos rostos mortos, tanto dos inocentes como dos culpados.

## 6

Quando eu tinha 18 anos, meu tio Paul, em homenagem a quem recebi meu nome, morreu de um ataque do coração. Minha mãe e meu pai me levaram com eles para Chicago para assistir ao enterro e visitar parentes do lado da família de meu pai, muitos dos quais eu nunca vira antes. Ficamos fora quase um mês. Sob alguns aspectos, foi uma viagem boa, uma viagem necessária e excitante, mas sob outros foi horrível. Eu estava profundamente apaixonado, entende, por uma moça que iria se tornar minha esposa duas semanas depois de meu 19º aniversário. Uma noite, quando as saudades que sentia dela eram como um fogo ardendo fora de controle no meu coração e na minha cabeça (está bem, e nas minhas bolas também), escrevi-lhe uma carta que parecia não terminar mais: despejei nela todo meu sentimento, sem jamais reler para ver o que tinha escrito porque receei que a covardia me fizesse parar. Não parei, e quando uma voz na minha cabeça clamava que seria loucura enviar uma carta dessas, que estaria colocando meu coração nas mãos dela, ignorei-a com o descaso impensado de uma criança quanto às consequências. Muitas vezes me perguntei se Janice tinha guardado aquela carta, mas nunca consegui reunir coragem suficiente para perguntar. Tudo de que tenho certeza é que não a encontrei quando examinei suas coisas depois do enterro, mas é claro que isso por si só não quer dizer nada. Acho que nunca perguntei por que tinha medo de descobrir que aquela epístola flamejante significava menos para ela do que para mim.

A carta tinha quatro páginas. Pensei que nunca escreveria algo mais longo na vida, e agora olhem só para isto. E o fim ainda nem está à vista. Se eu soubesse que a história ia ser assim tão comprida, talvez nunca a tivesse começado. O que não percebi foi quantas portas o ato de escrever vai abrindo, como se a velha caneta-tinteiro de meu pai não fosse realmente uma caneta, mas alguma estranha espécie de chave mestra. O rato talvez seja o melhor exemplo do que estou querendo dizer, Willy do Barco a Vapor, o sr. Guizos, o rato no corredor. Até começar a escrever, nunca me dera conta de como esse sujeito (é, *sujeito*) era importante. O jeito como ele parecia estar procurando por Delacroix antes que ele chegasse, por exemplo. Acho que isso nunca me tinha ocorrido, pelo menos não em nível consciente, até que comecei a escrever e a recordar.

Creio que o que estou dizendo é que não me tinha dado conta de até onde ia ter que recuar a fim de lhe contar sobre John Coffey nem por quanto tempo ia ter que deixá-lo lá na sua cela, um homem tão grande que seus pés não ficavam aparecendo além da ponta do catre, mas sim ficavam dependurados até tocar no chão. Não quero que você se esqueça dele, está bem? Quero que você o veja ali, olhando para o teto de sua cela, chorando suas lágrimas silenciosas ou pondo o braço por cima do rosto. Quero que você o fique ouvindo, com seus suspiros que tremiam como soluços e seu ocasional gemido choroso. Não eram os sons de agonia e arrependimento que às vezes ouvíamos no Bloco E, gritos agudos com lascas de remorso. Como os olhos úmidos dele, eles ficavam de algum modo longe do sofrimento com que estávamos acostumados a lidar. Num certo sentido (eu sei como isso vai parecer maluquice, é claro que sei, mas não tem cabimento escrever algo tão comprido assim se não se puder dizer o que se sente que é verdade bem no fundo do coração), num certo sentido era como se o que ele sentia fosse pena pelo mundo inteiro, alguma coisa grande demais para ser atenuada um dia. Às vezes me sentava e conversava com ele, como fazia com todos eles — conversar era nossa tarefa maior, mais importante, como creio já ter dito — e tentava consolá-lo. Acho que nunca o consegui, e parte do meu coração estava contente por vê-lo sofrer, você sabe. Sentia que ele *merecia* sofrer. Até pensei algumas vezes em telefonar para o governador (ou fazer com que Percy o fizesse — que diabo, era o maldito tio dele, não meu) e pedir um adiamento da execução. *Não devemos queimá-lo ainda*, iria dizer. *Ele ainda está sofrendo muito, sendo roído por dentro, a dor revirando-se nas suas entranhas como uma boa haste afiada. Dê-lhe mais uns noventa dias, Excelência. Deixe-o continuar a fazer a si próprio o que nós não lhe podemos fazer.*

É esse John Coffey que preciso que você guarde num canto da sua mente enquanto trato de retomar a história. Aquele John Coffey deitado no catre, aquele John Coffey que tinha medo do escuro talvez com boa razão, pois não seria possível que, no escuro, dois vultos com cachos louros — não mais menininhas, mas harpias vingadoras — estivessem esperando por ele? Aquele John Coffey cujos olhos estavam sempre vertendo lágrimas, como sangue de um ferimento que nunca pode cicatrizar.

## 7

Então o Cacique foi queimado e o Presidente saiu andando, pelo menos até o Bloco C, que era o lar da maioria dos 150 condenados à prisão perpétua em Cold Mountain. Perpétua para o Presidente acabou sendo 12 anos. Ele morreu afogado na lavanderia da prisão em 1944. Não na lavanderia da prisão em Cold Mountain, pois ela foi fechada em 1933. Acho que, para os detentos, não fez muita diferença. Muros são muros, como dizem os presos, e a Velha Fagulha era tão letal na sua própria pequena câmara da morte feita de pedra como tinha sido no depósito em Cold Mountain.

Quanto ao Presidente, alguém o enfiou de cabeça numa pipa de fluido de lavagem a seco e o segurou ali dentro. Quando os guardas o retiraram, seu rosto tinha desaparecido quase por completo. Tiveram que confirmar sua identidade pelas impressões digitais. No final das contas, talvez tivesse sido melhor para ele na Velha Fagulha... Mas se tivesse sido assim, ele não teria tido aqueles 12 anos adicionais, não é? Mas duvido que tenha pensado muito neles durante aqueles seus minutos finais de vida, quando seus pulmões estavam tentando aprender a respirar Hexlite e detergente de cal.

Nunca pegaram quem deu cabo dele. A essa altura eu já tinha largado o trabalho no sistema penitenciário, mas Harry Terwilliger me escreveu e contou. "Ele teve a pena comutada sobretudo porque era branco", escreveu Harry, "mas acabou sendo apanhado no final, assim mesmo. Eu simplesmente considero isso um longo adiamento de execução que finalmente se esgotou".

Depois que o Presidente foi embora, houve um período tranquilo para nós no Bloco E. Harry e Dean foram redistribuídos temporariamente, e ficamos só eu, Brutal e Percy no Corredor Verde por algum tempo. O que na realidade queria dizer só eu e Brutal, porque Percy ficava a maior parte do tempo sozinho. Vou lhe dizer, aquele rapaz era um gênio para encontrar coisas para não fazer. E quase sempre (mas só quando Percy não estava por perto) os outros camaradas apareciam para o que Harry chamava de "um bom papo". Em muitas dessas ocasiões, o rato também aparecia. Nós lhe dávamos de comer e ele ficava ali comendo, solene como Salomão, observando-nos com seus olhinhos brilhantes de piche.

Foram umas boas poucas semanas de calma e boa vida, mesmo com as reclamações mais do que ocasionais de Percy. Porém todas as boas coisas chegam ao fim, e numa segunda-feira chuvosa do final de julho (já lhe contei como aquele verão foi chuvoso e úmido?) encontrei-me sentado no catre de uma cela aberta, à espera de Eduard Delacroix.

Ele chegou com um estrondo inesperado. A porta que dava para o pátio de exercícios foi aberta com força, deixando entrar uma avalanche de luz, ouviu-se um chacoalhar confuso de correntes, uma voz amedrontada balbuciando sem parar numa mistura de inglês e francês cajun (um dialeto que os presos em Cold Mountain costumavam chamar de *dos pântano*) e Brutal berrando:

— Ei! Pare com isso. Pelo amor de Deus! Pare com isso, Percy!

Eu estava meio cochilando no que ia ser o catre de Delacroix, mas me levantei rápido, o coração disparado no peito. No Bloco E quase nunca se ouvia barulheira desse tipo até a chegada de Percy; ele a trouxe consigo como um mau cheiro.

— Vamos, seu veado fodido francês! — berrou Percy, ignorando inteiramente Brutal. E ali veio ele, arrastando por um braço um sujeito que não era muito maior do que uma garrafa de boliche. Na outra mão, Percy segurava o cassetete. Seus dentes estavam à mostra num esgar tenso e seu rosto estava vermelhíssimo. No entanto, não parecia muito infeliz. Delacroix estava tentando acompanhá-lo, mas estava com grilhões nas pernas, e ainda que arrastasse os pés com rapidez, Percy o puxava para a frente ainda mais depressa. Saltei de dentro da cela bem a tempo de segurá-lo quando ele caiu, e foi assim que Del e eu fomos apresentados.

Percy veio para cima dele com o cassetete erguido, e eu o contive com um braço. Brutal veio resfolegando até nós, parecendo tão chocado e estupefato com tudo isso quanto eu.

— Não deixa ele bater mais em mim, *m'sieu* — balbuciou Delacroix. — *S'il vous plaît, s'il vous plaît!*

— Deixe-me acertá-lo, deixe-me acertá-lo! — berrou Percy, lançando-se para a frente. Começou a bater com o cassetete nos ombros de Delacroix.

Este ergueu os braços, gritando, e o bastão batia nas mangas azuis da camisa da prisão. Naquela noite eu o vi sem camisa, e aquele rapaz tinha hematomas equivalentes a meses. Fez-me mal vê-los. Ele era um assassino e ninguém o queria, mas aquela não era a maneira como fazíamos as coisas no Bloco E. Pelo menos não até Percy chegar.

— Epa! Epa! — bradei. — Pare com isso! Por que tudo isso, afinal? — Estava tentando colocar meu corpo entre Delacroix e Percy, mas não estava dando muito certo. O cassetete de Percy continuava a voar, de um dos meus lados e depois do outro. Cedo ou tarde ele ia acabar acertando uma *em mim* em vez de no alvo visado, e aí ia haver uma briga bem ali no corredor, independente de quais eram os seus pistolões. Eu não conseguiria me controlar, e Brutal era capaz de se juntar a mim. Sabe, sob alguns aspectos gostaria que tivesse sido assim. Poderia ter mudado algumas das coisas que aconteceram depois.

— Veado fodido! Vou lhe ensinar a não botar as mãos em mim, pervertido!

E prosseguiu. Delacroix estava sangrando de uma orelha e aos berros. Desisti de tentar cobri-lo, agarrei-o por um ombro e empurrei-o para dentro de sua cela, onde ele se esparramou sobre o catre. Percy passou rápido por mim e deu-lhe uma última pancada forte no rabo, como de despedida, podia-se dizer. Então Brutal agarrou Percy pelos ombros e atirou-o para o outro lado do corredor.

Agarrei a porta da cela e a fiz correr sobre os trilhos até se fechar. Depois virei-me para Percy, o choque e o espanto brigando com pura fúria. Àquela altura Percy estava por lá havia vários meses, tempo suficiente para nós todos termos chegado à conclusão de que não gostávamos muito dele, mas essa foi a primeira ocasião em que entendi plenamente como ele não tinha controle.

Ficou me olhando, não inteiramente sem medo (nunca tive qualquer dúvida de que ele, no fundo do coração, era um covarde), mas ainda confiante em que seus pistolões o protegeriam. Nisso ele estava certo. Desconfio que há pessoas que não compreenderiam por que era assim, mesmo depois de tudo o que falei, mas seriam pessoas que só conhecem a expressão *Grande Depressão* pelos livros de História. Mas se estivesse nela, era muito mais do que uma expressão num livro, e se tivesse um emprego fixo, meu irmão, você faria praticamente qualquer coisa para mantê-lo.

A essa altura, o rosto de Percy estava perdendo um pouco da cor, mas suas bochechas ainda estavam coradas e seus cabelos, geralmente penteados para trás e lustrosos de brilhantina, tinham caído sobre a testa.

— Em nome dos céus, a que se deve tudo *isso?* — perguntei. — Eu nunca, *nunca,* tive um preso espancado no meu bloco antes!

— Aquele veadinho canalha tentou pegar no meu pau quando o puxei para fora do camburão — disse Percy. — Ele mereceu, e eu faria de novo.

Olhei para ele, pasmo demais para falar. Não podia imaginar o mais agressivo dos homossexuais neste vasto mundo de Deus fazendo o que Percy acabara de descrever. A iminência de se mudar para um quarto com grades no Corredor Verde via de regra não punha nem o mais pervertido dos presos num estado de excitação sexual.

Olhei de volta para Delacroix, encolhido de medo no catre, com os braços ainda erguidos para proteger o rosto. Tinha algemas nos pulsos e uma corrente prendendo os tornozelos um ao outro. Depois me virei para Percy.

— Saia daqui — disse eu. — Mais tarde vou querer falar com você.

— Você vai pôr isso no seu relatório? — perguntou num tom truculento. — Porque se for, eu também posso fazer o meu próprio relatório, você sabe.

Eu não queria fazer um relatório, só queria que ele sumisse da minha vista. Disse isso para ele.

— O assunto está encerrado — concluí. Vi que Brutal me estava olhando com ar de desaprovação, mas não tomei conhecimento. — Vamos, saia daqui. Vá à administração e diga a eles que o mandaram ler cartas e ajudar na sala dos pacotes.

— Claro. — Tinha recuperado sua compostura, ou melhor, a arrogância agressiva que nele passava por compostura. Com as mãos macias, brancas e pequenas, as mãos de uma mocinha no princípio da adolescência, podia-se pensar, tirou os cabelos da testa, assentando-os para trás, e depois se aproximou da cela. Delacroix o viu e se encolheu ainda mais no catre, falando confusamente numa mistura de inglês e francês mestiço.

— Não terminei com você, Pierre — disse ele e então deu um salto quando uma das mãos enormes de Brutal se abateu sobre seu ombro.

— Terminou, sim — falou Brutal. — Agora vá embora. Vá respirar ar puro.

— Você não me mete medo, sabia? — retrucou Percy. — Nem um pouco. — Voltou os olhos para mim. — Nenhum de vocês. — Mas nós lhe dávamos medo, sim. Dava para ver isso nos olhos dele, claro como o dia, e isso o tornava ainda mais perigoso. Um sujeito como Percy, nem ele mesmo sabe o que pretende fazer de um minuto para outro, de um segundo para outro.

Naquele exato instante, o que fez foi dar meia-volta e sair pelo corredor com passadas grandes e arrogantes. Tinha mostrado ao mundo, e Deus era testemunha, o que acontecia quando francesinhos esqueléticos e meio carecas tentavam pegar no seu pau e estava deixando o campo vitorioso.

Fiz meu discurso de praxe, sobre como tínhamos o rádio (*Make Believe Ballroom* e *Our Gal Sunday)* e como o trataríamos 100 por cento bem se ele fizesse o mesmo conosco. Essa pequena homilia não foi o que se poderia chamar um dos meus maiores sucessos. Ele chorou o tempo todo, sentado encolhido no pé do catre, o mais longe de mim que podia ficar sem chegar a sumir no canto. Cada vez que eu me movia ele se encolhia, e creio que ele não ouviu uma palavra de cada seis. O que provavelmente foi até bom. De qualquer modo, não creio que essa homilia em particular fizesse muito sentido.

Quinze minutos depois, tinha voltado para minha mesa, diante da qual estava sentado um Brutus Howell com ar perturbado, lambendo a ponta do lápis que mantínhamos junto do livro de visitantes.

— Você quer parar com isso antes que fique envenenado, pelo amor de Deus? — pedi a ele.

— Deus do céu — disse ele, largando o lápis. — Nunca mais quero ter outra confusão dessas com um preso chegando ao bloco.

— Meu pai costumava sempre dizer que as coisas vêm de três em três — disse eu.

— Bem, espero que seu pai esteja dizendo merda sobre esse assunto — disse Brutal, mas é claro que não. Houve uma ventania quando John Coffey chegou e uma tempestade completa quando "Wild Bill" se juntou a nós. É engraçado, mas as coisas *de fato* parecem vir de três em três. A história de nossa apresentação a Wild Bill, como ele foi para lá tentando cometer um homicídio, é algo a que chegarei em breve. Fique prevenido.

— Que história é essa de Delacroix querendo pegar no pau dele? — perguntei.

Brutal rosnou:

— Ele estava preso pelos tornozelos, e o velho Percy estava apenas puxando-o para fora depressa demais, foi só isso. Ele tropeçou e começou a cair ao sair do carro. Colocou as mãos para a frente do mesmo jeito que faria qualquer pessoa ao começar a cair, e uma delas raspou a frente das calças de Percy. Foi inteiramente acidental.

— Você acha que Percy percebeu isso? — indaguei. — Será que ele estava usando isso como desculpa porque estava com vontade de bater um pouco em Delacroix? Mostrar a ele quem manda por aqui?

Brutal assentiu com a cabeça lentamente.

— É. Acho que provavelmente foi isso.

— Então precisamos ficar de olho nele — disse eu, passando as mãos nos cabelos. Como se o trabalho já não fosse duro o bastante. — Meu Deus, detesto isso. Eu *o* detesto.

— Eu também. E quer saber de uma coisa, Paul? Não o entendo. Ele tem seus pistolões, *isso* eu entendo muito bem, mas por que os usaria para conseguir um emprego na porra do Corredor Verde? Ou, aliás, *em qualquer lugar* no sistema penitenciário do Estado? Por que não como assessor no senado estadual, ou o sujeito que marca os compromissos do vice-governador? Sem dúvida, os parentes dele poderiam ter-lhe conseguido algo melhor se ele tivesse pedido, então por que *aqui?*

Sacudi a cabeça. Não sabia. Havia uma porção de coisas que eu não sabia naquela época. Acho que eu era ingênuo.

## 8

Depois disso, as coisas tornaram a voltar ao normal, pelo menos por algum tempo. Na sede do condado, o estado se preparava para levar John Coffey a julgamento, e o xerife do condado de Trapingus, Homer Cribus, estava descartando a ideia de que uma turba de linchamento poderia apressar um pouco que se fizesse justiça. Nada disso tinha importância para nós; no Bloco E ninguém prestava muita atenção às notícias. De um certo modo, a vida no Corredor Verde era como a vida numa sala à prova de som. De vez em quando se ouviam murmúrios que eram explosões no mundo exterior, mas isso era praticamente tudo. Eles não iriam se apressar com John Coffey, pois queriam ter certeza do que lhe ia acontecer.

Em algumas ocasiões, Percy ficou implicando com Delacroix e, na segunda vez, puxei-o para um lado e lhe disse que viesse ao meu escritório. Não era minha primeira entrevista com Percy a respeito do seu comportamento, e não seria a última, mas era motivada pelo que era provavelmente meu entendimento mais claro sobre o que ele era. Ele tinha o coração de um menino cruel que não vai ao jardim zoológico para estudar os animais, mas para poder jogar pedras neles dentro das jaulas.

— Você vai ficar longe dele daqui por diante, entendeu? — disse eu. — A menos que eu lhe dê uma ordem específica, simplesmente trate de ficar longe dele.

Percy penteou os cabelos para trás, depois os assentou com suas doces mãozinhas. Aquele rapaz simplesmente adorava tocar nos cabelos.

— Não estava fazendo nada a ele — falou. — Só estava perguntando como se sentia sabendo que tinha queimado alguns bebês, foi só isso. — Percy dirigiu-me um olhar inocente, de olhos bem abertos.

— Você vai parar com isso ou vai haver um relatório — retruquei.

Ele deu uma risada.

— Faça o relatório que quiser — disse. — Aí eu vou e faço o meu. Exatamente como lhe disse quando vim para cá. Vamos ver quem acaba melhor.

Inclinei-me para a frente, as mãos cruzadas sobre a mesa, e falei num tom que quis que parecesse com o de um amigo fazendo uma confidência.

— Brutus Howell não gosta muito de você — disse eu. — E quando Brutal não gosta de alguém, ele costuma fazer seu próprio relatório. Ele não é muito bom com a caneta e não consegue parar de lamber a ponta do lápis, de modo que ele tende a fazer seu relatório com os punhos. Será que você entende o que isso significa?

O sorrisinho complacente de Percy se desfez.

— O que que você está tentando dizer?

— Não estou *tentando* dizer nada. Eu *disse*. E se você falar com qualquer dos seus... amigos... sobre esta conversa, direi que você inventou tudo. — Olhei para ele com os olhos bem abertos e sérios. — Além disso, estou tentando ser seu amigo, Percy. Como dizem, para quem é sábio, uma palavra basta. E por que você iria querer se meter com Delacroix? Ele não vale a pena.

E durante algum tempo, isso funcionou. Houve paz. Umas duas vezes eu pude até mandar Percy junto com Dean e Harry quando chegava a hora de Delacroix tomar banho. Tínhamos o rádio de noite, Delacroix começou a se descontrair um pouco e entrar na rotina do Bloco E, e houve paz.

Então, numa noite, ouvi-o dando risadas.

Harry Terwilliger estava na mesa da guarda e logo ele também estava rindo. Levantei-me e fui até a cela de Delacroix para ver do que ele podia estar rindo.

— Olhe, capitão! — disse quando me viu. — Eu domestiquei um rato!

Era Willy do Barco a Vapor. Ele estava dentro da cela de Delacroix. Mais do que isso: estava sentado no ombro de Delacroix e olhando calmamente para fora, através das grades, para nós, com seus olhinhos de piche. A cauda estava enroscada em volta das patas e tinha uma aparência de paz total. Quanto a Delacroix, meu amigo, você não diria que era o mesmo homem que ficava encolhido e tremendo no pé do catre uma semana antes. Parecia minha filha numa manhã de Natal, quando descia a escada e via os presentes.

— Olhe pra isso! — disse Delacroix. O rato estava sentado no seu ombro direito. Delacroix esticou o braço esquerdo. O rato subiu depressa até o topo da cabeça de Delacroix, usando os cabelos (que eram suficientemente espessos na parte de trás, pelo menos) para subir. Depois ele desceu depressa pelo outro lado, fazendo Delacroix rir quando a cauda lhe fez cócegas no pescoço. O rato correu por seu braço todo, até o pulso, depois se voltou e deu uma corridinha de volta até o ombro esquerdo de Delacroix e enroscou a cauda novamente em torno dos pés.

— Macacos me mordam — disse Harry.

— Eu o treinei para fazer isso — disse Delacroix com orgulho. Pensei cá comigo: *pois sim que você fez isso*, mas fiquei com a boca fechada. — O nome dele é sr. Guizos.

— Nada disso — falou Harry de bom humor. — É Willy do Barco a Vapor, como no desenho animado. O chefe Howell o batizou.

— É sr. Guizos — replicou Delacroix. Em qualquer outro assunto, ele lhe diria que merda era mel, se você quisesse que ele dissesse isso, mas no que se referia ao nome do rato ele estava inteiramente decidido. — Ele sussurrou isso no meu ouvido. Capitão, pode me dar uma caixa para o meu rato, pra que ele possa dormir aqui comigo? — Sua voz começou a ficar com aquele tom de choramingo que eu já ouvira mil vezes antes. — Vou colocá-lo debaixo do meu catre e ele não vai dar nem um tiquinho de trabalho, nem um só.

— Seu inglês fica muito melhor quando você quer alguma coisa — disse eu, procurando ganhar tempo.

— Oh, oh — murmurou Harry, me cutucando com o cotovelo. — Aí vem encrenca.

Mas Percy não me pareceu significar encrenca, não naquela noite. Não estava passando as mãos pelos cabelos nem brincando com o cassetete, e o botão de cima da camisa do uniforme estava desabotoado. Foi a primeira vez em que o vi assim, e era impressionante a diferença que uma coisinha dessas podia fazer. Mais do que tudo, porém, o que me impressionou foi a expressão no rosto dele. Havia tranquilidade nele. Não serenidade (acho que Percy Wetmore não tinha um grão de serenidade dentro de si), mas a aparência de um homem que tinha descoberto que podia esperar pelas coisas que queria. Era uma grande diferença no rapaz que, apenas alguns dias antes, eu tivera de ameaçar com os punhos de Brutus Howell.

Delacroix não percebeu a mudança. Encolheu-se contra a parede da cela, apertando os joelhos de encontro ao peito. Seus olhos pareceram crescer até tomar quase a metade do seu rosto. O rato subiu depressa para o topo de sua careca e ficou sentado lá. Não sei se ele se lembrou de que também tinha motivos para desconfiar de Percy, mas sem dúvida parecia que sim. Provavelmente era apenas o cheiro do medo do francesinho e sua reação a ele.

— Ora, ora — disse Percy. — Parece que você encontrou um amigo, Eddie.

Delacroix tentou responder — meu palpite é que seria alguma ameaça vazia do que iria acontecer a Percy se machucasse seu novo amigo —, mas não saiu nada. Seu lábio inferior tremeu um pouco, mas isso foi tudo. No topo da cabeça dele, o sr. Guizos não estava tremendo. Ficou inteiramente imóvel, com as patas traseiras nos cabelos de Delacroix e as dianteiras abertas sobre o crânio careca, olhando para Percy, dando a impressão de que o estava medindo. Do jeito que você mediria um velho inimigo.

Percy olhou para mim.

— Esse não é o mesmo em que dei uma corrida? O que mora na solitária?

Confirmei com a cabeça. Percebi que Percy não tinha visto o recém-rebatizado sr. Guizos desde aquela última perseguição e não estava dando qualquer indício de querer dar-lhe uma corrida agora.

— É, é esse mesmo — respondi. — Só que o Delacroix disse que o nome dele é sr. Guizos, não Willy do Barco a Vapor. Disse que o rato sussurrou-lhe seu nome no ouvido.

— É mesmo? — falou Percy. — Há sempre milagres acontecendo, não é? — Eu meio que esperei que ele sacasse o cassetete e começasse a bater com ele nas grades, só para mostrar a Delacroix quem era o patrão, mas ele apenas ficou parado ali, com as mãos nas cadeiras, olhando para dentro.

E, por nenhum motivo que pudesse traduzir em palavras para você, falei:

— Delacroix estava justamente pedindo uma caixa, Percy. Acho que ele pensa que o rato vai dormir nela. Que ele pode mantê-lo como um bicho de estimação. — Carreguei minha voz de ceticismo e pressenti, mais do que vi, que Harry me estava olhando com surpresa. — O que você acha disso?

— Acho que ele provavelmente vai é cagar no nariz dele enquanto ele estiver dormindo uma noite dessas e depois fugir — disse Percy num tom normal —, mas acho que é essa a maneira de ver do rapaz francês. Vi uma caixa de charutos bem bonita na carrocinha do Toot-Toot na outra noite. Só não sei se ele abriria mão dela. Provavelmente vai querer cinco centavos por ela, talvez até dez.

Agora arrisquei uma olhada para Harry e vi que estava boquiaberto. Não chegava a ser bem a mudança em Ebenezer Scrooge na manhã de Natal, depois que os fantasmas tinham feito o que queriam com ele, mas chegava bem perto.

Percy inclinou-se mais para perto de Delacroix, colocando o rosto entre as grades. Delacroix se encolheu para ainda mais longe. Juro por Deus que ele se teria fundido com a parede se pudesse.

— Você tem cinco centavos ou talvez até dez para pagar pela caixa de charutos, seu boçal? — perguntou.

— Tenho quatro moedas de um centavo — disse Delacroix. — Eu as darei por uma caixa, se for boa, *s'il est bon*.

— Vou lhe dizer uma coisa — falou Percy. — Se aquele cafetão desdentado lhe vender a caixa de Corona por quatro centavos, eu roubo um pouco de algodão da enfermaria para fazer o forro. Vamos conseguir um verdadeiro Hilton Camundongo quando acabarmos. — Desviou os olhos na minha direção. — Tenho de fazer um relatório da sala de controle sobre Bitterbuck — disse ele. — Você tem canetas no seu escritório, Paul?

— Tenho sim, sem dúvida — respondi. — Formulários também. Na gaveta de cima, do lado esquerdo.

— Bom, isso é ótimo — disse ele e saiu todo posudo.

Harry e eu nos entreolhamos.

— Você acha que ele está doente? — indagou Harry. — Será que foi ao médico e descobriu que só tem três meses de vida?

Disse-lhe que não tinha a menor ideia do que estava acontecendo. Era verdade naquele momento e por mais algum tempo, mas acabei descobrindo. E alguns anos depois, tive uma conversa interessante à mesa do jantar com Hal Moores. Àquela altura, já podíamos falar com liberdade, pois ele tinha se aposentado e eu estava no Reformatório de Menores. Foi um daqueles jantares em que você bebe demais e come muito pouco e as línguas se soltam. Hal me disse que Percy tinha ido até ele se queixar de mim e da vida em geral no bloco E. Isso foi logo depois que Delacroix chegou e Brutal e eu tivemos que impedir Percy de espancá-lo até deixá-lo semimorto. O que mais tinha irritado Percy foi eu o ter mandado sumir da minha frente. Ele achava que um homem que era aparentado com o governador não devia ter de aturar alguém lhe falando desse jeito.

Bem, disse-me Moores, ele conteve Percy o máximo que pôde e, quando ficou claro para ele que Percy ia tentar mexer uns pauzinhos para que eu fosse repreendido e pelo menos transferido para outra parte da prisão, ele, Moores, convocou Percy ao seu gabinete e disse-lhe que, se parasse de causar problemas, asseguraria que Percy ficasse bem na frente para a execução de Delacroix. Que seria colocado bem ao lado da cadeira. Eu estaria encarregado, como sempre, mas as testemunhas não iam saber disso; para elas, ia parecer que o sr. Percy Wetmore era o mestre de cerimônias. Moores não estava prometendo mais do que nós já tínhamos conversado e com que eu concordara, mas Percy não sabia disso. Ele aceitou abandonar as ameaças de fazer com que eu fosse transferido, e a atmosfera no Bloco E ficou mais suave. Ele até deixara que Delacroix ficasse com seu arqui-inimigo como bicho de estimação. É espantoso como certos homens podem mudar com o incentivo certo; no caso de Percy, tudo que o diretor Moores tivera de oferecer foi a oportunidade de acabar com a vida de um francesinho careca.

## 9

Toot-Toot achou que quatro centavos era muito pouco por uma caixa de charutos Corona de primeira, e nisso provavelmente ele tinha razão, pois caixas de charutos eram bens altamente valiosos na prisão. Podiam-se guardar ali mil objetos diferentes, o cheiro era agradável e havia nelas alguma coisa que lembrava aos nossos fregueses como era ser um homem livre. Porque cigarros eram permitidos na prisão, mas charutos não, eu imagino.

Dean Stanton, que a essa altura estava de volta ao bloco, acrescentou um centavo ao bolo, e eu também dei um. Quando ainda assim Toot se mostrou relutante, Brutal pressionou-o, primeiro dizendo que ele devia se sentir envergonhado de ser assim tão sovina, depois prometendo que ele, Brutus Howell, pessoalmente colocaria aquela caixa de Corona de volta nas mãos de Toot no dia seguinte à execução de Delacroix.

— Seis centavos podem ou não ser suficientes se você estivesse falando de *vender* essa caixa de charutos, nós poderíamos ter uma boa discussão em torno disso — falou Brutal —, mas você tem que reconhecer que é um ótimo preço pelo *aluguel* dela. Ele vai deixar o Corredor dentro de um mês, seis semanas no máximo. Ora, essa caixa vai estar de volta na prateleira de baixo da sua carrocinha quase antes de você se dar conta de que ela sumiu.

— Ele pode conseguir que um juiz de coração mole lhe dê um adiamento e ainda estar aqui para cantar "Caso os velhos conhecidos fossem esquecidos" — disse Toot, mas sabia que não era assim, e Brutal sabia que ele sabia. O velho Toot-Toot empurrava aquela maldita carrocinha com citações bíblicas por Cold Mountain praticamente desde os tempos do correio a cavalo e tinha muitas fontes, melhores do que as nossas, achava eu então. Ele sabia que Delacroix não contava mais com nenhum juiz de coração mole. Só podia esperar pelo governador, o qual, como norma, não concedia clemência a pessoas que tinham assado meia dúzia de seus eleitores.

— Mesmo que ele não consiga um adiamento, aquele rato vai ficar cagando na caixa até outubro, talvez até o Dia de Ação de Graças — argumentou Toot, mas Brutal podia ver que ele estava afrouxando. — Quem vai comprar uma caixa de charutos que um rato andou usando como privada?

— Ora, puxa vida — disse Brutal. — Isso é a coisa mais idiota que eu já ouvi você falar, Toot. Quer dizer, essa ganha o prêmio. Em primeiro lugar, Delacroix vai manter a caixa tão limpa que vai dar até para comer um jantar de luxo nela. Do jeito que ele adora aquele rato, ele a limparia lambendo se fosse preciso.

— Devagar com essa conversa — disse Toot, franzindo o nariz.

— Em segundo lugar — continuou Brutal —, merda de rato não é grande coisa. São apenas umas bolotinhas pequenas e duras, parece chumbo de matar passarinho. Pode sacudir que sai tudo. Nada demais.

O velho Toot sabia que era melhor não levar seus protestos longe demais. Estava ali há bastante tempo para saber quando podia se permitir ficar de frente para a brisa e quando era melhor curvar-se ante o furacão. Isso não era bem um furacão, mas nós, os de uniforme azul, gostávamos do rato e gostávamos da ideia de que Delacroix ficasse com ele, e isso significava que era pelo menos um vento de tempestade. Assim, Delacroix conseguiu sua caixa e Percy manteve sua palavra: dois dias depois, o fundo estava forrado com pedaços macios de algodão retirados da enfermaria. Percy os entregou pessoalmente, e pude ver o medo nos olhos de Delacroix quando esticou a mão através das grades para recebê-los. Estava com medo de que Percy agarrasse sua mão e lhe quebrasse os dedos. Eu também estava com um pouco de medo, mas não aconteceu nada disso. Essa foi a ocasião em que estive o mais perto de gostar de Percy, mas mesmo assim era difícil confundir a expressão de cinismo frio nos olhos dele. Delacroix tinha um bicho de estimação, Percy também tinha um. Delacroix ia ficar com o seu, fazendo-lhe festas e adorando-o enquanto pudesse; Percy ia esperar pacientemente (tão pacientemente quanto podia um homem como ele, de qualquer modo) e então queimar o seu vivo.

— O Hilton Camundongo está em funcionamento — disse Harry. — A única dúvida é, será que o danadinho vai usá-lo?

Essa pergunta foi respondida logo que Delacroix pegou o sr. Guizos na palma de uma das mãos e baixou-o delicadamente dentro da caixa. O rato se aninhou no algodão branco como se fosse seu acolchoado de família, e esse seria seu lar até... Bem, chegarei ao final da história do sr. Guizos no devido tempo.

A preocupação do velho Toot-Toot de que a caixa de charutos fosse ficar cheia de cocô de rato acabou não tendo o menor fundamento. Nunca vi um único cocozinho lá dentro, e Delacroix disse que ele também não, nunca. Aliás, em nenhum lugar dentro da cela. Muito mais tarde, perto da ocasião em que Brutal me mostrou o buraco na viga e encontramos as farpas coloridas, tirei uma cadeira do canto direito da solitária e encontrei ali uma pequena pilha de cocô de rato. Ele tinha ido sempre ao mesmo lugar para fazer as necessidades, ao que parece, e o mais longe possível de nós. Outra coisa: nunca o vi mijando, e os ratos em geral mal conseguem fechar a torneira por mais de dois minutos, especialmente quando estão comendo. Eu falei para você, o danado do bicho era um dos mistérios de Deus.

Uma semana ou mais depois que o sr. Guizos se tinha adaptado à caixa de charutos, Delacroix chamou a mim e a Brutal até a cela para vermos uma coisa. Ele fazia tanto isso, que era de aborrecer. Bastava o sr. Guizos apenas rolar sobre as costas, com as patas no ar, para aquele cajun de meio-quilo achar a coisa mais engraçadinha neste mundo de Deus, mas dessa vez o que ele estava fazendo era mesmo um tanto divertido.

Delacroix tinha praticamente sido esquecido pelo mundo depois da sua condenação, mas tinha um parente, acho que era uma tia velha solteirona, que lhe escrevia uma vez por semana. Ela também lhe tinha mandado um saco enorme de balas de hortelã, do tipo que hoje é vendido com o nome de *Canada Mints*. Pareciam grandes pastilhas cor de rosa. Delacroix, naturalmente, não tinha permissão para ficar com o saco todo de uma vez. Era um saco de dois quilos e meio, e ele as teria devorado até que tivesse de ir para a enfermaria com dor de estômago. Como quase todos os assassinos que tivemos no bloco, ele não tinha a menor percepção do que era moderação. Nós lhe dávamos meia dúzia de cada vez, e mesmo assim, só quando ele se lembrava de pedir.

Quando chegamos lá, o sr. Guizos estava sentado ao lado de Delacroix no catre, segurando uma daquelas balas de hortelã nas patas e mastigando feliz da vida. Delacroix estava simplesmente extasiado de alegria. Estava como um pianista clássico vendo seu filho de 5 anos tocar hesitantemente seus primeiros exercícios. Mas não me entenda mal; *era* engraçado, divertido de verdade. A bala tinha quase a metade do tamanho do sr. Guizos, e a barriga de pelo branco já estava distendida por causa dela.

— Tire dele, Eddie — disse Brutal, meio rindo, meio horrorizado. — Deus do céu, ele vai comer até estourar. Posso sentir o cheiro dessa hortelã até aqui. Quantas você deixou que ele comesse?

— Essa é a segunda — disse Delacroix, olhando um pouco nervoso para a barriga do sr. Guizos. — Você acha mesmo que ele... sabe... vai estourar as vísceras?

— Pode ser — disse Brutal.

Para Delacroix, isso foi suficientemente autoritário. Estendeu a mão para pegar a bala comida pela metade. Esperei que o rato lhe desse uma última mordidinha, mas o sr. Guizos entregou aquela bala, ou o que restava dela, pelo menos, tão obedientemente quanto possível. Olhei para Brutal, e ele abanou um pouco a cabeça como para dizer não, ele também não entendia. Então o sr. Guizos jogou-se dentro da caixa e ficou ali deitado de lado, com um jeito de cansaço que fez nós três rirmos. Depois disso, nos acostumamos a ver o rato sentado ao lado de Delacroix, segurando uma bala de hortelã e mastigando-a com a mesma finura de uma velha senhora num chá das cinco, os dois cercados pelo que eu depois senti naquele buraco na viga: o cheiro meio acre e meio doce de bala de hortelã.

Há mais uma coisa para lhe contar sobre o sr. Guizos antes de passar para a chegada de William Wharton, que foi quando o ciclone realmente baixou sobre o Bloco E. Cerca de uma semana depois do incidente das balas de hortelã, perto da época em que tínhamos praticamente chegado à conclusão de que, em outras palavras, Delacroix não ia entupir seu bicho de estimação até matá-lo, o francês me chamou à cela. Estava sozinho naquele momento, já que Brutal estava no almoxarifado por alguma razão e, de acordo com o regulamento, em tais circunstâncias eu não devia me aproximar de nenhum preso. Mas como eu provavelmente seria capaz de atirar Delacroix a 20 metros de distância com uma só mão num dia bom, resolvi violar a regra e ver o que ele queria.

— Olhe só isso, chefe Edgecombe — disse ele. — O senhor vai ver o que o sr. Guizos sabe fazer! — Estendeu a mão por trás da caixa de charutos e tirou de lá um pequeno carretel de madeira.

— Onde você conseguiu isso? — perguntei, embora achasse que sabia. Na realidade, só havia uma pessoa de quem ele *podia* tê-lo conseguido.

— O velho Toot-Toot — respondeu. — Observe isso.

Já estava observando e pude ver o sr. Guizos na caixa, ficando de pé, com as patinhas da frente apoiadas na borda, os olhos negros fixos no carretel que Delacroix estava segurando entre o polegar e o indicador da mão direita. Senti um calafrio esquisito subir-me pelas costas. Nunca tinha visto um mero rato prestar atenção em alguma coisa com tanta concentração, com tanta *inteligência*. Eu não acredito que o sr. Guizos fosse um visitante sobrenatural, e se lhe dei essa impressão, peço desculpas, porém nunca duvidei de que ele fosse um gênio da sua espécie.

Delacroix se inclinou e fez o carretel sem linha rolar pelo chão da cela. Ele foi com facilidade, como um par de rodas unidas por um eixo. O rato saiu da caixa num segundo e foi pelo chão atrás dele, como um cão atrás de um pedaço de pau. Fiz uma exclamação de surpresa, e Delacroix abriu um grande sorriso.

O carretel bateu na parede e voltou. O sr. Guizos contornou-o e empurrou-o de volta para o catre, trocando de uma extremidade para a outra do carretel sempre que ele parecia que ia sair do rumo. Empurrou o carretel até que bateu no pé de Delacroix. Então ergueu os olhos por um momento, como se querendo certificar-se de que Delacroix não tinha tarefas mais urgentes para ele (alguns problemas de aritmética para resolver, talvez, ou algumas declinações em latim). Aparentemente tranquilizado a esse respeito, o sr. Guizos voltou para a caixa de charutos e se acomodou dentro dela novamente.

— Você lhe ensinou isso — falei.

— Sim, senhor, chefe Edgecombe — disse Delacroix, disfarçando apenas um pouco seu sorriso. — Ele vai buscar todas as vezes. Esperto como o diabo, não é?

— E o carretel? — perguntei. — Como é que você sabia que tinha de trazê-lo para *ele*, Eddie?

— Ele sussurrou no meu ouvido que queria — disse Delacroix com serenidade. — Do mesmo jeito que sussurrou o nome.

Delacroix mostrou a todos os outros o truque do seu rato. A todos, menos a Percy. Para Delacroix, não fazia diferença que Percy tivesse sugerido a caixa de charutos e conseguido o algodão para forrá-la. Delacroix era como certos cães: dê-lhes um pontapé uma vez e eles nunca mais confiam em você, por mais simpático que seja com eles.

Mesmo agora posso ouvir Delacroix gritando: *Ei, pessoal! Venham cá ver o que o sr. Guizos sabe fazer!* E eles indo lá num grupo vestido de azul: Brutal, Harry, Dean, até mesmo Bill Dodge. Todos tinham ficado devidamente impressionados também, assim como eu.

Três ou quatro dias depois que o sr. Guizos começou a fazer o truque com o carretel, Harry Terwilliger revirou as coisas de trabalhos manuais que guardávamos na solitária, encontrou os lápis de cera e os trouxe para Delacroix, com um sorriso meio encabulado.

— Achei que você talvez quisesse colorir esse carretel com cores diferentes — falou. — Aí seu amiguinho vai ficar feito um rato de circo ou coisa assim.

— Um rato de circo! — exclamou Delacroix, com um ar inteira e delirantemente feliz. Acho que ele *ficou* completamente feliz, talvez pela primeira vez em toda a sua vida infeliz. — É isso mesmo que ele é, aliás! Um rato de circo! Quando sair daqui, ele vai me fazer rico, como no circo! Vocês vão ver se não vai.

Percy Wetmore teria, sem dúvida, salientado para Delacroix que, quando ele deixasse Cold Mountain, estaria indo numa ambulância que não precisa acender as luzes nem ligar a sirene, mas Harry sabia que não devia dizer isso. Ele apenas disse a Delacroix que fizesse o carretel o mais colorido que pudesse, o mais depressa que pudesse, porque ele ia ter de levar os lápis de cera de volta depois do jantar.

Del fez o carretel ficar colorido. Quando terminou, uma extremidade era amarela, a outra verde e o tambor do centro, vermelho vivo. Ficamos acostumados a ouvir Delacroix anunciar em voz alta: — *Maintenant, m'sieurs et mesdames! Le cirque présentement le mous' amusant et amazeant!* Não era exatamente assim, mas dá uma ideia daquele francês mestiço dele. Depois ele emitia um som bem no fundo da garganta (acho que devia representar um rufar de tambor) e lançava o carretel. O sr. Guizos corria atrás como um raio, empurrando-o de volta com o focinho ou rolando-o com as patas. Esse segundo número era de fato algo que você pagaria para ver num circo, acho eu. Delacroix e seu rato e o carretel de cores vivas eram nossas principais distrações na ocasião em que John Coffey veio para ficar sob nossos cuidados e custódia, e foi assim que as coisas ficaram por algum tempo. Então minha infecção urinária, que tinha ficado sossegada durante uns tempos, voltou, e William Wharton chegou e de repente começou a confusão.

# 10

A maioria das datas já me fugiu da cabeça. Suponho que poderia pedir à minha neta Danielle que procurasse algumas nos arquivos velhos dos jornais, mas para que isso ia servir? As mais importantes delas, como o dia em que fomos até a cela de Delacroix e encontramos o rato sentado no seu ombro, ou o dia em que William Wharton chegou ao bloco e quase matou Dean Stanton, não estariam nos jornais de qualquer modo. Talvez seja melhor ir como estou indo; no final, acho que as datas não têm muita importância, se você conseguir se lembrar das coisas que viu e as mantiver na ordem certa.

Sei que as coisas ficaram um pouco amontoadas. Quando os papéis da DDE de Delacroix finalmente chegaram do escritório de Curtis Anderson, fiquei espantado de ver que a data para o encontro do nosso amigo cajun com a Velha Fagulha tinha sido antecipada em relação à que nós estávamos esperando, uma coisa que era quase inaudita, mesmo naqueles dias quando não se tinha que mover o céu e a terra toda para executar um homem. Acho que era uma questão de dois dias, de 27 de outubro para 25. Não me recordo da data exata, mas sei que é quase isso; lembro-me de ter pensado que Toot ia receber de volta sua caixa de Corona mais cedo do que esperava.

Nesse meio-tempo, Wharton veio juntar-se a nós depois do que esperávamos. Primeiro, seu julgamento levou mais tempo do que pensavam as fontes de Anderson, geralmente confiáveis (logo iríamos descobrir que, quando se tratava de Wild Billy, *nada* era confiável, inclusive nosso método de controle de presos comprovado pelo tempo e supostamente à prova de tudo). Segundo, depois de ter sido declarado culpado (isso, pelo menos, seguiu o roteiro), foi levado para o Hospital Geral de Indianola para fazer uns exames. Durante o julgamento, ele sofrera várias supostas convulsões, e, em duas ocasiões, sérias o bastante para que caísse no chão e ali ficasse se sacudindo, se debatendo e batendo com os pés nas tábuas do assoalho. O advogado de Wharton, designado pelo juizado, alegou que ele padecia de "lapsos de epilepsia" e que tinha cometido seus crimes num estado de perturbação mental; a promotoria alegou que as convulsões eram uma encenação barata de um covarde desesperado por salvar sua própria vida. Depois de observar os chamados "lapsos de epilepsia" de perto, o júri concluiu que as convulsões eram uma farsa. O juiz concordou, mas depois que foi dado o veredito, ordenou uma série de exames antes de pronunciar a sentença. Só Deus sabe por quê; talvez ele estivesse apenas curioso.

É um mistério inexplicável que Wharton não tivesse fugido do hospital (e a ironia de que a mulher do diretor Moores, Melinda, estava no mesmo hospital ao mesmo tempo não passou despercebida a nenhum de nós), mas o fato é que não fugiu. Suponho que eles o tenham rodeado de guardas, e talvez ele ainda tivesse esperança de ser declarado legalmente incapaz em função da epilepsia, se é que tal coisa existe.

Não foi. Os médicos não encontraram nada de errado com seu cérebro, pelo menos fisiologicamente, e Billy "the Kid" Wharton foi finalmente mandado para Cold Mountain. Isso pode ter sido em torno do dia 16 ou 18. Minha lembrança é de que Wharton chegou cerca de duas semanas depois de John Coffey e uma semana ou dez dias antes de que Delacroix andasse pelo Corredor Verde.

O dia em que nosso novo psicopata se juntou a nós foi muito importante para mim. Acordei às quatro da manhã, sentindo o baixo-ventre latejando e meu pênis com uma sensação de estar muito quente, entupido e inchado. Mesmo antes de girar as pernas para fora da cama, sabia que minha infecção urinária não estava melhorando como o esperado. Tinha sido uma leve melhora, só isso, e havia parado por ali.

Saí para o banheiro, que ficava do lado de fora da casa, para fazer o que tinha que fazer (isso foi pelo menos três anos antes de instalarmos nossa primeira privada dentro de casa), e tinha chegado só até a pilha de madeira junto do canto da casa quando me dei conta de que não podia aguentar mais. Abaixei a calça do pijama exatamente quando a urina começou a fluir, e esse fluxo foi seguido da dor mais excruciante de toda a minha vida. Expeli uma pedra da vesícula em 1956 e sei que as pessoas dizem que isso é o pior de tudo, mas essa pedra foi como um pouquinho de azia comparada àquela tortura.

Meus joelhos se afrouxaram e caí sobre eles, rasgando os fundilhos da calça do pijama quando abri as pernas para não perder o equilíbrio e cair de cara na poça do meu próprio mijo. Ainda assim poderia ter caído se não tivesse agarrado uma daquelas toras da pilha com a mão esquerda. Tudo isso, porém, podia estar acontecendo na Austrália ou até mesmo em outro planeta. Só o que me importava era a dor que me estava fazendo pegar fogo. A parte inferior da barriga estava ardendo, e meu pênis, um órgão que ficara esquecido a maior parte do tempo, salvo quando estava me proporcionando o prazer físico mais intenso que um homem pode sentir, agora me dava a sensação de que estava se derretendo. Esperei olhar para baixo e ver sangue jorrando da sua ponta, mas pareceu ser um jato perfeitamente comum de urina.

Segurei-me com uma das mãos na pilha de madeira e coloquei a outra por cima da boca, concentrando-me em mantê-la fechada. Não queria acordar minha mulher de susto com um grito. Parecia que eu não ia mais parar mais de mijar, mas por fim o jato secou. A essa altura a dor tinha mergulhado fundo na minha barriga e nos testículos, mordendo como se fossem dentes enferrujados. Por um longo instante, que pode ter sido quase um minuto, fiquei fisicamente incapaz de me levantar. Finalmente a dor começou a diminuir e pus-me de pé com esforço. Olhei para minha urina, já empapando o solo, e me perguntei se algum Deus mentalmente são seria capaz de criar um mundo onde tão pouquinha umidade podia vir ao custo de uma dor tão horrenda.

Pensei em avisar que estava doente e afinal ir ver o dr. Sadler. Não queria o fedor e o mal-estar dos tabletes de sulfa dele, mas qualquer coisa seria preferível a ficar ajoelhado junto da pilha de madeira, tentando não gritar, enquanto meu pau informava que aparentemente tinha sido encharcado de óleo combustível e incendiado.

Então, enquanto engolia uma aspirina na cozinha e escutava Jan roncando de leve no outro aposento, lembrei-me de que esse era o dia marcado para William Wharton chegar ao bloco e que Brutal não ia estar lá, pois, pela escala, ele iria para o outro lado da prisão ajudar a fazer a mudança para o novo edifício do resto da biblioteca e algo que ficara para trás do equipamento da enfermaria. Uma coisa que não me fez sentir-me bem, apesar da minha dor, foi deixar Wharton para Dean e Harry. Eles eram bons homens, mas o relatório de Curtis Anderson tinha indicado que William Wharton era um caso excepcionalmente ruim. *Esse homem simplesmente não se importa com nada*, escrevera ele, sublinhando para dar ênfase.

A essa altura a dor tinha cedido um pouco e pude pensar. Pareceu-me que a melhor ideia era sair cedo para a prisão. Podia chegar lá às seis, que era a hora em que o diretor Moores geralmente chegava. Ele podia fazer com que Brutus Howell fosse redesignado para o Bloco E por tempo suficiente para a recepção de Wharton, e eu faria minha viagem, há muito vencida, até o médico. Na verdade, Cold Mountain ficava no meu caminho.

Por duas vezes no trajeto de 30 quilômetros até a penitenciária, aquela necessidade súbita de urinar tomou conta de mim. Em ambas as ocasiões pude parar e cuidar do problema sem me expor a um vexame (para começar, o tráfego nas estradas do interior numa hora daquelas é praticamente inexistente). Nenhuma dessas duas esvaziadas foi tão dolorosa quanto aquela que me derrubara no caminho para o banheiro, mas em ambas as vezes tive de segurar a maçaneta da porta do lado do passageiro do meu pequeno Ford para me apoiar de pé e pude sentir o suor escorrendo pelo meu rosto quente. Eu estava doente, sim, bem doente.

Mas consegui chegar, entrei pelo portão sul, estacionei no meu lugar habitual e subi direto para ver o diretor. A essa altura eram quase seis horas. A saleta da srta. Hannah estava vazia (ela não chegaria antes da relativamente civilizada hora das sete), mas a luz estava acesa no gabinete de Moores, como eu podia ver através do vidro granulado. Dei uma batida leve e abri a porta. Moores levantou os olhos, espantado por ver alguém ali àquela hora inusitada, e daria qualquer coisa para não ter sido eu quem o viu naquela condição, com seu rosto desnudado e desprotegido. Seus cabelos brancos, normalmente tão bem penteados, estavam desfeitos em chumaços e emaranhados; quando eu entrei, ele os estava puxando e arrancando com as mãos. Os olhos estavam injetados, a pele do rosto macilenta e inchada. Sua tremedeira estava pior do que jamais vira. Ele parecia um homem que tinha acabado de voltar para casa depois de uma longa caminhada numa noite terrivelmente fria.

— Hal, me desculpe, eu volto... — comecei a dizer.

— Não — retrucou. — Por favor, Paul. Entre. Feche a porta e entre. Preciso de alguém agora, como nunca precisei de alguém em toda a minha vida. Feche a porta e entre.

Fiz como me pediu, esquecendo-me de minha própria dor pela primeira vez desde que tinha acordado naquela manhã.

— É um tumor no cérebro — disse Moores. — Eles tiraram umas chapas de raios X dele. Na realidade, pareciam até contentes com as chapas. Um deles disse que as chapas talvez sejam as melhores que já se conseguiram, pelo menos até agora; disse que vão publicá-las em alguma revista médica importante na Nova Inglaterra. Disseram que é do tamanho de um limão e está bem fundo, num ponto onde não podem operar. Disseram que ela estará morta por volta do Natal. Eu não disse a ela. Não consigo encontrar uma maneira. Por mais que eu queira, não consigo.

Então começou a chorar, com soluços grandes, arfantes, que me encheram tanto de pena como de uma espécie de terror. Quando um homem que é tão reservado como Hal Moores finalmente perde o controle, dá medo de se ver. Fiquei parado ali por um instante, depois fui até ele e coloquei meu braço em volta dos seus ombros. Ele se agarrou a mim com ambos os braços, como um homem que está se afogando, e começou a soluçar de encontro à minha barriga, toda a reserva levada pelas lágrimas. Mais tarde, depois que conseguiu se controlar, pediu desculpas. Pediu sem chegar bem a olhar-me nos olhos, como faz um homem que sente que deu um enorme vexame, talvez tão grande que nunca vai poder chegar a superá-lo. Um homem pode acabar odiando o camarada que o viu num estado desses. Achava que o diretor Moores estava acima disso, mas nem me passou pela cabeça tratar do assunto pelo qual tinha vindo, e quando saí do gabinete de Moores, fui andando para o Bloco E em vez de voltar para o meu carro. A aspirina já estava fazendo efeito naquele momento e a dor tinha diminuído para um latejar fraco. Achei que, de um modo ou de outro, atravessaria o dia, cuidaria para que Wharton estivesse instalado, checaria com Hal Moores naquela tarde e tiraria meu dia livre por motivo de saúde no dia seguinte. Pensei que o pior estava praticamente terminado, sem a mais leve ideia de que o pior daquele dia ainda não tinha nem começado.

## 11

— Achamos que ele ainda estava dopado por causa dos exames — disse Dean no fim daquela tarde. Sua voz estava baixa, áspera, quase um rosnado, e tinha hematomas roxos em volta do pescoço. Podia ver que falar lhe causava dor e pensei em dizer para que deixasse pra lá, mas às vezes dói mais ficar calado. Avaliei que essa era uma das tais ocasiões e fiquei com a boca fechada. — Nós todos achamos que ele estava dopado, não foi?

Harry Terwilliger endossou com a cabeça. Até Percy, sentado sozinho no seu próprio grupinho soturno de um, confirmou com a cabeça.

Brutal deu uma olhada para mim e, por um instante, nossos olhos se encontraram. Estávamos pensando basicamente a mesma coisa, que era assim que as coisas aconteciam. Você estava indo muito bem, tudo andando como mandava o figurino, você cometia um equívoco e pronto, o céu desabava na sua cabeça. Eles tinham achado que ele estava dopado, era uma presunção razoável, mas ninguém tinha perguntado se ele estava dopado. Achei que tinha visto algo a mais nos olhos de Brutal: Harry e Dean aprenderiam com o erro. Especialmente Dean, que poderia facilmente ter voltado para casa morto. Percy não aprenderia. Talvez Percy não fosse capaz de aprender. Tudo que Percy podia fazer era ficar sentado no canto, amuado porque as coisas estavam indo mal para ele novamente.

Tinham sido sete os enviados a Indianola para assumir a responsabilidade por Wild Bill Wharton: Harry, Dean, Percy, dois outros guardas na parte de trás (esqueci o nome deles, embora tenha certeza de que já os soube), mais dois na frente. Pegaram o que costumávamos chamar de diligência — um furgão Ford que tinha sido reforçado com chapas de aço e equipado com vidros supostamente à prova de bala. Parecia uma cruza de caminhãozinho de leite com carro blindado.

Harry Terwilliger estava tecnicamente chefiando a expedição. Entregou sua papelada para o xerife do condado (não Homer Cribus, mas algum outro imbecil eleito como ele, imagino), que, por sua vez, entregou-os ao sr. William Wharton, encrenqueiro *extraordinaire*, como poderia ter dito Delacroix. Um uniforme de presidiário de Cold Mountain tinha sido mandado antes, mas o xerife e seus homens não tinham se dado ao trabalho de fazer Wharton vesti-lo e deixaram isso para nossos rapazes. Wharton estava usando um camisolão de algodão do hospital e uns chinelos baratos de feltro quando eles o encontraram pela primeira vez no segundo andar do Hospital Geral, um homem esquelético, com um rosto estreito e cheio de espinhas e uma vasta massa de cabelos louros, compridos e emaranhados. Seu traseiro, também estreito e também cheio de espinhas, se projetava pela parte traseira do camisolão. Essa foi a parte do seu corpo que Harry e os outros viram primeiro, porque Wharton estava na janela, olhando para o pátio de estacionamento, quando eles chegaram. Ele não se virou, simplesmente ficou ali parado, segurando as cortinas abertas com uma das mãos, calado como um manequim, enquanto Harry xingava o xerife do condado por ter sido tão preguiçoso e deixado de fazer Wharton vestir o uniforme azul de presidiário, e o xerife fazia um discurso (como parecem fazer todos os funcionários de condado que já encontrei) sobre o que fazia e o que não fazia parte do seu trabalho.

Quando Harry se cansou dessa parte (e desconfio que não demorou muito), mandou que Wharton se virasse. Wharton assim fez. Dean nos disse na sua voz áspera, quase rosnada e semiestrangulada, que ele tinha a mesma aparência de qualquer um dos milhares de sujeitos perdidos do interior que tinham acabado passando por Cold Mountain durante os anos que estávamos lá. Troque essa aparência em miúdos e o que você tem é um bronco com um traço de maldade. Às vezes também se descobria neles um traço de covardia, quando estavam de costas contra a parede, mas na maioria das vezes lá só havia hostilidade e maldade e depois mais hostilidade e maldade. Há pessoas que veem nobreza em indivíduos como Billy Wharton, mas não sou uma delas. Uma ratazana também lutará se for encurralada. Dean comentara conosco que o rosto desse homem parecia não ter mais personalidade do que seu traseiro coberto de acne. A mandíbula era frouxa, os olhos distantes, os ombros caídos, as mãos dependuradas. Ele parecia estar mesmo cheio de morfina, tão apalermado como todos os drogados que já tinham visto.

Ao ouvir isso, Percy deu outro dos seus acenos soturnos de cabeça.

— Vista isso — dissera Harry, apontando para o uniforme que estava nos pés da cama. Tinha sido retirado do papel pardo em que estava embrulhado, mas fora isso estava intocado, e ainda estava dobrado exatamente como saíra da lavanderia da prisão, com uma cueca branca de algodão enfiada numa das mangas da camisa e um par de meias brancas na outra.

Wharton parecia perfeitamente disposto a obedecer, mas não conseguia ir muito longe sem ajuda. Conseguiu vestir a cueca, mas quando chegou a vez das calças, ficou tentando enfiar as duas pernas no mesmo buraco. Por fim Dean o ajudou, fazendo com que seus pés fossem por onde deviam ir e depois puxando as calças para cima, fechando a braguilha e prendendo o fecho de pressão da cintura. Wharton apenas ficou ali de pé, sem nem mesmo tentar ajudar quando viu que Dean estava fazendo tudo por ele. Ficou com um olhar vago para o outro lado do quarto, as mãos frouxas, e nenhum deles sequer desconfiou de que ele estava fingindo. Não com esperança de fugir (pelo menos eu não acho que fosse isso), mas apenas com a esperança de causar o máximo de problemas quando chegasse o momento.

Os documentos foram assinados. William Wharton, que se tinha tornado propriedade do condado quando fora detido, agora se tornava propriedade do estado. Foi levado pela escada de trás e através da cozinha, cercado por guardas penitenciários. Foi andando com a cabeça baixa e as mãos de dedos compridos balançando dos lados do corpo. Na primeira vez que o boné dele caiu, Dean o colocou de volta na cabeça dele. Da segunda vez, apenas o meteu no bolso de trás da própria calça.

Ele teve outra oportunidade de criar problemas na parte de trás da diligência, quando estavam pondo os grilhões nele, mas não fez nada. Se era capaz de pensar (até hoje não tenho certeza de que era, ou se era, o quanto), ele deve ter pensado que o espaço era pequeno demais e os outros numerosos demais para que pudesse causar uma encrenca satisfatória. De modo que as correntes foram colocadas, uma passando entre os tornozelos e outra, comprida demais, como se acabou vendo, entre os pulsos.

O trajeto até Cold Mountain levou uma hora. Durante todo esse tempo, Wharton ficou sentado no banco do lado esquerdo, bem junto da cabina, a cabeça baixa, as mãos algemadas dependuradas entre os joelhos. De vez em quando, ele cantarolava um pouco, disse Harry, e Percy saiu da fossa o suficiente para dizer que o boçal deixava escorrer saliva do lábio inferior mole, uma gota de cada vez, até fazer uma poça entre seus pés. Como um cachorro deixando pingar saliva da ponta da língua num dia quente de verão.

Quando chegaram à penitenciária, entraram pelo portão sul, e acho que passaram bem junto do meu carro. O guarda na passagem sul fez correr para trás a porta grande entre o pátio de entrada e o pátio de exercícios, e a diligência passou por ela. Era uma hora morta no pátio de exercícios, não havia muitos homens ali fora e a maioria deles estava trabalhando com a enxada na horta. Devia ser a época das abóboras. Foram direto para o Bloco E e pararam. O motorista abriu a porta e disse a eles que ia levar a diligência até a garagem para trocar o óleo, que tinha sido um prazer trabalhar com eles. Os guardas extras foram com o veículo, dois deles sentados na parte de trás comendo maçãs, as portas agora balançando abertas.

Isso deixou Dean, Harry e Percy com um preso algemado. Devia ter sido suficiente, *teria* sido suficiente, se eles não tivessem sido engambelados pelo rapaz magro do interior, ali de pé no chão de terra, com a cabeça baixa e correntes nos pulsos e nos tornozelos. Fizeram-no marchar os cerca de 12 passos até a porta que abria para dentro do Bloco E, pondo-se na mesma formação que usávamos quando estávamos escoltando presos pelo Corredor Verde. Harry estava do lado esquerdo, Dean do direito e Percy estava atrás, com o cassetete na mão. Ninguém me disse isso, mas sei muito bem que ele o tinha na mão; Percy adorava aquele bastão de peroba. Quanto a mim, estava sentado no que ia ser o lar de Wharton até que chegasse a hora de ele ingressar no lugar quente: a primeira cela à direita indo pelo corredor na direção da solitária. Estava com minha prancheta nas mãos e só pensava em fazer meu discursinho de praxe e dar o fora dali. A dor no meu baixo-ventre estava aumentando de novo e tudo o que eu queria era ir para minha sala e esperar que ela passasse.

Dean deu um passo à frente para destravar a porta. Escolheu a chave certa do molho pendurado no seu cinto e enfiou-a na fechadura. Wharton despertou exatamente quando Dean girou a chave e puxou a maçaneta. Emitiu um grito agudo de algo ininteligível, uma espécie de grito de guerra, que fez Harry ficar temporariamente imobilizado e praticamente liquidou com Percy Wetmore para o resto do embate. Ouvi aquele grito através da porta parcialmente aberta e inicialmente não o associei com qualquer coisa humana. Pensei que um cachorro entrara no pátio e tinha sido machucado, que talvez algum detento mal-humorado tivesse batido nele com uma enxada.

Wharton ergueu os braços, deixou cair a corrente que estava pendurada entre seus pulsos por cima da cabeça de Dean e começou a estrangulá-lo com ela. Dean soltou um grito abafado e se projetou para a frente, para nosso pequeno mundo iluminado por eletricidade. Wharton não teve problema de ir junto com ele, até lhe deu um empurrão, o tempo todo gritando e balbuciando coisas, até dando risadas. Estava com os braços flexionados nos cotovelos, com os pulsos junto das orelhas de Dean, puxando a corrente o mais apertado que podia, movendo-a de um lado para o outro.

Harry caiu sobre as costas de Wharton, agarrando os cabelos louros e oleosos do nosso novo rapaz com uma das mãos e batendo o outro punho com toda a força no lado do rosto de Wharton. Ele tinha tanto o próprio cassetete como um revólver, mas na afobação não sacou nenhum dos dois. É claro que tínhamos tido problemas com presos antes, mas nunca um que nos tivesse apanhado de surpresa como Wharton. A astúcia do homem estava além da nossa experiência. Nunca tinha visto nada parecido antes e nunca voltei a ver.

E ele era forte. Toda aquela moleza sumiu. Harry disse depois que era como saltar sobre um ninho de molas de aço retesadas que tinham de algum modo adquirido vida. Wharton, agora do lado de dentro e perto da mesa da guarda, girou o corpo para a esquerda e atirou Harry longe. Harry bateu na mesa e caiu esparramado no chão.

— *Obaaaa, meninos!* — riu Wharton. — *Que festança, não? É ou não é?*

Ainda berrando e rindo, Wharton continuou a estrangular Dean com a corrente. Por que não? Wharton sabia o mesmo que todos nós sabíamos, que um homem só pode ser fritado uma vez.

— Bata nele, Percy, bata nele! — berrou Harry, tentando se pôr de pé. Mas Percy apenas ficou parado com o cassetete de peroba na mão, os olhos esbugalhados como dois pratos de sopa. Ali estava a oportunidade pela qual estava esperando, podia-se dizer, a oportunidade de ouro para dar um bom emprego para aquele porrete, e ele estava assustado ou confuso demais para usá-lo. Aquele ali não era um francesinho aterrorizado nem um gigante negro que mal parecia saber que estava dentro do seu próprio corpo. Aquele ali era um diabo em ação.

Saí da cela de Wharton, deixando cair a prancheta e sacando meu .38. Pela segunda vez naquele dia, tinha me esquecido da infecção que estava fazendo minha virilha arder. Não duvidei da história que os outros contaram da fisionomia vaga e dos olhos sem vida de Wharton quando falaram disso mais tarde, mas esse não era o Wharton que eu vi. O que vi foi a cara de um animal, não de um animal inteligente, mas de um animal cheio de astúcia... E de maldade... E alegria. É. Ele estava fazendo o que tinha sido criado para fazer. O lugar e as circunstâncias não faziam diferença. A outra coisa que vi foi o rosto de Dean, vermelho e intumescido. Ele estava morrendo diante dos meus olhos. Wharton viu o revólver na minha mão e girou Dean na direção dele, de modo que era praticamente inevitável ter de acertar em um para atingir o outro. Por cima do ombro de Dean, um olho azul brilhante me desafiava a atirar.

# PARTE TRÊS

---

# AS MÃOS DE COFFEY

# 1

Recapitulando o que já escrevi, vejo que chamei Georgia Pines, o lugar onde vivo atualmente, de um asilo para velhos. As pessoas que dirigem o lugar não iam gostar muito disso! Segundo os folhetos que ficam no saguão de entrada e que são enviados para clientes em potencial, é um "complexo ultramoderno para o repouso de pessoas idosas". Possui até um Centro de Diversões! Ao menos é o que diz o folheto. Quem tem que viver aqui (o folheto não nos chama de "detentos", mas eu, às vezes, sim) o chama simplesmente de sala de TV.

As pessoas acham que sou metido a besta porque não vou muito à sala de TV durante o dia, mas são os programas que não suporto, não as pessoas. Oprah, Ricki Lake, Carnie Wilson, Rolanda, o mundo está desabando sobre nossas cabeças e tudo com que essa gente se importa é falar sobre foder com mulheres de saias curtas e homens com camisas abertas no peito. Bem, que diabo. Não julgue os outros para não ser julgado, diz a Bíblia, por isso vou parar de fazer comício. É só que, se eu quisesse passar meu tempo com gentalha ambulante, me mudaria para uns 3 quilômetros adiante, para o Motel Happy Wheels, para onde os carros da polícia parecem sempre estar indo nas noites de sexta-feira e sábado, com as sirenes aos berros e as luzes azuis piscando. Minha grande amiga, Elaine Connelly, parece pensar da mesma maneira. Elaine tem 80 anos, é alta e esguia, ainda ereta e com bom discernimento, muito inteligente e refinada. Ela anda muito devagar porque tem algum problema nos quadris e sei que a artrite que tem nas mãos lhe causa um terrível sofrimento, mas ela tem um lindo e comprido pescoço — quase um pescoço de cisne — e cabelos longos e bonitos que caem sobre os ombros quando ela os solta.

O melhor de tudo é que ela não me acha esquisito ou metido a besta. Elaine e eu passamos muito tempo juntos. Acho que, se não tivesse atingido essa idade tão grotesca, poderia me referir a ela como minha namorada. De qualquer modo, ter uma amiga especial (não mais do que isso) não é tão ruim, e sob alguns aspectos é até melhor. Uma porção dos problemas e das mágoas que fazem parte de ser namorado e namorada simplesmente já se acabou dentro de nós. E, embora eu saiba que ninguém com menos de, digamos, 50 anos vai acreditar nisso, às vezes as brasas são melhores do que a fogueira. É estranho, mas é verdade.

Então não assisto à TV durante o dia. Às vezes dou uma caminhada, às vezes leio, e o que mais tenho feito no último mês, mais ou menos, tem sido escrever estas recordações no meio das plantas do solário. Acho que há mais oxigênio naquele lugar, e isso ajuda a velha memória. É muito melhor do que Geraldo Rivera, isso posso lhe garantir.

Mas quando não consigo dormir, às vezes vou sem fazer barulho até lá embaixo e ligo a televisão. Em Georgia Pines não temos HBO nem nada parecido (acho que isso é uma diversão um pouquinho cara demais para nosso Centro de Diversões), mas temos os serviços básicos de TV a cabo, o que quer dizer que temos o American Movie Channel. É aquele (caso você não tenha os serviços básicos de TV a cabo) em que a maioria dos filmes é em preto e branco e nenhuma das mulheres tira a roupa. Para um velho como eu, isso é tranquilizador. Tem havido muitas noites na qual pego logo no sono no sofá verde diante da TV enquanto Francis, a Mula que Falava, mais uma vez salvava a pele de Donald O'Connor, John Wayne fazia a limpeza em Dodge City ou Jimmy Cagney chamava alguém de rato sujo e depois sacava um revólver. Alguns são filmes que vi com minha mulher Janice (que foi não apenas minha namorada, mas minha *melhor* amiga) e eles me dão serenidade. As roupas que usam, a maneira como falam e andam, até a música da trilha sonora, todas essas coisas me dão serenidade. Acho que é porque me lembram a época em que eu era um homem que ainda estava caminhando pela superfície do mundo, em vez de ser uma relíquia comida por traça mofando num asilo de gente velha, onde muitos dos residentes usam fraldas e cuecas de plástico.

Entretanto, não houve nada de tranquilizador no que vi hoje de manhã. Nada mesmo.

Elaine às vezes se junta a mim para a chamada Matinê dos Madrugadores do AMC, que começa às quatro horas da manhã. Ela não fala muito nisso, mas sei que a artrite lhe dói terrivelmente e que as drogas que lhe dão já não ajudam muito.

Quando ela chegou hoje de manhã, deslizando como um fantasma no roupão atoalhado branco, encontrou-me sentado no sofá cheio de calombos, curvado sobre os palitos esqueléticos que foram minhas pernas e segurando os joelhos para tentar fazer parar o tremor que estava passando por mim como um vento forte. Sentia frio no corpo todo, exceto na virilha, que ainda parecia arder com a lembrança de uma infecção urinária que muito me atrapalhara a vida no outono de 1932, o outono de John Coffey, Percy Wetmore e do sr. Guizos, o rato amestrado.

Tinha sido também o outono de William Wharton.

— Paul! — gritou Elaine e correu para mim, isto é, correu o mais rápido que lhe permitiam os pregos enferrujados e o vidro moído dos quadris. — Paul, o que houve?

— Já vou melhorar — disse eu, mas as palavras não pareceram muito convincentes, saíram todas em tons diferentes, por entre dentes que queriam bater. — Dê-me só um ou dois minutos e vou estar perfeitamente bem.

Ela ficou sentada ao meu lado e colocou o braço sobre meu ombro.

— Tenho certeza de que vai — disse ela. — Mas o que aconteceu? Pelo amor de Deus, Paul, você parecia que tinha visto um fantasma.

*E vi*, pensei eu, e só quando seus olhos se arregalaram percebi que tinha falado em voz alta.

— Na verdade, não — disse eu e dei uns tapinhas na mão dela (delicadamente, muito delicadamente!). — Mas, por um instante, Elaine... Deus meu!

— Foi da época em que você era guarda na prisão? — indagou ela. — Da época sobre a qual tem escrito no solário?

Confirmei com a cabeça.

— Trabalhei na nossa versão do corredor da morte...

— Eu sei...

— Só que o chamávamos de Corredor Verde. Por causa do linóleo no piso. No outono de 1932, recebemos um camarada, um *selvagem,* chamado William Wharton. Ele gostava de se achar parecido com Billy the Kid, tinha até o nome tatuado no braço. Era só um rapaz, mas perigoso. Ainda me lembro do que Curtis Anderson, que naquela época era o assistente-chefe do diretor, escreveu sobre ele: "Louco violento e se orgulha disso. Wharton tem 19 anos e *simplesmente não se importa com nada."* Ele tinha sublinhado essa parte.

A mão que ela tinha passado em volta dos meus ombros agora estava esfregando minhas costas. Eu estava começando a me acalmar. Naquele momento, amei Elaine Connelly e poderia lhe ter coberto o rosto de beijos enquanto eu dizia isso para ela. Talvez devesse ter feito isso. É terrível sentir-se sozinho e com medo em qualquer idade, mas acho que é pior quando você é velho. Mas estava com essa outra coisa na cabeça, esse fardo de coisas antigas e inacabadas.

— De qualquer modo — disse eu —, você acertou. Tenho escrito sobre como Wharton chegou ao bloco e logo quase matou Dean Stanton, um dos sujeitos com quem eu trabalhava.

— Como ele pôde fazer isso? — perguntou Elaine.

— Maldade e descuido — disse eu com ar sério. — Wharton entrou com a maldade e os guardas que o trouxeram entraram com o descuido. O verdadeiro erro foi a corrente que prendia os pulsos de Wharton. Estava um pouco comprida demais. Quando Dean destravou a porta do Bloco E, Wharton estava atrás dele. Havia um guarda de cada lado, mas Anderson tinha razão: Wild Billy simplesmente não se importava com essas coisas. Passou a corrente por cima da cabeça de Dean e começou a estrangulá-lo com ela.

Elaine estremeceu.

— De todo modo, comecei a pensar nisso tudo e não consegui dormir, por isso vim aqui para baixo. Liguei o AMC, achando que você podia descer e teríamos um encontro...

Ela deu uma risada e beijou minha testa, bem acima da sobrancelha. Eu costumava ficar todo arrepiado quando Janice fazia isso comigo e ainda fiquei quando Elaine o fez naquela manhã cedinho. Acho que certas coisas nunca mudam.

—... e o que apareceu foi aquele velho filme em preto e branco de bandidos dos anos 1940. Chama-se *O Beijo da Morte.*

Pude sentir meu corpo querendo tremer novamente e tentei me conter.

— Richard Widmark trabalha nele — falei. — Acho que foi seu primeiro papel importante. Nunca fui vê-lo com Jan, pois geralmente não íamos ver filmes de polícia e bandido, mas lembro-me de ter lido em algum lugar que o desempenho de Widmark como o malfeitor estava sensacional. E estava mesmo. Ele tem a fisionomia pálida, parece *deslizar* mais do que andar, está sempre chamando as pessoas de "pirralho", falando de traidores, de como ele odeia traidores...

Estava começando a tremer de novo, apesar dos meus esforços. Não conseguia evitar.

— Cabelos louros — murmurei. — Cabelos louros e sem vida. Assisti até o pedaço em que ele empurra uma velhinha numa cadeira de rodas escada abaixo e aí desliguei.

— Ele fez você se lembrar de Wharton?

— Ele *era* Wharton — respondi. — Igualzinho.

— Paul... — ela começou a falar e parou. Olhou para a tela apagada da TV (a caixa do cabo em cima dela ainda estava ligada com os números em vermelho ainda mostrando 10, o número do canal do AMC) e depois de volta para mim.

— O quê? — perguntei. — O quê, Elaine? — Pensando: *Ela vai me dizer que eu devia parar de escrever sobre isso. Que devia rasgar as páginas que escrevi até agora e simplesmente desistir disso.*

O que ela disse foi:

— Não deixe que isso faça você parar.

Fiquei olhando para ela, de boca aberta.

— Feche a boca, Paul, senão vai entrar mosca.

— Desculpe. É só que... Bem...

— Você pensou que ia lhe dizer exatamente o contrário, não foi?

— Foi.

Pegou minhas mãos nas suas (delicadamente, muito delicadamente, com seus dedos longos e lindos, os nós dos dedos encalombados e feios) e inclinou-se para a frente, fitando meus olhos azuis com olhos castanho-claros, o da esquerda ligeiramente amortecido pela névoa de uma catarata que aumentava.

— Eu posso estar velha e frágil demais para estar viva — disse ela —, mas não velha demais para pensar. Na nossa idade, o que são algumas noites sem dormir? Aliás, o que é ver um fantasma na TV? Você vai me dizer que foi o único que viu na vida?

Pensei no diretor Moores, em Harry Terwilliger e em Brutus Howell. Pensei na minha mãe e em Jan, minha mulher, que morreu no Alabama. Bem que eu entendia de fantasmas.

— Não — retruquei. — Não foi o primeiro fantasma que vi na vida. Porém, Elaine, *levei* um choque. Porque era *ele*.

Ela me beijou de novo, depois se levantou, fazendo uma careta e apertando a parte superior dos quadris com a base das mãos, como se estivesse receando que eles pudessem literalmente explodir através da pele se não tivesse muito cuidado.

— Acho que mudei de ideia sobre a televisão — disse ela. — Tenho um comprimido extra, que estava guardando para uma emergência. Acho que vou tomá-lo e voltar para a cama. Talvez você deva fazer o mesmo.

— É — disse eu. — Acho que devia. — Por um instante alucinado pensei em sugerir que fôssemos para a cama juntos e então vi a dor profunda nos seus olhos e mudei de ideia. Porque ela poderia dizer sim e o teria dito só por minha causa. Isso não seria bom.

Saímos da sala da TV (não vou dizer aquele outro nome, nem mesmo para fazer ironia) um ao lado do outro, eu acertando meus passos pelos dela, que eram lentos e penosamente cuidadosos. O edifício estava em silêncio, salvo por alguém gemendo nas garras de um pesadelo por trás de alguma porta fechada.

— Você acha que vai conseguir dormir? — perguntou ela.

— Acho que sim — respondi, mas é claro que não consegui. Fiquei deitado na cama até o raiar do sol, pensando em *O Beijo da Morte*. Via Richard Widmark dando uns risinhos de louco, amarrando a velha na cadeira de rodas e depois a empurrando pela escada. "É isso o que nós fazemos com traidores", falou para ela, e então seu rosto se fundia com o de William Wharton tal como estava naquele dia em que veio para o Bloco E e para o Corredor Verde (Wharton dando risinhos como Widmark, Wharton berrando: *Que festança, não? É ou não é?).*

Depois disso, não quis nem saber do café da manhã. Simplesmente vim aqui para o solário e comecei a escrever.

Fantasmas? É claro!

Sei tudo sobre fantasmas.

## 2

— *Obaaaa, meninos!* — riu Wharton. — *Que festança, não? É ou não é?*

Ainda berrando e rindo, Wharton continuou a estrangular Dean com a corrente. Por que não? Wharton sabia o mesmo que Dean, Harry e meu amigo Brutus sabiam que um homem só pode ser fritado uma vez.

— Bata nele! — berrou Harry Terwilliger. Ele tinha-se agarrado com Wharton, tentou detê-lo antes que as coisas começassem a ficar feias, mas Wharton o atirara no chão e Harry agora estava tentando ficar de pé. — Percy, bata nele!

Mas Percy apenas ficou parado, com o cassetete de peroba na mão, os olhos esbugalhados como dois pratos de sopa. Ele adorava aquele cassetete e eu imaginaria que essa era sua oportunidade de usá-lo, como estava seco para fazer desde que viera para a Penitenciária de Cold Mountain... Porém, agora que o momento chegara, estava apavorado demais para aproveitar a oportunidade. Aquele ali não era um francesinho aterrorizado como Delacroix nem um gigante negro que mal parecia saber que estava dentro do seu próprio corpo, como John Coffey. Aquele ali era um diabo em ação.

Saí da cela de Wharton, deixando cair a prancheta e sacando meu .38. Pela segunda vez naquele dia tinha me esquecido da infecção que estava fazendo minha virilha arder. Não duvidei da história que os outros contaram da fisionomia vaga e dos olhos sem vida de Wharton, quando falaram nisso mais tarde, mas esse não era o Wharton que eu vi. O que vi foi a cara de um animal, não de um animal inteligente, mas de um animal cheio de astúcia. E de maldade. E alegria. É. Ele estava fazendo o que tinha sido criado para fazer. O lugar e as circunstâncias não faziam diferença. A outra coisa que vi foi o rosto de Dean Stanton, vermelho e intumescido. Ele estava morrendo diante dos meus olhos. Wharton viu o revólver na minha mão e girou Dean na direção dele, de modo que era praticamente inevitável ter de acertar em um para atingir o outro. Por cima do ombro de Dean, um olho azul brilhante me desafiava a atirar. O outro olho de Wharton estava oculto pelos cabelos de Dean. Por trás deles vi Percy parado, indeciso, com o cassetete meio erguido. E, então, enchendo o portal aberto que dava para o pátio da prisão, um milagre em pessoa: Brutus Howell. Tinham terminado de fazer a mudança do resto do equipamento da enfermaria e ele tinha vindo ver quem queria café.

Ele agiu sem um momento de hesitação: empurrou Percy para o lado, fazendo-o chocar-se contra a parede com uma força de abalar os dentes, pegou seu cassetete e baixou-o na cabeça de Wharton com toda a força do seu enorme braço direito. Ouviu-se um ruído surdo, quase oco, como se não houvesse nada por baixo do crânio de Wharton, e a corrente finalmente se afrouxou em volta do pescoço de Dean. Wharton desabou como um saco de ração, e Dean se arrastou para longe dele, arquejando violentamente e segurando a garganta com uma das mãos, os olhos esbugalhados.

Ajoelhei-me a seu lado, e ele abanou a cabeça com força.

— Estou bem! — disse, rouco. — Cuidem... dele! — Fez um gesto na direção de Wharton. — Tranquem! Cela!

Não achei que ele fosse precisar de uma cela, dada a força com que Brutal tinha batido nele, achei que ele fosse precisar era de um caixão. Mas não tivemos tanta sorte. Wharton estava desacordado, mas longe de estar morto. Ficou esparramado de lado, um braço esticado de modo que as pontas dos seus dedos tocavam no linóleo do Corredor Verde, os olhos fechados, a respiração lenta, porém regular. Seu rosto estava até com um pequeno sorriso, como se tivesse adormecido escutando sua canção de ninar favorita. Um pequeno filete de sangue escorria-lhe dos cabelos e manchava o colarinho da camisa nova de presidiário. Era só isso.

— Percy! — falei. — Ajude-me!

Percy não se moveu. Ficou só ali, encostado na parede, de olhos arregalados e em estado de choque. Acho que ele não sabia direito onde estava.

— Percy, que diabo, agarre-o comigo!

Então ele começou a se mexer e Harry ajudou-o. Os três juntos arrastamos o desacordado sr. Wharton para dentro da cela, enquanto Brutal ajudava Dean a se pôr de pé e o segurava tão delicadamente como uma mãe quando Dean se curvava para a frente e tentava aspirar o ar para dentro dos pulmões.

Nossa nova criança-problema levou quase três horas para acordar, mas quando o fez não mostrou nenhuma consequência do golpe violento de Brutal. Voltou a si da mesma maneira como se movia, depressa. Num momento estava deitado no catre, morto para o mundo. No momento seguinte estava de pé junto das grades, silencioso como um gato, e olhando fixamente para mim, sentado na mesa da guarda, redigindo o relatório do incidente. Quando finalmente pressenti que alguém estava olhando para mim e ergui os olhos, lá estava ele, o sorriso largo exibindo uns dentes escuros e podres, já com várias falhas entre eles. Levei um susto ao vê-lo desse jeito. Tentei não demonstrar o que estava sentindo, mas acho que ele sabia.

— Ei, lacaio — disse ele. — Da próxima vez vai ser você. E não vou falhar.

— Olá, Wharton — falei, com a voz mais natural que consegui. — Nas circunstâncias, acho que posso dispensar o discurso e a banda de boas-vindas, você não acha?

O sorriso dele diminuiu um pouco. Não era o tipo de reação que ele esperava e provavelmente não foi a que eu teria tido em outras circunstâncias. Mas alguma coisa tinha acontecido enquanto Wharton estivera inconsciente. Acho que é uma das coisas mais importantes pelas quais venho trabalhando por estas páginas para lhe contar. Agora, vamos só ver se você acredita.

## 3

Exceto por gritar uma vez com Delacroix, Percy ficou de boca calada depois que acabou a agitação. Provavelmente isso foi mais resultado do choque do que de qualquer esforço para ter tato (na minha opinião, Percy Wetmore sabia tanto de tato quanto eu das tribos nativas no coração da África), mas mesmo assim foi uma coisa boa. Se ele tivesse começado a choramingar sobre como Brutal o tinha empurrado de encontro à parede ou por que ninguém lhe tinha dito que homens malvados como Wild Billy Wharton às vezes apareciam no Bloco E, acho que o teria matado. Então poderíamos ter visitado o Corredor Verde de uma maneira completamente diferente. Quando pensamos nisso, é uma ideia meio engraçada. Perdi minha oportunidade de fazer como James Cagney em *Fúria Assassina*.

De qualquer modo, quando tivemos certeza de que Dean ia continuar respirando e que não ia desmaiar ali mesmo, Harry e Brutal o acompanharam até a enfermaria. Delacroix, que tinha ficado em silêncio absoluto durante a briga (aquele ali tinha estado preso muitas vezes e sabia quando era prudente ficar de bico calado e quando era relativamente seguro abri-lo de novo), começou a berrar alto para o corredor enquanto Harry e Brutal ajudavam Dean a sair. Delacroix queria saber o que tinha acontecido. Até parecia que ele achava que seus direitos constitucionais tinham sido violados.

— Cala a boca, seu veadinho! — berrou Percy de volta, com tanta fúria que as veias se dilataram nos lados do pescoço. Coloquei uma mão no seu braço e senti que ele estava tremendo por baixo da camisa. Uma parte disso se devia a um resto de pavor, é claro (de vez em quando tinha que lembrar a mim mesmo que parte do problema de Percy era que ele tinha apenas 21 anos, não era muito mais velho do que Wharton), mas acho que a maior parte era raiva. Ele odiava Delacroix, não sei bem por que, mas odiava.

— Vá ver se o diretor Moores ainda está aqui — disse a Percy. — Se estiver, faça-lhe um relato verbal completo do que aconteceu. Diga-lhe que terá meu relatório por escrito amanhã, se eu conseguir redigi-lo.

Percy ficou visivelmente orgulhoso com essa responsabilidade. Por um momento horrível, cheguei realmente a pensar que ele ia bater continência.

— Sim, senhor. Assim farei.

— Comece por lhe dizer que a situação no Bloco E está normal. Não é uma história, e o diretor não vai gostar se você for esticando para aumentar o suspense.

— Não farei isso.

— Está bem. Pode ir.

Dirigiu-se para a porta, depois se virou. A única coisa que eu sempre podia esperar dele era ser do contra. Eu queria desesperadamente que ele fosse embora, e agora ele parecia não querer ir.

— Você está bem, Paul? — perguntou ele. — Será que está com febre? Está um pouco gripado? Porque seu rosto está coberto de suor.

— Pode ser que esteja com alguma coisa, mas de forma geral estou muito bem — falei. — Ande, Percy, vá contar para o diretor.

Ele assentiu com a cabeça e saiu. Temos que agradecer a Deus pelas pequenas coisas. Assim que a porta se fechou, precipitei-me para meu escritório. Deixar a mesa da guarda sem ninguém era contra o regulamento, mas não estava em condições de me importar com isso. Estava mal — como tinha estado de manhã.

Consegui chegar ao pequeno cubículo do banheiro por trás da escrivaninha e tirar meu negócio de dentro da calça antes que a urina começasse a jorrar, mas foi por pouco. Tive que tapar a boca com a mão para abafar um grito quando começou a sair e agarrei às cegas a borda da pia com a outra. Não era como em casa, onde podia cair de joelhos e mijar uma poça do lado da pilha de lenha. Se caísse de joelhos ali a urina iria se espalhar pelo chão todo.

Consegui manter-me de pé e não gritar, mas as duas coisas foram por pouco. Parecia que minha urina estava cheia de pequenas farpas de vidro. O cheiro que subia da privada era desagradável, como de pântano, e pude ver uma substância branca que acho que era pus flutuando na água.

Puxei uma toalha do suporte e enxuguei o rosto. Estava suando mesmo; o suor estava escorrendo pelo corpo todo. Olhei no espelho de metal e vi o rosto vermelho de um homem com febre alta me olhando de volta. Trinta e nove e meio? Quarenta? Talvez fosse melhor nem saber. Coloquei a toalha de volta no suporte, dei a descarga e atravessei devagar meu escritório de volta para a porta que dava para o bloco de celas. Receava que Bill Dodge ou alguma outra pessoa pudesse ter entrado e visto três presos sem ninguém tomando conta, mas o lugar estava vazio. Wharton ainda estava deitado desacordado no catre, Delacroix tinha caído em silêncio, e de repente me dei conta de que John Coffey não tinha emitido um único ruído. Nem um pio. O que era preocupante.

Peguei o corredor e dei uma olhada na cela de Coffey, um pouco esperando constatar que ele cometera suicídio de uma das duas maneiras comuns no Corredor da Morte: se enforcando com a calça ou abrindo as veias dos pulsos com os dentes. Nenhuma das duas coisas tinha acontecido. Coffey simplesmente estava sentado na ponta do catre com as mãos no colo, o maior homem que jamais vira na vida, olhando para mim com seus olhos úmidos e estranhos.

— Capitão? — falou.

— O que que há, garotão?

— Preciso ver o senhor.

— Você não está olhando bem para mim, John Coffey?

Não respondeu nada, apenas continuou a me estudar com seu olhar estranho e lacrimejante. Dei um suspiro.

— Dentro de um instante, garotão.

Olhei lá para Delacroix, que estava de pé junto das grades da cela. O sr. Guizos, seu rato de estimação (Delacroix lhe diria que tinha ensinado o sr. Guizos a fazer uns truques, mas nós que trabalhávamos no Corredor Verde tínhamos a opinião mais ou menos unânime de que o sr. Guizos tinha ensinado a si mesmo), estava saltando, inquieto, de uma para a outra das mãos esticadas de Del, como um acrobata dando saltos numa plataforma bem alta sobre o picadeiro central de um circo. Seus olhos eram imensos e as orelhas estavam apertadas de encontro à cabeça lisa e cinzenta. Não tinha a menor dúvida de que o rato estava reagindo ao nervosismo de Delacroix. Enquanto olhava, ele desceu correndo pela perna da calça de Delacroix e atravessou a cela até onde estava, junto da parede, o carretel pintado com cores vivas. Empurrou o carretel de volta até o pé de Delacroix e então ergueu os olhos para ele, ansioso, mas o pequeno cajun não deu atenção ao seu amigo, pelo menos naquele momento.

— O que houve, chefe? — perguntou Delacroix. — Quem ficou ferido?

— Está tudo perfeitamente em ordem — respondi. — Nosso novo menino chegou como um leão, mas agora está desmaiado como um cordeiro. Tudo bem quando acaba bem.

— Ainda não acabou — disse Delacroix, olhando pelo corredor na direção da cela onde Wharton estava apagado. — *L'homme mauvais, c'est vrai!** 

— Bom — disse eu —, não se deixe abater por isso, Del. Ninguém vai obrigá-lo a pular corda com ele lá no pátio.

Ouvi um rinchar vindo de detrás de mim, quando Coffey levantou-se do catre.

— Chefe Edgecombe! — falou novamente. Dessa vez sua voz tinha um tom de urgência. — Preciso falar com o senhor!

Voltei-me para ele, pensando: muito bem, não há problema, falar era o meu negócio. Durante todo esse tempo estava tentando não tremer, porque a febre tinha se transformado em frio, como às vezes acontece. Exceto meu baixo-ventre, que ainda me dava a sensação de ter sido rasgado, enchido de carvão em brasa e costurado novamente.

— Então fale, John Coffey! — disse eu, tentando manter meu tom de voz leve e calmo. Pela primeira vez desde que tinha vindo para o Bloco E, Coffey parecia que estava de fato ali, realmente entre nós. O fio de lágrimas que escorria quase sem parar dos cantos dos olhos tinha cessado, pelo menos por enquanto, e eu sabia que ele estava enxergando o que estava olhando: o sr. Paul Edgecombe, chefe dos guardas do Bloco E, e não algum lugar para onde gostaria de voltar e desfazer a coisa terrível que tinha feito.

— Não — falou. — O senhor tem que vir aqui dentro.

— Ora, você sabe que não posso fazer isso — disse eu, ainda buscando manter o tom leve —, pelo menos não neste minuto. No momento estou sozinho aqui e você pesa apenas cerca de uma tonelada e meia a mais do que eu. Já tivemos uma farra hoje de tarde e isso é suficiente. De modo que vamos apenas ter um bate-papo através das grades, se você não se importa, e...

— Por favor! — Ele estava segurando as grades com tanta força que os nós dos dedos estavam pálidos e as unhas brancas. Estava com o rosto comprido de inquietação, aqueles olhos brilhando com alguma necessidade que eu não conseguia entender. Lembro-me de ter pensado

* Todas as frases e palavras em francês cajun estão transcritas exatamente como aparecem no original em inglês. (N. do T.)

que poderia ter entendido se não estivesse me sentindo tão doente, e isso poderia ter me dado um jeito de ajudá-lo no que quer que fosse. Na maioria das vezes, quando você sabe do que um homem necessita, você conhece o homem. — Por favor, chefe Edgecombe! *O senhor tem que entrar!*

*Isso é a coisa mais maluca que já ouvi*, pensei eu, e então me dei conta de algo ainda mais maluco: ia fazer o que ele queria. Tirei minhas chaves do cinto e fiquei procurando dentre elas a que abria a cela de John Coffey. Ele poderia me levantar do chão e me quebrar sobre seu joelho como se eu fosse um pedaço de madeira num dia em que eu estivesse bem e me sentindo ótimo, e nesse dia não estava nada disso. Mesmo assim, eu ia entrar. Por minha própria conta e menos de meia hora depois de uma demonstração concreta de onde você podia ir parar graças à burrice e ao descuido quando estava lidando com assassinos condenados, ia abrir a cela desse gigante negro, entrar e me sentar com ele. Se me descobrissem, bem poderia perder meu emprego mesmo que ele não fizesse nenhuma maluquice, mas mesmo assim ia fazer o que me pedia.

Pare, disse a mim mesmo, trate de parar agora mesmo, Paul. Mas não parei. Usei uma chave para a fechadura de cima, outra para a de baixo e então fiz correr a porta no trilho.

— Sabe, chefe, talvez isso não seja uma boa ideia — falou Delacroix com a voz tão nervosa e fininha que provavelmente me teria feito rir em outras circunstâncias.

— Você cuida dos seus negócios e eu dos meus — disse-lhe sem me virar. Meus olhos estavam grudados nos de John Coffey, e tão grudados que era como se estivessem pregados. Era como se eu estivesse hipnotizado. Minha voz soava nos meus ouvidos como algo que tivesse vindo ecoando através de um vale comprido. Diabos, talvez eu *estivesse* hipnotizado. — Você apenas vá se deitar e se dê um descanso.

— Meu Deus, este lugar é louco — falou Delacroix com a voz trêmula. — sr. Guizos desejaria apenas que eles me fritassem e acabassem com isso!

Entrei na cela de Coffey. Ele andou para trás enquanto eu ia para a frente. Quando esbarrou no catre, que lhe batia na batata da perna, de tão alto que era, sentou-se nele. Deu umas batidinhas com a mão espalmada no colchão, do seu lado, sem jamais desviar os olhos dos meus. Sentei-me ali ao lado dele e ele pôs um braço sobre os meus ombros, como se estivéssemos no cinema e eu fosse sua namorada.

— O que você quer, John Coffey? — perguntei, ainda olhando-o nos olhos, aqueles olhos tristes, serenos.

— Apenas ajudar — disse ele. Suspirou como faz um homem quando se defronta com um trabalho que não tem muita vontade de fazer e então colocou sua mão na minha virilha, sobre aquela borda de osso a uns 30 centímetros abaixo do umbigo.

— Ei! — berrei. — Tire sua maldita mão...

Nesse momento, senti um choque por dentro, uma pancada forte e indolor de alguma coisa. Fez-me dar um tranco sentado no catre e curvar as costas, fez-me pensar no Velho Toot berrando que estava sendo fritado, ele estava sendo fritado, estava igual a um peru cozinhado. Não senti nenhum calor, não tive nenhuma sensação de eletricidade, mas por um instante as cores pareceram saltar de todas as coisas, como se o mundo tivesse, de algum modo, sido espremido e feito suar. Podia enxergar cada poro no rosto de John Coffey, podia ver cada vaso capilar rompido nos olhos aflitos, podia ver um arranhão diminuto que cicatrizava no seu queixo. Percebi que meus dedos estavam curvos como garras no ar e meus pés estavam sapateando no chão da cela de Coffey.

De repente, acabou. E minha infecção urinária também. Tanto o calor como a desgraçada dor latejante desapareceram do meu baixo-ventre, e a febre também deixou minha cabeça. Ainda podia sentir o suor que tinha sido extraído da minha pele e podia sentir seu cheiro, mas ela tinha desaparecido, totalmente.

— O que está acontecendo? — perguntou alto Delacroix, num tom agudo. Sua voz ainda vinha de muito longe, mas quando John Coffey se inclinou para a frente, rompendo o contato entre nossos olhos, a voz do pequeno cajun de repente chegou-me nítida. Era como se alguém tivesse retirado chumaços de algodão ou um par de protetores de ouvido das minhas orelhas. — O que ele está fazendo com o senhor?

Não respondi. Coffey estava dobrado sobre seu próprio colo, com o rosto agitado e a garganta se inchando. Além disso, seus olhos estavam cada vez mais esbugalhados. Ele parecia um homem que estava com um osso de galinha entalado na goela.

— John! — exclamei. Bati nas costas dele, era tudo que podia pensar em fazer. — John, o que há?

Seu corpo se retesou sob minha mão e então ele emitiu um ruído desagradável de quem está se engasgando e prestes a vomitar. Sua boca se abriu da maneira como os cavalos às vezes abrem a boca para o freio ser colocado: com relutância, os lábios deslizando sobre os dentes, numa espécie de esgar desesperado. Então seus lábios se abriram e ele expeliu uma nuvem de minúsculos insetos negros que pareciam mosquitinhos. Eles voltearam furiosamente entre seus joelhos, ficaram brancos e sumiram.

Subitamente, perdi toda a força no abdome. Era como se os músculos ali tivessem se desmanchado. Meu corpo se abateu de encontro à parede de pedra da cela de Coffey. Lembro-me de ter pensado no nome do Salvador — Cristo, Cristo, Cristo, sem parar, assim — e lembro-me de pensar que a febre me tinha feito delirar. Foi só isso.

Foi aí que me dei conta de que Delacroix estava berrando por socorro, anunciando para o mundo todo que John Coffey estava me matando e fazendo isso a plenos pulmões. De fato, Coffey estava inclinado sobre mim, mas só para ver se eu estava bem.

— Cale a boca, Del — disse eu e me levantei. Fiz uma pausa, esperando que a dor me atravessasse as entranhas, mas isso não aconteceu. Eu estava melhor. De verdade. Houve um instante de tonteira, mas que passou antes que pudesse esticar as mãos e agarrar as grades da porta da cela de Coffey para me amparar. — Estou completamente 100 por cento.

— O senhor tem que sair daí de dentro — falou Delacroix, parecendo uma velha nervosa dizendo a um garoto para descer de uma árvore. — O senhor não deve ficar aí dentro sem mais ninguém no bloco.

Olhei para John Coffey, que estava sentado no catre com as mãos enormes apoiadas nos gigantescos joelhos. John Coffey olhou de volta para mim. Tinha de inclinar a cabeça para cima, mas não muito.

— O que que você fez, garotão? — perguntei em voz baixa. — O que você me fez?

— Ajudei — disse ele. — Ajudei com o que você tinha, não ajudei?

— É, acho que sim, mas *como*? *Como* você ajudou com o que eu tinha?

Ele abanou a cabeça: direita, esquerda, de volta bem no centro. Não sabia como tinha ajudado com o que eu tinha (como tinha *curado* o que eu tinha) e sua fisionomia plácida indicava que ele não se importava nem um pouco, como eu não me tinha importado com a mecânica de correr quando estava na frente nos últimos 50 metros de uma corrida de 3 quilômetros de um Dia da Independência. Pensei em lhe perguntar, para começar, como tinha sabido que eu estava doente, só que isso certamente teria tido o mesmo abanar de cabeça como resposta. Há uma frase que li em algum lugar e nunca esqueci, algo sobre "um enigma envolto num mistério". Isso é que John Coffey era e acho que a única razão pela qual ele conseguia dormir de noite era porque não se importava. Percy o tinha chamado de idiota, o que era cruel, mas não estava longe da verdade. Nosso garotão sabia o próprio nome e sabia que não se escrevia como o que se toma com leite, e isso era mais ou menos tudo o que lhe importava saber.

Como para ressaltar isso para mim, ele abanou a cabeça daquele modo mais uma vez, depois se deitou no catre com as mãos juntas debaixo da bochecha esquerda, como um travesseiro, de cara para a parede. Suas pernas ficavam dependuradas para fora da ponta do catre a partir das canelas, mas isso nunca pareceu incomodá-lo. A parte de trás da camisa tinha subido e podia-se ver as cicatrizes que se entrecruzavam sobre sua pele.

Saí da cela, tranquei as fechaduras e então encarei Delacroix, que estava de pé na cela em frente, com as mãos em volta das grades da cela, olhando para mim com ansiedade. Talvez até com medo. O sr. Guizos estava empoleirado no seu ombro com os bigodes finos tremendo como filamentos.

— O que aquele escurinho fez com o senhor? — perguntou Delacroix. — Foi gris-gris? Ele jogou um pouco de gris-gris no senhor? — Dito com aquele sotaque cajun, *gris-gris* rimava com *pipi*.*

— Não sei de que você está falando, Del.

---

* Gris-gris é a designação popular de ritos semelhantes à macumba e, como ela, levados para a Louisiana por escravos africanos. [N. do T.]

— Imagine se não! Olhe pro senhor! Tudo mudado! Até andando diferente, chefe!

Provavelmente eu estava mesmo andando diferente. Havia uma linda sensação de calma no meu baixo-ventre, uma sensação de paz tão notável que era quase êxtase. Qualquer pessoa que tenha tido dores fortes e depois ficou bom sabe do que estou falando.

— Está tudo em ordem, Del — insisti. — John Coffey teve um pesadelo, foi só isso.

— Ele é um homem de gris-gris! — afirmou Delacroix com convicção. Havia uma porção de gotinhas de suor acima do lábio superior dele. Não vira muita coisa, apenas o suficiente para quase fazê-lo morrer de medo. — Ele é um homem de voodoo!

— Por que você está dizendo isso?

Delacroix ergueu a mão e pegou o rato. Com a mão em concha, trouxe-o até a altura do seu rosto. Delacroix tirou do bolso um fragmento cor-de-rosa, de uma daquelas balinhas de hortelã. Estendeu-o, mas inicialmente o rato não ligou, em vez disso esticou o pescoço na direção do homem, cheirando seu hálito como uma pessoa cheira um buquê de flores. Seus olhinhos negros feito piche estavam semicerrados numa expressão que parecia de êxtase. Delacroix beijou-lhe o focinho e o rato deixou que ele o fizesse. Então pegou o pedaço de bala e começou a mastigá-lo. Delacroix olhou para ele por mais um instante e então olhou para mim. De súbito, entendi.

— Foi o rato que contou para você — disse eu. — Certo?

— *Oui*.

— Do mesmo jeito que lhe sussurrou o nome dele.

— *Oui*, no meu ouvido ele sussurrou.

— Deite-se, Del — disse eu. — Vá descansar. Todos esses sussurros devem deixá-lo exausto.

Ele falou alguma outra coisa, acusou-me de não acreditar nele, acho eu. A voz novamente pareceu vir de muito longe. E quando voltei para a mesa da guarda, eu mal parecia estar andando. Era mais como se estivesse flutuando, ou talvez nem me movendo e sim as celas deslizando por mim, dos dois lados, como cenários de cinema sobre rodas.

Comecei a me sentar normalmente, mas a meio caminho meus joelhos se desarmaram e caí na almofada azul que Harry tinha trazido de casa no ano anterior e jogado no assento da minha cadeira. Se a cadeira não estivesse ali, acho que teria caído direto no chão sem tempo de me segurar em nada.

Fiquei sentado ali, sentindo o nada na minha virilha onde um incêndio florestal ardia não fazia nem dez minutos. "Ajudei com o que você tinha, não ajudei?", dissera John Coffey, e era verdade, pelo menos no que se referia ao meu corpo. Mas minha paz de espírito era outra história. *Nisso* ele não tinha ajudado em nada.

Meus olhos caíram sobre a pilha de formulários debaixo do cinzeiro de latão que mantínhamos no canto da mesa. No topo aparecia impresso RELATÓRIO DO BLOCO, e mais ou menos na metade da folha havia um espaço em branco com a inscrição *Relate Todas as Ocorrências Anormais*. Iria utilizar esse espaço no relatório dessa noite, contando a história da chegada pitoresca e cheia de ação de William Wharton. Mas imagine se eu também contasse o que me acontecera na cela de John Coffey? Vi a mim mesmo pegando o lápis, aquele cuja ponta Brutal estava sempre lambendo, e escrevendo uma única palavra, em grandes letras maiúsculas: MILAGRE.

Isso devia ser engraçado, mas em vez de sorrir, imediatamente tive certeza de que ia chorar. Cobri o rosto com as mãos, as palmas sobre a boca para abafar os soluços (não queria assustar Del novamente logo quando ele estava começando a se acalmar), mas os soluços não vieram. Nem as lágrimas. Depois de alguns minutos, baixei as mãos de volta sobre a mesa e as cruzei. Não sabia o que estava sentindo, e o único pensamento nítido que tinha na cabeça era um desejo de que ninguém voltasse para o bloco antes que eu tivesse recuperado um pouco mais de autocontrole. Tinha receio do que poderiam ver no meu rosto.

Puxei um formulário de Relatório do Bloco para mim. Esperaria até ter me acalmado um pouco mais para escrever como minha mais nova criança-problema tinha quase estrangulado Dean Stanton, mas nesse meio-tempo podia preencher o resto das bobagens padronizadas. Pensei que talvez minha caligrafia saísse esquisita, trêmula, mas ela saiu mais ou menos como sempre.

Uns cinco minutos depois de ter começado, larguei o lápis e fui ao banheiro anexo ao meu escritório para dar uma mijada. Não estava com muita vontade, mas achei que podia conseguir o suficiente para testar o que acontecera comigo. Quando fiquei ali de pé, esperando a urina passar, tive certeza de que ia doer exatamente como tinha doído naquela manhã, como se estivessem passando farpas minúsculas de vidro; o que ele me fizera acabaria sendo apenas hipnose e isso podia ser um alívio apesar da dor.

Só que não houve dor, e o líquido que caiu na privada estava transparente, sem nenhum sinal de pus. Fechei o zíper, puxei a corrente que dava a descarga, voltei para a mesa da guarda e tornei a me sentar.

Eu sabia o que tinha acontecido. Acho que sabia até quando estava tentando dizer a mim mesmo que tinha sido hipnotizado. Eu tinha assistido a uma cura autêntica do tipo Jesus Seja Louvado, O Senhor É Poderoso. Como menino que tinha crescido indo a qualquer igreja Batista ou Pentecostal que calhassem ser da preferência da minha mãe e de suas irmãs naquele mês, tinha ouvido um bocado de histórias de milagres do tipo Jesus Seja Louvado, O Senhor É Poderoso. Não acreditava em todas elas, mas havia uma porção de pessoas em quem eu acreditava. Uma delas era um homem chamado Roy Delfines, que morava com a família a uns 3 quilômetros de onde vivíamos quando eu tinha mais ou menos 6 anos de idade. Delfines tinha decepado o dedo mindinho do filho com uma machadinha, num acidente que ocorrera quando o menino tinha inesperadamente movido a mão sobre uma tora que estava segurando para seu pai no bloco de rachar lenha no quintal. Roy Delfines contou que tinha praticamente gastado o tapete com os joelhos durante aquele outono e inverno e, na primavera, o dedo do menino tinha crescido de volta. Até a unha tinha crescido de novo. Eu acreditei em Roy Delfines quando ele deu esse depoimento numa reunião de graças das quintas-feiras. Havia uma honestidade nua e sem complicações no que ele disse ali de pé, falando com as mãos enfiadas bem fundo nos bolsos do macacão, que era impossível não acreditar. "Deu um pouco de coceira nele quando aquele dedo começou a vir, fazia ele ficar acordado de noite", disse Roy Delfines, "mas ele sabia que era a coceira de Deus e não se importou". Jesus Seja Louvado, O Senhor É Poderoso.

A história de Roy Delfines era uma de muitas. Cresci em meio a uma tradição de milagres e curas. Cresci acreditando também em gris-gris (só que nas montanhas nós pronunciávamos rimando com *quis-*

*-quis*), água de cepo de árvore para verrugas, musgo debaixo do travesseiro para atenuar a dor de coração por um amor perdido e, é claro, o que costumávamos chamar de mandingas, mas não acreditei que John Coffey fosse um homem de gris-gris. Tinha olhado nos olhos dele. Mais importante ainda, tinha sentido o toque dele. Ser tocado por ele era como ser tocado por algum médico estranho e maravilhoso.

*Ajudei com o que você tinha, não ajudei?*

Isso continuava martelando na minha cabeça, como um trecho de canção de que você não consegue se livrar ou palavras que se entoariam para lançar um feitiço.

*Ajudei com o que você tinha, não ajudei?*

Só que não fora ele. Fora Deus. O uso do "eu" por John Coffey podia ser atribuído mais à ignorância do que à pretensão, mas eu sabia, ou pelo menos assim acreditava, o que tinha aprendido sobre curas naquelas igrejas de Jesus Seja Louvado, O Senhor É Poderoso, recantos em bosques de pinheiros muito amados por minha mãe de 22 anos de idade e minhas tias: que a cura nunca tem nada a ver com quem é curado nem com quem faz a cura, mas com a vontade de Deus. É normal que alguém se alegre quando uma pessoa doente é curada, isso é bem de se esperar, mas a pessoa curada tem então a obrigação de perguntar por que, de meditar sobre a vontade de Deus e até onde Deus vai para realizar a Sua vontade.

Nesse caso, o que queria Deus de mim? O que Ele queria tanto que o levou a pôr o poder da cura nas mãos de um assassino de crianças? Estar ali no bloco, em vez de em casa, doente como um cão, tremendo na cama com o fedor da sulfa saindo-me pelos poros? Talvez, quem sabe, eu devesse estar ali para a eventualidade de Wild Bill Wharton resolver fazer mais diabruras ou para impedir que Percy Wetmore viesse com mais alguma sacanagem tola e passível de causar danos. Muito bem, então. Que assim seja. Iria ficar com os olhos bem abertos e a boca fechada, especialmente a respeito de curas milagrosas.

Ninguém ficaria intrigado por eu estar com a aparência melhor ou com a voz melhor. Vinha dizendo a todo mundo que estava melhorando e até aquele dia eu sinceramente acreditava nisso. Tinha até dito ao diretor Moores que estava ficando bom. Delacroix tinha visto algo, mas achei que ele também fosse manter a boca fechada (provavelmente com medo de que John Coffey lançasse um feitiço sobre ele se não fizesse isso). Quanto ao próprio Coffey, provavelmente já tinha se esquecido. Afinal, ele não passava de um conduto, e não há uma manilha no mundo que se lembre da água que passou por ela depois que a chuva para. Então resolvi ficar com a boca inteiramente fechada a respeito do assunto, sem jamais pensar sobre quando ou a quem iria contar a história.

Mas eu estava curioso sobre meu garotão, e não há por que negá-lo. Depois do que me acontecera na cela dele, estava mais curioso do que nunca.

## 4

Antes de ir embora nessa noite, combinei com Brutal que ele me daria cobertura caso eu chegasse um pouco atrasado, e quando me levantei na manhã seguinte, parti rumo a Tefton, no condado de Trapingus.

— Acho que não gosto de você ficar se preocupando tanto com esse sujeito Coffey — disse minha mulher, entregando-me o almoço que havia preparado para mim. Janice nunca fez muita fé em quiosques de hambúrgueres de beira de estrada e costumava dizer que havia uma dor de barriga esperando em cada um. — Isso não é do seu feitio, Paul.

— Não estou preocupado com ele — retruquei. — Estou apenas curioso.

— Segundo minha experiência, uma coisa leva à outra — disse Janice impertinente, depois me deu um beijo gostoso na boca. — Pelo menos você está com um ar melhor, isso eu reconheço. Por um tempo você me deixou nervosa. As vias urinárias estão melhores?

— Bem melhores — respondi e saí, cantando músicas como "*Come, Josephine, in My Flying Machine*" e "*We're in the Money*" para me distrair.

Em Tefton, fui primeiro à redação do *Intelligencer,* e lá me disseram que Burt Hammersmith, o sujeito por quem eu estava procurando, muito provavelmente estava no tribunal do condado. No tribunal me disseram que Hammersmith tinha estado lá, mas que fora embora quando um encanamento d'água estourou e obrigou a suspensão da atividade principal, que era um julgamento por estupro (nas páginas do

*Intelligencer* o crime seria mencionado como "ataque a uma mulher", que era como essas coisas eram feitas antes de Ricki Lake e Carnie Wilson entrarem em cena). Achavam que provavelmente ele tinha ido para casa. Obtive algumas indicações e fui parar numa estrada de terra, tão esburacada e estreita que quase não me arrisquei a entrar com meu Ford por ela, mas lá encontrei meu homem. Hammersmith tinha escrito a maioria das histórias sobre o julgamento de Coffey, e foi por meio dele que consegui saber a maioria dos detalhes sobre a breve caçada humana que tinha capturado Coffey. O que quero dizer, é claro, são os detalhes que o *Intelligencer* considerou horripilantes demais para serem publicados.

A sra. Hammersmith era uma moça com um rosto bonitinho e cansado e as mãos vermelhas pelo sabão. Ela não me perguntou qual era meu assunto, apenas me conduziu através de uma casa pequena, que cheirava a bolo sendo assado, para a varanda dos fundos, onde seu marido estava sentado com uma garrafa de refrigerante na mão e um exemplar ainda fechado da *Liberty* no colo. Havia um pequeno quintal inclinado, no final do qual duas criancinhas estavam discutindo e rindo por causa de um balanço. Da varanda não se podia distinguir seus sexos, mas achei que eram um menino e uma menina. Talvez até gêmeos, o que lançava uma espécie de luz interessante sobre a participação de seu pai, por mais periférica que tivesse sido, no julgamento de Coffey. Mais perto, colocada como uma ilha no meio de um pedaço de terra batida, cheia de montinhos de cocô, havia uma casa de cachorro. Nem sinal do animal: era outro dia incomumente quente para a época do ano e imaginei que provavelmente ele estivesse cochilando lá dentro.

— Burt, você tem companhia — falou a sra. Hammersmith.

— Tá certo — disse ele. Olhou para mim, olhou para a mulher, depois olhou de volta para as crianças, que obviamente eram o centro das suas preocupações. Era um homem magro, quase penosamente magro, como se estivesse começando a se recuperar de uma doença grave, e estava começando a perder cabelo. A mulher tocou hesitante no ombro dele com uma das mãos vermelhas e inchadas de lavar roupa. Ele não olhou para a mão nem a tocou, e depois de um minuto, ela a retirou. Momentaneamente tive a impressão de que eles pareciam mais irmão e irmã do que marido e mulher. Ele tinha herdado o cérebro, ela a aparência, mas nenhum dos dois tinha escapado de uma semelhança subjacente, uma hereditariedade de que nunca se podia escapar. Mais tarde, voltando para casa, dei-me conta de que não se pareciam em absoluto; o que os fizera se parecerem era o que restara do estresse e a permanência da tristeza. É estranho como o sofrimento marca nossos rostos e nos faz parecer que somos parentes.

Ela falou:

— Você quer uma bebida fresca, sr....?

— Edgecombe — disse eu. — Paul Edgecombe. E obrigado. Uma bebida fresca seria maravilhoso, senhora.

Ela voltou para dentro. Estendi a mão para Hammersmith, que a apertou rapidamente, com a mão frouxa e fria. Em nenhum momento tirou os olhos das crianças brincando no fundo do quintal.

— Sr. Hammersmith, sou o superintendente do Bloco E na Prisão Estadual de Cold Mountain. É um...

— Sei o que é — disse, olhando para mim com um pouco mais de interesse. — Então, o chefe dos guardas do Corredor Verde está de pé na varanda da minha casa, em carne e osso. O que o traz a uma distância de 80 quilômetros para falar com o único repórter em tempo integral do jornal local?

— John Coffey — respondi.

Acho que esperava algum tipo de reação forte (as crianças que poderiam ser gêmeas tinham me impressionado, e talvez a casa de cachorro também; os Detterick tinham um cachorro), mas Hammersmith apenas ergueu as sobrancelhas e deu um gole no seu refrigerante.

— Coffey agora é *seu* problema, é? — perguntou Hammersmith.

— Ele não é muito problema — retruquei. — Não gosta do escuro e chora durante boa parte do tempo, mas nenhuma das duas coisas constitui muito problema no nosso ramo de atividade. Vemos coisas piores.

— Chora muito, é? — perguntou Hammersmith. — Bem, ele tem muito por que chorar, diria eu. Considerando-se o que ele fez. O que o senhor quer saber?

— Qualquer coisa que puder me dizer. Li seus artigos no jornal, de modo que acho que o que quero é qualquer coisa que não esteja neles.

Lançou-me um olhar penetrante e seco.

— Como de que jeito estavam as meninas? Como o que exatamente ele fez com elas? É nesse tipo de coisa que o senhor está interessado, sr. Edgecombe?

— Não — disse eu, mantendo a voz suave. — Não é nas meninas Detterick que estou interessado, senhor. As pobrezinhas estão mortas. Mas Coffey não, ainda não, e estou curioso a respeito dele.

— Muito bem — falou. — Puxe uma cadeira e sente-se, sr. Edgecombe. Peço que me desculpe se fui um pouco brusco agora há pouco, mas topo com um bocado de abutres no meu ramo. Que diabo, já fui até acusado de ser um deles. Só queria me certificar a seu respeito.

— E conseguiu?

— O suficiente, acho eu — disse, num tom quase indiferente. A história que me contou é basicamente a que reproduzi no início desta narrativa: como a sra. Detterick viu que a varanda estava vazia, com a porta de tela arrancada da dobradiça superior, as mantas atiradas para um canto e sangue nos degraus; como seu filho e seu marido saíram no encalço do sequestrador das meninas; como o grupo de busca tinha alcançado primeiro os dois e, pouco depois, tinha alcançado John Coffey. Como Coffey estava sentado na margem do rio e gemendo, com os corpos enrolados nos braços imensos como se fossem duas bonecas grandes. O repórter, magro como um graveto com a camisa branca de colarinho aberto e calças cinza de terno, falava num tom baixo e sem emoção... Mas seus olhos nunca se afastavam de suas duas crianças que brigavam e riam, revezando-se no balanço na sombra no sopé do declive. Em algum ponto no meio da história, a sra. Hammersmith retornou com uma garrafa de cerveja sem álcool feita em casa, fria, forte e deliciosa. Ela ficou parada escutando durante algum tempo, depois interrompeu somente para chamar os meninos e dizer-lhes que deviam entrar imediatamente, pois tinha uns biscoitos quase prontos no forno.

— Já vamos, mamãe! — respondeu uma voz de menininha, e a mulher voltou para dentro.

Quando terminou, Hammersmith falou:

— Então, por que o senhor quer saber? Nunca recebi visita de um guarda de prisão antes, essa é a primeira vez.

— Eu lhe disse...

— Curiosidade, né. As pessoas ficam curiosas, sei disso, até agradeço a Deus por isso, pois sem ela estaria desempregado e talvez até tivesse que sair para trabalhar para ganhar a vida. Mas 80 quilômetros é um bocado longe para vir só para satisfazer uma curiosidade, especialmente quando os últimos 32 são de estradas ruins. Então, por que não me diz a verdade, Edgecombe? Eu satisfiz a sua, então agora satisfaça a minha.

Eu podia dizer: *Bem, eu estava com uma infecção urinária e John Coffey pôs as mãos em mim e a curou. O homem que estuprou e assassinou aquelas duas menininhas fez isso. Então é claro que fiquei me perguntando sobre ele, qualquer pessoa o faria. Até especulei se talvez Homer Cribus e o vice-xerife Rob McGee não tinham agarrado o homem errado. Fico com essa dúvida, apesar de todas as provas contra ele. Porque um homem que tem um poder como esse nas mãos, geralmente não se pensa nele como a espécie de homem que estupra e assassina crianças.*

Não, talvez isso não desse certo.

— Há duas coisas sobre as quais me pergunto — falei. — A primeira é se ele fez isso antes.

Hammersmith virou-se para mim, os olhos de repente atentos e brilhando de interesse, e vi que ele *era* um sujeito inteligente. Talvez até um sujeito brilhante, de um jeito sossegado.

— Por quê? — perguntou. — O que você sabe, Edgecombe? O que ele falou?

— Nada. Mas um homem que faz esse tipo de coisa uma vez geralmente já fez antes. Eles têm um gosto por isso.

— É — disse ele. — Eles têm. Têm mesmo.

— E me ocorreu que seria bastante fácil seguir a trilha dele no passado. Um homem do tamanho dele, e ainda por cima negro, não pode ser muito difícil de localizar.

— Pode pensar isso, mas está enganado — disse ele. — Ao menos no caso de Coffey. Eu sei.

— Você tentou?

— Tentei e acabei com praticamente nada. Havia uns dois camaradas da estrada de ferro que achavam que o tinham visto no pátio de manobras em Knoxville dois dias antes de as meninas Detterick serem assassinadas. Nada de surpreendente nisso, ele estava apenas do lado oposto do rio em relação aos trilhos da Great Southern quando eles o agarraram, e provavelmente foi assim que ele veio até aqui do Tennessee. Recebi uma carta de um homem que disse que tinha contratado um negro grande e careca para carregar uns caixotes para ele no início da primavera deste ano. Isso foi no Kentucky. Mandei-lhe uma foto de Coffey e ele disse que esse era o homem. Mas, além disso... — Hammersmith encolheu os ombros e abanou a cabeça.

— Isso não lhe parece um pouco estranho?

— Parece-me *muito* estranho, sr. Edgecombe. É como se ele tivesse caído do céu. E ele próprio não ajuda em nada; não consegue se lembrar da semana anterior à que começa.

— Não, não consegue — disse eu. — Como é que você explica isso?

— Estamos numa depressão — disse ele —, *é assim* que eu explico. Há pessoas por tudo que é estrada. Gente de Oklahoma quer colher pêssegos na Califórnia, os brancos pobres de debaixo dos vagões ferroviários querem fabricar carros em Detroit, os negros do Mississippi querem subir para a Nova Inglaterra e trabalhar nas fábricas de calçados ou de têxteis. Todos — negros tanto quanto brancos — pensam que vai ser melhor depois da próxima colina. É o maldito estilo de vida norte-americano. Até mesmo um gigante como Coffey não é notado em todo lugar por onde passa... Isto é, até que resolve matar duas menininhas. Menininhas *brancas*.

— Você acredita nisso? — perguntei.

Ele me dirigiu uma expressão vazia com o rosto fino demais.

— Às vezes sim — respondeu.

A mulher dele se inclinou para fora da janela da cozinha como um maquinista na cabina de uma locomotiva e berrou:

— *Crianças! Os biscoitos estão prontos!* — Voltou-se para mim: — O senhor gostaria de um biscoito de aveia com passas, sr. Edgecombe?

— Tenho certeza de que estão deliciosos, senhora, mas desta vez não vou aceitar.

— Está bem — disse ela e recolheu a cabeça para dentro.

— Você viu as cicatrizes nele? — perguntou Hammersmith de repente. Ele ainda estava observando as crianças, que não conseguiam convencer-se a deixar os prazeres do balanço, nem mesmo pelos biscoitos de cevada com passas.

— Vi. — Mas fiquei surpreso de que ele as tivesse visto.

Ele viu minha reação e deu uma risada.

— A única grande vitória do advogado de defesa foi fazer Coffey despir a camisa e mostrar aquelas cicatrizes para o júri. O promotor, George Peterson, protestou como o diabo, mas o juiz autorizou. O velho George podia ter economizado a saliva. Os júris aqui por estas bandas não compram toda essa baboseira psicológica sobre como as pessoas que foram maltratadas não são capazes de se controlar. Acham que as pessoas *são capazes* de se controlar. É um ponto de vista com o qual simpatizo muito... Mas mesmo assim, aquelas cicatrizes eram muito horrorosas. Notou alguma coisa especial nelas, Edgecombe?

Tinha visto o homem nu no chuveiro e tinha notado muito bem. Sabia exatamente a que ele estava se referindo.

— Elas são todas partidas. Quase formando um quadriculado.

— Você sabe o que isso significa?

— Alguém o espancou quando ele era um garoto até expulsar todos os demônios de dentro dele — disse eu. — Antes de ele crescer.

— Mas não conseguiram expulsar os demônios, não é, Edgecombe? Deviam ter economizado os castigos e simplesmente tê-lo afogado no rio como um gatinho desgarrado, você não acha?

Suponho que teria sido hábil simplesmente concordar e dar o fora dali, mas não pude. Eu o tinha visto. E também o tinha *sentido.* Sentira o toque das mãos dele.

— Ele é... estranho — disse eu. — Mas não parece haver nenhuma violência real dentro dele. Sei como ele foi encontrado, e é difícil casar isso com o que eu vejo todos os dias no bloco. Conheço homens violentos, sr. Hammersmith. — É claro que era em Wharton que estava pensando, Wharton estrangulando Dean Stanton com a corrente dos pulsos e berrando: *Obaaaa, meninos! Que festança, não?*

Agora ele me estava observando atentamente, com um pequeno sorriso incrédulo do qual não gostei nem um pouco.

— Você não veio até aqui para descobrir se ele poderia ou não ter assassinado outras menininhas em algum outro lugar — disse ele. — Você veio até aqui para ver se eu acho que ele fez mesmo isso. É isso, não é? Confesse, Edgecombe.

Engoli o resto da minha bebida, coloquei a garrafa junto da dele sobre a mesinha e disse:

— Então? Você acha?

— *Crianças!* — chamou com um berro para o sopé da colina, inclinando-se um pouco na cadeira. — *Venham para cá agora e comam os biscoitos!* — Depois se recostou na cadeira novamente e olhou para mim. Aquele sorrisinho, aquele de que eu não gostara nem um pouco, tinha reaparecido.

— Vou lhe contar uma coisa — disse ele. — Aliás, você deve prestar atenção, porque isso pode muito bem ser algo de que você precisa saber.

— Estou escutando.

— Nós tínhamos um cachorro chamado Sir Galahad — falou e apontou com o polegar para a casa de cachorro. — Um bom cão. Nenhuma raça em especial, mas manso. Tranquilo. Pronto para lamber a mão ou ir apanhar um pedaço de pau. Há uma porção de vira-latas como ele, não é o que você diria?

Encolhi os ombros e assenti com a cabeça.

— Sob muitos aspectos, um bom vira-lata é como o seu negro — disse ele. — Você chega a conhecê-lo e normalmente você passa a gostar dele. Não tem nenhuma utilidade em particular, mas você o mantém por aí porque *pensa* que ele ama *você.* Se tiver sorte, sr. Edgecombe, nunca vai descobrir que não é bem assim. Cynthia e eu não tivemos tanta sorte. — Deu um suspiro, um som longo e seco, como o vento vasculhando por entre as folhas caídas. Tornou a apontar para a casa do cachorro e me perguntei como eu podia não ter percebido antes o aspecto geral de abandono ou o fato de que muitos dos cocôs tinham ficado esbranquiçados e poeirentos na parte de cima.

— Eu costumava limpar a sujeira dele — falou Hammersmith — e consertar o telhado da casinhola para protegê-lo da chuva. Nesse sentido também Sir Galahad era como o seu negro sulista, que não é capaz de fazer essas coisas para si próprio. Agora eu nem toco nela, não cheguei perto dela desde o acidente... Se é que se pode chamar de acidente. Fui até lá com meu rifle e matei-o com um tiro, mas desde então não voltei lá. Não consigo criar coragem para ir, mas imagino que, com o tempo, irei. Vou limpar os detritos e demolir a casa.

Nessa hora as crianças vieram, e de súbito não queria que elas viessem. De súbito isso era o que eu menos queria no mundo. A menininha estava bem, mas o menino...

Subiram ruidosamente os degraus, olharam para mim, deram umas risadinhas e então foram na direção da porta da cozinha.

— Caleb — chamou Hammersmith. — Venha cá. Só por um segundo.

A menininha, sem dúvida gêmea dele — eles tinham que ter a mesma idade, cerca de 4 anos — continuou e entrou na cozinha. O garotinho veio até o pai, olhando para os pés. Ele sabia que era feio. Acho que tinha apenas 4 anos, mas é suficiente para alguém saber que é feio. O pai pôs dois dedos sob o queixo do menino e tentou erguer-lhe o rosto. Inicialmente o menino resistiu, mas quando o pai disse:

— Por favor, filho — em tom de doçura, tranquilidade e amor, ele fez como o pai pedira.

Uma enorme cicatriz circular descia dos cabelos pela testa, passava por um olho morto e vesgo, até o canto da boca, que tinha sido desfigurada num esgar que parecia o riso zombeteiro de um jogador ou talvez de um cafetão. Uma das bochechas era lisa e bonita; a outra era toda encrespada como o toco de uma árvore. Acho que houvera um buraco ali, mas isso, pelo menos, tinha cicatrizado.

— Ele tem um dos olhos — disse Hammersmith, acariciando a face encrespada do menino com os dedos delicados de quem ama. — Acho que ele teve sorte de não estar cego. Nós nos ajoelhamos e agradecemos a Deus por isso, pelo menos. Né, Caleb?

— Sim, senhor — disse o menino encabulado, o menino que ia ser espancado sem piedade no pátio no recreio por valentões rindo e debochando dele ao longo de todos os seus anos infelizes de colégio; o menino que nunca seria convidado para brincar de Verdade ou Consequência ou de Médico; o menino que provavelmente nunca dormiria com uma mulher que não tivesse que ser paga quando crescesse para as necessidades e os tempos de homem adulto; o menino que iria sempre ficar parado do lado de fora do círculo iluminado e cálido dos seus colegas; o menino que iria olhar para si mesmo no espelho durante os próximos cinquenta, sessenta ou setenta anos da sua vida e pensar *feio, feio, feio*.

— Vá e pegue os seus biscoitos — falou o pai, e beijou a boca zombeteira do filho.

— Sim, senhor — disse Caleb e saiu correndo para dentro.

Hammersmith tirou um lenço do bolso de trás da calça e enxugou os olhos com ele. Estavam secos, mas imagino que ele tivesse se acostumado a que estivessem cheios d'água.

— O cão estava aqui quando eles nasceram — disse ele. — Trouxe-o para dentro de casa para que os cheirasse quando Cynthia veio com eles do hospital, e Sir Galahad lambeu-lhes as mãos. As mãozinhas pequeninas. — Balançou a cabeça como se estivesse confirmando isso para si mesmo. — Brincava com eles, costumava lamber o rosto de Arden até ela dar risinhos. Caleb costumava puxar-lhe as orelhas, e quando estava começando a aprender a andar, às vezes dava a volta no quintal segurando a cauda de Galahad. O cão nunca chegou nem mesmo a *rosnar* para ele. Para nenhum dos dois.

Agora as lágrimas estavam vindo. Ele as enxugou automaticamente, como faz o homem que tem muita prática.

— Não houve razão alguma — falou. — Caleb não o machucou, nem gritou com ele, nada. Eu sei. Estava ali. Se não estivesse, é quase certo que o menino teria sido morto. O que aconteceu, sr. Edgecombe, foi *nada*. O menino simplesmente colocou o rosto de um certo jeito bem na frente da cara do cachorro e deu na mente de Sir Galahad, o que quer que sirva de mente para um cachorro, de lançar-se sobre ele e morder. Matar, se pudesse. O menino estava ali na frente dele, e o cão mordeu. E foi isso que aconteceu com Coffey. Ele estava lá, viu-as na varanda, pegou-as, estuprou-as, matou-as. Você diz que deve haver algum indício de que ele fez isso antes e sei o que quer dizer, mas talvez ele *não* o tenha feito antes. O meu cão nunca mordera antes, foi só aquela vez. Talvez, se Coffey fosse solto, nunca o fizesse de novo. Talvez meu cão nunca mordesse de novo. Mas, sabe, não me preocupei com isso. Saí com meu rifle, segurei a coleira dele e estourei-lhe a cabeça.

Ele estava ofegante.

— Sou tão esclarecido quanto qualquer outro homem, sr. Edgecombe. Frequentei a faculdade em Bowling Green, cursei História e Jornalismo, e um pouco de Filosofia. Gosto de me considerar esclarecido. Suponho que as pessoas lá do norte não pensariam assim, mas gosto de me considerar esclarecido. Não restabeleceria a escravidão por todo o ouro do mundo. Acho que temos que ser humanitários e generosos em nossos esforços para resolver o problema racial. Porém, temos que recordar que seu negro irá morder se tiver oportunidade, exatamente como um cão vira--lata morderá se tiver ocasião e lhe der na telha fazê-lo. Você quer saber se ele fez isso, o seu sr. Coffey chorão com cicatrizes pelo corpo todo?

Respondi afirmativamente com a cabeça.

— Oh, sim — disse Hammersmith. — Ele fez, sim. Não tenha dúvidas e não vire as costas para ele. Pode não acontecer nada uma vez ou uma centena de vezes, até mesmo mil vezes. Mas no final... — Ergueu a mão na frente dos meus olhos e bateu os dedos rapidamente contra o polegar, transformando a mão numa boca dando dentadas. — Entendeu?

Confirmei com a cabeça novamente.

— Ele as estuprou, matou e depois se arrependeu. Mas aquelas menininhas continuaram estupradas, aquelas menininhas continuaram mortas. Mas você vai dar um jeito nele, não vai, Edgecombe? Dentro de algumas semanas você vai dar um jeito nele para que nunca mais faça uma coisa dessas de novo. — Levantou-se, foi até a balaustrada da varanda e lançou um olhar vago para a casinhola do cachorro, ali no centro do pedaço de terra batida, no meio daqueles cocôs antigos. — Se puder me dar licença agora — disse ele. — Como não tenho que passar a tarde no tribunal, achei que poderia ficar um pouco com minha família. Os filhos de um homem só são crianças uma vez.

— Fique à vontade — disse eu. Estava sentindo os lábios dormentes e distantes. — E muito obrigado pelo tempo que me concedeu.

— Não seja por isso — retrucou.

Dirigi direto da casa de Hammersmith para a prisão. Era um trajeto longo e dessa vez não consegui encurtá-lo cantando músicas. Era como se todas as músicas tivessem desaparecido de dentro de mim, pelo menos por algum tempo. Ficava vendo sem parar o rosto desfigurado daquele pobre menino. E a mão de Hammersmith, os dedos se abrindo e se fechando sobre o polegar num gesto de dentadas.

## 5

Logo no dia seguinte, Wild Bill Wharton fez sua primeira viagem para a solitária. Passou a manhã e a tarde tão sossegado e bonzinho como o cordeirinho de Mary, um estado que nós logo constatamos que não era natural nele e pressagiava encrenca. Depois, por volta das 19h30, Harry sentiu alguma coisa quente respingar na barra da calça do uniforme que tinha vestido limpo bem naquele dia. Era mijo. William Wharton estava de pé junto das grades da cela, exibindo seus dentes escuros num sorriso largo, mijando em cima da calça e dos sapatos de Harry Terwilliger.

— O sujo filho da puta deve ter ficado prendendo o dia inteiro — disse Harry mais tarde, ainda enojado e indignado.

Bem, com isso acabou. Estava na hora de mostrar a William Wharton quem mandava no Bloco E. Harry veio nos buscar, a mim e a Brutal, e eu alertei Dean e Percy, que também estavam de serviço. Lembre-se de que, naquela altura, tínhamos três presos e estávamos no que chamávamos de cobertura completa, com meu grupo de serviço das sete da noite até as três da madrugada, quando havia a maior probabilidade de surgir encrenca, e duas outras equipes cobrindo o resto do dia. Essas outras equipes eram compostas sobretudo por temporários, com Bill Dodge geralmente na chefia. Levando tudo em conta, não era um modo ruim de conduzir as coisas, e eu achava que, quando conseguisse transferir Percy para o período diurno, a vida ficaria ainda melhor. Contudo, nunca cheguei a fazer isso. Às vezes me pergunto se as coisas teriam sido diferentes se o tivesse feito.

Enfim, havia uma saída de água grande no galpão de depósito, do lado oposto à Velha Fagulha, e Dean e Percy conectaram nele uma mangueira de lona. Depois ficaram junto da válvula que abriria a saída de água caso fosse necessário.

Brutal e eu fomos depressa até a cela de Wharton, onde ele ainda estava de pé, ainda sorrindo e ainda com a ferramenta pendurada para fora da calça. A última coisa que eu fizera na noite anterior, antes de ir para casa, tinha sido retirar a camisa de força da solitária e atirá-la numa prateleira na minha sala, pensando que poderíamos precisar dela para nossa nova criança-problema. Agora estava com ela numa das mãos, com o dedo indicador enfiado numa das tiras de lona. Harry vinha atrás de nós, puxando o bico da mangueira, que ia por dentro da minha sala, descia pelos degraus do depósito, até o tambor de onde Dean e Percy a iam soltando o mais rápido possível.

— Ei, vocês gostaram disso? — perguntou Wild Bill. — Estava rindo como um garoto num parque de diversões, rindo tanto que mal conseguia falar e lágrimas grossas lhe rolavam pelo rosto. — Vocês vieram tão depressa que acho que sim. No momento estou cozinhando uns cocôs para ir junto. Grandes e macios. Eles vão estar prontos amanhã...

Ele viu que eu estava destravando a porta da cela e seus olhos se apertaram. Viu que Brutal estava segurando o revólver numa das mãos e o cassetete na outra, e apertou os olhos ainda mais.

— Vocês podem entrar aqui andando, mas vão sair deitados, Billy the Kid vai garantir isso — falou para nós. Seus olhos se voltaram para mim. — E se você pensa que vai me meter nesse paletó de maluco, pode ir mudando de ideia, seu cavalo velho.

— Não é você quem manda andar ou pular por aqui — retruquei. — Você devia saber disso, mas acho que é imbecil demais para aprender sem uma pequena lição.

Terminei de destravar a porta e a fiz correr sobre os trilhos. Wharton recuou para o catre, com o pinto ainda pendurado para fora da calça, estendeu as mãos para mim, com as palmas para cima, e então me chamou com os dedos.

—Venha, seu filho da puta medonho — disse ele. — Vai haver uma lição, sim senhor, mas esse garotão aqui está bem-posto para ser o professor. — Desviou o olhar e o sorriso de dentes escuros para Brutal. — Venha, grandalhão, você primeiro. Dessa vez você não vai nem poder vir por trás de mim. Largue esse revólver. Você não vai atirar mesmo, não você. A gente vai é sair na mão, de homem pra homem. Ver quem é o melh...

Brutal entrou na cela, mas não na direção de Wharton. Logo que passou pela porta, moveu-se para a esquerda e Wharton arregalou os olhos quando viu a mangueira de incêndio apontada para ele.

— Não, vocês não vão fazer isso — falou. — Oh não, vocês n...

— *Dean!* — berrei. — *Abra! Toda!*

Wharton saltou para a frente e Brutal lhe acertou uma boa e rápida cacetada, o tipo de cacetada que tenho certeza de que era o sonho de Percy, no meio da testa, dando com o cassetete bem acima das sobrancelhas. Wharton, que parecia achar que nós nunca tínhamos tido problemas antes de vê-lo, caiu de joelhos, os olhos abertos, mas cegos. Depois veio a água. Harry foi forçado a dar um passo meio desequilibrado para trás por causa da pressão e depois se manteve firme, segurando o bico nas mãos, apontado como um revólver. O jato pegou Wild Bill Wharton bem no meio do peito, fez com que ele desse uma meia-volta e empurrou-o para trás, para debaixo do catre. Adiante, no corredor, Delacroix estava saltando de um pé para o outro, cacarejando num tom agudo e xingando John Coffey, pedindo a ele que lhe contasse o que estava acontecendo, quem estava ganhando e se aquele *gran' fou* do garoto novo estava gostando daquele tratamento chinês com água. John não disse nada, apenas ficou ali de pé em silêncio, com sua calça curta demais e seus chinelos de presidiário. Dei só uma olhada rápida para ele, mas foi o bastante para observar aquela mesma expressão antiga, triste e serena ao mesmo tempo. Era como se já tivesse visto tudo isso antes, não uma nem duas, mas milhares de vezes.

— *Feche a água!* — berrou Brutal por cima do ombro e então correu para diante na cela. Meteu as mãos nos sovacos de Wharton, que estava semiconsciente, e tirou-o de debaixo do catre. Wharton estava tossindo e emitindo um som feito glub-glub. O sangue escorria para os olhos estonteados por cima das sobrancelhas, onde o bastão de Brutal tinha aberto uma linha na pele.

Brutal e eu tínhamos transformado o negócio da camisa de força numa arte. Tínhamos treinado com ela como uma dupla de cômicos de teatro-revista montando uma dancinha. De vez em quando esse treinamento compensava. Naquele momento, por exemplo. Brutal pôs Wharton sentado e segurou seus braços estendidos na minha direção do mesmo jeito que uma criança estenderia os braços de uma boneca de trapo. Os olhos de Wharton estavam começando a recuperar consciência, junto com a noção de que, se não começasse a lutar imediatamente, seria tarde demais, mas as linhas de comunicação entre o cérebro e os músculos ainda não estavam funcionando, e antes que ele as pudesse consertar, tinha enfiado as mangas da camisa pelos braços dele e Brutal estava afivelando as correias nas costas. Enquanto ele cuidava disso, peguei as tiras dos punhos, puxei os braços de Wharton em volta dos lados e juntei seus pulsos com outra tira de lona. Ele acabou parecendo que estava abraçando a si mesmo.

— Maldito seja, seu grandalhão imbecil, como é que tão indo com ele? — berrou Delacroix. Escutei o sr. Guizos guinchar, como se ele também quisesse saber.

Percy chegou, a camisa molhada e grudada por causa da sua luta com a mangueira, o rosto iluminado de excitação. Dean veio atrás dele, usando um colar de hematomas arroxeados em volta do pescoço e parecendo bem menos excitado.

— Agora vamos, Wild Bill — falei, e pus Wharton de pé com um puxão. — Vamos dar um passeiozinho.

— *Não me chame assim!* — gritou Wharton num tom agudo, e acho que, pela primeira vez, estávamos vendo seus verdadeiros sentimentos e não apenas a camuflagem da pele de um animal esperto. — Wild Bill Hickok não era nenhum herói! Nem nunca lutou com urso nenhum com uma faca Bowie, também não! Ele não passava de mais um mateiro e homem da lei! O burro do filho da mãe se sentou de costas para a porta e foi morto por um bêbado!

— Meu paizinho do céu, uma *aula de história!* — exclamou Brutal e empurrou Wharton para fora da cela. — Um sujeito nunca sabe o que o espera quando bate o ponto aqui, só que provavelmente vai ser agradável. Mas com tantas pessoas agradáveis por aqui, é mais ou menos lógico, não é? E sabe o que mais? Muito em breve você próprio vai virar história, Wild Bill. Por enquanto, você vai andando pelo corredor. Temos um quarto para você. Uma espécie de quarto para se acalmar.

Wharton deu um grito furioso e inarticulado e se atirou sobre Brutal, apesar de agora estar afivelado bem apertado na camisa de força, com os braços presos nas costas. Percy fez menção de sacar o cassetete — a Solução Wetmore para todos os problemas da vida — e Dean pôs a mão sobre seu pulso. Percy lançou-lhe um olhar intrigado, meio indignado, como dizendo que, depois do que Wharton fizera a ele, Dean deveria ser a última pessoa no mundo a querer retê-lo.

Brutal empurrou Wharton para trás. Eu o segurei e empurrei para Harry. E Harry impeliu-o pelo Corredor Verde, fazendo-o passar por Delacroix de olhos arregalados e pelo impassível Coffey. Wharton correu para evitar cair de cara no chão, cuspindo palavrões o tempo todo. Cuspindo-os do mesmo jeito que um maçarico cospe fagulhas. Nós o jogamos de encontro às grades da última cela do lado direito, enquanto

Dean, Harry e Percy (que, por essa vez, não estava se queixando de estar sendo injustamente obrigado a trabalhar demais) arrancavam todo o entulho de dentro da solitária. Enquanto faziam isso, tive uma pequena conversa com Wharton.

— Você pensa que é durão — disse eu — e talvez seja, meu filho, mas aqui dentro ser durão não faz diferença. Seus dias de confusão terminaram. Se você não nos der trabalho, nós não daremos trabalho a você. Se você criar problemas, no fim vai morrer do mesmo jeito, só que nós vamos afiá-lo como uma ponta de lápis antes de você ir embora.

— Vocês vão ficar tão felizes de ver o meu fim — disse Wharton com a voz rouca. Estava lutando para se livrar da camisa de força, embora devesse saber que não ia adiantar nada, e seu rosto estava vermelho como um tomate. — E, até ir embora, vou fazer um inferno da vida de vocês. — Arreganhou os dentes para mim como um babuíno raivoso.

— Se isso é tudo que você quer, fazer um inferno das nossas vidas, pode parar agora, porque já conseguiu — disse Brutal. — Mas, no que se refere ao tempo que vai passar no Corredor Verde, Wharton, para nós não faz a menor diferença se você vai passá-lo todo no quarto com as paredes acolchoadas. E você pode ficar usando esse maldito casaco de maluco até que seus braços fiquem com gangrena por falta de circulação e lhe caiam dos ombros. — Fez uma pausa. — Não vem muita gente por aqui, você sabe. E se pensa que alguém se importa com o que acontecer com você, é melhor pensar de novo. Para o mundo em geral, você já é um fora da lei morto.

Wharton estava observando Brutal atentamente, e a cólera estava se esvanecendo do seu rosto.

— Deixe-me sair daqui — disse numa voz apaziguadora, uma voz normal e razoável demais para merecer confiança. — Vou me portar bem. Palavra de índio.

Harry apareceu no portal da cela. O final do corredor parecia uma venda de liquidação, mas arrumaríamos tudo bem depressa depois. Já tínhamos feito isso antes, conhecíamos a rotina.

— Tudo pronto — disse Harry.

Brutal agarrou a protuberância na lona onde estava o cotovelo direito de Wharton e puxou-o para ficar de pé.

— Vamos, Wild Billy. E veja o lado positivo. Você vai ter pelo menos 24 horas para aprender a nunca se sentar de costas para a porta e nunca ficar com ases e oitos.

— Deixe-me sair daqui — disse Wharton. Olhou de Brutal para Harry e para mim, a vermelhidão voltando a se espalhar pelo rosto. — Vou me comportar. Estou lhe dizendo que aprendi a lição. Eu... eu... *ummmmmaaaaarrrrr...*

De repente ele desabou no chão, metade dentro da cela, a outra metade sobre o linóleo gasto do Corredor Verde, chutando com os pés no ar e sacudindo o corpo.

— Deus do céu, ele está tendo uma convulsão — sussurrou Percy.

— Claro, e minha irmã é a Prostituta da Babilônia — falou Brutal. — Ela dança o fuque-fuque para Moisés nas noites de sábado vestindo um véu branco e comprido. — Abaixou-se e enganchou a mão num dos sovacos de Wharton. Eu peguei o outro. Wharton se debatia entre nós dois como um peixe fisgado no anzol. Carregar seu corpo agitado, ouvindo-o grunhir por uma ponta e peidar pela outra, foi uma das experiências menos agradáveis da minha vida.

Ergui os olhos e encontrei os de John Coffey por um segundo. Os dele estavam injetados e as bochechas escuras estavam molhadas. Ele havia chorado de novo. Pensei em Hammersmith fazendo aquele gesto de mordidas com a mão e tive um pequeno calafrio. Então voltei minha atenção para Wharton.

Nós o atiramos na solitária como se fosse um fardo e ficamos olhando para ele caído no chão, se debatendo violentamente na camisa de força junto do ralo onde uma vez tínhamos procurado pelo rato que tinha começado sua vida no Bloco E como Willy do Barco a Vapor.

— Para mim não faz muita diferença se ele engolir a língua ou algo assim e morrer — disse Dean na sua voz áspera e rouca —, mas pensem na papelada, rapazes! Não vai acabar nunca.

— Esqueça a papelada, pense no inquérito — disse Harry com ar sombrio. — Perderíamos nossos malditos empregos. Acabaríamos colhendo ervilha lá no Mississippi. Você sabe o que quer dizer Mississippi, não sabe? É a palavra indígena para olho do cu.

— Ele não vai morrer e não vai engolir a língua — disse Brutal. — Quando abrirmos esta porta amanhã, ele vai estar perfeitamente bem. Posso garantir.

E foi exatamente assim que aconteceu. O homem que levamos de volta para a cela na noite seguinte às nove horas estava tranquilo, pálido e aparentemente arrependido. Foi andando com a cabeça baixa, não fez nenhuma tentativa de atacar alguém quando a camisa de força foi retirada e ficou apenas me fitando desanimado quando eu lhe disse que ia ser exatamente do mesmo jeito na próxima vez e que tudo o que ele tinha a fazer era se perguntar quanto tempo queria passar mijando nas calças e comendo papinha de bebê, uma colher de cada vez.

— Vou me comportar, chefe, aprendi a lição — sussurrou numa vozinha humilde quando o colocamos de volta na sua cela. Brutal olhou para mim e piscou o olho.

No final do dia seguinte, William Wharton, que para si próprio era Billy the Kid e nunca aquele mateiro e homem da lei Wild Bill Hickok, comprou uma torta de chocolate do velho Toot-Toot. Ele tinha sido expressamente proibido desse tipo de atividade comercial, mas a equipe da tarde era composta de temporários, como creio ter dito, e a transação foi feita. O próprio Toot sabia que não devia fazer isso, mas para ele a carrocinha de comestíveis era sempre uma questão de dinheiro, e dinheiro é dinheiro, e do resto não quero nem sentir o cheiro.

Nessa noite, quando Brutal estava fazendo sua ronda de inspeção, Wharton estava parado junto à porta da cela. Esperou até que Brutal erguesse os olhos para ele e então bateu com a base das mãos nas próprias bochechas estufadas e disparou um jato espesso e incrivelmente longo de pasta de chocolate no rosto de Brutal. Tinha enchido a boca com a torta de chocolate inteira, manteve-a ali até que ficasse liquefeita e então a cuspiu como se fosse fumo de mascar.

Wharton caiu de costas no catre com um cavanhaque de chocolate, batendo com as pernas e gritando de tanto rir, apontando para Brutal, que tinha muito mais do que um cavanhaque.

— O pequeno Sambo preto, sim sinhô, patrão, sim sinhô, cumé que tá? — berrou Wharton segurando a barriga. — Puxa, se pelo menos tivesse sido caca! Queria que fosse! Se tivesse um pouco...

— Você *é* caca — rosnou Brutal — e espero que esteja com as malas feitas, porque vai voltar para sua latrina predileta.

Uma vez mais, Wharton foi metido na camisa de força e, uma vez mais, o pusemos no quarto com paredes forradas. Dois dias, dessa vez.

Às vezes podíamos ouvi-lo falando feito um alucinado lá dentro, às vezes podíamos ouvi-lo prometendo que ia se comportar, que ia ter juízo e ser bonzinho, e às vezes podíamos ouvi-lo berrando que precisava de um médico, que estava morrendo. Na maior parte do tempo, porém, ele ficou em silêncio. E estava calado quando o tiramos de novo, fazendo-o caminhar de volta para sua cela, com a cabeça baixa e os olhos opacos, sem responder quando Harry disse:

— Lembre-se, depende de você.

Ele ficaria bem por algum tempo e então iria tentar alguma outra coisa. Não havia nada que ele fizesse que não tivesse sido tentado antes (bem, com exceção talvez daquela da torta de chocolate; até Brutal reconheceu que tinha sido bastante original), mas sua simples persistência era de meter medo. Receava que, mais cedo ou mais tarde, alguém podia se distrair e ia ser o diabo. E essa situação podia continuar por bastante tempo, porque ele tinha um advogado que estava andando por aí dizendo às pessoas como era errado matar esse sujeito em cuja fronte o orvalho da juventude nem havia secado ainda... E que, incidentalmente, era branco. Não adiantava nada reclamar disso, porque manter Wharton fora da cadeira elétrica era o trabalho do advogado dele. Mantê-lo trancafiado em segurança era o nosso. E, no final, era quase certo que a Velha Fagulha o teria, com ou sem advogado.

## 6

Essa foi a semana em que Melinda Moores, a mulher do diretor, voltou de Indianola para casa. Os médicos tinham terminado com ela; já tinham as chapas de raios X do tumor na cabeça dela; tinham documentado a fraqueza na mão dela e as dores paralisantes que a trespassavam quase constantemente àquela altura e tinham terminado com ela. Deram ao marido uma porção de pílulas contendo morfina e mandaram Melinda para casa, para morrer. Hal Moores tinha um pouco de licença de saúde acumulada. Não muito, naquela época não davam muito, mas ele tirou o que tinha a fim de poder ajudá-la a fazer o que precisava fazer.

Minha mulher e eu fomos vê-la uns três dias depois que ela tinha voltado para casa. Antes telefonei e Hal disse que sim, que seria ótimo, Melinda estava tendo um dia bom e gostaria de nos ver.

— Detesto visitas desse tipo — disse para Janice, quando íamos de carro para a casinha onde os Moores tinham passado a maior parte da vida de casados.

— Como todo mundo, meu bem — retrucou ela, e deu uns tapinhas na minha mão. — Nós vamos suportar bem, como ela está suportando.

— Espero que seja assim.

Encontramos Melinda na sala de visitas, plantada sob um facho luminoso de um sol de outubro quente demais para a época do ano, e meu primeiro pensamento, chocado, foi de que ela tinha perdido 45 quilos. É claro que não era isso — se ela tivesse perdido tanto peso assim, mal estaria ali —, mas aquela foi a reação inicial do meu cérebro ao que os meus olhos estavam informando. Seu rosto tinha cedido para revelar a forma do crânio subjacente e a pele estava branca como pergaminho. Havia olheiras fundas debaixo dos olhos. E foi a primeira vez em que a vi sentada na sua cadeira de balanço sem o colo cheio de costuras ou pedaços de lã para tecer e fazer um tapete. Ela estava simplesmente sentada ali. Como uma pessoa numa estação de trem.

— Melinda — falou minha mulher num tom cálido. Acho que estava tão chocada quanto eu, talvez até mais, porém ela disfarçou de forma esplêndida, como algumas mulheres parecem ser capazes de fazer. Foi até Melinda, ajoelhou-se numa perna ao lado da cadeira de balanço na qual estava sentada a mulher do diretor e pegou uma de suas mãos. Quando ela fez isso, meu olhar caiu por acaso no tapete azul diante da lareira. Ocorreu-me que ele deveria ter o mesmo tom de limões velhos, porque agora essa sala era apenas uma outra versão do Corredor Verde.

— Trouxe-lhe um pouco de chá — disse Jan —, daqueles que eu mesma faço. É um bom chá calmante. Deixei-o na cozinha.

— Muito obrigada, querida — falou Melinda. Sua voz tinha um tom velho e enferrujado.

— Como é que você está se sentindo, querida? — perguntou minha mulher.

— Melhor — respondeu Melinda na sua voz enferrujada e arranhada. — Não a ponto de querer ir a um baile, mas pelo menos hoje não estou com dores. Eles me deram umas pílulas para as dores de cabeça. Às vezes elas até funcionam.

— Que bom, não é?

— Mas não consigo segurar bem. Alguma coisa aconteceu... Com a minha mão. — Ela a ergueu, olhou-a como se nunca a tivesse visto antes, depois a baixou de volta para o colo. — Alguma coisa aconteceu com meu corpo todo. — Pôs-se a chorar de um modo silencioso que me fez pensar em John Coffey. Começou a tilintar de novo na minha cabeça aquela coisa que ele tinha dito: *Ajudei com o que você tinha, não ajudei? Ajudei com o que você tinha, não ajudei?* Como uma rima da qual não conseguisse me livrar.

Hal apareceu nesse momento. Agarrou-me pela gola, e pode acreditar quando digo que fiquei contente de ser agarrado pela gola. Fomos para a cozinha e ele me serviu meia dose de uísque branco, coisa forte recém-saída do alambique de alguém do interior. Batemos nossos copos num brinde e depois bebemos. O líquido desceu queimando como óleo combustível, mas desabrochou como uma flor celestial ao chegar à barriga. Mesmo assim, quando Moores inclinou a jarra na minha direção, perguntando-me silenciosamente se queria mais, sacudi a cabeça negativamente e afastei-a com um gesto da mão. Wild Bill Wharton não estava na camisa de força, pelo menos por enquanto, e não seria seguro chegar perto de onde ele estivesse com a cabeça enevoada pelo álcool. Nem mesmo com grades nos separando.

— Não sei por quanto tempo mais consigo aguentar isso, Paul — disse em voz baixa. — Uma moça vem todas as manhãs para me ajudar com ela, mas os médicos dizem que ela pode perder o controle dos intestinos e... e... — Parou, engolindo em seco, se esforçando muito para não tornar a chorar na minha frente.

— Vá levando o melhor que puder — disse eu. Estendi a mão por cima da mesa e apertei rapidamente sua mão trêmula e com manchas senis. — Vá fazendo isso um dia depois do outro e deixe o resto com Deus. Não há mais nada que você possa fazer, há?

— Acho que não. Mas é duro, Paul. Rezo para que você nunca tenha que descobrir como é duro.

Fez um esforço para se recompor.

— Agora, conte-me as novidades. Como é que está indo com William Wharton? E como está se arranjando com Percy Wetmore?

Falamos de assuntos de trabalho durante algum tempo, e assim passamos o período da visita. Depois, em todo o trajeto de volta para casa, com minha mulher sentada no lugar do passageiro ao meu lado, em silêncio durante o tempo quase todo, com os olhos rasos d'água e pensativa, as palavras de Coffey davam voltas na minha cabeça como o sr. Guizos rodando dentro da cela de Delacroix: *Ajudei com o que você tinha, não ajudei?*

— É terrível — falou minha mulher a certa altura, num tom desanimado. — E não há nada que alguém possa fazer para ajudá-la.

Assenti com a cabeça e pensei: *Ajudei com o que você tinha, não ajudei?* Mas era maluquice e tentei o mais que pude expulsar isso da mente.

Ao entrarmos pelo caminho de acesso, ela finalmente falou pela segunda vez, não sobre sua velha amiga Melinda, mas sobre minha infecção urinária. Ela queria saber se tinha realmente acabado. Acabou realmente, respondi-lhe. Curado.

— Está ótimo, então — disse ela e beijou-me acima da sobrancelha, naquele lugar que me fazia estremecer. — Talvez devêssemos, você sabe, fazer umas coisinhas. Isto é, se você tiver tempo e disposição para isso.

Tendo muito do segundo e o bastante do primeiro, tomei-a pela mão, levei-a para o dormitório do fundo da casa e tirei suas roupas enquanto ela acariciava a parte de mim que inchou e pulsou, mas não doeu mais. Quando me movi para dentro da sua doçura, deslizando por ela daquele jeito lento de que ela gostava, de que nós dois gostávamos, pensei em John Coffey dizendo que tinha ajudado, tinha ajudado, não tinha? Como o trecho de uma canção que não sai da cabeça até que esteja danada de boa e pronta.

Mais tarde, quando estava indo de carro para a prisão, comecei a pensar que muito em breve teríamos que começar a ensaiar para a execução de Delacroix. Esse pensamento levou-me ao de que Percy iria estar no lugar principal dessa vez e senti um calafrio de temor. Disse a mim mesmo que simplesmente fosse em frente, uma execução apenas e muito provavelmente estaríamos livres de Percy Wetmore para sempre... Mas ainda senti aquele calafrio, como se a infecção de que tinha estado sofrendo não tivesse terminado coisa nenhuma, mas apenas trocado de lugar, deixando de queimar-me o baixo-ventre para congelar-me a espinha.

# 7

— Vamos — disse Brutal a Delacroix na noite seguinte. — Nós vamos dar uma voltinha. Você, eu e o sr. Guizos.

Delacroix olhou para ele desconfiado, depois esticou a mão para baixo, para dentro da caixa de charutos buscando o rato. Ficou com ele na mão em concha e olhou para Brutal com os olhos apertados.

— Do que você tá falando? — perguntou.

— Hoje é uma grande noite para você e o sr. Guizos — disse Dean, quando ele e Harry se juntaram a Brutal. O colar de hematomas em volta do pescoço de Dean tinha assumido uma desagradável coloração amarela, mas pelo menos ele podia falar de novo sem parecer um cão ladrando para um gato. Olhou para Brutal: — Você acha que devemos pôr os grilhões nele, Bruto?

Brutal deu a impressão de estar refletindo sobre isso.

— Não — falou finalmente. — Ele vai se comportar, não vai, Del? Os dois, você e o rato. Afinal de contas, vocês vão se exibir para alguns altos figurões hoje de noite.

Percy e eu estávamos parados junto da mesa da guarda observando isso, Percy com os braços cruzados e um sorrisinho de desprezo nos lábios. Depois de algum tempo, tirou do bolso seu pente de chifre e pôs-se a pentear os cabelos. John Coffey também estava observando, de pé, em silêncio, junto das grades de sua cela. Wharton estava deitado no catre, olhando para o teto e ignorando o espetáculo. Ele ainda estava "sendo bonzinho", embora o que ele chamava de *bonzinho* fosse o que os médicos em Briar Ridge chamavam de *catatônico*. E havia uma outra pessoa lá também. Ele estava escondido no meu escritório, mas a sombra magricela dele caía para fora da porta sobre o Corredor Verde.

— De que se trata, seu *gran' fou?* — perguntou Del num tom queixoso, encolhendo os pés para cima do catre quando Brutal destravou as fechaduras duplas na porta da cela e correu-a para abri-la. Os olhos dele saltavam entre os três.

— Bem, vou lhe dizer — falou Brutal. — O sr. Moores vai estar ausente por uns tempos. A mulher dele está com uns problemas, como você já deve saber. De modo que o sr. Anderson está encarregado da prisão, o sr. Curtis Anderson.

— É mesmo? O que isso tem a ver comigo?

— Bem — respondeu Harry —, o chefe Anderson ouviu falar do seu rato, Del, e quer vê-lo atuar. Ele e mais uns seis outros camaradas estão lá na Administração, só esperando que você apareça. E não são apenas uns velhos guardas de uniforme azul. Esses aí são uns figurões bastante importantes, bem como Bruto falou. Acho que um deles é um político que veio da capital do estado.

Delacroix ficou todo prosa com isso e não vi nem mesmo um fiapo de dúvida no rosto dele. É *claro* que queriam ver o sr. Guizos, quem não iria querer?

Ele procurou, primeiro debaixo do catre e depois debaixo do travesseiro. Acabou encontrando uma daquelas balas grandes, cor-de-rosa, de hortelã e o carretel de cores vivas. Lançou um olhar indagador para Brutal, que concordou com a cabeça.

— Tá. Acho que o que eles estão mesmo secos para ver é o número com o carretel, mas o modo como ele come essas balas de hortelã também é danado de engraçadinho. E não se esqueça da caixa de charutos. Você vai precisar dela para levá-lo para o palco, certo?

Delacroix pegou a caixa e colocou os acessórios do sr. Guizos dentro dela, mas o rato ficou instalado no ombro dele. Então saiu da cela, abrindo o caminho com seu peito estufado, e olhou para Dean e Harry.

— Vocês não vêm, rapazes?

— Não — disse Dean. — Temos outras coisas a fazer. Mas impressione-os, Del. Mostre a eles o que acontece quando um filho da Louisiana baixa a lenha e realmente põe as mãos à obra.

— Fique tranquilo. — Um sorriso se abriu no seu rosto, tão súbito e tão simples na sua felicidade que senti meu coração se partir um pouco, a despeito da coisa terrível que ele tinha feito. Que mundo esse em que vivemos, que mundo!

Delacroix virou-se para John Coffey, com quem tinha estabelecido uma amizade hesitante, que não diferia muito da centena de outras amizades que eu já tinha visto na casa da morte.

— Impressione-os, Del — falou Coffey com a voz séria. — Mostre a eles todos os truques dele.

Delacroix confirmou com a cabeça e pôs a mão aberta na altura do ombro. O sr. Guizos passou para ela como se fosse uma plataforma, e

Delacroix estendeu a mão na direção da cela de Coffey. John Coffey esticou um dedo enorme e que o diabo me carregue se não é verdade que aquele rato esticou o pescoço e lambeu a ponta do dedo, bem como se fosse um cachorro.

— Vamos, Del, chega de ficar enrolando — disse Brutal. — Essas pessoas não vão se atrasar para um jantar quente em suas casas para ver seu rato fazer peripécias. — Não era verdade, é claro. Anderson ia ficar lá até oito horas de qualquer noite e os guardas que ele tinha puxado para lá a fim de assistir ao *show* de Delacroix iriam ficar até as onze horas ou meia-noite, dependendo da hora em que seus turnos estavam previstos terminar. O político da capital estadual muito provavelmente ia acabar sendo um faxineiro de escritório usando uma gravata emprestada. Mas Delacroix não tinha como saber nada disso.

— Estou pronto — disse Delacroix, falando com a simplicidade de um grande astro que de algum modo conseguiu preservar o toque natural. — Vamos. — E quando Brutal o foi conduzindo pelo Corredor Verde, com o sr. Guizos empoleirado no ombro do homenzinho, Delacroix começou mais uma vez a trombetear: — *Messieurs et mesdames! Bienvenue au cirque de mousie!* Entretanto, mesmo estando tão profundamente mergulhado no seu próprio mundo de fantasia, passou ao largo de Percy, a quem dirigiu um olhar de desconfiança.

Harry e Dean pararam diante da cela vazia do lado oposto à de Wharton (aquela pessoa ainda não tinha sequer se mexido). Ficaram olhando Brutal destravar a porta que dava para o pátio de exercícios, onde outros dois guardas estavam esperando para juntar-se a ele, e levaram Delacroix para fora, a caminho de sua apresentação especial perante os grandes potentados da Penitenciária de Cold Mountain. Esperamos até que a porta estivesse trancada de novo e então olhamos na direção do meu escritório. Aquela sombra ainda estava deitada no chão, magra e faminta, e eu estava contente por Delacroix ter estado tão excitado que não a vira.

— Pode sair — disse eu. — E vamos andar depressa, gente. Quero fazer dois ensaios e não dispomos de muito tempo.

O velho Toot-Toot, com a aparência mais animada e agitada do que nunca, caminhou até a cela de Delacroix e entrou pela porta aberta.

— Sentando-me — disse ele. — Estou me sentando, estou me sentando, estou me sentando.

Este é que é o circo de verdade, pensei, fechando os olhos por um segundo. Este é que é o circo de verdade bem aqui e nós somos todos apenas um bando de ratos amestrados. Então expulsei esse pensamento da cabeça e começamos a ensaiar.

## 8

O primeiro ensaio correu bem e o segundo idem. Percy se saiu melhor do que eu poderia ter esperado nos meus sonhos mais alucinados. Isso não queria dizer que as coisas andariam direito quando chegasse a hora de verdade para o cajun caminhar pelo Corredor Verde, mas era um grande passo na direção certa. Ocorreu-me que tinha ido bem porque Percy, depois de muito tempo, estava afinal fazendo algo pelo que se interessava. Isso me provocou um surto de desprezo, mas afastei-o logo. Que importância tinha? Ele ia pôr o capacete em Delacroix e rodar a eletricidade e depois ambos iriam embora. Se isso não era um final feliz, o que seria? E, como Moores tinha assinalado, os bagos de Delacroix iam ser fritados independentemente de quem estivesse no lugar principal.

Ainda assim, Percy se tinha mostrado bem no seu novo papel, e ele sabia disso. Nós todos o sabíamos. Quanto a mim, estava aliviado demais para detestá-lo muito, pelo menos por enquanto. Parecia que as coisas iam dar certo. Fiquei ainda mais aliviado quando constatei que Percy de fato prestava atenção quando sugeríamos algumas coisas que podiam melhorar ainda mais o seu desempenho, ou pelo menos reduzir a possibilidade de alguma coisa dar errado. Se quer saber a verdade, ficamos bastante entusiasmados com isso. Até Dean, que geralmente ficava bem afastado de Percy tanto física como mentalmente, quando lhe era possível. Suponho que nada disso fosse de surpreender, aliás, para a maioria dos homens, nada é mais lisonjeiro do que ter uma pessoa jovem de fato prestando atenção ao conselho que lhe é dado, e nesse sentido nós não éramos diferentes. Em consequência, nem um dentre nós notou que Wild Bill Wharton não estava mais olhando para o teto. Isso inclui a mim, mas eu sei que ele não estava. Ele estava olhando para nós, enquanto ficamos ali junto da mesa da guarda, conversando e dando conselhos a Percy. Dando-lhe conselhos! E ele fazendo de conta que estava prestando atenção! Que piada, considerando como as coisas terminaram!

O ruído de uma chave girando na fechadura da porta que dava para o pátio de exercícios pôs fim à nossa pequena sessão de crítica pós-ensaio. Dean lançou um olhar de advertência para Percy.

— Nem uma palavra nem um olhar errado — falou. — Não queremos que ele saiba o que estivemos fazendo. Não é bom para eles. Deixa-os perturbados.

Percy confirmou com a cabeça e passou um dedo por cima dos lábios num gesto de bico calado que era para ser engraçado, e não foi. A porta do pátio de exercícios se abriu e Delacroix entrou, escoltado por Brutal, que carregava a caixa de charutos com o carretel colorido dentro, da maneira como o assistente do mágico num espetáculo de variedades carregaria os acessórios do chefe para fora do palco ao final do número. O sr. Guizos estava empoleirado no ombro de Delacroix. E o próprio Delacroix? Vou lhe dizer uma coisa: Lillie Langtry não poderia ter um ar mais fulgurante depois de se apresentar na Casa Branca.

— Eles adoram o sr. Guizos! — proclamou Delacroix. — Eles riem e aplaudem com gritos e com palmas!

— Bem, isso é excelente — disse Percy. Falou de um jeito condescendente, patronal, que não parecia em absoluto com o Percy de antes. — Pule de volta para sua cela, veterano.

Delacroix lançou-lhe um olhar cômico de desconfiança e o Percy que conhecíamos floresceu. Arreganhou os dentes num rosnado de brincadeira e fingiu que ia agarrar Delacroix. É claro que era uma brincadeira. Percy estava contente, sem nenhuma disposição de agarrá-lo. Porém Delacroix não sabia disso. Deu um salto para trás com uma expressão de medo e decepção e tropeçou num dos pés imensos de Brutal. Caiu feio, batendo com a parte de trás da cabeça no linóleo. O sr. Guizos saltou a tempo de evitar ser esmagado e foi dando gritinhos pelo Corredor Verde para a cela de Delacroix.

Delacroix se levantou, deu um único olhar cheio de raiva para Percy, que estava dando risadinhas, depois saiu correndo atrás de seu bicho de estimação, chamando por ele e esfregando a parte de trás da cabeça. Brutal (que não sabia que Percy tinha dado sinais animadores de estar realmente fazendo seu trabalho, pra variar) dirigiu um olhar de desprezo para Percy e foi atrás de Del, sacudindo as chaves do molho.

Acho que o que aconteceu a seguir se deu porque Percy estava de fato impelido a se desculpar. Sei que é difícil de acreditar, mas naquele dia ele estava num estado de ânimo extraordinário. Se foi verdade, apenas prova um velho e cínico dito que escutei um dia, algo sobre como nenhuma boa ação deixa de ser castigada. Você se lembra de eu lhe contar como, depois que ele tinha perseguido o rato até a solitária numa daquelas duas ocasiões antes de Delacroix se juntar a nós, Percy tinha chegado um pouco perto demais da cela do Presidente? Era perigoso fazer isso, razão pela qual o Corredor Verde era tão largo. Quando você caminhava bem pelo meio dele, não podia ser alcançado de nenhum dos dois lados das celas. O Presidente não fizera nada a Percy, mas lembro-me de ter pensado que Arlen Bitterbuck poderia ter feito algo, se tivesse sido para perto dele que Percy tivesse chegado. Só para lhe dar uma lição.

Pois bem, o Presidente e o Cacique tinham ambos partido, porém Wild Bill Wharton tinha tomado seu lugar. Ele tinha piores modos do que o Presidente ou o Cacique jamais tinham sonhado em ter e havia observado toda nossa encenação, esperando ter uma oportunidade de também aparecer no palco. Essa oportunidade agora lhe caiu no colo, por cortesia de Percy Wetmore.

— Ei, Del! — falou Percy em voz alta, meio rindo, começando a ir atrás de Brutal e Delacroix e, sem perceber, descambando perto demais para o lado de Wharton no Corredor Verde. — Ei, seu merda dormente, não fiz isso pra valer! Você está todo furi...

Num relance, Wharton saltou do catre e estava junto das grades da cela. Nunca, em todo o meu tempo como guarda, vi alguém se mover tão rápido, incluindo alguns dos rapazes atléticos com que Brutal e eu trabalhamos depois no Reformatório de Menores. Projetou os braços através das grades e agarrou Percy, primeiro pelos ombros da camisa do uniforme e depois pela garganta. Wharton arrastou-o de encontro à porta da cela. Percy emitiu uns gritos agudos como um porco na rampa do matadouro e vi pelos seus olhos que ele estava pensando que ia morrer.

— Você é mesmo uma graça — sussurrou Wharton. Uma mão deixou a garganta de Percy e passou pelos cabelos dele. — Macios! — disse ele, meio rindo. — Como os de uma moça. Acho que gostaria mais de meter no seu cuzinho do que na xoxota da sua irmã. — E chegou mesmo a beijar a orelha de Percy.

Acho que Percy — que tinha feito Delacroix entrar no bloco debaixo de pancada por ter acidentalmente tocado sua virilha, lembra-se? — sabia exatamente o que estava acontecendo. Duvido que quisesse, mas acho que sabia. Seu rosto tinha perdido completamente a cor e as manchas nas suas bochechas se destacavam como sinais de nascença. Os olhos estavam inteiramente arregalados e lacrimejantes. Um fio de saliva escorria de um canto da boca trêmula. Tudo isso aconteceu depressa, começou e terminou em menos de dez segundos, diria eu.

Harry e eu avançamos, os cassetetes erguidos. Dean sacou o revólver. Mas antes que as coisas pudessem avançar mais alguns centímetros, Wharton soltou Percy e deu um passo para trás, levantando as mãos acima dos ombros e abrindo seu sorriso úmido.

— Já soltei, tava só brincando e já soltei — disse ele. — Nem cheguei a danificar um único cabelo na cabeça bonita desse menino, de modo que vocês não têm nada que ir me meter naquele maldito quarto acolchoado de novo.

Percy Wetmore se lançou rapidamente para o outro lado do Corredor Verde e ficou encolhido de encontro à porta de grades da cela vazia que ficava em frente, respirando tão depressa e com tanto barulho que mais parecia que estava soluçando. Finalmente ele tinha recebido a lição de se manter no centro do corredor e longe de um ataque súbito, dos dentes que mordem e das garras que agarram. Achei que era uma lição de que ele ia se recordar por mais tempo do que qualquer conselho que nós lhe tínhamos dado durante nossos ensaios. Seu rosto tinha uma expressão de terror absoluto e seus preciosos cabelos estavam inteiramente despenteados pela primeira vez desde que o conhecera, todos em tufos e desgrenhados. Tinha o ar de quem acabava de escapar por pouco de ser estuprado.

Houve um momento de paralisação total, uma calma tão densa que o único som era o assobio soluçado da respiração de Percy. Ela foi interrompida por uma risada cacarejada, tão repentina e tão alucinada que por si só já foi chocante. Pensei logo em *Wharton*, mas não era ele. Era Delacroix, de pé ante a porta aberta da sua cela e apontando para Percy. O rato estava de volta no seu ombro e Delacroix tinha a aparência de um feiticeiro pequeno, mas malévolo, com um diabinho e tudo.

— Olhe só pra ele, mijou nas calças! — berrou Delacroix. — Vejam o que o grande homem fez! Bate nas outras pessoas com o bastão, *mais oui* um bocado *mauvais homme*, mas quando alguém toca nele, ele molha a calça igualzinho a um bebê!

Ele ria e apontava, todo seu medo e ódio de Percy extravasando naquela risada de deboche. Percy olhou fixo para ele, aparentemente incapaz de se mover ou de falar. Wharton voltou às grades da cela, olhou para baixo, para a mancha escura na frente da calça de Percy (era pequena, mas estava ali, e não havia nenhuma dúvida sobre o que era) e abriu um sorriso.

— Alguém devia comprar uma fralda para o garoto durão — falou ele e voltou para seu catre, dando risadas abafadas.

Brutal foi até a cela de Delacroix, mas o cajun tinha se precipitado para dentro e se atirou sobre o catre antes que Brutal pudesse chegar lá.

Estendi a mão e agarrei o ombro de Percy.

— Percy... — comecei a dizer, mas não fui adiante. Ele despertou e sacudiu minha mão do ombro. Olhou para baixo, para a frente de sua calça, viu a mancha se espalhando ali e ficou vermelho como um pimentão. Ergueu novamente os olhos para mim, depois para Harry e Dean. Lembro-me de estar contente que o velho Toot-Toot já tivesse ido embora. Se ainda estivesse por ali, a história se espalharia pela prisão inteira em um só dia. E, dado o sobrenome de Percy, uma infelicidade, nesse contexto,* era uma história que seria contada com o deleite de muita gozação durante anos.

— Se vocês falarem sobre isso com alguém, vocês todos vão para as filas da sopa dos pobres dentro de uma semana — sussurrou feroz. Era o tipo de comentário que me teria dado vontade de sentar-lhe o braço em qualquer outra circunstância, mas, na atual, apenas fiquei com pena dele. Acho que ele viu essa pena e isso piorou as coisas ainda mais para ele, como se estivesse raspando uma ferida aberta com urtigas.

* Wetmore = "molhe mais" ou "mais molhado". [N. do T.]

— O que acontece aqui dentro fica aqui dentro — disse Dean com calma. — Você não precisa se preocupar com isso.

Percy olhou para trás, na direção da cela de Delacroix. Brutal estava acabando de trancar a porta e, do lado de dentro, com mortal nitidez, ainda podíamos ouvir as risadinhas de Delacroix. O olhar de Percy tinha a fúria do trovão. Pensei em dizer a ele que cada um colhia o que plantava nesta vida, mas depois resolvi que talvez esse não fosse o momento certo para uma aula sobre as escrituras.

— Quanto a ele... — começou, mas não terminou. Em vez disso, foi se afastando, de cabeça baixa, para ir ao depósito procurar uma calça seca.

— Ele é tão bonitinho — disse Wharton num tom sonhador. Harry mandou-o calar a porra da boca para não ser mandado para a solitária só por uma questão de malditos princípios. Wharton cruzou os braços sobre o peito, fechou os olhos e pareceu ter adormecido.

## 9

A noite anterior à execução de Delacroix chegou mais quente e mais úmida do que nunca: 27ºC pelo termômetro do lado de fora da janela da sala de controle da Administração quando bati o ponto às seis. Pense nisso: 27ºC no final de outubro e o trovão roncando lá no oeste como faz em julho. Encontrei um membro da minha congregação religiosa na cidade naquela tarde e ele me perguntou, aparentemente com seriedade, se eu achava que esse clima fora da estação podia ser um sinal do fim do mundo iminente. Respondi que certamente não, mas passou-me pela cabeça a ideia de que para Delacroix era mesmo o fim do mundo. Para ele era, sem dúvida.

Bill Dodge estava de pé na porta do pátio de exercícios, tomando café e fumando um cigarrinho. Olhou para mim e falou:

— Ora, vejam só isso. Paul Edgecombe, em tamanho natural e duas vezes mais feio.

— Como é que correu o dia, Billy?

— Tudo bem.

— Delacroix?

— Ótimo. Ele parece compreender que é amanhã e, ainda assim, é como se *não* compreendesse. Você sabe como eles são quando finalmente chega o fim.

Confirmei com a cabeça.

— E Wharton?

Bill deu uma risada.

— Que artista! Faz Jack Benny parecer um pastor protestante. Ele disse para Rolfe Wettermark que tinha comido geleia de morango na xoxota da mulher dele.

— E o que Rolfe disse?

— Que não era casado. Disse que Wharton devia estar pensando na própria mãe.

Dei uma boa gargalhada. Isso era engraçado mesmo, de um jeito meio vulgar. E era bom simplesmente poder rir sem sentir como se alguém estivesse acendendo fósforos nas minhas entranhas. Bill riu comigo, depois despejou o resto do café no pátio, onde não havia ninguém além de uns poucos presos de confiança vagueando, a maioria dos quais estava ali há uns mil anos.

De algum lugar bem distante vieram trovoadas, e o clarão difuso de relâmpagos de calor se espalhou no céu escuro sobre nossas cabeças. Bill olhou inquieto para cima, o riso sumindo.

— Mas vou lhe dizer uma coisa — falou. — Não gosto muito desse tempo. Parece que alguma coisa está para acontecer. Alguma coisa ruim.

Nisso ele estava certo. A coisa ruim aconteceu bem por volta de 21h45 naquela noite. Foi quando Percy matou o sr. Guizos.

## 10

No começo parecia que ia ser uma noite bastante boa, apesar do calor. John Coffey estava sendo a pessoa tranquila de sempre, Wild Bill estava se fazendo de Mild Bill,* e Delacroix estava num bom estado de ânimo para um homem que tinha um encontro marcado com a Velha Fagulha em torno de um pouco mais de 24 horas.

---

* Jogo entre os adjetivos *wild* (selvagem) e *mild* (suave). [N. do T.]

Ele *de fato* compreendia o que lhe ia acontecer, pelo menos no nível mais elementar. Tinha pedido pimenta para sua última refeição e me deu instruções especiais para passar à cozinha.

— Diga a eles pra caprichar naquele molho picante — disse ele. — Diga a eles que quero daquele tipo que sobe mesmo na garganta e diz olá, aquele verde, nada daquele fraquinho. Essa coisa me pega de foder, não consigo sair da privada no dia seguinte, mas acho que não vou ter esse problema dessa vez, *n'est-cepas?*

A maioria deles se preocupa com suas almas imortais com uma espécie de ferocidade idiotizada, mas Delacroix praticamente descartou minhas perguntas sobre o que ele queria em termos de consolo espiritual nas suas últimas horas. Del achou que se "aquele sujeito" Schuster tinha servido para o Grande Cacique Bitterbuck, serviria para ele também. Não, o que o preocupava, tenho certeza de que você já adivinhou, era o que aconteceria com o sr. Guizos depois que ele, Delacroix, tivesse morrido. Eu estava acostumado a passar longas horas com os condenados na noite anterior à sua última caminhada, mas essa foi a primeira vez que passei aquelas longas horas contemplando o destino de um rato.

Del considerou um cenário atrás do outro, desenvolvendo pacientemente as possibilidades na sua mente limitada. E enquanto ia pensando em voz alta, querendo prover o futuro do seu rato de estimação como se fosse uma criança que tivesse que cursar a universidade, jogava aquele carretel colorido de encontro à parede. A cada vez que fazia isso, o sr. Guizos saltava atrás dele, pegava-o e depois o fazia rolar de volta até o pé de Del. Depois de um certo tempo, isso começou a me dar nos nervos, primeiro o claque do carretel contra a parede de pedra, depois o clicar diminuto das patas do sr. Guizos. Embora fosse um número engraçadinho, depois de uns noventa minutos ficava chato. E o sr. Guizos parecia não ficar cansado nunca. De vez em quando ele fazia uma pausa para se refrescar com um gole d'água de um pires que Delacroix mantinha especificamente para essa finalidade, ou para mastigar uma migalha cor-de-rosa de bala de hortelã e depois voltava àquela história. Várias vezes, estive a ponto de dizer a Delacroix para dar um descanso e a cada vez me lembrava de que ele dispunha dessa noite e do dia seguinte para fazer com o sr. Guizos essa brincadeira do carretel e depois pronto. Entretanto, perto do final, começou a ficar realmente difícil manter esse raciocínio. Você sabe como é, com um barulho que é repetido sem parar desse jeito. Depois de um certo tempo, seus nervos ficam em pandarecos. De qualquer modo, comecei a falar, e então algo me fez olhar por cima do ombro, através da porta da cela. John Coffey estava de pé junto da porta da cela *dele*, do lado oposto do corredor, e sacudiu a cabeça para mim: direita, esquerda, de volta para o centro. Como se tivesse lido meu pensamento e me estivesse dizendo para mudar de ideia.

Disse-lhe que providenciaria para que o sr. Guizos fosse confiado à tia solteirona de Delacroix, aquela que lhe tinha mandado o saco grande de balas. Seu carretel colorido também podia ir junto, até mesmo sua "casa": nós íamos realizar uma coleta e fazer com que Toot abrisse mão de seu direito à caixa de Coronas. Não, disse Delacroix depois de refletir um pouco (teve tempo para atirar o carretel contra a parede pelo menos cinco vezes, com o sr. Guizos empurrando-o de volta com o focinho ou com as patas), isso não ia dar certo. A tia Hermione estava muito velha, não ia entender o jeito brincalhão do sr. Guizos, e imagine se o sr. Guizos vivesse mais do que ela? O que seria dele então? Não, não, a tia Hermione simplesmente não servia.

Bem, então, perguntei, que tal se um de nós ficarmos com ele? Um de nós, guardas? Poderíamos mantê-lo aqui mesmo no Bloco E. Não, disse Delacroix, me agradecia muito por essa ideia, *certainement*, porém o sr. Guizos era um rato que ansiava por ficar livre. Ele, Eduard Delacroix, sabia disso porque o sr. Guizos tinha, como você já adivinhou, sussurrado essa informação no seu ouvido.

— Está bem — falei —, um de nós o levará para casa, Del. Talvez Dean. Ele tem um filho pequeno que adoraria um rato de estimação, aposto.

Delacroix ficou realmente pálido de horror ante essa ideia. Um garotinho encarregado de um gênio roedor como o sr. Guizos? Como, em nome de *le bon Dieu*, podia-se esperar que um garotinho mantivesse seu treinamento em dia e muito menos ensinar-lhe novos truques? E imagine se o garoto perdesse o interesse e se esquecesse de alimentá-lo por dois ou três dias seguidos? Delacroix, que tinha assado vivos seis seres humanos numa tentativa de encobrir seu crime inicial, estremeceu com a profunda aversão de quem abomina o empalhamento de animais.

Está bem, disse eu, eu o levaria comigo (prometa-lhes qualquer coisa, lembre-se, nas suas últimas 48 horas, prometa-lhes qualquer coisa). Que tal?

— Não senhor, chefe Edgecombe — disse Del num tom de quem pede desculpas. Atirou o carretel novamente. Bateu na parede, ricocheteou, girou; então o sr. Guizos estava em cima dele como manteiga no pão, empurrando-o com o focinho de volta para Delacroix. — Muito obrigado, *merci beaucoup,* mas o senhor mora no meio do bosque e o sr. Guizos teria medo de viver *dans la forêt.* Eu sei porque...

— Acho que posso adivinhar como é que você sabe, Del — disse eu.

Delacroix concordou com a cabeça, sorrindo.

— Mas vamos encontrar uma saída para isso. Pode apostar! — Atirou o carretel. O sr. Guizos disparou atrás dele. Tentei não fazer uma careta.

No fim, foi Brutal quem salvou a lavoura. Estava junto da mesa da guarda, olhando Dean e Harry jogarem dominó. Percy também estava lá e Brutal finalmente se cansou de tentar entabular uma conversa com ele e obter em troca apenas grunhidos amuados. Veio caminhando até onde eu estava sentado num banquinho, do lado de fora da cela de Delacroix, e ficou ali ouvindo-nos falar, com os braços cruzados.

— Que tal Mouseville? — perguntou Brutal em meio ao silêncio pensativo que se seguira à rejeição por Delacroix de minha casa velha e assustadora lá no meio do mato. Ele lançou a sugestão num tom de voz natural de é-apenas-uma-ideia.

— Mouseville? — perguntou Delacroix, dirigindo para Brutal um olhar ao mesmo tempo espantado e interessado. — Que Mouseville?

— É uma atração turística lá na Flórida — respondeu. — Acho que fica em Tallahassee. Não é isso, Paul? Em Tallahassee?

— É — disse eu, falando sem hesitar um segundo, pensando Deus abençoe Brutus Howell. — Tallahassee. Bem adiante na estrada, passando a universidade canina.

Brutal torceu a boca ao ouvir isso e achei que ele ia estragar a história caindo na gargalhada, mas conseguiu se controlar e confirmou com a cabeça. Mas imaginei que ia ouvir por conta dessa universidade canina mais tarde.

Dessa vez Del não atirou o carretel, embora o sr. Guizos estivesse de pé sobre seu chinelo, com as patas dianteiras erguidas, visivelmente seco por outra oportunidade de sair correndo atrás. O cajun olhou de Brutal para mim e de volta para Brutal.

— O que eles fazem em Mouseville? — indagou.

— Você acha que aceitarão o sr. Guizos? — perguntou-me Brutal, ao mesmo tempo ignorando Del e atraindo-o para o jogo. — Você acha que ele tem as qualidades necessárias, Paul?

Tentei assumir um tom de reflexão.

— Sabe — respondi —, quanto mais penso no assunto, mais me parece uma ideia brilhante. — Pelo canto do olho vi Percy se aproximar pelo corredor até a metade da distância (mantendo-se bem ao largo da cela de Wharton). Ficou com um ombro encostado numa cela vazia, escutando, com um sorrisinho de desprezo nos lábios.

— O que é esse Mouseville? — perguntou Del, agora desesperado por saber.

— Uma atração turística, como lhe disse — falou Brutal. — Lá tem, oh, não sei, mais ou menos uma centena de ratos. Não é assim, Paul?

— É mais para 150 hoje em dia — retruquei. — É um grande êxito. Ouvi dizer que estão cogitando abrir uma na Califórnia e chamá-la de Mouseville Oeste, de tão bem que o negócio está indo. Acho que ratos amestrados vão entrar na moda com o pessoal elegante. Eu, pessoalmente, não entendo disso.

Del ficou sentado, com o carretel na mão, olhando para nós, sua própria situação esquecida naquele momento.

— Eles só aceitam os ratos mais inteligentes — advertiu Brutal —, os que sabem fazer truques. E não podem ser ratos brancos, porque eles são ratos de lojas de animais de estimação.

— Ratos de lojas de animais de estimação, é isso mesmo, pode apostar! — disse Delacroix furioso. — Detesto esses ratos de lojas de animais de estimação!

— E o que eles têm — falou Brutal, agora com o olhar distante, imaginando o que descrevia — é essa tenda em que você entra...

— É, é, como num *cirque*! Tem que pagar pra entrar?

— Você tá brincando comigo? *É claro* que tem que pagar pra entrar. Dez centavos por pessoa, dois centavos para crianças pequenas. E tem essa espécie de cidade feita de caixinhas de plástico e rolos de papel higiênico, com janelas de mica para você poder ver o que eles estão fazendo lá dentro...

— É! É! — Delacroix estava em êxtase agora. Então se virou para mim. — O que é mica?

— É como o que tem na frente de um forno, para se poder ver lá dentro — respondi.

— Ah, claro! Aquela merda! — fez um movimento giratório com a mão para Brutal, querendo que ele continuasse, e os olhinhos de piche do sr. Guizos praticamente deram uma volta nas órbitas, tentando mantê-los fixos no carretel. Era muito engraçado. Percy se aproximou um pouco mais, como se quisesse ver melhor, e vi John Coffey franzindo a testa para ele, mas eu estava envolto demais na fantasia de Brutal para dar muita atenção. Tratava-se de elevar a novas alturas a arte de dizer para um condenado aquilo que ele queria ouvir e, acredite-me, eu estava cheio de admiração.

— Bem — disse Brutal —, existe a cidade dos ratos, mas o que as crianças gostam mesmo de ver é o Circo de Estrelas de Mouseville, onde há ratos que trabalham no trapézio, ratos que fazem rolar essas barricas em miniatura, ratos que empilham moedas...

— É, é isso mesmo! Esse é o lugar para o sr. Guizos! — exclamou Delacroix. Seus olhos faiscavam e suas bochechas estavam coradas. Ocorreu-me que Brutus Howell era uma espécie de santo. — No final das contas, você vai ser um rato de circo, sr. Guizos! Vai viver numa cidade de ratos lá na Flórida! Cheia de janelas de mica! Obaaa!

Atirou o carretel com mais força. Bateu na parte de baixo da parede, descreveu uma curva maluca e passou entre as grades da porta da cela, caindo no corredor. O sr. Guizos disparou atrás dele e Percy viu sua oportunidade.

— *Não, seu idiota!* — berrou Brutal, mas Percy não lhe deu ouvidos. Bem quando o sr. Guizos alcançou o carretel, concentrado demais nele para se dar conta de que seu velho inimigo estava por perto, Percy abateu com força a sola dura de uma botina negra em cima dele. Ouviu-se um estalido quando a espinha do sr. Guizos se partiu e o sangue esguichou-lhe pela boca. Seus olhinhos pretos se esbugalharam nas órbitas e neles li uma expressão de surpresa e angústia muito humana.

Delacroix gritou de horror e sofrimento. Atirou-se no chão da cela e esticou os braços através das grades, o mais longe que podia, berrando sem parar o nome do rato.

Percy voltou-se para ele, sorrindo. Para nós três.

— Pronto — falou. — Eu sabia que, mais cedo ou mais tarde, ia pegá-lo. Na verdade, era só uma questão de tempo. — Deu meia-volta e foi andando pelo Corredor Verde, sem pressa, deixando o sr. Guizos caído no linóleo numa poça, cada vez maior, do seu próprio sangue.

PARTE QUATRO

# A MORTE HORRENDA DE EDUARD DELACROIX

# 1

Além de tudo isso que escrevi, vim mantendo um pequeno diário desde que passei a morar em Georgia Pines. Nada demais, só um par de parágrafos por dia, na maioria das vezes a respeito do tempo, e ontem de noite dei uma folheada nele. Queria apenas ver quanto tempo fazia desde que meus netos, Christopher e Danielle, me obrigaram a vir para Georgia Pines. "É para o seu próprio bem, vovô", disseram eles. Claro que disseram. Não é isso que a maioria das pessoas diz quando finalmente consegue resolver como se livrar de um problema que anda e fala?

Faz pouco mais de um ano. O esquisito da coisa é que não sei se *parece* que foi um ano, ou mais do que isso ou menos. Minha noção de tempo parece estar se *derretendo*, como um boneco de neve de um menino no degelo de janeiro. É como se o tempo, como ele sempre existiu, hora oficial da Costa Leste, horário de verão, horário de trabalho, não existisse mais. Aqui só existe o tempo de Georgia Pines, que é composto de hora do velho, hora da velha e hora de mijar na cama. O resto... acabou.

Isso aqui é um lugar danado de perigoso. De início você não percebe, de início você pensa que é apenas um lugar chato, tão perigoso quanto um jardim de infância na hora da sesta, mas é perigoso sim. Vi uma porção de pessoas deslizarem para a senilidade desde que cheguei aqui, e às vezes é mais do que deslizar. Às vezes elas baixam com a velocidade de um submarino em mergulho de emergência. Elas chegam aqui basicamente bem, com a vista fraca e presas a uma bengala, talvez com a bexiga um pouco frouxa, mas, de resto, bem, e então alguma coisa acontece com elas. Um mês depois estão apenas sentadas na sala da televisão, olhando fixo para Oprah Winfrey na TV com olhos opacos, a mandíbula caída e um copo de suco de laranja esquecido numa das mãos, inclinado e pingando. Um mês depois disso, você tem que lhes dizer o nome dos filhos quando eles vêm visitar. E um mês depois disso, é o seu próprio maldito nome que você tem que lhes recordar. Alguma coisa lhes acontece, sim senhor: o tempo de Georgia Pines. O tempo aqui é como um ácido suave que primeiro apaga a memória e depois o desejo de continuar vivendo.

Temos que lutar contra isso. É o que digo a Elaine Connelly, minha amiga especial. Ficou melhor para mim depois que comecei a escrever sobre o que aconteceu comigo em 1932, o ano em que John Coffey foi para o Corredor Verde. Algumas das recordações são horríveis, mas posso senti-las aguçando minha mente e minha percepção do mesmo modo que uma lâmina afia um lápis, e isso faz com que o sofrimento compense. Mas só memória e escrita não são suficientes. Também tenho um corpo, por mais gasto e grotesco que ele possa ser agora, e o exercito o máximo que posso. No princípio era difícil. Velhos teimosos como eu não são lá grande coisa quando se trata de exercício apenas pelo exercício. Mas está mais fácil agora, pois minhas caminhadas têm um objetivo.

Saio antes do café da manhã, na maioria dos dias, logo que clareia, para dar minha primeira caminhada. Hoje de manhã estava chovendo e a umidade faz doer minhas juntas, mas surrupiei um poncho dos ganchos junto da porta da cozinha e saí assim mesmo. Quando um homem tem uma tarefa, ele tem que cumpri-la, e se isso dói, azar. Além disso, há compensações. A principal delas é manter aquela noção do tempo real, em oposição ao tempo de Georgia Pines. E gosto da chuva, com ou sem dores. Principalmente de manhã bem cedo, quando o dia está jovem e parece cheio de possibilidades, até mesmo para um garoto velho e acabado como eu.

Passei pela cozinha, parando para implorar por duas torradas a um dos cozinheiros com cara de sono, e depois saí. Atravessei o campo de croqué, depois o gramadinho de golfe cheio de ervas daninhas. Adiante dele há um pequeno bosque, com uma trilha sinuosa por dentro e nela um par de galpões, fora de uso e se enchendo sossegadamente de mofo. Fui pela trilha, devagar, escutando o sutil e secreto cair da chuva nos pinheiros, mascando um pedaço de torrada com os poucos dentes que me restam. Minhas pernas estavam doendo, mas era uma dorzinha fraca, administrável. De forma geral, me sentia bastante bem. Aspirei o ar cinzento e úmido o mais fundo que pude, absorvendo-o como alimento.

E quando cheguei ao segundo daqueles galpões velhos, entrei por uns momentos e tratei do meu negócio ali.

Quando viesse caminhando de volta pela trilha vinte minutos depois, poderia sentir o verme da fome se remexendo na barriga e acharia que podia comer alguma coisa mais substancial do que uma torrada. Um prato de aveia, talvez até uns ovos mexidos com salsicha. Adoro salsicha, sempre adorei, mas, hoje em dia, se como mais de uma, provavelmente fico desarranjado. Mas uma só não seria problema. Depois, com a barriga cheia e com o ar úmido ainda estimulando meu cérebro (ou, pelo menos, assim esperava), iria para o solário e escreveria sobre a execução de Eduard Delacroix. Faria isso o mais depressa que pudesse, a fim de não perder a coragem.

Quando atravessei o campo de croqué, na direção da porta da cozinha, era no sr. Guizos que estava pensando, em como Percy Wetmore tinha pisado nele e partido sua espinha, e como Delacroix tinha gritado quando percebeu o que seu inimigo tinha feito, e não vi Brad Dolan ali de pé, meio escondido pelo latão de lixo, até que ele estendeu a mão e agarrou meu pulso.

— Saiu para dar uma voltinha, Paulie? — perguntou.

Dei um tranco para trás e com um safanão arranquei meu pulso da mão dele. Parte disso foi só pelo susto, qualquer um dá um tranco quando leva um susto, mas não foi só isso. Tinha estado pensando em Percy Wetmore, lembre-se, e Brad sempre me faz lembrar de Percy. Em parte, isso se deve à forma como Brad anda sempre por aí com um livro enfiado no bolso (no caso de Percy era sempre uma revista masculina de aventuras, e no de Brad são livros de piadas que só são engraçadas se forem estúpidas ou de humor negro), em parte, por seu jeito de se portar como se fosse o Rei Merda da Montanha do Cocô, mas sobretudo porque ele é sorrateiro e gosta de magoar as pessoas.

Vi que ele tinha acabado de chegar ao serviço, nem tinha vestido a roupa branca de auxiliar de enfermagem. Estava usando jeans e uma camisa de estilo caubói com aspecto fuleiro. Numa das mãos havia os restos de um sonho que tinha surrupiado na cozinha. Estava de pé debaixo do beiral, comendo num local onde não iria se molhar. E de onde podia me observar, tenho agora plena certeza disso. Também tenho plena certeza de outra coisa: terei de tomar cuidado com o sr. Brad Dolan. Ele não gosta muito de mim. Não sei por que, mas também nunca soube por que Percy Wetmore não gostava de Delacroix. E não gostar é, na verdade, uma expressão fraca demais. Percy odiou Del desde o primeiro momento em que o francesinho chegou ao Corredor Verde.

— Que poncho é esse que você está usando, Paulie? — perguntou, virando a gola pelo avesso. — Este não é o seu.

— Peguei-o no corredor que dá para a cozinha — falei. Detesto quando ele me chama de Paulie e acho que ele sabe disso, mas não iria de jeito nenhum lhe dar a satisfação de ver minha reação. — Tem toda uma fileira deles. Não estou estragando de forma alguma, não acha? Afinal de contas, é para a chuva que ele é feito.

— Mas não foi feito para *você*, Paulie — disse ele, tornando a dar uma viradinha na gola. — É essa a questão. Essas capas são para os empregados, não para os residentes.

— Continuo não vendo que mal faz.

Lançou-me um sorrisinho fino.

— Não se trata de *fazer mal*, trata-se de *regras*. O que seria da vida sem regras? Paulie, Paulie, Paulie. — Abanou a cabeça, como se apenas olhar para mim o fizesse se arrepender de estar vivo. — Provavelmente você pensa que um peido velho feito você não precisa mais se importar com regras, mas isso simplesmente não é verdade. *Paulie*.

Sorrindo para mim. Não gostando de mim. Talvez até me odiando. E por quê? Não sei. Às vezes *não há* um porquê. Essa é a parte assustadora.

— Bem, lamento se violei as regras — disse eu. Saiu meio lamuriento, um pouco agudo, e fiquei com raiva de mim mesmo por ter falado desse jeito, mas sou velho, e as pessoas velhas falam num tom lamuriento com facilidade. Os velhos *ficam com medo* facilmente.

Brad acenou com a cabeça num sinal positivo.

— Desculpas aceitas. Agora vá pendurar isso de volta. De qualquer modo, você não tem nada que estar andando na chuva. Principalmente naquele bosque. Imagine se você escorregasse e caísse e quebrasse sua maldita bacia? Hã? Quem você acha que ia ter que carregar seu peso de volta encosta acima?

— Não sei — retruquei. Só queria me afastar dele. Quanto mais o escutava, mais ele se parecia com Percy. William Wharton, o louco que veio para o Corredor Verde no outono de 1932, uma vez agarrou Percy e lhe meteu tanto medo que Percy molhou as calças. Depois Percy dissera para todos nós: "*Se vocês falarem sobre isso com alguém, vocês todos vão para as filas da sopa dos pobres dentro de uma semana.*" Agora, passados todos esses anos, eu quase podia ouvir Brad Dolan dizendo essas mesmas palavras, naquele mesmo tom de voz. Era quase como se, por escrever sobre aqueles tempos idos, eu tivesse aberto alguma porta indescritível que liga o passado ao presente: Percy Wetmore a Brad Dolan, Janice Edgecombe a Elaine Connelly, a Prisão Estadual de Cold Mountain ao lar para pessoas idosas Georgia Pines. E se essa ideia não me tirar o sono hoje à noite, acho que nada o fará.

Fiz menção de entrar pela porta da cozinha e Brad tornou a me agarrar pelo pulso. Não sei quanto à primeira vez, mas dessa vez ele estava fazendo de propósito, apertando para machucar. Os olhos dele se moviam para um lado e para o outro, certificando-se de que não havia ninguém por perto no começo da manhã chuvosa, ninguém para vê-lo agredindo um dos velhos de quem ele devia tomar conta.

— O que você faz lá naquela trilha? — perguntou. — Sei que você não vai até lá e se masturba, esses tempos já passaram para você, então o que é que você faz?

— Nada — respondi, dizendo para mim mesmo que ficasse calmo, que não lhe mostrasse o quanto estava me machucando e ficasse calmo, me lembrasse de que ele só tinha mencionado a trilha, ele não sabia do galpão. — Eu apenas caminho. Para clarear a mente.

— Tarde demais para isso, Paulie, sua mente nunca mais vai ficar clara novamente. — Tornou a apertar meu pulso fino de velho, moendo os ossos quebradiços, os olhos se movendo de um lado para o outro sem parar, querendo ter certeza de que não corria perigo. Brad não receava violar as regras, só temia *ser apanhado* violando-as. E nisso também ele era como Percy Wetmore, que nunca deixava ninguém se esquecer de que era sobrinho do governador. — Velho como você é, é um milagre que consiga se lembrar de *quem* é. Você é velho *demais*, porra. Mesmo para um museu como este. Você me dá arrepios, Paulie.

— Largue-me — disse eu, tentando evitar o tom de lamentação na voz. E não foi por orgulho apenas. Achei que se ele o ouvisse, iria ficar inflamado, do mesmo jeito que o cheiro do suor às vezes pode inflamar um cão de mau gênio, que, não fosse por isso, apenas grunhiria, e levá-lo a morder. Isso me fez pensar num repórter que tinha feito a cobertura do julgamento de John Coffey. O repórter era um homem terrível chamado Hammersmith, e a coisa mais terrível nele era que ele próprio não sabia que era terrível.

Em vez de me soltar, Dolan apertou meu pulso de novo. Dei um gemido. Não queria, mas não consegui evitar. Doeu pelo corpo todo, até os tornozelos.

— O que você faz por lá, Paulie? Conte-me.

— Nada! — falei. Não estava chorando, ainda não, mas estava temendo começar a chorar logo se ele continuasse a me pressionar desse jeito. — Nada, eu só caminho, gosto de caminhar, solte-me!

Soltou-me, mas só o tempo suficiente para agarrar minha outra mão. A que estava fechada.

— Abra — disse ele. — Deixe o papai ver.

Abri e ele grunhiu de asco ante o que viu. Era apenas o que sobrara da minha segunda torrada. Tinha-a apertado na mão direita quando ele começara a apertar meu pulso esquerdo e havia manteiga, bem, margarina, é claro eles não têm manteiga de verdade aqui, nos meus dedos.

— Vá pra dentro e lave suas malditas mãos — falou, dando um passo para trás e outra dentada no sonho. — Deus do céu.

Subi os degraus. Minhas pernas estavam tremendo, meu coração disparado como um motor com vazamento nas válvulas e pistões velhos e descalibrados. Ao segurar a maçaneta que me deixaria entrar na cozinha e ficar em segurança, Dolan disse:

— Se você contar para alguém que eu apertei o coitadinho do seu pulso velho, Paulie, eu direi que você está tendo alucinações. Provavelmente, o começo de demência senil. E você sabe que eles vão acreditar em mim. Se houver hematomas, eles acharão que você próprio os causou.

É. Essas coisas eram verdadeiras. E mais uma vez podia ter sido Percy Wetmore que as estava dizendo, um Percy que de alguma maneira tinha permanecido moço e malvado, enquanto eu tinha ficado velho e frágil.

— Não vou contar nada a ninguém — murmurei. — Não tenho nada para contar.

— É isso mesmo, meu velho bonzinho. — Sua voz estava leve e zombeteira, a voz de um boçal (para usar a palavra de Percy) que achava que ia ficar jovem para sempre. — E vou descobrir em que você está metido. Vou me ocupar expressamente disso. Entendeu?

Entendi, muito bem, mas não lhe daria a satisfação de dizê-lo. Entrei, passei pela cozinha (agora podia sentir o cheiro dos ovos e salsichas sendo preparados, mas tinha perdido a vontade de ambos) e pendurei o poncho de volta no gancho. Depois subi a escada na direção do meu quarto, descansando a cada degrau, dando tempo ao meu coração para se acalmar, e juntei meu material de escrever.

Desci para o solário e mal estava me sentando ante a mesinha junto das janelas quando minha amiga enfiou a cabeça pela porta. Estava com um ar cansado e, eu achei, nada bem. Tinha penteado os cabelos, mas ainda estava de robe. Nós velhos bonzinhos não fazemos muita cerimônia. Na maioria das vezes, não podemos nos dar a esse luxo.

— Não vou perturbá-lo — falou ela. — Vejo que você está se preparando para escrever...

— Não seja boba — respondi. — Tenho mais tempo do que posso imaginar. Vamos, entre.

Ela entrou, mas ficou junto da porta.

— É só que não consegui dormir, novamente, e calhou de eu estar olhando pela minha janela um pouco mais cedo... e...

— E viu o sr. Dolan e eu tendo um papo agradável — disse eu. Fiquei na esperança de que ela só tenha visto, que sua janela estava fechada e que ela não me tinha ouvido implorando para ser solto.

— Não pareceu agradável nem amistoso — disse ela. — Paul, esse sr. Dolan anda fazendo perguntas por aí a seu respeito. Ele perguntou *a mim* sobre você. Isso foi na semana passada. Não dei muita importância naquela ocasião, porque ele é mesmo um abelhudo irritante sobre assuntos de outras pessoas, mas agora fico matutando.

— Fazendo perguntas a meu respeito? — Esperei que o tom da minha voz não estivesse revelando minha inquietação. — Perguntando o quê?

— Aonde você vai quando sai caminhando, por exemplo. E *por que* você vai caminhar.

Tentei rir.

— Aí está um homem que não acredita em fazer exercícios, isso pelo menos está claro.

— Ele acha que você tem algum segredo. — Ela fez uma pausa. — E eu também.

Abri a boca, não sei para dizer o quê, porém Elaine ergueu uma de suas mãos nodosas, mas estranhamente lindas, antes que eu pudesse dizer uma palavra.

— Se você tem, não quero saber o que é, Paul. Seus assuntos são seus assuntos. Fui educada para pensar assim, mas nem todo mundo teve o mesmo tipo de educação. Tenha cuidado. É tudo que quero lhe dizer. E agora deixarei você sozinho para fazer o seu trabalho.

Ela deu meia-volta para ir embora, mas antes que pudesse sair pela porta, chamei-a pelo nome. Ela se voltou, o olhar indagador.

— Quando eu terminar o que estou escrevendo... — comecei, depois abanei um pouco a cabeça. A colocação estava errada. — *Se* eu terminar o que estou escrevendo, você lerá?

Ela pareceu refletir sobre isso, depois me deu o tipo de sorriso pelo qual um homem poderia facilmente se apaixonar, mesmo um homem velho como eu.

— Isso seria uma honra para mim.

— É melhor você esperar até ler, antes de falar de honra — disse eu, e estava pensando na morte de Delacroix.

— Eu lerei, de qualquer modo — falou. — Cada palavra. Prometo. Mas antes você precisa terminar de escrever.

Ela foi embora, mas passou-se muito tempo antes que eu escrevesse qualquer coisa. Fiquei sentado, olhando para fora das janelas por quase uma hora, batendo com a caneta no lado da mesa, olhando o dia cinzento ir clareando aos poucos, pensando em Brad Dolan, que me chama de Paulie e nunca se cansa de piadas sobre chinas, olhos puxados, carcamanos e irlandeses, pensando no que Elaine Connelly tinha dito: *Ele acha que você tem algum segredo. E eu também.*

E talvez eu tenha. É, talvez eu tenha. E, é claro, Brad Dolan quer descobri-lo. Não porque ache que é importante (e não é, acho eu, exceto para mim mesmo), mas porque pensa que velhos como eu não devem ter segredos. Nada de pegar ponchos do gancho do lado de fora da cozinha; nada de segredos. Nada de ficar com ideias de que pessoas como nós ainda são seres humanos. E por que não devemos ter tais ideias? Ele não sabe. E nisso também se parece com Percy.

Então meus pensamentos, como um rio que faz um meandro em U fechado, finalmente me levaram de volta para onde estava quando Brad Dolan esticou a mão de debaixo do beiral da cozinha e agarrou meu pulso: de volta para Percy, o Percy Wetmore de espírito perverso, e como tinha se vingado do homem que rira dele. Delacroix atirou seu carretel colorido — o que o sr. Guizos ia buscar — e ele ricocheteou para fora da cela e caiu no corredor. Isso foi o bastante: Percy viu sua oportunidade.

## 2

— *Não, seu idiota!* — berrou Brutal, mas Percy não lhe deu ouvidos. Bem quando o sr. Guizos alcançou o carretel, concentrado demais nele para se dar conta de que seu velho inimigo estava por perto, Percy abateu com força a sola dura de uma botina negra em cima dele. Ouviu-se um estalido quando a espinha do sr. Guizos se partiu e o sangue esguichou-lhe pela boca. Seus olhinhos pretos se esbugalharam nas órbitas e neles li uma expressão de angustiada surpresa que era muito humana.

Delacroix gritou de horror e sofrimento. Atirou-se no chão da cela e esticou os braços através das grades, o mais longe que podia, berrando sem parar o nome do rato.

Percy voltou-se para ele, sorrindo. Para nós três.

— Pronto — falou. — Eu sabia que, mais cedo ou mais tarde, ia pegá-lo. Na verdade, era só uma questão de tempo. — Deu meia-volta e foi andando pelo Corredor Verde, deixando o sr. Guizos caído no linóleo, com o sangue se espalhando, vermelho sobre o verde.

Dean levantou-se da mesa de guarda, batendo no lado dela com o joelho e derrubando o tabuleiro de dominó no chão. As peças caíram e se espalharam em todas as direções. Nem Dean nem Harry, que estavam quase para ir embora, se importaram a mínima com a virada do tabuleiro.

— O que você fez desta vez? — berrou Dean para Percy. — Que diabos você fez desta vez, seu bestalhão?

Percy não respondeu. Passou pela mesa sem dizer uma palavra, assentando o cabelo com os dedos. Passou por dentro do meu escritório e entrou no depósito. William Wharton respondeu por ele:

— Chefe Dean? Acho que o que ele fez foi ensinar a um certo francês que rir dele não é uma atitude inteligente — falou e depois começou a rir com ele mesmo. Era uma risada boa, uma risada *da roça*, alegre e profunda. Durante aquele período da minha vida conheci pessoas (na maioria, de meter muito medo) que só pareciam normais quando riam. Wild Bill Wharton foi uma delas.

Aturdido, baixei os olhos novamente para o rato. Ele ainda estava respirando, mas havia minúsculas gotículas de sangue presas nos filamentos dos seus bigodes, e seus olhos de piche antes brilhantes estavam agora ficando vidrados e opacos. Brutal pegou o carretel colorido, olhou-o e depois olhou para mim. Ele parecia tão surpreso quanto eu. Atrás de nós, Delacroix continuava aos gritos de sofrimento e horror. É claro que não era só o rato. Percy tinha aberto um buraco nas defesas de Delacroix e todo o seu terror estava se despejando para fora. Porém o sr. Guizos era o foco de todos esses sentimentos contidos e era terrível escutá-lo.

— Oh não — gritava repetidamente, em meio a berros e súplicas e preces embaralhadas em francês cajun. — Oh não, oh não, pobre sr. Guizos, pobre querido sr. Guizos, oh não.

— Dá ele pra mim.

Ergui os olhos, intrigado por aquela voz profunda, primeiro sem ter certeza de a quem pertencia. Vi John Coffey. Como Delacroix, tinha posto os braços através das grades da porta da sua cela, mas ao contrário de Del, não estava agitando os braços, mas simplesmente mantendo-os esticados o mais que podia, as mãos espalmadas. Era uma pose intencional, quase de urgência. Sua voz também tinha essa mesma característica, e acho que foi por isso que inicialmente não a reconheci como sendo de Coffey. Ele estava parecendo um homem diferente da alma perdida e chorosa que ocupava essa cela nas últimas semanas.

— Dá ele pra mim, sr. Edgecombe! Enquanto ainda há tempo!

Então me lembrei do que ele tinha feito por mim e entendi. Supus que mal não podia fazer, mas achei que tampouco faria algum bem. Quando peguei o rato, fiz uma careta ante a sensação: havia tantos ossos estilhaçados espetando em vários pontos do couro do sr. Guizos que era o mesmo que pegar uma almofada para alfinetes coberta de pelo. Isso não era nenhuma infecção urinária. Mas mesmo assim...

— O que é que está fazendo? — perguntou Brutal quando coloquei o sr. Guizos na mão direita enorme de Coffey. — Que diabos está fazendo?

Coffey levou o rato para trás das grades. Ele estava mole na palma da mão de Coffey, a cauda dependurada no arco formado entre o polegar e o indicador, a ponta dando uns espasmos fracos no ar. Coffey então cobriu a mão direita com a esquerda, formando uma espécie de cuia para o rato. Não enxergávamos mais o sr. Guizos propriamente dito, apenas a cauda dependurada e com a ponta se movendo como se fosse um pêndulo moribundo. Coffey ergueu as mãos na direção do rosto, abrindo os dedos da mão direita ao mesmo tempo, criando intervalos semelhantes aos das grades de uma prisão. Agora a cauda do rato, dependurada do lado das mãos, estava de frente para nós.

Brutal deu um passo para junto de mim, ainda com o carretel colorido entre os dedos.

— O que ele está pretendendo fazer?

— Shhh — fiz eu.

Delacroix tinha parado de gritar e sussurrou:

— Por favor, John. Oh, Johnny, ajude-o, por favor, ajude-o, oh *s'il vous plaît*.

Dean e Harry se juntaram a nós, Harry ainda segurando algumas peças do dominó numa das mãos.

— O que está acontecendo? — perguntou Dean, mas eu apenas sacudi a cabeça. Estava me sentindo hipnotizado de novo, juro que estava.

Coffey pôs a boca entre dois dos seus dedos e aspirou profundamente. Por um instante tudo ficou em suspenso. Então ele ergueu a cabeça, afastando-a das mãos, e vi o rosto de um homem que estava com náuseas demais ou com dores intensas. Os olhos estavam ardentes, os dentes de cima mordiam seu grosso lábio inferior, o rosto escuro tinha ficado mais claro, assumindo uma cor desagradável que parecia cinza misturada com lama. Bem do fundo da sua garganta saiu um som entalado.

— Meu Santo Deus do céu — sussurrou Brutal. Seus olhos pareciam a ponto de saltar das órbitas.

— O quê? — Dean quase ladrou. — *O quê?*

— A cauda! Não está vendo? A *cauda*!

A cauda do sr. Guizos não parecia mais um pêndulo moribundo. Ela se movia agilmente de um lado para o outro, como o rabo de um gato que está com vontade de pegar passarinho. E então, de dentro das mãos em copa de Coffey, veio um gritinho perfeitamente conhecido.

Coffey fez de novo aquele som engasgado, entalado, depois virou a cabeça para o lado como um homem que puxou um bocado de catarro e pretende cuspi-lo. Em vez disso, ele exalou pela boca e pelo nariz uma nuvem de insetos negros. Eu *acho* que eram insetos, e os outros disseram a mesma coisa, mas até hoje não tenho certeza. Fervilharam em volta dele como uma nuvem escura que momentaneamente ocultou suas feições.

— Meu Deus, o que são essas coisas? — perguntou Dean numa voz aguda e assustada.

Ouvi minha própria voz dizer:

— Está tudo bem. Não entre em pânico, está tudo bem, vão desaparecer dentro de uns segundos.

Tal como quando Coffey curou minha infecção urinária, os “insetos” foram ficando brancos e então desapareceram.

— Puta merda — sussurrou Harry.

— Paul? — perguntou Brutal numa voz incerta. — Paul?

Coffey estava com aparência normal de novo, como um sujeito que conseguiu expelir um pedaço de carne que o estava sufocando.

Abaixou-se, apoiou as mãos em copa no chão, espreitou por entre os dedos e então os abriu. O sr. Guizos, perfeitamente bem, sem nenhum desvio na coluna, nenhum calombo dos lados, saiu correndo. Parou por um instante na porta da cela de Coffey, depois cruzou correndo o corredor até a cela de Delacroix. Quando ele passou, notei que ainda havia gotículas de sangue nos seus bigodes.

Delacroix pegou-o com as duas mãos, rindo e chorando ao mesmo tempo, cobrindo o rato com beijos estalados e desinibidos. Dean, Harry e Brutal ficaram olhando maravilhados, em silêncio. Então Brutal avançou e estendeu o braço por entre as grades para entregar o carretel para Delacroix. De início ele não o viu, tão entretido estava com o sr. Guizos. Era como um pai cujo filho acabou de ser salvo de um afogamento. Brutal tocou-o no ombro com o carretel. Delacroix olhou, viu o carretel, pegou-o e voltou-se novamente para o sr. Guizos, afagando-lhe o pelo e devorando-o com os olhos, precisando reavivar sem parar sua percepção de que, sim, o rato estava bem, o rato estava inteiro, em perfeita saúde e muito bem.

— Jogue-o — disse Brutal. — Quero ver como ele corre.

— Ele tá bem, chefe Howell, tá bem, graças a Deus...

— Jogue-o — repetiu Brutal. — Faça como estou dizendo, Del.

Delacroix se inclinou, visivelmente relutante, claramente não querendo deixar o sr. Guizos sair de suas mãos de novo, pelo menos não ainda. Então, de modo muito suave, jogou o carretel. Ele rolou pela cela, passou pela caixa de charutos Corona e foi até a parede. O sr. Guizos saiu atrás dele, mas não com a mesma velocidade que exibia antes. Parecia estar mancando só um pouco com a pata traseira esquerda e foi isso que mais me impressionou. Era isso, acho eu, que tornava tudo real. Aquele pequeno mancar.

Apesar disso, chegou ao carretel muito bem e empurrou-o com o focinho de volta para Delacroix com todo seu velho entusiasmo. Voltei-me para John Coffey, que estava de pé na porta da cela, sorrindo. Era um sorriso cansado e não o que eu chamaria de realmente feliz, mas a ansiedade aguda com que implorara para que lhe entregássemos o rato tinha desaparecido, bem como o olhar de dor e medo, como se estivesse se sufocando. Era o nosso John Coffey de novo, com sua expressão meio ausente e seus olhos estranhos, perdidos na distância.

— Você o ajudou — disse eu. — Não ajudou, garotão?

— Isso mesmo — disse Coffey. O sorriso se abriu um pouco mais e por um ou dois segundos *foi* um sorriso feliz. — Eu o ajudei. Eu ajudei o rato de Del, eu ajudei... — Foi parando de falar, não conseguindo se lembrar do nome.

— Sr. Guizos — falou Dean. Estava olhando para John com uma expressão cuidadosa e desconfiada, como se esperando que Coffey irrompesse em chamas ou começasse a levitar dentro da cela.

— Isso mesmo — disse Coffey. — Sr. Guizos. Ele é um rato de circo. Vai morar dentro da mica.

— Pode apostar o que quiser — disse Harry vindo olhar para John Coffey como nós. Atrás de nós, Delacroix estava deitado no catre, com o sr. Guizos sobre o peito. Del estava cantarolando baixinho para ele, cantando uma canção francesa que parecia canção de ninar.

Coffey lançou um olhar pelo Corredor Verde, na direção da mesa de guarda e da porta que levava ao meu escritório e, mais adiante, ao depósito.

— O chefe Percy é mau — disse ele. — O chefe Percy é perverso. Ele pisou no rato de Del. Ele pisou no sr. Guizos.

E então, antes que pudéssemos dizer qualquer coisa para ele, se tivéssemos podido pensar em alguma coisa para dizer, John Coffey voltou para o catre, deitou-se e rolou de lado para ficar de cara para a parede.

## 3

Percy estava de pé, de costas para nós, quando Brutal e eu entramos no depósito uns vinte minutos mais tarde. Ele tinha encontrado uma lata de polidor de móveis numa prateleira por cima do cesto de vime onde colocávamos nossos uniformes sujos (e, às vezes, nossas roupas particulares: a lavanderia da prisão não se importava com o que lavava) e estava polindo os braços e pernas de carvalho da cadeira elétrica. Isso provavelmente lhe parece estranho, talvez até mesmo macabro, mas para Brutal e para mim isso era a coisa mais normal que Percy tinha feito a noite toda. A Velha Fagulha ia encontrar seu público amanhã e Percy pelo menos parecia estar assumindo a responsabilidade.

— Percy — eu disse em voz baixa.

Ele se virou, a musiquinha que estava cantarolando morrendo na garganta, e olhou para nós. Não vi o medo que esperava, pelo menos não logo de início. Dei-me conta de que Percy de algum modo parecia mais velho. E pensei, John Coffey tinha razão. Ele tinha um ar perverso. A perversidade é como uma droga que vicia, ninguém na face da terra está melhor qualificado do que eu para dizer isso, e pensei que Percy, depois de experimentar um pouco, tinha ficado viciado nela. Ele gostou do que fez com o rato de Delacroix. Do que ele gostou mais ainda foi dos gritos desesperados de Delacroix.

— É melhor nem começar — falou ele num tom de voz que era quase agradável. — Quero dizer, puxa, era apenas um rato. Aqui nunca foi o lugar dele, pra início de conversa, como vocês rapazes sabem muito bem.

— O rato está muito bem — disse eu. Meu coração estava batendo disparado no meu peito, mas fiz com que minha voz saísse suave, quase despreocupada. — Muito bem mesmo. Correndo, dando gritinhos e saindo atrás do carretel novamente. Você é tão ruim em matéria de matar ratos como na maioria das outras coisas que faz por aqui.

Ele estava olhando para mim, espantado e incrédulo.

— Você acha que vou acreditar nisso? A maldita coisa ficou esmagada! Eu ouvi! Então pode simplesmente...

— Cale a boca.

Ele arregalou os olhos para mim.

— O quê? O que você falou pra mim?

Dei mais um passo na direção dele. Podia sentir uma veia latejando no meio da minha testa. Não conseguia me lembrar da última vez em que tinha sentido tanta raiva assim.

— Você não está contente de o sr. Guizos estar bem? Depois de todas as nossas conversas sobre como nosso trabalho é manter os presos calmos, especialmente quando chega perto do fim para eles, eu pensei que você fosse ficar contente. Aliviado. Já que Del vai ter que dar sua caminhada amanhã e tudo o mais.

Percy olhou de mim para Brutal, sua calma estudada se desmanchando em incerteza.

— Que espécie de brincadeira vocês acham que estão fazendo? — indagou.

— Nada disso é brincadeira, meu amigo — disse Brutal. — Você está pensando que é... Bem, essa é apenas uma das razões por que não se pode ter confiança em você. Quer saber a verdade absoluta? Acho que você é um caso muito triste.

— É melhor você tomar cuidado — disse Percy. Agora sua voz tinha assumido um tom áspero. O medo estava se esgueirando de volta afinal, medo do que poderíamos estar querendo com ele, medo do que poderíamos estar tramando. Gostei de percebê-lo. Tornaria mais fácil lidar com ele. — Eu conheço pessoas. Pessoas importantes.

— É o que você diz, mas você é tão sonhador — disse Brutal. Parecia estar prestes a dar uma gargalhada.

Percy largou o pano de polir no assento da cadeira com suas alças metálicas nos braços e nas pernas.

— Eu matei aquele rato — falou num tom que não estava muito firme.

— Vá e confira você mesmo — disse eu. —Estamos num país livre.

— Eu vou — retrucou. — Eu vou.

Passou rápido por nós, a boca cerrada, as mãos pequenas (Wharton tinha razão, elas eram bonitinhas) mexendo com o pente. Subiu os degraus e meteu-se pelo meu escritório. Brutal e eu ficamos ao lado da Velha Fagulha, calados, esperando que ele voltasse. Não sei quanto a Brutal, mas eu não conseguia pensar em nada que dizer. Não sabia nem como pensar sobre o que tínhamos acabado de ver.

Passaram-se três minutos. Brutal pegou o pano de Percy e começou a polir as tábuas grossas do encosto da cadeira elétrica. Tivera tempo de terminar uma e começar outra quando Percy voltou. Tropeçou e quase caiu descendo os degraus do escritório até o piso do depósito e, quando veio na nossa direção, seus passos estavam irregulares. Sua fisionomia era de choque e incredulidade.

— Vocês o trocaram — disse numa voz estridente de acusação. — De alguma maneira, vocês o trocaram, seus canalhas. Vocês estão brincando comigo e vão se arrepender amargamente se não pararem! Vou vê-los nas malditas filas de sopa dos pobres, se não pararem! Quem é que vocês pensam que são?

Parou, ofegante, os punhos cerrados.

— Vou lhe dizer quem nós somos — falei. — Nós somos as pessoas com quem você trabalha, Percy... Mas não por muito mais tempo. — Estendi os braços e baixei pesadamente as mãos sobre seus ombros. Não com muita força, mas agarrando-os bem. Agarrando, sim.

Percy ergueu as mãos para se livrar.

— Tire suas...

Brutal agarrou a mão direita dele. Ela toda, pequena, macia e branca, sumiu dentro do punho bronzeado de Brutal.

— Feche esse seu buraco de comer, filhinho. Se souber o que é melhor pra você, aproveitará esta última oportunidade de tirar a cera dos ouvidos.

Dei meia-volta nele, levantei-o para cima da plataforma, depois o empurrei de costas até que seus joelhos bateram de encontro ao assento da cadeira elétrica e ele teve que se sentar. Sua calma tinha desaparecido; a perversidade e a arrogância também. Essas coisas todas existiam de verdade, mas você precisa se lembrar que Percy era muito moço. Na idade dele, elas são apenas uma camada fina, como uma tonalidade feia de esmalte. Ainda era possível abrir umas fendas através dela. E achei que Percy estava pronto para escutar.

— Quero que me dê sua palavra — disse eu.

— Minha palavra sobre o quê? — Sua boca ainda estava tentando fazer um gesto de desprezo, mas seus olhos estavam aterrorizados. A força estava desligada no quartinho da chave geral, mas o assento de madeira da Velha Fagulha tinha sua força própria e calculei que, naquele exato momento, Percy a estava sentindo.

— Sua palavra de que se o colocarmos na posição principal para a função de amanhã à noite, você vai para Briar Ridge e nos deixa em paz — disse Brutal, falando com uma veemência que nunca vira nele antes. — Que você vai requerer a transferência na manhã seguinte sem falta.

— E se eu não fizer isso? Se eu simplesmente telefonar para certas pessoas e lhes disser que vocês estão provocando e me ameaçando? Que estão me *perseguindo*?

— Poderíamos levar a pior se suas ligações são tão boas como você parece pensar que são — disse eu —, mas nós também iríamos providenciar para que você deixasse sua boa dose de sangue no chão, Percy.

— Por causa daquele rato? Hã! Vocês acham que alguém vai se importar porque eu pisei no rato de estimação de um assassino condenado? Isto é, fora desta casa de loucos?

— Não. Mas três homens viram você ficar parado, se borrando de medo, enquanto Wild Bill Wharton estava tentando estrangular Dean Stanton com as correntes dos pulsos. Com isso as pessoas *vão* se importar, Percy, posso lhe garantir. Com isso até o governador vai se importar.

As bochechas e a testa de Percy ficaram malhadas de vermelho.

— Acham que vão acreditar em vocês? — perguntou, mas a voz tinha perdido sua força raivosa. Estava claro que *ele* pensou que alguém poderia acreditar em nós. E Percy não gostava de ficar em dificuldades. Violar as regras estava bem. Ser apanhado violando-as, não.

— Bem, tenho algumas fotos do pescoço de Dean antes de sumirem os hematomas — disse Brutal. Eu não tinha a menor ideia se isso era ou não verdade, mas sem dúvida caiu bem. — Sabe o que essas fotos dizem? Que Wharton teve um bocado de tempo para fazer isso antes que alguém o arrancasse de cima, embora você estivesse bem junto dali, e ainda por cima do lado em que Wharton não podia ver. Você ia ter umas perguntas difíceis de responder, não ia? E uma coisa dessas é capaz de acompanhar um homem por bastante tempo. É provável que ela ainda esteja com ele muito depois que seus parentes já saíram da capital do estado e voltaram para casa, para tomar limonada com hortelã na varanda da frente. A ficha de trabalho de um homem é uma coisa muito interessante, e uma porção de gente tem ocasião de dar uma olhada nela durante o curso de uma vida.

Os olhos de Percy ficaram saltando, desconfiados, entre nós dois. Alisou os cabelos com a mão esquerda. Não falou nada, mas achei que quase o tínhamos apanhado.

— Venha, vamos parar com isso — disse eu. — Você quer sair daqui tanto quanto eu, não é?

— Eu odeio isso aqui! — explodiu. — Odeio a forma como você me trata, a forma como você nunca me dá uma oportunidade!

Essa última parte estava longe de ser verdade, mas achei que não era o momento de discutir sobre isso.

— Mas também não gosto de ser empurrado de um lado pro outro. Meu pai me ensinou que depois que você envereda por esse caminho, o mais provável é você deixar que as pessoas façam o que quiserem com você o resto da sua vida toda. — Seus olhos, que eram quase tão bonitos como suas mãos, faiscaram. — Eu não gosto principalmente de ser empurrado pra cá e pra lá por gorilas como esse sujeito. — Lançou um olhar para meu velho amigo e grunhiu. — Brutal; pelo menos você tem o apelido certo.

— Você precisa entender uma coisa, Percy — falei. — Da forma como nós vemos as coisas, é você que *nos* tem empurrado de um lado para o outro. Nós estamos sempre lhe dizendo como fazemos as coisas por aqui e você fica sempre fazendo as coisas do seu próprio jeito, depois se escondendo por trás das suas ligações políticas quando as coisas dão errado. Pisar em cima do rato de Delacroix... — Brutal atraiu meu olhar e recuei depressa. — *Tentar* pisar em cima do rato de Delacroix é apenas um exemplo. Você força, força e força; finalmente, nós estamos forçando de volta, é só isso. Mas ouça, se você proceder bem, sairá bem disso, como um rapaz subindo na vida e fazendo boa figura. Ninguém jamais saberá dessa nossa conversinha. Então, o que me diz? Aja como adulto. Prometa que irá embora depois de Del.

Ele refletiu sobre isso. E, depois de um ou dois minutos, seus olhos assumiram uma expressão, do tipo que um sujeito tem quando acabou de ter uma boa ideia. Não gostei muito disso, porque qualquer ideia que Percy achasse boa não seria boa para nós.

— Fora qualquer outra coisa — disse Brutal —, pense só como vai ser bom ir para longe daquele saco de pus do Wharton.

Percy assentiu com a cabeça e deixei-o sair da cadeira. Endireitou a camisa do uniforme, enfiou-a para dentro da calça nas costas, deu uma ajeitada nos cabelos com o pente. Depois olhou para nós.

— Está bem, concordo. Fico no lugar principal amanhã à noite para Del e peço transferência para Briar Ridge na manhã seguinte sem falta. Declaramos encerrada a fatura agora mesmo. Está bom assim?

— Está bom assim — respondi. Ele ainda estava com aquela expressão nos olhos, mas naquele exato momento estava aliviado demais para me importar.

Ele estendeu a mão.

— Vamos apertar as mãos para selar o trato?

Apertei-lhe a mão. Brutal também.

Que idiotas fomos.

## 4

O dia seguinte foi o mais pesado de todos e o último do nosso estranho calor de outubro. Trovões roncavam no oeste quando fui trabalhar e as nuvens escuras estavam começando a se acumular lá naquelas bandas. Elas se aproximaram à medida que caía a noite e podíamos ver forquilhas de raios de um azul esbranquiçado saltando de dentro delas. Por volta das dez daquela noite houve um furacão no condado de Trapingus, que matou quatro pessoas e arrancou o telhado de um estábulo de cavalos em Tefton, e tempestades furiosas e ventos com força de vendaval em Cold Mountain. Mais tarde tive a impressão de que os próprios céus protestaram contra a morte horrenda de Eduard Delacroix.

No começo tudo andou muito bem. Del tinha passado um dia sossegado na sua cela, às vezes brincando com o sr. Guizos, mas a maior parte do tempo apenas deitado no catre fazendo carinhos nele. Wharton tentou começar encrenca algumas vezes — uma vez ele falou aos berros para Del sobre os hambúrgueres de rato que íamos comer depois que o velho Pierre Sortudo estivesse dançando num pé só no Inferno — mas o cajun baixinho não respondeu e Wharton, aparentemente achando que essa tinha sido sua melhor tentativa, desistiu.

Às 22h15, o irmão Schuster apareceu e nos deu uma grande alegria ao dizer que recitaria o Padre-Nosso com Del em francês cajun. Isso parecia um bom sinal. Quanto a isso, é claro, estávamos todos enganados.

As testemunhas começaram a chegar por volta das 11, a maioria falando em voz baixa sobre o temporal que estava vindo e especulando sobre a possibilidade de uma falta de energia fazer adiar a eletrocussão. Nenhuma delas parecia saber que a Velha Fagulha funcionava com um gerador e, a menos que ele fosse atingido diretamente por um raio, o espetáculo iria em frente. Nessa noite, Harry estava na sala de controle, de modo que ele, Bill Dodge e Percy Wetmore atuavam como recepcionistas, conduzindo as pessoas às suas cadeiras e perguntando a cada uma se desejava um copo-d'água gelada. Havia duas mulheres presentes: a irmã da menina que Del tinha estuprado e assassinado e a mãe de uma das vítimas do incêndio. Esta última senhora era uma mulher grande, pálida e decidida. Disse a Harry Terwilliger que esperava que o homem que ela tinha vindo ver estivesse bem apavorado, que soubesse que o fogo estava bem forte na fornalha só para ele e que os diabinhos de Satã estavam à sua espera. Depois explodiu em lágrimas e ocultou o rosto num lenço de renda que era quase do tamanho de uma fronha.

As trovoadas, que o telhado de zinco mal abafava, ressoavam com violência. As pessoas olhavam para cima, inquietas. Homens que pareciam se incomodar de usar gravata tão tarde da noite passavam o lenço nas bochechas avermelhadas. No depósito estava mais quente do que no inferno. E, é claro, não paravam de ficar voltando os olhos para a Velha Fagulha. Eles podiam ter feito piadas sobre essa tarefa no princípio da semana, mas, por volta das onze e meia daquela noite, as piadas tinham acabado todas. Comecei tudo isso dizendo-lhes que as coisas perdiam a graça rapidamente para as pessoas que tinham que se sentar naquela cadeira de carvalho, porém não eram só os condenados que perdiam seus sorrisos quando afinal chegava a hora. De algum modo, a cadeira parecia tão *despida*, acachapada ali na plataforma, com as alças das pernas se projetando para cada lado, parecendo com as coisas que uma pessoa com pólio teria que usar. Não havia muita conversa, e quando o trovão estourou de novo, tão nítido e próximo como uma árvore se rachando, a irmã da vítima de Delacroix soltou um pequeno grito. A última pessoa a tomar seu lugar na seção reservada para as testemunhas foi Curtis Anderson, o substituto do diretor Moores.

Às onze e trinta me aproximei da cela de Delacroix, com Brutal e Dean caminhando ligeiramente atrás de mim. Del estava sentado no catre, com o sr. Guizos no colo. A cabeça do rato estava esticada para a frente, na direção do condenado, seus olhinhos de piche grudados no rosto de Del. O preso estava afagando o topo da cabeça do sr. Guizos, entre a orelhas. Lágrimas grandes e silenciosas lhe rolavam pelo rosto e parecia que o rato estava olhando exatamente para elas. Del ergueu os olhos ao ouvir o som dos nossos passos. Estava muito pálido. Pressenti, mais do que vi, John Coffey atrás de mim, de pé junto da porta da cela, observando.

Del fez uma careta quando ouviu minhas chaves batendo no metal, mas se manteve firme, continuando a afagar a cabeça do sr. Guizos, enquanto eu destravava as fechaduras e corria a porta para abri-la.

— Olá, chefe Edgecombe — disse ele. — Olá, rapazes. Diga olá, sr. Guizos. — Mas o sr. Guizos apenas continuou a olhar embevecido para o rosto do homenzinho careca, como se estivesse intrigado quanto à causa de suas lágrimas. O carretel colorido tinha sido posto cuidadosamente de lado na caixa de Corona. Posto de lado pela última vez, pensei eu com um aperto no peito.

— Eduard Delacroix, como funcionário desse tribunal...

— Chefe Edgecombe?

Pensei em simplesmente continuar com meu discurso padrão, depois mudei de ideia.

— O que é, Del?

Ele estendeu o rato para mim.

— Tome. Não deixe nada acontecer com o sr. Guizos.

— Del, acho que ele não vai vir comigo. Ele não é...

— *Mais oui*, ele disse que vai. Disse que sabe tudo a seu respeito, chefe Edgecombe, e que o senhor vai levá-lo para aquele lugar na Flórida onde os ratinhos exibem suas habilidades. Disse que confia no senhor. — Esticou ainda mais a mão e juro que o rato saiu da palma da mão dele e passou para o meu ombro. Era tão leve que nem podia senti-lo através da jaqueta do meu uniforme, mas o percebia como um calorzinho. — E, chefe? Não deixe aquele malvado chegar perto dele novamente. Não deixe aquele malvado machucar o meu rato.

— Não, Del, não deixarei. — A questão era o que eu iria fazer com ele naquele exato momento. Não poderia fazer Delacroix desfilar na frente das testemunhas com um rato empoleirado no meu ombro.

— Eu fico com ele, chefe — roncou uma voz atrás de mim. Era a voz de John Coffey, e era estranho como ela surgiu precisamente naquele momento, como se ele tivesse lido meus pensamentos. — Só por enquanto. Se Del não se importar.

Del assentiu com a cabeça, aliviado.

— É, você fica com ele, John, até essa baboseira terminar. *Bien!* E depois... — Seu olhar voltou-se para Brutal e para mim. — Vocês vão levá-lo lá para a Flórida. Para aquele lugar Mouseville.

— Isso, o mais provável é que Paul e eu façamos isso juntos — disse Brutal, observando com um olhar perturbado e inquieto o sr. Guizos passar do meu ombro para a enorme palma estendida de Coffey. O sr. Guizos fez isso sem qualquer reclamação ou tentativa de fugir; na realidade, ele galgou o braço de John Coffey tão prontamente como tinha passado para o meu ombro. — Vamos tirar um pouco de nossas férias juntos. Não vamos, Paul?

Confirmei com a cabeça. Del confirmou também, os olhos luzindo, um vestígio de sorriso nos lábios.

— As pessoas pagam dez centavos cada uma para ele. Dois centavos, as criancinhas. Não é assim, chefe Howell?

— Isso mesmo, Del.

— O senhor é um homem bom, chefe Howell — disse Del. — O senhor também, chefe Edgecombe. O senhor berra comigo às vezes, *oui*, mas só se precisar. São todos homens bons, exceto aquele Percy. Gostaria de ter conhecido os senhores em algum outro lugar. *Mauvais temps, mauvais chance.*

— Tenho uma coisa para falar para você, Del — disse eu. — São apenas as palavras que tenho que dizer para todas as pessoas antes de darmos a caminhada. Nada de mais, porém faz parte do meu trabalho. Está bem?

— *Oui, monsieur* — disse ele e olhou pela última vez para o sr. Guizos, empoleirado no ombro largo de John Coffey. — *Au revoir, mon ami* — disse, começando a chorar mais forte. — *Je t'aime, mon petit.* — Mandou um beijo para o rato. Esse beijo mandado assim deveria ter sido engraçado, ou talvez grotesco, mas não foi. Meus olhos encontraram os de Dean por um instante, depois tive que desviá-los. Dean olhou pelo corredor na direção da solitária e deu um sorriso estranho. Acho que estava à beira das lágrimas. Quanto a mim, falei o que tinha que falar, começando com a parte sobre como eu era um funcionário do tribunal, e quando terminei, Delacroix saiu de sua cela pela última vez.

— Espere mais um segundo, chefe — disse Brutal, e conferiu o ponto raspado no cocuruto da cabeça de Del, onde o capacete iria ser colocado. Confirmou com a cabeça para mim, depois deu uma batidinha no ombro de Del. — Rente que nem pão quente. Estamos a caminho.

Assim, Eduard Delacroix deu sua última caminhada no Corredor Verde, com pequenos fios de suor e lágrimas misturados descendo-lhe pelo rosto e enormes trovões rolando nos céus. Brutal foi do lado esquerdo do condenado, eu do direito e Dean atrás.

Schuster estava no meu escritório, com os guardas Ringgold e Battle de pé nos cantos, de sentinelas. Schuster levantou os olhos para Del, sorriu e dirigiu-se a ele em francês. Pareceu-me um pouco forçado, mas funcionou às mil maravilhas. Del retribuiu o sorriso, depois foi até Schuster, colocou os braços em volta dele, abraçou-o apertado. Ringgold e Battle ficaram tensos, mas ergui as mãos para eles e abanei a cabeça.

Schuster ouviu a torrente de Del em francês embargado pelas lágrimas, assentiu com a cabeça como se estivesse entendendo tudo perfeitamente e deu-lhe uns tapinhas nas costas. Olhou para mim por cima do ombro do baixinho e disse:

— Mal entendo um quarto do que ele está dizendo.

— Acho que não faz diferença — roncou Brutal.

— Também acho que não, filho — retrucou Schuster com um sorriso grande. Ele era o melhor de todos e agora me dou conta de que não sei o que foi feito dele. Espero que tenha mantido sua fé, seja lá o que mais tenha perdido.

Pediu que Delacroix ficasse de joelhos, depois juntou as mãos. Delacroix fez o mesmo.

— *Not' Père, qui êtes aux cieux* — começou Schuster, e Delacroix se juntou a ele. Recitaram juntos a Oração do Senhor, naquele francês cajun que soava fluido, todinha até "*mais déliverez-nous du mal, ainsi soit-il*". A essa altura, as lágrimas de Del tinham cessado quase por completo e ele tinha a aparência calma. Seguiram-se alguns versículos da Bíblia (em inglês), sem faltar o velho conhecido a respeito das águas tranquilas. Quando isso terminou, Schuster começou a se levantar, porém Del ficou agarrado na manga da camisa dele e disse alguma coisa em francês. Schuster ouviu com cuidado, franzindo a testa. Respondeu. Del disse alguma outra coisa, depois olhou para ele com uma expressão esperançosa.

Schuster virou-se para mim e disse:

— Ele ainda tem mais uma coisa, sr. Edgecombe. Uma prece com a qual não posso ajudá-lo devido à minha fé. Pode ser?

Olhei para o relógio de parede e vi que faltavam 17 minutos para a meia-noite.

— Pode — respondi —, mas tem que ser rápido. Temos um horário a cumprir, você sabe.

— Sei, sim. — Virou-se para Delacroix e indicou-lhe que sim com a cabeça.

Del fechou os olhos como se fosse rezar, mas por um instante não disse nada. Sua testa se franziu toda e tive a impressão de que ele estava buscando no fundo da mente tal como um homem é capaz de procurar num sótão um objeto que não foi usado (ou do qual não precisou) durante muito, muito tempo. Olhei novamente para o relógio e quase disse algo. Teria dito se Brutal não tivesse me torcido a manga e sacudido a cabeça.

Então Del começou, falando baixo, porém depressa, naquele cajun que era tão redondo, macio e sensual como o seio de uma moça:

"*Je vous salue, Marie, oui, pleine de grâce; le Seigneur est avec vous; vous êtes bénie entre toutes les femmes, et mon cher Jésus, le fruit de vos entrailles, est béni.*" Estava chorando de novo, mas creio que não percebeu. "*Sainte Marie, Ô ma mère, Mère de Dieu, priez pour moi, priez pour nous, pauv' pécheurs, maint'ant et à l'heure... l'heure de nôtre mort. L'heure de mon mort.*" Respirou fundo, estremecendo. "*Ainsi soit-il.*"

Um relâmpago derramou um rápido clarão azul-claro pela única janela da sala quando Delacroix se pôs de pé. Todos deram um salto e se encolheram, com exceção do próprio Del, que ainda parecia perdido na prece antiga. Estendeu uma das mãos, sem olhar para onde ela ia. Brutal pegou-a e apertou-a por alguns instantes. Delacroix olhou para ele e deu um pequeno sorriso.

— *Nous voyons...* — começou e logo parou. Num esforço consciente, reverteu para o inglês. — Podemos ir agora, chefe Howell, chefe Edgecombe. Estou de bem com Deus.

— Que bom — disse eu, perguntando-me como Del iria se sentir de bem com Deus dali a vinte minutos, quando estivesse do outro lado da eletricidade. Esperava que sua última prece tivesse sido ouvida e que a Santa Maria estivesse rezando por ele com todo seu coração e toda sua alma, porque Eduard Delacroix, estuprador e assassino, naquele exato momento necessitava de todas as preces com que pudesse contar. Do lado de fora, o trovão se abateu pelos céus afora novamente. — Vamos, Del. Não falta muito agora.

— Muito bem, chefe, está muito bem. Porque não estou mais com medo. — Isso foi o que ele disse, mas pude ver nos seus olhos que, com ou sem Padre-Nosso, com ou sem Ave-Maria, estava mentindo. Quando chegam ao final do carpete verde e se abaixam para passar pela portinha, quase todos eles estão com medo.

— Pare no fim dos degraus, Del — disse-lhe em voz baixa quando ele passou, mas foi uma instrução que não precisava ter-lhe dado. Ele parou depois do último degrau sim, parou de repente, e o que o fez parar assim foi a visão de Percy Wetmore de pé na plataforma, com o balde com a esponja ao lado de um pé e o telefone da linha direta com o governador apenas visível ao fundo, além do seu quadril direito.

— *Non* — disse Del com a voz baixa e horrorizada. — *Non*, *non*, ele não!

— Continue andando — disse Brutal. — Apenas mantenha seus olhos em mim e em Paul. Esqueça-se inteiramente de que ele está ali.

— Mas...

Algumas pessoas se viraram para olhar para nós, porém, movendo um pouco meu corpo, ainda pude agarrar firme o cotovelo esquerdo de Delacroix sem ser visto.

— Firme — eu disse num tom de voz que só Del, e talvez Brutal, podia escutar. — A única coisa de que a maioria dessas pessoas vai se lembrar é de como você se foi, então lhes dê uma coisa boa.

Naquele instante, o estrondo de trovão mais forte se abriu por cima de nós, tão forte que fez vibrar o telhado de zinco do depósito. Percy deu um salto como se alguém lhe tivesse enfiado o dedo no rabo, e Del deu um risinho fungado de desprezo.

— Se ficar muito mais forte do que isso, ele vai mijar nas calças de novo — falou e então endireitou os ombros, não que tivesse muito para endireitar. — Venham. Vamos acabar com isso.

Caminhamos para a plataforma. Enquanto andávamos, Delacroix correu um olhar nervoso pelas testemunhas, cerca de 25 dessa vez, porém Brutal, Dean e eu mantivemos os olhos fixos na cadeira. Tudo parecia em ordem para mim. Ergui um polegar e uma sobrancelha indagadora para Percy, que me deu um ligeiro sorriso forçado como que dizendo: *O que você quer dizer com se está tudo bem? É claro que está.*

Torci para que assim fosse.

Brutal e eu estendemos as mãos automaticamente para pegar os cotovelos de Delacroix quando ele subiu na plataforma. São apenas uns 10 centímetros acima do chão, mas você ficaria surpreso com a quantidade deles, mesmo os mais duros dos meninos durões, que precisa de ajuda para dar aquele último salto na vida.

Del, porém, saiu-se bem. Ficou parado na frente da cadeira por um instante (resolutamente sem olhar para Percy), depois efetivamente falou para ela, como se estivesse se apresentando: *C'est moi.* Percy estendeu a mão para ele, mas Delacroix deu meia-volta sozinho e se sentou. Ajoelhei-me diante do que agora era o seu lado esquerdo e Brutal ajoelhou-se do direito. Protegi minha virilha e minha garganta da forma que já descrevi e então girei a alça de modo a que suas mandíbulas abertas encerrassem a carne branca e magricela acima do tornozelo do cajun. O trovão ribombou e me assustei. O suor caiu-me num olho, fazendo-o arder. Mouseville, fiquei repetindo por alguma razão. Mouseville, e como custava dez centavos para entrar. Dois centavos para as criancinhas, que iriam olhar o sr. Guizos através das janelas de mica.

A alça estava emperrada, não se fechava. Podia ouvir Del aspirando grandes golfadas de ar, com pulmões que dentro de menos de quatro minutos seriam sacos carbonizados se esforçando por acompanhar seu coração disparado pelo medo. Naquele momento, o fato de que havia matado meia dúzia de pessoas parecia a coisa menos importante a seu respeito. Não estou tentando aqui dizer nada sobre certo e errado, mas apenas dizendo como foi.

Dean ajoelhou-se junto a mim e sussurrou.

— O que há de errado, Paul?

— Não consigo... — comecei a dizer e então a alça se fechou com um estalido audível. Deve também ter beliscado uma prega da pele de Del, porque ele deu uma encolhida e emitiu um pequeno silvo. — Desculpe — disse eu.

— Tudo bem, chefe — disse Del. — Só vai doer por um minuto.

Do lado de Brutal ficava a alça com o eletrodo embutido, que sempre demorava um pouco mais, de modo que nos pusemos de pé, todos os três, quase exatamente ao mesmo tempo. Dean esticou a mão para a alça do pulso do lado esquerdo de Del, e Percy foi para a do lado direito.

Eu estava pronto para avançar caso Percy precisasse de ajuda, mas ele se saiu melhor com sua alça de pulso do que eu com minha alça de tornozelo. Podia ver que todo o corpo de Del agora estava tremendo, como se uma leve corrente já estivesse passando por dentro dele. Também podia sentir o cheiro do seu suor. Era forte e azedo e me lembrava molho de picles fraco.

Dean assentiu para Percy. Percy virou a cabeça por cima do ombro, e pude ver um ponto logo abaixo do ângulo do seu maxilar onde se havia cortado ao se barbear naquele dia, e disse num tom baixo e firme:

— Primeira etapa!

Ouviu-se um zumbido, mais ou menos como o ruído que faz uma geladeira velha quando começa a funcionar, e as lâmpadas dependuradas no galpão de depósito aumentaram de intensidade. Houve alguns arquejos e murmúrios baixos do público. Del deu um sacolejão na cadeira, as mãos apertando as extremidades dos braços de carvalho com força suficiente para fazer os nós dos dedos ficarem brancos. Seus olhos giraram depressa nas órbitas de um lado para outro e sua respiração seca ficou ainda mais acelerada. Estava quase arfando agora.

— Firme — murmurou Brutal. — Firme, Del, você está indo muito bem. Aguente firme, você está indo muito bem.

"*Ei, pessoal!*", pensei eu. "*Venham cá ver o que o sr. Guizos sabe fazer!*" E por cima de nossas cabeças o trovão estourou novamente.

Percy deu uns passos cadenciados até a frente da cadeira elétrica. Esse era o seu grande momento, estava no centro do palco, todos os olhares estavam fixos nele. Isto é, todos menos um par. Delacroix viu quem era e baixou os olhos para o colo. Teria apostado com você um dólar contra uma rosquinha como Percy ia se confundir com o texto quando tivesse que dizê-lo para valer, mas ele o desfiou sem um senão, num tom horripilantemente tranquilo.

— Eduard Delacroix, você foi condenado a morrer na cadeira elétrica, por sentença proferida por um júri de seus semelhantes e aplicada por um juiz respeitável deste estado. Deus salve o povo deste estado. Você tem algo a dizer antes que a sentença seja executada?

Del tentou falar e no começo não saiu nada além de um sussurro aterrorizado cheio de ar e do som de vogais. O esboço de um sorriso de menosprezo apareceu nos cantos dos lábios de Percy, e eu teria tido prazer em abatê-lo a tiros ali mesmo. Então Del passou a língua nos lábios e recomeçou.

— Lamento o que eu fiz — falou. — Daria qualquer coisa para fazer o tempo voltar, mas ninguém pode. Então agora... — Um trovão explodiu como uma granada de canhão acima de nós. Del saltou até onde as alças permitiam, os olhos se esbugalhando alucinados para fora do rosto molhado. — Então agora vou pagar o preço. Deus me perdoe. — Passou novamente a língua nos lábios e olhou para Brutal. — Não se esqueça da sua promessa sobre o sr. Guizos — disse num tom ainda mais baixo, que era para ser ouvido só por nós.

— Não esqueceremos, não se preocupe — eu disse, e dei um tapinha na mão fria como argila de Delacroix. — Ele vai lá para Mouseville...

— Pois sim que ele vai — disse Percy, falando pelo canto da boca como um preso no pátio de exercícios enquanto afivelava a correia na frente do peito de Delacroix. — Não existe nenhum lugar assim. É um conto da carochinha que esses caras inventaram para fazer você ficar quieto. Apenas achei que você devia saber, veado.

Um brilho ferido nos olhos de Del me disse que uma parte dele sabia, mas teria impedido que o resto dele soubesse se isso tivesse sido permitido. Olhei para Percy, atônito e furioso, e ele olhou de volta para mim com naturalidade, como se querendo me perguntar o que eu pretendia fazer a respeito disso. E, é claro, ele venceu. Não havia nada que eu *pudesse* fazer a respeito, não diante das testemunhas, não com Delacroix sentado no bordo extremo da vida. Não havia nada a fazer agora a não ser ir adiante com isso, terminar com tudo.

Percy retirou o capuz do gancho e baixou-o por cima do rosto de Del, puxando-o bem apertado por baixo do queixo encolhido do homenzinho de modo a esticar o buraco no topo. O próximo passo era pegar a esponja do balde e colocá-la dentro do capacete, e foi então que Percy se desviou da rotina pela primeira vez: em vez de apenas se inclinar e tirar a esponja para fora, pegou o capacete de aço do espaldar da cadeira e debruçou-se com ele nas mãos. Em outras palavras, ao invés de levar a esponja até o capacete, o que teria sido o modo natural de fazê-lo, ele levou o capacete até a esponja. Eu devia ter percebido que alguma coisa estava errada, mas estava muito perturbado. Era a única execução de que jamais participara na qual me sentia inteiramente sem controle. Quanto a Brutal, ele nem sequer olhou para Percy, nem quando ele se inclinou sobre o balde (movendo-se de modo a bloquear parcialmente nossa visão do que estava fazendo) nem quando se empertigou e voltou-se para Del com o capacete nas mãos e o círculo marrom da esponja já dentro dele. Brutal estava olhando para o pano que tinha substituído o rosto de Del, observando como a máscara de seda negra era sugada para dentro, delineando o círculo da boca aberta de Del e depois soprada para fora de novo por sua respiração. Havia grossas gotas de suor na testa e nas têmporas de Brutal, logo abaixo da linha de nascimento do cabelo. Nunca o vira suar durante uma execução. Por trás dele, Dean estava com um ar vago e nauseado, como se estivesse se esforçando para segurar o jantar. Agora sei que todos nós percebemos que havia algo errado. Só não conseguíamos saber o que era. Ninguém sabia, não naquela ocasião, das perguntas que Percy andara fazendo a Jack Van Hay. Havia uma porção delas, mas desconfio que a maioria era apenas para despistar. O que Percy queria saber, a *única* coisa que Percy queria saber, acho eu, era a respeito da esponja. A finalidade da esponja. Por que ela era empapada de água salobra, e o que aconteceria se não fosse empapada de água salobra.

O que aconteceria se a esponja estivesse seca.

Percy enfiou com força o capacete na cabeça de Del. O homenzinho se assustou e gemeu novamente, dessa vez mais alto. Algumas das testemunhas se remexeram inquietas nas cadeiras dobráveis. Dean deu um meio passo à frente, pretendendo ajudar com a correia do queixo, e Percy fez um gesto ríspido para que ele retrocedesse. Dean assim fez, encolhendo um pouco os ombros e fazendo uma careta quando outro estrondo de trovão sacudiu o depósito. Dessa vez ele foi seguido pelas primeiras batidas de pingos de chuva por sobre o telhado. Faziam um ruído forte, como se alguém estivesse atirando punhados de bolas de gude sobre uma tábua de passar roupa.

Você já ouviu pessoas dizerem "Meu sangue gelou nas veias" a propósito de determinada coisa, não é? Claro. Todos nós já ouvimos isso, mas a única vez na minha vida em que de fato senti isso acontecer comigo foi naquele começo de madrugada cheia de trovões em outubro de 1932, por volta de dez segundos depois da meia-noite. Não foi o olhar de triunfo cheio de veneno no rosto de Percy Wetmore quando ele se afastou do vulto encapuçado, com capacete e preso por alças metálicas sentado na Velha Fagulha. Foi o que eu devia ter visto e não vi. Não havia água escorrendo de dentro do capacete pelas bochechas de Del. Foi então que percebi.

— Eduard Delacroix — estava falando Percy —, agora a corrente elétrica passará pelo seu corpo até que você esteja morto, de acordo com a lei do estado.

Olhei para Brutal numa agonia que fez minha infecção urinária parecer uma pancada num dedo.

— *A esponja está seca!* — disse para ele apenas movendo a boca, mas ele sacudiu a cabeça, sem entender, e olhou de volta para a máscara que cobria o rosto do francês, na qual os momentos finais da respiração do homem puxavam a seda negra para dentro e depois a estufavam de novo para fora.

Estendi a mão para pegar o cotovelo de Percy e ele se afastou de mim, lançando-me um olhar direto ao mesmo tempo. Foi apenas uma olhada momentânea, mas me disse tudo. Mais tarde ele iria contar suas mentiras e meias verdades e as pessoas que importavam acreditariam na maioria delas, mas eu sabia que a história era diferente. Tínhamos descoberto durante os ensaios que Percy era um bom aluno quando estava fazendo algo que lhe interessava. Ele tinha escutado com atenção quando Jack Van Hay explicou como a esponja empapada de água salobra conduzia a corrente, canalizando-a, transformando a descarga numa espécie de bala elétrica dirigida para o cérebro. Ah, sim, Percy sabia exatamente o que estava fazendo. Acho que acreditei nele quando disse depois que não sabia até que ponto aquilo iria, mas isso nem conta na lista das boas intenções, não é mesmo? Eu acho que não. Contudo, afora gritar diante do diretor-assistente e de todas as testemunhas, para Jack Van Hay não acionar a chave, não havia nada que eu pudesse fazer. Mais cinco segundos, acho que poderia ter gritado exatamente isso, mas Percy não me deu cinco segundos.

— Que Deus tenha piedade da sua alma — falou para o vulto ofegante e aterrorizado na cadeira elétrica, depois olhou para além dele, para o retângulo coberto com a tela metálica onde estavam postados Harry e Jack, este com a mão na chave rotulada *secador de cabelo de*

*Mabel.* O médico estava de pé, à direita dessa janelinha, os olhos fixos na maleta preta aos seus pés, calado e discreto como sempre. — Segunda etapa!

No princípio foi como de hábito: o zumbido que era um pouco mais forte do que a etapa inicial, mas não muito, e o tranco involuntário para a frente do corpo de Del em função do espasmo muscular.

Então as coisas começaram a dar errado.

O zumbido perdeu sua estabilidade e começou a oscilar. Seguiu-se uma série de estalidos, como celofane sendo amassado. Pude sentir o cheiro de alguma coisa horrível, mas só quando vi uns fiapos de fumaça saindo de debaixo das bordas do capacete foi que identifiquei como sendo uma mistura de cabelos e esponja de coral se queimando. Havia mais fumaça saindo pelo orifício na parte de cima do capacete, por onde passava o fio; parecia fumaça saindo do buraco de uma cabana de índio.

Delacroix começou a estremecer e se contorcer na cadeira, o rosto coberto pela máscara batendo de um lado para o outro como se estivesse indicando uma recusa veemente. As pernas começaram a se mover para cima e para baixo, em lances curtos que eram contidos pelas alças nos tornozelos. O trovão explodiu sobre nós e agora a chuva caiu mais forte.

Olhei para Dean Stanton, que me olhou de volta desnorteado. Houve um estalo abafado debaixo do capacete, como um cone de pinheiro explodindo numa fogueira intensa, e agora podia ver a fumaça passando também através da máscara, filtrando-se em pequenas espirais.

Precipitei-me para a tela entre nós e a sala de controle, porém, antes que eu pudesse abrir a boca, Brutus Howell pegou meu cotovelo. Agarrou-me com tanta força que as terminações nervosas ali tiniram. Estava branco feito uma folha de papel, mas não estava em pânico, nem de longe.

— Não diga a Jack para parar — disse em voz baixa. — O que quer que faça, não lhe diga isso. É tarde demais para parar.

De início, quando Del começou a gritar, as testemunhas não escutaram. A chuva no telhado de zinco tinha se transformado num ronco enorme e os trovões estavam praticamente contínuos. Mas nós na plataforma escutamos muito bem: berros estrangulados de dor por baixo da máscara fumegante, os sons que poderia emitir um animal preso e sendo triturado numa moenda.

Agora o zumbido do capacete estava irregular e descontrolado, entrecortado por surtos do que parecia estática de rádio. Delacroix começou a se debater para a frente e para trás, como uma criança fazendo birra. A plataforma balançou e ele bateu de encontro à correia de couro que segurava o peito com tanta força que pareceu que ia rompê-la. A descarga também o fazia contorcer-se de um lado para o outro, e ouvi o estalido quando seu ombro direito se partiu ou se deslocou. Foi um barulho parecido com o de alguém dando com uma marreta num caixote de madeira. O gancho da calça, apenas um borrão por causa da agitação curta das pernas para cima e para baixo, ficou escuro. Então ele começou a uivar, uns sons horríveis, agudos feito os de uma ratazana, que se podiam escutar mesmo com a chuva torrencial que caía no telhado.

— Que diabos está acontecendo com ele? — berrou alguém.

— Essas alças vão aguentar?

— Deus meu, que *cheiro*!

Então, uma das duas mulheres:

— Isso é normal?

Delacroix deu um tranco para a frente, caiu para trás, outro tranco para a frente, de novo caiu para trás. Percy estava olhando para ele com a boca aberta de horror. É claro que tinha esperado *alguma coisa*, mas não isso.

A máscara que cobria o rosto de Delacroix irrompeu em chamas. Ao cheiro dos cabelos e da esponja incinerados juntou-se agora o cheiro de carne cozida. Brutal agarrou o balde no qual a esponja tinha estado — e que estava vazio agora, é claro — e correu para o tanque fundíssimo que ficava no canto.

— Será que não devo cortar a corrente, Paul? — perguntou Van Hay em voz alta através da tela. Parecia completamente perturbado. — Será que não devo...

— Não! — berrei de volta. Brutal percebera primeiro, mas eu percebera logo depois: tínhamos que terminar com isso. O que quer que fizéssemos durante o resto de nossas vidas vinha em segundo lugar em relação a essa única coisa: tínhamos que terminar com Delacroix. — Continue, em nome de Deus! Continue, continue, continue!

Voltei-me para Brutal, mal me dando conta das pessoas que agora estavam falando atrás de nós, algumas de pé, umas duas aos berros.

— Pare com isso! — gritei para Brutal. — *Nada de água! Nada de água! Você está louco?*

Brutal virou-se para mim, com uma espécie de compreensão aturdida no rosto. Jogar água em cima de um homem que estava recebendo uma corrente elétrica. Oh, sim. Isso seria muito inteligente. Olhou em volta, viu o extintor químico de incêndio pendurado na parede e pegou--o. Aí garoto.

A máscara tinha se desfeito sobre o rosto de Delacroix o suficiente para revelar feições que tinham ficado mais pretas do que as de John Coffey. Os olhos, agora nada mais do que glóbulos deformados de gelatina branca e brilhante, tinham sido expelidos das órbitas e estavam dependurados sobre as bochechas. As pestanas tinham sumido, e enquanto eu estava olhando, as próprias pálpebras pegaram fogo e começaram a queimar. A fumaça saía pelo decote em V da camisa. E o zumbido da eletricidade continuava sem parar, enchendo-me a cabeça, vibrando lá dentro. Acho que é o som que os loucos devem escutar, isso ou algo parecido.

Dean começou a se mover para a frente, pensando de alguma forma confusa que poderia abafar o fogo na camisa de Del batendo com as mãos, e eu o puxei quase com força suficiente para fazê-lo cair no chão. Naquele momento, tocar em Delacroix teria sido como a raposa dando um soco no boneco de piche no conto do Tio Reamus. Nesse caso, um boneco de piche eletrificado.

Continuei não me virando para ver o que estava acontecendo atrás de nós, mas parecia que tinha virado um pandemônio, com cadeiras caindo no chão, pessoas berrando, uma mulher gritando "*Parem com isso, parem com isso, oh, vocês não estão vendo que ele já recebeu o bastante?*" a plenos pulmões. Curtis Anderson agarrou-me pelo ombro e indagou o que estava acontecendo, em nome de Deus, o que estava acontecendo e por que não mandava Jack cortar a corrente.

— Porque não posso — falei. — Fomos longe demais para dar para trás, você não está vendo? De qualquer modo, estará terminado dentro de poucos segundos.

Porém ainda se passaram uns dois minutos antes de terminar, os dois minutos mais longos da minha vida inteira, e acho que, durante a maior parte deles, Delacroix estava consciente. Ele gritou e se agitou e se jogou de um lado para o outro. Saía fumaça de suas narinas e da boca, que tinha ficado com a cor roxo escura de ameixas maduras. A fumaça subia da sua língua como a fumaça sobe de uma grelha muito quente. Todos os botões da camisa estouraram ou se derreteram. A camiseta não chegou bem a pegar fogo, mas ficou carbonizada e a fumaça jorrava através dela e podíamos sentir o cheiro dos pelos do seu peito sendo cozidos. Atrás de nós, as pessoas estavam se dirigindo para a porta como gado num estouro da boiada. Não podiam passar por ela, é claro, afinal, estávamos numa maldita prisão, de modo que as pessoas simplesmente ficaram amontoadas em volta da porta enquanto Delacroix era fritado (*Agora estou sendo fritado!,* dissera o velho Toot quando estávamos ensaiando para Arlen Bitterbuck. *Virei um peru assado!*) e os trovões estouravam e a chuva caía do céu numa fúria perfeita.

Em algum momento pensei no médico e olhei em volta à sua procura. Ainda estava lá, mas caído no chão junto da maleta. Tinha desmaiado.

Brutal veio e ficou ao meu lado, segurando o extintor de incêndio.

— Ainda não — falei.

— Eu sei.

Procuramos Percy com os olhos e o vimos de pé, agora quase atrás da Fagulha, petrificado, os olhos inteiramente arregalados, um punho fechado metido na boca.

Então, por fim, Delacroix desabou contra o encosto da cadeira, seu rosto inchado e deformado caído sobre um ombro. Ainda estava estremecendo, mas tínhamos visto isso antes: era a corrente passando por dentro dele. O capacete tinha ficado de banda sobre a cabeça dele, mas quando o retiramos um pouco depois, a maior parte do couro cabeludo e o que sobrara dos cabelos vieram junto, grudados no metal como se por um poderoso adesivo.

— Corte! — berrei para Jack depois que se passaram trinta segundos sem que houvesse nada além dos estremecimentos da corrente elétrica na massa carbonizada e fumegante com a forma de um homem que balançava na cadeira elétrica. O zumbido acabou imediatamente e acenei com a cabeça para Brutal.

Ele se virou e meteu o extintor nos braços de Percy com tanta força que ele cambaleou para trás e quase caiu da plataforma.

— Você faz isso — disse Brutal. — Afinal, é você que está dirigindo o espetáculo, não é?

Percy lançou-lhe um olhar ao mesmo tempo de repugnância e ódio e então, armado com o extintor, deu-lhe pressão, armou-o e disparou uma enorme nuvem de espuma branca por cima do homem na cadeira. Vi o pé de Del dar um pequeno espasmo quando a espuma atingiu seu rosto e pensei *Oh, não, talvez tenhamos que fazer de novo*, mas houve só aquele único espasmo.

Anderson tinha se virado e estava falando alto para as testemunhas, dizendo-lhes que estava tudo bem, tudo estava sob controle, tinha sido apenas uma subida de voltagem devido à tempestade elétrica, nada com o que se preocupar. Só faltava ele lhes dizer que o cheiro que estavam sentindo, uma mistura diabólica de cabelos queimados, carne frita e merda recém-cozida saída diretamente do cuzinho crocante de Eduard Delacroix, era Chanel Nº 5.

— Pegue o estetoscópio do médico — eu disse para Dean quando o extintor parou. Agora Delacroix estava coberto de branco e o pior do fedor estava sendo encoberto por um odor químico sutil e acre.

— O doutor... será que devo...

— Esqueça o doutor, apenas pegue o estetoscópio dele — disse eu. — Vamos acabar com isso... Tirá-lo daqui.

Dean concordou com a cabeça. *Acabar* e *tirá-lo daqui* eram duas ideias que naquele momento lhe agradavam. Agradavam a nós dois. Foi até a maleta do médico e começou a procurar dentro dela. O médico estava começando a se mexer de novo, então pelo menos ele não tinha tido um derrame nem um ataque do coração. Que bom. Mas o jeito como Brutal estava olhando para Percy não era bom.

— Vá para o túnel e espere junto da maca — disse eu.

Percy engoliu em seco.

— Paul, escute. Eu não sabia...

— Cale a boca. Vá pro túnel e espere junto da maca. Já.

Ele engoliu em seco novamente, fez uma careta como se isso tivesse doído, e depois caminhou em direção à porta que levava aos degraus e ao túnel. Estava levando o extintor de incêndio nos braços como se fosse um bebê. Dean passou por ele, voltando para mim com o estetoscópio. Puxei-o das suas mãos e coloquei os terminais nos ouvidos. Tinha feito isso antes, no exército, e é como andar de bicicleta, nunca se esquece.

Passei a mão para retirar a espuma de cima do peito de Delacroix, e tive que engolir o vômito quando um pedaço grande e quente da pele dele simplesmente deslizou da carne que estava por baixo, do modo como a pele desliza de cima de um... Bem, você sabe. De um peru bem assado.

— Oh, meu Deus! — quase soluçou uma voz atrás de mim, que não reconheci. — É sempre desse jeito? Por que alguém não me preveniu? Eu nunca teria vindo!

*Agora é muito tarde, amigo*, pensei.

— Tirem esse homem daqui — disse para Dean e Brutal ou quem quer que pudesse estar escutando. Disse quando tive certeza de que era capaz de falar sem vomitar em cima do colo fumegante de Delacroix. — Façam com que eles todos fiquem junto da porta.

Criei coragem da melhor maneira que pude, depois coloquei o disco do estetoscópio no pedaço vermelho enegrecido da carne crua que tinha aberto no peito de Del. Auscultei, rezando para que não ouvisse nada, e foi exatamente isso que ouvi.

— Ele está morto — falei para Brutal.

— Graças a Deus.

— É. Graças a Deus. Você e Dean peguem a padiola. Vamos desafivelá-lo e retirá-lo daqui, depressa.

## 5

Conseguimos levar o corpo dele pelos 12 degraus e colocá-lo sobre a maca de cadáveres sem problema. Meu pesadelo era que a carne cozida pudesse escorregar dos ossos quando o estivéssemos carregando (era a frase sobre o peru bem assado do velho Toot que me tinha ficado na cabeça), mas é claro que isso não aconteceu.

Curtis Anderson estava lá em cima acalmando os espectadores, ou tentando, pelo menos, e isso foi bom para Brutal, porque Anderson não estava ali para ver quando Brutal deu um passo na direção da cabeça da maca e jogou o braço para trás para esmurrar Percy, que estava parado ali, com um ar surpreso. Segurei-lhe o braço e isso foi bom para ambos. Foi bom para Percy porque Brutal pretendia desferir um murro com uma força de quase decapitar e bom para Brutal porque ele teria perdido seu emprego se tivesse acertado aquele murro e talvez acabasse ele próprio na prisão.

— Não — disse eu.

— Como, não? — perguntou-me furioso. — Como você pode dizer não? Você viu o que ele fez! O que você quer me dizer? Que você ainda vai deixar as *ligações* dele protegerem-no? Depois do que ele *fez*?

— É.

Brutal ficou olhando fixamente para mim, boquiaberto, os olhos com tanta raiva que estavam rasos d'água.

— Ouça-me, Brutus, você dá um soco nele e o mais provável é que nós todos vamos pra rua. Você, eu, Dean, Harry, talvez até Jack Van Hay. Todos sobem um ou dois degraus, a começar por Bill Dodge, e a Comissão de Presídios contrata três ou quatro Zés da Fila da Sopa para preencher as vagas de baixo. Talvez você possa viver com isso, mas... — Indiquei com o polegar Dean, que estava olhando para o fim do túnel de tijolos, cheio de goteiras. Estava segurando os óculos numa das mãos e tinha o ar tão surpreso quanto Percy. — Mas, e Dean? Ele tem dois filhos, um no ensino médio e um prestes a entrar.

— Então, em que ficamos? — perguntou Brutal. — Nós deixamos ele sair dessa em brancas nuvens?

— Eu não sabia que a esponja tinha que estar molhada — disse Percy num tom fraco e mecânico. Essa era a história que ele tinha ensaiado de antemão, é claro, quando estava esperando uma travessura divertida em vez do cataclismo que tínhamos acabado de testemunhar. — Ela nunca estava molhada quando nós ensaiamos.

— Ora, seu imbecil... — começou Brutal, e ia partir para cima de Percy, mas eu o agarrei e puxei-o de novo para trás. Ouviram-se passos fortes nos degraus. Ergui os olhos, receando desesperadamente ver Curtis Anderson, mas era Harry Terwilliger. Estava com a face lívida e os lábios arroxeados, como se tivesse comido geleia de uva.

Voltei minha atenção para Brutal.

— Pelo amor de Deus, Brutal, Delacroix está *morto*, nada pode mudar isso e Percy não vale a pena.

Será então que já estava com o plano na cabeça, ou com seus aspectos preliminares? Deixe que lhe diga, desde então me tenho perguntado sobre isso. Perguntei-me ao longo de muitos e muitos anos e nunca consegui chegar a uma resposta satisfatória. Suponho que não faça muita diferença. Já notei que uma porção de coisas não faz diferença, mas isso não impede um homem de ficar se perguntando sobre elas.

— Vocês falam a meu respeito como se eu fosse um completo idiota — disse Percy. Ele ainda parecia estonteado e sem fôlego, como se alguém lhe tivesse dado um murro na barriga, mas estava se recuperando um pouco.

— Você *é* um imbecil, Percy — disse eu.

— Ei, você não pode...

Tive que fazer um enorme esforço para controlar meu próprio impulso de bater nele. A água pingava com um som oco dos tijolos pelo corredor afora; nossas sombras dançavam, imensas e deformadas, sobre as paredes, como as sombras naquela história de Poe sobre o grande gorila da rua Morgue. O trovão explodia, mas ali embaixo ele ficava abafado.

— De você só quero ouvir uma coisa, Percy, e é você repetir sua promessa de requerer amanhã sua transferência para Briar Ridge.

— Não se preocupe com isso — falou com ar soturno. Olhou para o vulto coberto com um lençol sobre a maca, desviou o olhar, relanceou os olhos para mim por um instante, depois tornou a desviar o olhar.

— Isso *seria* o melhor para você — disse Harry. — Do contrário, você poderia chegar a conhecer Wild Bill Wharton muito melhor do que deseja. — Uma pequena pausa. — Poderíamos providenciar isso.

Percy estava com medo de nós e provavelmente estava com medo do que poderíamos fazer se ele ainda estivesse por ali quando descobríssemos que tinha estado conversando com Jack Van Hay sobre para que servia a esponja e por que sempre a empapávamos de água salobra, porém a menção de Wharton feita por Harry despertou um verdadeiro terror nos seus olhos. Podia vê-lo se lembrando de como Wharton o tinha ficado segurando, despenteando seus cabelos e falando carinhosamente com ele.

— Você não se atreveria — sussurrou Percy.

— Sem dúvida que me atreveria, sim — retrucou Harry tranquilamente. — E quer saber do que mais? Não me aconteceria nada. Porque você já se revelou descuidado como o diabo perto dos presos. Incompetente, também.

Percy cerrou os punhos e seu rosto ficou ligeiramente rosado.

— Eu não sou...

— Claro que é — disse Dean juntando-se a nós. Formamos uma espécie de semicírculo em torno de Percy ao pé dos degraus e mesmo uma retirada pelo túnel estava bloqueada: a maca estava por trás dele, com sua carga de carne fumegante oculta por um lençol velho. — Você acabou de queimar Delacroix vivo. Se isso não é ser incompetente, então o que é?

Percy piscou os olhos. Tinha planejado se cobrir argumentando com a ignorância e agora viu que estava preso na sua própria armadilha. Não sei o que ia dizer a seguir, porque nesse exato momento Curtis Anderson precipitou-se pelos degraus abaixo. Nós o ouvimos vindo e nos afastamos um pouco de Percy, para não dar uma impressão tão ameaçadora.

— Que porra de lambança foi *isso tudo*? — rugiu Anderson. — Deus meu, o chão lá em cima está coberto de vômito! E o fedor! Mandei Magnusson e o velho Toot-Toot abrirem ambas as portas, mas aquele fedor não vai sair nos próximos cinco anos, posso apostar. E aquele idiota do Wharton está *cantando* sobre isso! Posso ouvi-lo!

— Ele sabe cantar, Curt? — perguntou Brutal. Sabe como você pode queimar gás de lamparina com uma única fagulha sem se machucar se fizer isso antes que a concentração fique muito forte? Isso foi parecido. Demoramos um instante olhando boquiabertos para Brutus e então caímos todos na gargalhada. Nossos risos fortes e histéricos ecoaram para cima e para baixo no túnel como se fossem morcegos. Nossas sombras saltavam e tremulavam nas paredes. Perto do final, até Percy riu conosco. Por fim, acabou e, depois disso, todos nos sentimos um pouco melhor. Sentimo-nos *sãos* novamente.

— Muito bem, rapazes — disse Anderson, enxugando seus olhos lacrimejantes com o lenço e ainda fungando um ocasional resto de riso —, que diabos aconteceu?

— Uma execução — disse Brutal. Acho que seu tom natural surpreendeu Anderson, mas não me surpreendeu, pelo menos não muito. Brutal sempre fora bom em mudar de sintonia rapidamente. — Uma execução bem-sucedida.

— Em nome de Deus, como é que você é capaz de chamar de sucesso um aborto de corrente contínua como esse? Temos testemunhas que não vão conseguir dormir durante um mês! Que diabo, aquela dona gorda e velha provavelmente não vai dormir durante um ano!

Brutal apontou para a maca e o vulto debaixo do lençol.

— Ele está morto, não está? Quanto às suas testemunhas, a maioria delas estará dizendo aos seus amigos amanhã de noite que foi justiça divina: o Del ali queimou vivas um punhado de pessoas, então nós o queimamos vivo. Só que não vão dizer que fomos nós. Dirão que foi a vontade de Deus, atuando *através* de nós. Talvez até haja uma certa dose de verdade nisso. E quer saber a melhor parte? O máximo disso tudo? A maioria dos amigos deles vai desejar ter estado ali para assistir.

Ao dizer essa última parte, lançou um olhar ao mesmo tempo de asco e de ironia para Percy.

— E se os sentimentos deles ficaram um pouco afetados, e daí? — perguntou Harry. — Eles se apresentaram como voluntários para essa maldita tarefa, ninguém os convocou.

— Não sabia que a esponja tinha que estar molhada — disse Percy na sua voz de robô. — Nunca está molhada nos ensaios.

Dean olhou para ele com total aversão.

— Quantos anos você levou mijando no assento da privada antes que alguém lhe dissesse para levantá-la antes de começar? — rosnou.

Percy abriu a boca para responder, mas mandei-o ficar calado. Por milagre, ele ficou. Voltei-me para Anderson.

— Percy fez uma cagada, Curtis. Foi isso que aconteceu, pura e simplesmente. — Virei-me para Percy, desafiando-o a me contradizer. Ele não o fez, talvez porque tenha lido meus olhos: é melhor que Anderson escute *erro idiota* do que *de propósito*. E, além disso, nada do que fosse dito ali embaixo no túnel tinha importância. O que importava, o que sempre importava para os Percy Wetmore deste mundo, era o que ficasse escrito ou fosse ouvido pelos maiorais, as pessoas que importam. O que importa para os Percys do mundo é como a história sai no jornal.

Anderson olhou para nós cinco, em dúvida. Olhou até para Del, mas ele não estava em condições de falar.

— Acho que poderia ter sido pior — disse Anderson.

— É isso mesmo — concordei. — Ele podia ainda estar vivo.

Curtis piscou. Parecia que essa possibilidade não lhe tinha passado pela cabeça.

— Quero um relatório completo sobre isso na minha mesa amanhã — disse ele. — E nenhum de vocês vai falar com o diretor Moores sobre isso até que eu tenha tido ocasião de falar com ele. Certo?

Sacudimos a cabeça negativamente com veemência. Se Curtis Anderson queria contar para o diretor, ora, para nós isso estava muito bem.

— Se nenhum daqueles jornalistas de araque colocar isso nos jornais...

— Eles não vão colocar — disse eu. — Se tentassem, os editores impediriam. Horripilante demais para ser lido pelas famílias. Mas não vão nem tentar. Eram todos veteranos hoje de noite. Às vezes as coisas dão errado, foi só isso. Eles sabem disso tão bem quanto nós.

Anderson refletiu por mais um instante, então concordou com a cabeça. Voltou a atenção para Percy, com uma expressão de asco na fisionomia normalmente agradável.

— Você é um imbecilzinho — disse ele —, e não gosto nada de você. — Ratificou com a cabeça ante o olhar de surpresa atônita de Percy. — Se você disser para qualquer dos seus amigos bundas-moles que eu falei isso, negarei até que o cavalo do General Custer ressuscite, e esses homens me apoiarão. Você está com um problema, filho.

Deu meia-volta e começou a subir a escada. Deixei-o subir quatro degraus e então falei.

— Curtis?

Virou-se, as sobrancelhas erguidas, sem dizer nada.

— Você não precisa se preocupar muito com Percy — disse eu. — Em breve ele está indo para Briar Ridge. Coisas maiores e melhores, não é, Percy?

— Assim que a transferência seja aprovada — acrescentou Brutal.

— E até lá, toda a noite ele vai avisar que está doente — agregou Dean.

Isso despertou Percy, que ainda não tinha tempo de serviço suficiente na prisão para ter direito a faltas remuneradas por motivo de saúde. Olhou para Dean com um desagrado flagrante.

— Bem que você *gostaria* — disse ele.

## 6

Estávamos de volta ao bloco cerca de uma e quinze (com exceção de Percy, que tinha recebido ordem de limpar o depósito e ficou emburrado durante todo o trabalho), e eu com um relatório para redigir. Resolvi escrevê-lo na mesa de guarda. Se me sentasse na cadeira do meu escritório, mais confortável, provavelmente iria cochilar. Talvez isso lhe pareça peculiar, dado o que tinha acontecido apenas uma hora antes, mas me sentia como se tivesse vivido três vidas desde as 11 da noite anterior, todas elas sem dormir.

John Coffey estava de pé junto da porta da cela, com as lágrimas correndo de seus olhos estranhos, distantes. Era como olhar sangue escorrendo de algum ferimento incurável, mas estranhamente indolor. Mais perto da mesa, Wharton estava sentado no catre, balançando o corpo para um lado e para o outro, e cantando uma canção que aparentemente ele próprio inventara e que não era bem sem sentido. Tanto quanto posso me lembrar, ela era mais ou menos assim:

CHUR-RAS-CO! EU E VOCÊ!
FEDORENTO, COR-DE-ROSA, CHÊÊ-CHÊÊ-CHÊÊ!
NÃO FOI BILLY NEM PHILADELPHIA PHILLY,
NÃO FOI JACKIE NEM ROY, BUÁÁ!
FOI UM CAMARADINHA LEGAL, UMA BATATA QUENTE,
CHAMADO DELACROIX!

— Cale a boca, seu cretino — disse eu.

Wharton abriu um sorriso, mostrando a boca cheia de dentes podres. *Ele* não ia morrer, pelo menos ainda não. Estava de pé, feliz, praticamente sapateando.

— Venha aqui dentro e me obrigue a calar. Por que não vem? — disse alegremente e depois começou outra estrofe da "Canção do Churrasco", compondo as palavras não inteiramente ao acaso. Havia alguma coisa funcionando dentro dele, sim senhor. Uma espécie de inteligência crua e repulsiva que era, à sua moda, quase brilhante.

Fui até John Coffey. Ele enxugou as lágrimas com a base da palma das mãos. Seus olhos estavam vermelhos e com aparência de ardor e me dei conta de que ele também estava exausto. Não sabia por que, um homem que caminhava lentamente em volta do pátio de exercícios talvez umas duas horas por dia e ficava sentado ou deitado na cela o resto do tempo. Mas não duvidei do que estava vendo. Era claro demais.

— Pobre Del — disse em voz baixa e rouca. — Pobre Del.

— É — falei. — Pobre Del. John, você está bem?

— Ele se foi — falou Coffey. — Del se foi. Não foi, chefe?

— Foi. Responda minha pergunta, John. Você está bem?

— Del se foi, ele é que tem sorte. Não importa como foi, ele é que tem sorte.

Pensei que talvez Delacroix pudesse ter discordado sobre esse ponto, mas não disse nada. Em vez disso, dei uma olhada pela cela de Coffey.

— Onde está o sr. Guizos?

— Saiu correndo para lá. — Apontou através das grades, indicando o corredor até a porta da solitária.

Assenti.

— Bem, ele vai voltar.

Mas não voltou. Os dias do sr. Guizos no Corredor Verde tinham terminado. O único vestígio que encontramos dele foi o que Brutal achou naquele inverno: algumas farpas de madeira, de cores vivas, e um cheiro de bala de hortelã emanando para fora de um buraco numa viga.

Minha intenção era me afastar então, mas não o fiz. Olhei para John Coffey e ele de volta para mim como se soubesse tudo o que eu estava pensando. Disse a mim mesmo para ir andando, para simplesmente dar a noite por encerrada e ir andando, de volta para a mesa de guarda e para o meu relatório. Em vez disso, falei seu nome:

— John Coffey.

— Sim, chefe — disse imediatamente.

Às vezes um homem é amaldiçoado com a necessidade de saber uma determinada coisa, e foi assim comigo naquele exato momento. Apoiei-me num dos joelhos e comecei a tirar um dos meus sapatos.

## 7

A chuva tinha terminado quando cheguei em casa, e um fino sorriso de lua tinha surgido sobre as cristas das montanhas ao norte. Minha sonolência parecia ter sumido junto com as nuvens. Estava completamente desperto e podia sentir o cheiro de Delacroix em mim. Achei que talvez fosse sentir o cheiro dele na minha pele — churrasco, eu e você, fedorento, cor-de-rosa, chêê-chêê-chêê — por muito tempo.

Janice estava esperando por mim acordada, como sempre fazia nas noites de execução. Pretendia não lhe contar a história, não via sentido algum em mortificá-la com isso, porém ela deu uma boa olhada no meu rosto quando entrei pela porta da cozinha e quis saber de tudo. Então me sentei, peguei as mãos quentes dela nas minhas frias (o aquecimento no meu velho Ford mal funcionava e o tempo tinha virado 180 graus desde a tempestade) e contei-lhe o que ela achou que queria ouvir. Por volta da metade da história, caí num pranto, coisa com que não contava. Fiquei um pouco envergonhado, mas só um pouco: era com ela, entende, e ela nunca me criticou nas vezes em que me desviei do modo como eu achava que um homem devia se portar... Do modo como eu achava que *eu* devia me portar, pelo menos. Um homem que tem uma boa mulher é a mais sortuda das criaturas de Deus, e um que não tem deve estar entre as mais infelizes, acho eu, e a única verdadeira bênção de suas vidas é que não sabem como estão numa pior. Chorei e ela segurou minha cabeça de encontro ao seu seio, e quando minha própria tempestade passou, me senti melhor, ao menos um pouco. E creio que foi então que tive a primeira noção consciente da minha ideia. Não o sapato, não é isso que quero dizer. O sapato estava relacionado, mas era diferente. Entretanto, naquele momento, minha *verdadeira* ideia foi apenas uma estranha constatação: que John Coffey e Melinda Moores, diferentes como eram em tamanho, sexo e cor, tinham exatamente os mesmos olhos, desanimados, tristes e distantes. Olhos moribundos.

— Venha para a cama — disse por fim minha mulher. — Venha para a cama comigo, Paul.

Eu fui e fizemos amor, e quando terminou, ela adormeceu. Enquanto ficava ali olhando para o sorriso da lua e escutando os tiques nas paredes, que estavam por fim se retraindo, trocando o verão pelo outono, pensei em John Coffey dizendo que o tinha ajudado. *Eu ajudei o rato de Del. Eu ajudei o sr. Guizos. Ele é um rato de circo*. Sem dúvida. E talvez, pensei eu, nós fôssemos todos ratos de circo, correndo por aí com apenas a mais vaga percepção de que Deus e toda a sua legião celestial nos estavam observando em nossas casinhas de plástico através de nossas janelas de mica.

Dormi um pouco quando o dia começou a clarear (duas horas, calculo, talvez três) e foi do jeito que sempre durmo nos dias atuais aqui em Georgia Pines e quase nunca naquela época, em pedacinhos curtos de sono leve. Adormeci pensando nas igrejas da minha juventude. Os nomes mudavam, dependendo dos caprichos de minha mãe e das irmãs dela, mas eram todas na verdade as mesmas, todas A Primeira Igreja do Interior de Jesus Seja Louvado, O Senhor é Poderoso. À sombra desses campanários quadrangulares e achatados, o conceito de pagar pelos pecados surgia com a mesma regularidade do repicar dos sinos que chamavam os fiéis à adoração. Só Deus podia perdoar os pecados, podia e perdoava, lavando-os no sangue agonizante de Seu Filho crucificado, mas isso não alterava a responsabilidade de Suas crianças pagarem por esses pecados (e por seus pequenos erros de julgamento) sempre que possível. O pagamento dos pecados era potente: era a fechadura na porta que você fechava sobre o passado.

Adormeci pensando no pagamento de pecados naqueles bosques de pinheiros e Eduard Delacroix pegando fogo enquanto cavalgava os relâmpagos e Melinda Moores e meu garotão com os olhos que choravam sem parar. Esses pensamentos se enroscaram num sonho. Nele John Coffey estava sentado na margem de um rio, uivando sua mágoa, desarticulado como um bezerro, para o céu do princípio do verão, enquanto na outra margem um trem de carga corria interminavelmente na direção de uma ponte enferrujada sobre pilares por sobre o Trapingus. Na curva de cada braço, o negro segurava o corpo de uma menininha de cabelos louros, nua. Seus punhos, enormes rochas marrons nas extremidades daqueles braços, estavam fechados. À sua volta havia o som de grilos e mosquitos que esvoaçavam; o dia zumbia de calor. No meu sonho, fui até ele, ajoelhei-me à sua frente e tomei-lhe as mãos. Seus punhos se descontraíram e revelaram seus segredos. Num, havia um carretel colorido de verde, vermelho e amarelo. No outro, o sapato de um guarda penitenciário.

— Não pude evitar — disse John Coffey. — Tentei retirar, mas já era tarde demais.

A essa altura, no meu sonho, eu o entendi.

## 8

Às nove da manhã seguinte, enquanto tomava minha terceira xícara de café na varanda (minha mulher não falou nada, mas podia ver a reprovação estampada no rosto dela quando a trouxe para mim), o telefone tocou. Fui até o hall de entrada para atender e a telefonista da central disse a alguém que a pessoa chamada estava aguardando na linha. Ela então me desejou um dia excelente e saiu da linha, supostamente. Com a telefonista da central nunca se podia ter certeza.

A voz de Hal Moores me deu um choque. Trêmula e rouca, parecia a voz de um octogenário. Ocorreu-me que era bom que as coisas tivessem ido bem com Curtis Anderson no túnel, na noite anterior, bom que ele sentia mais ou menos o mesmo que nós a respeito de Percy, porque esse homem com quem eu estava falando muito provavelmente não trabalharia nem mais um dia em Cold Mountain.

— Paul, ao que me consta houve problemas ontem de noite. Também ao que me consta nosso amigo, o sr. Wetmore, estava envolvido.

— Um probleminha — reconheci, segurando com força o fone de encontro à minha orelha e inclinando-me para junto do bocal —, mas o trabalho foi realizado. Isso é que importa.

— É. É claro.

— Posso perguntar quem lhe contou? — *Para poder amarrar uma lata no rabo dele?,* pensei mas não acrescentei.

— Você pode perguntar, mas, como na realidade não é absolutamente da sua conta, acho que vou ficar de boca fechada a esse propósito. Mas quando telefonei para meu escritório para saber se havia algum recado ou algum assunto urgente, me disseram uma coisa interessante.

— Oh?

— Foi. Parece que um requerimento de transferência pousou na minha caixa de entrada. Percy Wetmore quer ir para Briar Ridge o mais depressa possível. Deve ter preenchido o requerimento antes mesmo que terminasse a agitação da noite de ontem, você não acha?

— Assim parece — concordei.

— Normalmente, eu deixaria Curtis cuidar disso, porém, tendo em conta a atmosfera no Bloco E nos últimos tempos, pedi a Hannah que o trouxesse para mim em pessoa durante a hora de almoço. Ela gentilmente concordou em assim fazer. Vou aprová-lo e providenciar para que seja encaminhado para a capital do estado hoje de tarde. Espero que você veja o traseiro de Percy saindo pela porta dentro de no máximo um mês. Talvez menos.

Ele esperava que eu fosse ficar contente com essa notícia e tinha o direito de esperar isso. Tinha roubado tempo de cuidar de sua mulher para acelerar um assunto que, de outro modo, poderia tomar mais de meio ano, mesmo com as alardeadas ligações de Percy. Não obstante, fiquei decepcionado. Um mês! Porém, talvez não tivesse tanta importância, de uma forma ou de outra. Isso afastava um desejo perfeitamente natural de esperar e adiar um empreendimento arriscado, e o que eu estava pensando agora seria de fato muito arriscado. Às vezes, quando é assim, o melhor é saltar antes que se perca a coragem. Se íamos ter que lidar com Percy de qualquer modo (sempre supondo que conseguisse que os outros me acompanhassem na minha insanidade — em outras palavras, sempre supondo que houvesse um "nós"), bem poderia ser nessa noite.

— Paul? Você está aí? — A voz dele baixou um pouco, como se pensasse que agora estava falando sozinho. — Raios, acho que perdi a ligação.

— Não, estou aqui, Hal. Isso é uma ótima notícia.

— É — concordou ele e mais uma vez fiquei impressionado com a maneira como ele parecia um velho. Como estava *frágil*. — Oh, sei o que você está pensando.

*Não, você não sabe não, diretor*, pensei eu. *Nem em um milhão de anos você vai saber o que estou pensando.*

— Você está pensando que nosso jovem amigo ainda vai estar por aqui no momento da execução de Coffey. Isso provavelmente é certo. Coffey irá bem antes do Dia de Ação de Graças, calculo, mas você pode pô-lo de volta na sala de controle. Ninguém vai ser contra. Inclusive ele próprio, devo imaginar.

— Farei isso — disse eu. — Hal, e Melinda como está?

Houve uma longa pausa, tão longa que poderia achar que *eu* tinha perdido a ligação, não fosse o som da respiração dele. Dessa vez, quando ele falou, foi num tom de voz muito mais baixo.

— Ela está afundando — disse ele.

Afundando. Aquela palavra de dar calafrios, que as pessoas mais velhas usavam não precisamente para descrever uma pessoa que estava morrendo, mas alguém que tinha começado a se desligar da vida.

— As dores de cabeça parecem ter melhorado um pouco... Por agora, de qualquer modo... Mas ela não consegue andar sem ajuda, não consegue pegar objetos, perde o controle da urina quando dorme... — Houve outra pausa e então, com a voz ainda mais baixa, Hal disse algo que pareceu com "ela pinga".

— Pinga o quê, Hal? — perguntei, franzindo a testa. Minha mulher apareceu no portal da varanda. Ficou ali parada, limpando as mãos num pano de prato e olhando para mim.

— Não — respondeu num tom que parecia oscilar entre raiva e choro. — Ela *xinga.*

— Oh. — Ainda não sabia o que ele queria dizer, mas não tinha a menor intenção de continuar nisso. Não precisei, pois ele o fez por mim.

— Ela pode estar muito bem, perfeitamente normal, conversando sobre canteiros de flores ou um vestido que viu num catálogo, ou talvez sobre ter ouvido Roosevelt falando no rádio e como ele parece maravilhoso, e então, de súbito, ela começa a dizer as coisas mais horríveis, as palavras mais horríveis. Ela não eleva a voz. Quase seria melhor se ela a elevasse, acho, porque então... Entende, *então...*

— Ela não pareceria tanto com ela própria.

— Isso mesmo — disse ele em tom agradecido. — Mas ouvi-la dizendo coisas horrorosas de linguajar de sarjeta na sua voz doce... Me desculpe, Paul. — Sua voz foi sumindo e escutei-o limpando a garganta ruidosamente. Depois retornou, parecendo mais forte porém arrasado do mesmo jeito. — Ela quer que o pastor Donaldson venha aqui em casa e eu sei que ele é um consolo para ela, mas como posso chamá-lo? Suponha que ele esteja sentado ali, lendo as escrituras com ela, e ela o xingue de alguma coisa suja? Ela poderia fazer isso; me chamou de uma coisa dessas ontem de noite. Ela me disse: "Será que você pode me passar a revista *Liberty*, seu chupador de pau?" Onde é que ela poderia ter ouvido um linguajar desses, Paul? Como é que ela pode saber essas palavras?

— Não sei. Hal, você vai estar em casa hoje de noite?

Quando estava bem e senhor de si, não com a atenção transtornada por preocupações ou sofrimento, Hal Moores revelava uma faceta cortante e sarcástica da sua personalidade. Acho que seus subordinados temiam esse lado seu mais do que sua raiva ou desprezo. Seu sarcasmo, geralmente impaciente e muitas vezes contundente, era capaz de ser cáustico como ácido. Um pouco disso agora respingou em mim. Foi inesperado, porém, e fiquei contente em ouvi-lo. Parecia que ele ainda não tinha perdido inteiramente sua capacidade de luta.

— Não — disse ele. — Vou levar Melinda para uma dança de quadrilha. Vamos fazer um passo pra cá, outro pra lá, depois abrir alas à esquerda, e então dizer ao violinista que ele é um garanhão filho da mãe.

Tapei a boca com a mão para conter uma risada. Felizmente foi um impulso que passou rápido.

— Desculpe-me — disse ele. — Não tenho dormido bem ultimamente. Isso me deixa irritadiço. É claro que vamos estar em casa. Por que pergunta?

— Não tem importância, acho — respondi.

— Você não estava pensando em passar por aqui, estava? Porque se você estava de serviço ontem à noite, estará também hoje à noite. A menos que tenha trocado com alguém.

— Não, não troquei — falei. — Estou de serviço hoje à noite.

— De todo modo, não seria uma boa ideia. Não do jeito que ela está agora.

— Talvez não. Obrigado pelas notícias.

— Por nada. Paul, reze por Melinda.

Disse que rezaria, pensando que talvez fizesse bem mais do que rezar. Deus ajuda os que ajudam a si próprios, como dizem na igreja de

Louvado Seja Jesus, O Senhor é Poderoso. Desliguei e olhei para Janice.

— Como está Melly? — perguntou.

— Nada bem. — Contei-lhe o que Hal me contara, inclusive a parte sobre dizer palavrões, embora tenha omitido chupador de pau e garanhão filho da mãe. Terminei com o termo usado por Hal, *afundando*, e Jan balançou a cabeça com tristeza. Olhou para mim com mais atenção.

— Em que você está pensando? Você está pensando em *alguma coisa*, provavelmente nada de bom. Está estampado no seu rosto.

Mentir estava fora de questão, nós não éramos assim um com o outro. Apenas lhe disse que era melhor que ela não soubesse, pelo menos por enquanto.

— Isso é... Poderia metê-lo em problemas? — Ela não pareceu especialmente alarmada com a ideia, e sim interessada mais do que qualquer outra coisa, o que é uma das coisas nela que sempre adorei.

— Talvez — disse eu.

— É uma coisa boa?

— Talvez — repeti. Estava ali de pé, girando a manivela do telefone distraidamente com um dedo, enquanto segurava o gancho com um dedo da outra mão.

— Você prefere que o deixe sozinho enquanto usa o telefone? — perguntou. — Que eu seja uma boa mulherzinha e dê o fora? Lave uns pratos? Tricote uns sapatinhos de bebê?

Assenti.

— Eu não diria assim, porém...

— Vamos ter convidados para o almoço, Paul?

— Espero que sim — respondi.

## 9

Consegui falar com Brutal e Dean imediatamente, porque ambos estavam ligados à central telefônica. Harry não estava, pelo menos naquela época, mas eu tinha o número de telefone do vizinho mais próximo, que estava conectado. Harry me chamou uns vinte minutos depois, altamente encabulado por ter que ligar a cobrar e disparando promessas de "pagar sua quota" quando chegasse nossa próxima conta. Disse-lhe que contaríamos esses pintos depois que saíssem do ovo; nesse meio--tempo, será que ele poderia vir almoçar na minha casa? Brutal e Dean estariam aqui e Janice tinha prometido servir um pouco da famosa salada de repolho... Sem falar na ainda mais famosa torta de maçã.

— Almoçar só pelo prazer de almoçar? — indagou Harry num tom desconfiado.

Admiti que tinha uma coisa sobre a qual queria conversar com eles, mas era melhor não entrar nisso, nem de leve, por telefone. Harry concordou em vir. Pendurei o fone no gancho, fui até a janela e olhei para fora, pensativo. Embora tivéssemos estado no último turno, eu não tinha acordado nem Brutal nem Dean, e Harry tampouco pareceu ter acabado de sair da terra dos sonhos. Parecia que eu não era o único a ter problemas com o que tinha acontecido na noite anterior e, considerando a maluquice que eu tinha em mente, isso provavelmente era bom.

Brutal, que era quem morava mais perto de mim, chegou às onze e quinze. Dean apareceu 15 minutos depois e Harry, já vestido para o trabalho, cerca de 15 minutos depois de Dean. Janice nos serviu sanduíches de rosbife frio, salada de repolho e chá gelado na cozinha. Apenas um dia antes e teríamos nos servido na varanda lateral, desfrutando da brisa, mas a temperatura tinha caído uns bons 15 graus desde a tempestade e um vento afiado estava soprando de cima das montanhas.

— Você será bem-vinda se quiser sentar-se conosco — disse para minha mulher.

Ela abanou a cabeça.

— Acho que não quero saber o que vocês estão pretendendo fazer. Ficarei menos preocupada se ficar na ignorância. Vou comer algo no hall de entrada. Estou passando esta semana com a srta. Jane Austen, e ela é muito boa companhia.

— Quem é Jane Austen? — perguntou Harry quando ela foi embora. — É do lado da sua família ou da de Janice, Paul? Ela é bonita?

— Ela é uma escritora, seu burro — disse-lhe Brutal. — Está morta praticamente desde quando Betsy Ross bordou as estrelas na primeira bandeira dos Estados Unidos.

— Oh. — Harry ficou encabulado. — Não sou muito de ler. Quase só leio manuais de rádio.

— O que você tem em mente, Paul? — perguntou Dean.

— John Coffey e o sr. Guizos, para começar. — Eles me deram um olhar de surpresa, como eu esperava. Estavam pensando que queria conversar sobre Delacroix ou Percy. Talvez ambos. Olhei para Dean e Harry. — A coisa com o sr. Guizos, o que Coffey fez, aconteceu muito depressa. Não sei se vocês chegaram ali a tempo de ver como o rato estava todo quebrado.

Dean sacudiu a cabeça.

— Mas vi o sangue no chão.

Voltei-me para Brutal.

— Aquele filho da puta do Percy o esmagou — disse ele com simplicidade. — Ele devia ter morrido, mas não morreu. Coffey fez alguma coisa com ele. Curou-o, de algum modo. Sei como isso parece, mas vi com meus próprios olhos.

Falei:

— Ele também me curou e eu não me limitei a ver, eu *senti*.

Contei-lhes da minha infecção urinária: como ela tinha voltado, como tinha sido ruim (apontei pela janela para a pilha de lenha em que tivera de me apoiar na manhã em que a dor me fez cair de joelhos) e como ela tinha desaparecido por completo depois que Coffey tocou em mim. E não voltou mais.

Não demorei muito para contar. Quando terminei, eles ficaram sentados, pensando sobre isso por algum tempo, mastigando seus sanduíches. Então Dean falou:

— Umas coisas negras saíram-lhe da boca. Feito insetos.

— Isso mesmo — confirmou Harry. — Pelo menos no início, eram negras. Depois ficaram brancas e sumiram. — Olhou em volta com ar de reflexão. — É como se eu praticamente tivesse me esquecido da coisa toda até que você a mencionou, Paul. Não é engraçado?

— Não tem nada de engraçado nem estranho sobre isso — disse Brutal. — Eu acho que isso é o que as pessoas quase sempre fazem com as coisas que não conseguem entender. Simplesmente esquecem. Não adianta muito para ninguém se lembrar de coisas que não fazem nenhum sentido. E com você, Paul? Houve insetos quando ele deu um jeito em você?

— Houve sim. Acho que eles eram a doença... A dor... O sofrimento. Ele absorve isso, depois solta no ar livre de volta.

— Onde some — disse Harry.

Encolhi os ombros. Não sabia se sumia ou não, não tinha certeza nem mesmo se fazia diferença.

— Ele sugou para fora de você? — perguntou Brutal. — Parecia que ele estava sugando para fora do rato. O sofrimento. A... Você sabe. A morte.

— Não — respondi. — Ele apenas me tocou. E eu senti. Uma espécie de choque, como de eletricidade, só que indolor. Mas eu não estava morrendo, só sofrendo.

Brutal balançou a cabeça positivamente.

— O toque e o hálito. Exatamente como se ouve aqueles pregadores do interior falando sem parar.

— Louvado seja Jesus, o Senhor é poderoso — disse eu.

— Não sei se Jesus entra nisso — disse Brutal —, mas me parece que John Coffey é um homem poderoso.

— Está certo — falou Dean. — Se vocês dizem que isso tudo aconteceu, acho que eu acredito. Deus age de forma misteriosa para realizar Suas maravilhas. Mas o que isso tem a ver conosco?

Bem, essa era a grande questão, não era? Respirei fundo e lhes disse o que eu queria fazer. Eles escutaram, atônitos. Mesmo Brutal, que gostava de ler revistas com histórias sobre homenzinhos verdes do espaço, parecia atônito. Dessa vez, quando terminei, o silêncio foi mais longo e ninguém mastigou sanduíche nenhum.

Por fim, num tom suave e racional, Brutus Howell disse:

— Perderíamos nossos empregos se nos apanhassem, Paul, e teríamos muita sorte se isso fosse tudo que acontecesse. Provavelmente iríamos acabar como hóspedes do estado no Bloco A, fabricando carteiras e tomando banho aos pares.

— É — falei. — Isso poderia acontecer.

— Posso compreender como você se sente, um pouco — continuou ele. — Você conhece Moores melhor do que nós. Ele é seu amigo além de ser o chefão. E eu sei que você aprecia muito a mulher dele...

— Ela é a mulher mais doce que você jamais poderia conhecer — disse eu —, e ela representa tudo para ele.

— Mas nós não a conhecemos como você e Janice a conhecem, não é, Paul? — retrucou Brutal.

— Vocês gostariam dela se a conhecessem — prossegui. — Pelo menos vocês gostariam dela se a tivessem conhecido antes que essa coisa enfiasse as garras nela. Ela faz uma porção de coisas pela comunidade, é uma boa amiga e é religiosa. Mais do que isso, ela é divertida. Isto é, costumava ser. Ela era capaz de lhe contar coisas que faziam você rir até as lágrimas lhe rolarem pelo rosto. Mas nenhuma dessas coisas é a razão pela qual quero ajudar a salvá-la, se ela puder ser salva. O que está acontecendo com ela é um *ultraje*, diabos, um *ultraje*. Aos olhos, aos ouvidos e ao coração.

— Muito nobre, mas duvido muitíssimo que tenha sido isso que meteu essa ideia na sua cuca — disse Brutal. — Acho que foi o que aconteceu com Del. De algum modo, você quer compensar isso.

E ele tinha razão. Claro que tinha. Eu conhecia Melinda Moores melhor do que os demais, porém talvez, no fim das contas, não bem o bastante para pedir a eles que arriscassem os empregos por ela, e possivelmente a liberdade também. Nem, aliás, meu próprio trabalho e liberdade. Eu tinha dois filhos crescidos, e a última coisa que queria neste mundo de Deus era que minha mulher tivesse que escrever para eles com a notícia de que seu pai estava indo a julgamento por... Bem, por quê? Não sabia com certeza. Ajudar e colaborar numa tentativa de fuga parecia o mais provável.

Porém a morte de Eduard Delacroix tinha sido a coisa mais horrível, mais abominável, que eu jamais vira na vida, não apenas na minha vida de trabalho, mas na minha vida inteira, e eu tinha participado dela. Nós *todos* tínhamos participado dela, porque tínhamos deixado que Percy Wetmore ficasse mesmo depois de saber que ele era terrivelmente inadequado para trabalhar num lugar como o Bloco E. Tínhamos feito parte do jogo. Até o diretor Moores tinha participado disso. "As bolas de Delacroix vão ser cozinhadas quer Wetmore esteja ou não na equipe", dissera ele, e talvez isso estivesse muito bem, considerando o que o francesinho tinha feito. Mas no final Percy fez muito mais do que cozinhar as bolas de Del. Ele fez os globos oculares do homenzinho saltarem das órbitas e a maldita cara dele pegar fogo. E por quê? Porque Del era um assassino de meia dúzia? Não. Porque Percy tinha molhado as calças e o pequeno cajun tivera a temeridade de rir dele. Nós tínhamos sido parte de um ato monstruoso e Percy ia sair disso ileso. Ia para Briar Ridge, feliz como um mexilhão na maré alta, e lá ia ter um hospício inteiro, cheio de lunáticos, em quem perpetrar suas crueldades. Não havia nada que pudéssemos fazer a esse respeito, mas talvez ainda não fosse tarde demais para lavar um pouco do lodo de nossas próprias mãos.

— Na minha igreja, eles chamam isso pagar pelos pecados em vez de compensar — disse eu —, mas acho que dá no mesmo.

— Você realmente acha que Coffey *poderia* salvá-la? — indagou Dean num tom baixo e assustado. — Apenas... O quê?... Sugar aquele tumor cerebral para fora da cabeça dela? Como se fosse... um caroço de pêssego?

— Acho que ele pode. Não é certo, evidentemente, mas depois do que fez comigo... E com o sr. Guizos...

— Aquele rato estava seriamente arrebentado, sem dúvida alguma — disse Brutal.

— Mas será que ele *faria* isso? — conjecturou Harry. — Será que *faria*?

— Se ele puder, ele fará — retruquei.

— Por quê? Coffey nem a conhece!

— Porque é o que ele faz. É para isso que Deus o fez.

Brutal fez um gesto de olhar ostensivamente ao redor, lembrando a todos nós de que estava faltando alguém.

— E quanto a Percy? Você acha que ele vai permitir que isso aconteça? — perguntou. Então lhes disse o que tinha pensado para Percy. Quando terminei, Harry e Dean estavam olhando espantados para mim e um sorriso relutante de admiração se tinha aberto no rosto de Brutal.

— Bem audacioso, irmão Paul! — disse ele. — Quase me tira o fôlego!

— Ia ser mesmo sensacional! — Dean quase sussurrou e depois deu uma gargalhada e bateu palmas como uma criança. — Isto é, seria demais! É preciso que você se lembre de que Dean tinha um interesse especial na parte do meu plano que envolvia Percy, afinal de contas, Percy podia ter causado a morte de Dean quando ficou petrificado daquele jeito.

— É, mas e depois? — indagou Harry. Falou num tom sombrio, mas os olhos o traíram: estavam cintilando, os olhos de um homem que quer ser convencido. — E aí?

— Dizem que os homens mortos não falam — roncou Brutal, e dei uma olhadela para ele a fim de me certificar de que estava brincando.

— Acho que ele vai ficar de boca fechada — disse eu.

— É mesmo? — Dean parecia cético. Tirou os óculos e começou a limpá-los. — Convença-me.

— Em primeiro lugar, ele não vai saber o que de fato aconteceu. Vai nos julgar por ele próprio e achar que foi apenas uma brincadeira de mau gosto. Em segundo lugar, e o mais importante, *ele vai ter medo de dizer qualquer coisa*. É com isso que estou contando, na verdade. Nós lhe diremos que, se ele começar a escrever cartas e dar telefonemas, *nós* começaremos a escrever cartas e a dar telefonemas.

— Sobre a execução — disse Harry.

— E sobre o modo como ele ficou petrificado quando Wharton atacou Dean — falou Brutal. — Acho que Percy realmente tem medo é de que as pessoas saibam disso. — Balançou a cabeça devagar e com ar pensativo. — Pode dar certo. Mas Paul... Não faria mais sentido levar a sra. Moores até Coffey do que Coffey até a sra. Moores? Nós podíamos dar um jeito em Percy mais ou menos como você planejou, depois fazê-la entrar pelo túnel, em vez de tirar Coffey por esse caminho.

Sacudi a cabeça.

— Nunca seria possível. Nem em um milhão de anos.

— Por causa do diretor Moores?

— Isso mesmo. Ele é tão cabeça-dura que faz São Tomé parecer Joana D'Arc. Se nós levarmos Coffey à casa dele, acho que podemos surpreendê-lo e conseguir que pelo menos deixe Coffey tentar. Do contrário...

— O que você está pensando usar como veículo? — perguntou Brutal.

— Minha primeira ideia foi a diligência — respondi —, mas acho que nunca conseguiríamos sair com ela do pátio sem que alguém notasse e, de qualquer modo, todo mundo num raio de 30 quilômetros a conhece. Acho que talvez possamos usar o meu Ford.

— Pense em outra — disse Dean, recolocando os óculos sobre o nariz. — Você não conseguiria meter John Coffey dentro do seu carro nem que o botasse nu, cobrisse de gordura e usasse uma calçadeira. Você está tão acostumado a olhar para ele que se esqueceu de como ele é grande.

Não tinha resposta para isso. Naquela manhã tinha dedicado a maior parte da minha atenção ao problema de Percy, e o problema menor, mas não irrelevante, de Wild Bill Wharton. Agora me dava conta de que o transporte não ia ser tão simples quanto eu tinha esperado.

Harry Terwilliger pegou os restos do seu segundo sanduíche, olhou para ele por um segundo, depois o colocou de volta ao prato.

— Se nós realmente fôssemos fazer essa coisa maluca — falou —, acho que poderíamos usar minha caminhonete. Sentá-lo na parte de trás. A essa hora não vai ter muita gente nas ruas. Estamos falando de por volta da meia-noite, não é?

— É — confirmei.

— Vocês, caras, estão se esquecendo de uma coisa — disse Dean. — Sei que Coffey tem estado muito tranquilo desde que chegou ao bloco, não faz muito mais do que ficar lá deitado no catre derramando lágrimas, mas ele é um *assassino*. Além disso, é *descomunal*. Se ele resolvesse fugir de detrás da caminhonete de Harry, a única maneira que nós teríamos para pará-lo seria abatê-lo a tiros. E um sujeito daqueles ia precisar de um bocado de tiros, mesmo com uma .45. Suponha que não fôssemos capazes de derrubá-lo. E se ele matar outra pessoa? Detestaria perder meu emprego e detestaria ir para a prisão, pois tenho mulher e filhos que dependem de mim para o pão de cada dia, mas creio que não detestaria qualquer dessas coisas tanto, nem de longe, quanto ter outra menininha morta na minha consciência.

— Isso não vai acontecer — disse eu.

— Como, em nome de Deus, você pode ter tanta certeza disso?

Não respondi. Não sabia bem por onde começar. Sabia que isso ia surgir, claro que sabia, mas mesmo assim não sabia por onde começar para lhes dizer o que eu sabia. Brutal me ajudou.

— Você acha que ele não fez aquilo, não é, Paul? — Tinha um ar incrédulo. — Você acha que aquele brutamontes é inocente.

— Tenho absoluta certeza de que ele é inocente — falei.

— Como, em nome de Deus, você *pode* ter certeza disso?

— Há duas coisas — disse eu. — Uma delas é o meu sapato. — Inclinei-me por sobre a mesa e comecei a falar.

PARTE CINCO

# EXCURSÃO NOTURNA

## 1

O sr. H.G. Wells certa vez escreveu uma história sobre um homem que inventou uma máquina do tempo, e eu descobri que, ao escrever essas memórias, criei minha própria máquina do tempo. Ao contrário da de Wells, a minha só é capaz de viajar para o passado, na realidade, de volta a 1932, quando eu era o chefe dos guardas no Bloco E da Penitenciária Estadual de Cold Mountain, mas, apesar disso, ela é assustadoramente eficiente. Aliás, esta máquina do tempo me faz lembrar do velho Ford que eu tinha naquela época: podia-se ter certeza de que ele acabaria funcionando, mas nunca se sabia se um giro da chave seria suficiente para ligar o motor ou se ia ser preciso descer e girar a manivela até quase cair o braço.

Já dei uma porção de partidas fáceis desde que comecei a contar a história de John Coffey, mas ontem tive que usar a manivela. Acho que foi porque tinha chegado a execução de Delacroix e parte da minha mente não queria reviver aquilo. Foi uma morte horrenda, uma morte *terrível*, e ela aconteceu desse jeito por causa de Percy Wetmore, um jovem que adorava pentear os cabelos, mas não suportava que alguém risse dele — nem mesmo um francesinho meio careca que jamais veria outro Natal.

Contudo, como na maioria dos serviços sujos, a parte mais difícil é apenas começar. Para um motor não faz diferença se você usa a chave ou tem que usar a manivela: uma vez que consiga pô-lo para funcionar, geralmente ele funciona igualmente bem de qualquer dos dois modos. Foi assim que se deu comigo ontem. No princípio as palavras vinham em pequenos jorros de frases, depois em sentenças completas, finalmente numa torrente. Descobri que escrever é uma forma especial e bastante aterrorizadora de recordação: ela encerra uma totalidade que é quase como um estupro. Talvez eu só me sinta assim porque me tornei um homem muito velho (algo que, às vezes penso, aconteceu sem que eu percebesse), mas acho que não. Creio que a combinação de lápis e memória cria uma espécie de magia prática, e a magia é perigosa. Na condição de um homem que conheceu John Coffey e viu o que ele era capaz de fazer, com ratos e com homens, sinto-me muito habilitado a dizer isso.

A magia é perigosa.

De qualquer maneira, escrevi durante todo o dia de ontem, as palavras simplesmente jorrando de dentro de mim. O solário desse asilo sumiu e foi substituído pelo depósito no final do Corredor Verde, onde tantas das minhas crianças-problema se sentaram pela última vez, no pé dos degraus que levavam ao túnel por baixo da rua. Foi ali que Dean, Harry, Brutal e eu confrontamos Percy Wetmore por cima do corpo fumegante de Eduard Delacroix e o obrigamos a renovar sua promessa de que iria requerer transferência para a instituição estadual de doenças mentais de Briar Ridge.

No solário há sempre flores frescas, mas ontem, por volta do meio-dia, o único cheiro que sentia era o aroma nauseabundo da carne cozida do morto. O som do cortador de grama a motor lá embaixo tinha sido substituído pelo *plinc* metálico da água que gotejava ao se infiltrar lentamente através do teto curvo do túnel. A viagem tinha começado. Viajei de volta para 1932, em espírito e mente, se não em corpo.

Não almocei, escrevi até as quatro mais ou menos, e quando por fim pousei o lápis, minha mão estava doendo. Caminhei devagar até o final do corredor do segundo andar. Lá existe uma janela que dá para o pátio de estacionamento dos funcionários. Brad Dolan, o funcionário que me lembra Percy (e que tem uma curiosidade excessiva sobre aonde vou e o que faço nas minhas caminhadas) dirige um velho Chevrolet com um adesivo no para-choque que diz EU VI DEUS E O NOME

DELE É NEWT. Não estava lá; o turno de Brad já terminara e ele tinha ido para um canteiro qualquer que ele chama de lar. Imagino um trailer Airstream, com páginas centrais da *Hustler* pregadas nas paredes com fita adesiva e latas de cerveja Dixie pelos cantos.

Fui saindo pela cozinha, onde começavam os preparativos para o jantar.

— O que que o senhor tem aí nessa sacola, sr. Edgecombe? — perguntou-me Norton.

— É uma garrafa vazia — disse eu. — Descobri a Fonte da Juventude lá no bosque. Mais ou menos a essa hora dou um pulo até lá e pego um pouco. Tomo na hora de dormir. Coisa boa, pode apostar.

— Pode estar mantendo o senhor jovem — disse George, o outro cozinheiro —, mas não está adiantando *porra nenhuma* para sua aparência.

Todos rimos com isso e eu saí. Dei-me conta de que estava olhando em busca de Dolan, apesar de seu carro ter sumido, me xinguei de idiota por deixar que ele mexesse tanto comigo e atravessei o campo de croqué. Adiante dele há um gramadinho de golfe, cheio de pragas, que parece muito mais bonito nos folhetos do Georgia Pines, e mais além está a trilha que serpenteia por dentro de um pequeno bosque a leste da casa de repouso. Ao longo dessa trilha há um par de galpões velhos, utilizados para nada hoje em dia. No segundo, que fica perto da parede alta de pedra entre o terreno do Georgia Pines e a Rodovia 47 da Geórgia, entrei e permaneci por algum tempo.

Nessa noite jantei bem, assisti a um pouco de tevê e fui cedo para a cama. Em muitas noites, acordo e me esgueiro de volta para a sala da televisão, onde assisto a filmes antigos no American Movie Channel. Mas não na noite passada. Na noite passada dormi como uma pedra e sem qualquer dos sonhos que tanto me têm atormentado desde que comecei minhas aventuras na literatura. Toda aquela escrevinhação de ontem deve ter-me deixado exausto. Não sou mais tão moço como era, você sabe.

Quando despertei e vi que o pedaço de sol que geralmente está no chão às seis da manhã tinha subido até o pé da minha cama, levantei-me depressa, tão alarmado que mal notei a pontada de dor de artrite nos quadris, joelhos e tornozelos. Vesti-me o mais depressa que pude, depois fui apressadamente pelo corredor até a janela que leva até o pátio de estacionamento dos funcionários, esperando que a vaga onde Dolan estaciona seu velho Chevrolet ainda estivesse vazia. Às vezes ele chega a se atrasar uma meia hora...

Não tive essa sorte. O carro estava lá, brilhando como ferrugem sob o sol da manhã. Porque o sr. Brad Dolan tem um motivo para chegar na hora atualmente, não é? Tem sim. O velho Paulie Edgecombe vai a algum lugar de manhã cedo, o velho Paulie Edgecombe faz alguma coisa e o sr. Brad Dolan pretende descobrir o que é. *O que você faz por lá, Paulie? Conte-me.* Era provável que ele já estivesse esperando por mim. O inteligente seria eu ficar bem onde estava... Só que eu não podia.

— Paul?

Voltei-me tão rápido que quase caí no chão. Era minha amiga Elaine Connelly. Ela arregalou os olhos e estendeu as mãos, como se fosse me segurar. Para sorte dela, recuperei o equilíbrio. A artrite de Elaine é terrível e eu provavelmente a teria partido em duas como um galho seco se tivesse caído em seus braços. O romance não morre quando se passa para aquele estranho território que fica além dos oitenta, mas pode-se esquecer daquela cena do *E o Vento Levou...*

— Desculpe-me — disse ela. — Não quis assustá-lo.

— Tudo bem — retruquei, dando-lhe um leve sorriso. — É uma maneira melhor de despertar do que um bocado de água fria no rosto. Devia contratá-la para fazer isso todas as manhãs.

— Você estava procurando pelo carro dele, não estava? O carro de Dolan.

Não tinha por que tentar enganá-la, de modo que confirmei com a cabeça.

— Gostaria de ter certeza de que ele está na ala oeste. Gostaria de dar uma escapulida por um tempinho, mas não quero que ele me veja.

Ela sorriu, um vestígio do sorriso provocador de diabinha que devia ter quando menina.

— Canalha enxerido, não é?

— É.

— Não está na ala oeste, não. Já estive lá embaixo para tomar o café da manhã, dorminhoco, e posso lhe dizer onde ele está porque dei uma espiada. Está na cozinha.

Olhei para ela, desanimado. Sabia que Dolan estava curioso, mas não sabia quanto.

— Pode adiar sua caminhada matutina? — perguntou Elaine.

Pensei sobre isso.

— Acho que *podia*, mas...

— Não deve.

— Não. Não devo.

*Agora*, pensei eu, *ela vai me perguntar onde é que eu vou, o que tenho a fazer naquele bosque que é tão importante.*

Mas ela não perguntou. Em vez disso, ela me deu aquele sorriso de diabinha novamente. Parecia estranho e absolutamente maravilhoso no rosto demasiado esquálido e atormentado pela dor.

— Você conhece o sr. Howland? — perguntou.

— Claro — respondi, embora não o visse com frequência. Ele estava na ala oeste, o que, no Georgia Pines, era quase como estar num país vizinho. — Por quê?

— Você sabe o que ele tem de especial?

Abanei a cabeça.

— O sr. Howland — disse Elaine, sorrindo ainda mais do que nunca — é um dos únicos cinco residentes no Georgia Pines que têm permissão para fumar. Isso porque ele já era residente antes de mudarem as regras.

Uma cláusula de antiguidade, pensei. E qual o lugar mais adequado para ter uma regra dessas do que um lar para idosos?

Ela meteu a mão no bolso do roupão de listras azuis e brancas e puxou até a metade dois objetos: um cigarro e uma caixa de fósforos. Com uma voz melodiosa e engraçada, ela cantarolou:

— Criança que prega lorota faz pipi na cama.

— Elaine, o que...

— Acompanhe uma moça idosa até lá embaixo — disse ela, colocando o cigarro e os fósforos de volta ao bolso e tomando meu braço com uma de suas mãos nodosas. Começamos a caminhar pelo corredor. Enquanto andávamos, resolvi desistir e colocar-me nas suas mãos. Ela estava velha e quebradiça, mas não era burra.

Enquanto descíamos, andando com o cuidado necessário às relíquias em que nos havíamos transformado, Elaine disse:

— Espere no pé da escada. Vou até a ala oeste, para o banheiro que fica no corredor de lá. Você sabe a qual estou me referindo, não sabe?

— Sei — respondi. — O que fica logo do lado de fora do spa. Mas por quê?

— Há mais de 15 anos que não fumo um cigarro — disse ela —, mas estou com vontade de fumar um hoje de manhã. Não sei quantas baforadas serão suficientes para disparar o detector de fumaça lá dentro, mas pretendo descobrir.

Olhei para ela com nascente admiração, pensando no quanto ela me lembrava minha mulher. Jan poderia ter feito exatamente a mesma coisa. Elaine retribuiu meu olhar, exibindo seu provocante sorriso de diabinha. Pus minha mão por trás do seu adorável pescoço longo, trouxe seu rosto para o meu e beijei-lhe a boca de leve.

— Amo você, Ellie — falei.

— Oooh, palavras tão importantes — disse ela, mas pude ver que estava contente.

— E quanto a Chuck Howland? — perguntei. — Ele vai ter problemas?

— Não, porque está na sala da televisão, assistindo ao *Bom dia América*, com cerca de mais duas dezenas de pessoas. E eu vou sumir tão logo o detector de fumaça acione o alarme de incêndio da ala oeste.

— Trate de não cair e se machucar, mulher. Nunca me perdoaria se...

— Oh, pare de fazer onda — disse ela, e dessa vez, *ela me* beijou. Amor entre as ruínas. Provavelmente isso parece engraçado para alguns de vocês e grotesco para os demais, mas deixe-me dizer uma coisa, meu amigo: amor estranho é melhor do que nenhum amor.

Fiquei olhando-a se afastar, movendo-se devagar e com dificuldade (mas ela só usa bengala em dias chuvosos e, mesmo então, só se a dor estiver terrível; é uma das suas vaidades), e fiquei esperando. Passaram-se cinco minutos, depois dez e bem quando estava chegando à conclusão de que ela tinha ou perdido a coragem ou descoberto que a pilha do detector de fumaça no banheiro estava gasta, o alarme de incêndio disparou na ala oeste, com um zumbido alto de campainha.

Comecei imediatamente a andar na direção da cozinha, mas devagar. Não havia nenhum motivo para me apressar até que tivesse certeza de que Dolan estava fora do meu caminho. Um bando de gente velha, a maioria ainda de roupão, saiu da sala de tevê (aqui é chamada de Centro de Diversões, e *isso* é grotesco) para ver o que estava acontecendo. Chuck Howland estava entre eles, como constatei com satisfação.

— Edgecombe! — falou Kent Avery com sua voz áspera, agarrado ao seu andador com uma das mãos e puxando de forma obcecada o gancho da calça do pijama com a outra. — Alarme de verdade ou outro de brincadeirinha? O que você acha?

— Acho que não há como saber — respondi.

A essa altura três auxiliares de enfermagem passaram correndo, todos indo para a ala oeste, berrando para as pessoas congregadas junto à porta da sala de televisão para que fossem para fora e esperassem o aviso de tudo em ordem. O terceiro da fila era Brad Dolan. Nem olhou para mim ao passar, fato que me agradou enormemente. Ao ir descendo rumo à cozinha, me ocorreu que a equipe de Elaine Connelly e Paul Edgecombe provavelmente podia enfrentar uma dúzia de Brad Dolans, com meia dúzia de Percy Wetmores acrescentados de lambuja.

Os cozinheiros na cozinha continuavam a limpar o resto do café da manhã, sem dar nenhuma atenção ao alarme de incêndio disparado.

— Ei, sr. Edgecombe — disse George. — Creio que Brad Dolan estava procurando pelo senhor. Aliás, o senhor quase o alcança aqui.

*Que sorte a minha*, pensei. O que disse em voz alta foi que provavelmente veria o sr. Dolan mais tarde. Então perguntei se tinha sobrado alguma torrada depois do café da manhã.

— Claro — respondeu Norton —, mas está fria como pedra. O senhor está atrasado hoje?

— Estou — concordei —, mas estou com fome.

— Leva só um minuto para fazer algumas frescas e quentes — disse George, estendendo a mão para o pão.

— Nada disso, fria mesmo está bem — disse eu, e quando ele me entregou umas duas fatias (com um ar espantado — na realidade, ambos estavam com um ar espantado), saí depressa pela porta, me sentindo como o menino que fui um dia, matando aula para ir pescar com um sanduíche de geleia enrolado em papel encerado, enfiado na parte da frente da camisa.

Do lado de fora da porta da cozinha dei uma olhada rápida em volta, quase por reflexo procurando por Dolan, não vi nada que me assustasse, e atravessei depressa o campo de croqué e o gramadinho de golfe, roendo uma das torradas enquanto andava. Diminuí um pouco o passo quando entrei no abrigo do bosque e, ao caminhar pela trilha, percebi que minha mente estava retornando para o dia seguinte à terrível execução de Eduard Delacroix.

Eu tinha falado com Hal Moores naquela manhã e ele me dissera que o tumor cerebral de Melinda a tinha feito ter uns acessos de xingamento e palavrões, o que minha mulher depois qualificou (meio especulativa, pois não tinha certeza se era realmente a mesma coisa) como síndrome de Tourette. O tremor na voz dele, combinado com a recordação de como John Coffey tinha curado tanto a minha infecção urinária como a espinha partida do rato de estimação de Delacroix, tinham finalmente me impelido para além da linha que separa o apenas pensar em alguma coisa e efetivamente *fazer* uma coisa.

E havia algo mais. Algo que tinha a ver com as mãos de John Coffey e meu sapato.

Então chamei os homens com quem trabalhava, os homens a quem confiara minha vida ao longo dos anos: Dean Stanton, Harry Terwilliger, Brutus Howell. Eles foram almoçar na minha casa no dia seguinte à execução de Delacroix e pelo menos me escutaram enquanto eu delineava meu plano. Evidentemente, todos eles sabiam que Coffey tinha curado o rato; Brutal o tinha visto de fato. Assim, quando sugeri que poderia haver outro milagre se levássemos John Coffey até Melinda Moores, eles não riram imediatamente. Foi Dean Stanton quem levantou a questão mais perturbadora: e se John Coffey fugisse enquanto nós o tínhamos do lado de fora, nessa expedição pelo campo?

— E se ele matar outra pessoa? — perguntou Dean. — Detestaria perder meu emprego e detestaria ir para a prisão, pois tenho mulher e filhos que dependem de mim para o pão de cada dia, mas acho que detestaria mais ainda, muito mais, ter outra menininha morta na minha consciência.

Então se fez o silêncio, todos eles olhando para mim, esperando para ver como eu responderia. Sabia que tudo mudaria se dissesse o que estava na ponta da minha língua. Tínhamos chegado a um ponto além do qual provavelmente se tornaria impossível recuar.

Só que, para mim pelo menos, já era impossível recuar. Abri a boca e disse:

## 2

— Isso não vai acontecer.

— Como, em nome de Deus, você pode ter tanta certeza disso? — perguntou Dean.

Não respondi. Não sabia bem por onde começar. Sabia que isso ia surgir, claro que sabia, mas mesmo assim não sabia por onde começar a lhes dizer o que eu sabia. Brutal me ajudou.

— Você acha que ele não fez aquilo, não é, Paul? — Tinha um ar incrédulo. — Você acha que aquele brutamontes é inocente.

— Tenho absoluta certeza de que ele é inocente — falei.

— Como você *pode* ter certeza disso?

— Há duas coisas — disse eu. — Uma delas é o meu sapato.

— O seu *sapato*? — exclamou Brutal. — O que tem seu *sapato* a ver com o fato de John Coffey ter ou não matado aquelas duas menininhas?

— Tirei um dos meus sapatos e entreguei a ele ontem de noite — disse eu. — Isto é, depois da execução, quando as coisas tinham se acalmado um pouco. Empurrei-o através das grades e ele o pegou com aquelas mãos enormes. Mandei que ele atasse o cadarço. Eu tinha que ter certeza, entendem, porque todas as nossas crianças-problema normalmente usam chinelos. Um homem que realmente quer cometer suicídio pode fazê-lo com cadarços de sapato, se estiver decidido. Isso é algo que todos nós sabemos.

Eles concordaram com acenos de cabeça.

— Ele o pôs no colo e cruzou as pontas do cadarço direitinho, mas então empacou. Falou que tinha certeza de que alguém lhe tinha mostrado como fazer isso quando era rapaz, talvez seu pai ou talvez um dos namorados da mãe depois que o pai foi embora, mas tinha esquecido o jeito.

— Estou com Brutal, continuo não vendo o que seu sapato tem a ver com a questão de Coffey ter ou não matado as gêmeas Detterick — disse Dean.

Então recapitulei novamente a história do sequestro e assassinato, o que tinha lido naquele dia de calor na biblioteca da prisão, com minha virilha ardendo e Gibbons roncando no canto, e tudo o que aquele repórter, Hammersmith, me contara depois.

— O cão dos Detterick não era bom de mordida, mas era um ladrador de primeira — disse eu. — O homem que pegou as meninas o manteve quieto dando-lhe linguiças para comer. A cada vez que lhe dava uma, o homem chegava mais perto, imagino eu, e enquanto o cão comia a última, estendeu as mãos, agarrou-o pela cabeça e torceu. Partiu-lhe o pescoço. Posteriormente, quando alcançaram Coffey, o vice-xerife encarregado do grupo de busca, que se chamava Rob McGee, viu um volume no bolso do peito do macacão que Coffey estava usando. McGee primeiro pensou que podia ser um revólver. Coffey disse que era seu almoço, e constatou-se que era isso mesmo: dois sanduíches e um picle, enrolados em papel de jornal e atados com um barbante de açougueiro. Coffey não conseguiu se lembrar de quem lhe tinha dado isso, só que tinha sido uma mulher usando um avental.

— Sanduíches e um picle, mas nenhuma linguiça — falou Brutal.

— Nenhuma linguiça — confirmei.

— Claro que não — disse Dean. — Ele as dera para o cão.

— Bem, isso foi o que o promotor disse no julgamento — concordei —, mas se Coffey abriu o embrulho do almoço e deu as linguiças para o cão comer, como foi que ele amarrou o papel de jornal de volta com o barbante de açougueiro? Nem sei quando ele teria tido a oportunidade para isso, mas vamos deixar isso de lado, por enquanto. Esse homem não consegue nem mesmo dar um laço simples de cadarço de sapato.

Houve um período longo de silêncio estupefato, finalmente quebrado por Brutus.

— Puta merda — disse em voz baixa. — Como é que ninguém levantou isso no julgamento?

— Ninguém pensou nisso — disse eu, e percebi que estava pensando novamente em Hammersmith, o repórter. Hammersmith, que tinha feito faculdade em Bowling Green, Hammersmith, que gostava de se considerar uma pessoa esclarecida, Hammersmith, que me dissera que cães vira-latas e negros eram mais ou menos a mesma coisa, que qualquer deles poderia dar uma dentada de repente e sem razão alguma. Só que ele estava sempre se referindo a eles como *os seus* negros, como se ainda fossem propriedade de alguém... Mas não propriedade *dele*.

Não, dele não. Nunca dele. E naquela época, o sul estava cheio de Hammersmiths. — Ninguém estava realmente *habilitado* a pensar nisso, inclusive o próprio advogado de Coffey.

— Mas *você* pensou — disse Harry. — Puxa, rapazes, estamos sentados aqui com o sr. Sherlock Holmes. — Seu tom de voz era ao mesmo tempo de gozação e de admiração.

— Oh, arrolhe a boca — disse eu. — Jamais teria pensado nisso se não tivesse juntado o que ele disse ao vice-xerife McGee naquele dia com o que ele disse depois que curou minha infecção e o que disse depois de curar o rato.

— O quê? — perguntou Dean.

— Quando entrei na cela dele, foi como se tivesse sido hipnotizado. Senti-me como se não pudesse parar de fazer o que ele queria, mesmo que tentasse.

— Não gosto disso — falou Harry e mudou de posição, inquieto, na cadeira.

— Perguntei-lhe o que queria e ele disse: "Apenas ajudar". Lembro-me disso muito claramente. E quando terminou e eu estava melhor, ele sabia. "Ajudei", disse ele, "ajudei com o que você tinha, não ajudei?"

Brutal estava confirmando com a cabeça.

— Exatamente como foi com o rato. Você disse: "Você o ajudou", e Coffey repetiu de volta para você, como se fosse um papagaio: "Eu ajudei o rato de Del." Foi então que você soube? Foi, não foi?

— É, acho que sim. Lembrei-me do que ele dissera para McGee quando ele lhe perguntou o que tinha acontecido. Estava praticamente em todas as matérias sobre os assassinatos. "Não pude evitar. Tentei retirar, mas já era muito tarde." Um homem dizendo uma coisa dessas, com duas menininhas mortas nos braços, elas brancas e louras, ele grande como uma casa, não é de espantar que tenham entendido errado. Ouviram o que ele estava dizendo de um modo que coincidia com o que estavam vendo, e o que estavam vendo era negro. Acharam que ele estava confessando, que estava dizendo que tinha tido uma compulsão de pegar aquelas meninas, estuprá-las e matá-las. Que tinha recuperado o juízo e tentara parar...

— Mas a essa altura já era tarde demais — murmurou Brutal.

— É. Só que o que ele *realmente* estava tentando dizer para eles era que as tinha encontrado, tentara curá-las, trazê-las de volta, e não conseguira nada. Elas estavam mortas demais.

— Paul, você acredita nisso? — perguntou Dean. — Você realmente acredita nisso?

Fiz um exame de consciência, tão profundo quanto podia, pela última vez, e confirmei com a cabeça. Não sabia disso só agora; havia uma parte intuitiva dentro de mim que soubera desde o princípio que alguma coisa não estava certa na situação de John Coffey, quando Percy entrou no bloco puxando o braço dele e berrando "Homem morto caminhando!" a plenos pulmões. Dei-lhe um aperto de mão, não dei? Nunca antes tinha apertado a mão de um homem que estava vindo para o Corredor Verde, mas apertei a de Coffey.

— Meu Deus — falou Dean. — Meu santo Deus.

— Seu sapato é uma coisa — disse Harry. — Qual é a outra?

— Pouco antes de o grupo de busca encontrar Coffey e as meninas, os homens saíram da mata perto da margem sul do rio Trapingus. Encontraram uma área ampla de capim e de moitas baixas pisoteadas, um bocado de sangue e o resto da camisolinha de Cora Detterick. Os cães ficaram confusos durante algum tempo. A maioria queria ir para o sudeste, descendo pela margem no sentido da correnteza. Porém dois deles, os caça-gambás, queriam *subir o rio*. Bobo Marchant estava controlando os cães, e quando deu a camisolinha para os caça-gambás cheirarem, eles se viraram junto com os outros.

— Os caça-gambás ficaram confusos, não foi? — perguntou Brutal. Um sorrisinho estranho, como se estivesse meio nauseado, dançava-lhe nos cantos da boca. — Eles não são feitos para serem rastreadores, no sentido estrito, e ficaram confusos quanto ao que deviam fazer.

— Foi.

— Não entendi — disse Dean.

— Os caça-gambás se esqueceram do que Bobo havia lhes passado pelas narinas para fazê-los começar a busca — falou Brutal. — Quando saíram da mata para a margem do rio, estavam atrás da trilha do *assassino*, não das meninas. Isso não constituía um problema enquanto o assassino e as meninas estivessem juntos, porém...

A luz começou a raiar nos olhos de Dean. Harry já tinha entendido.

— Quando você para para pensar nisso — disse eu —, você se pergunta como alguém, mesmo um júri desejoso de impingir o crime a um sujeito negro vagueando por aí, poderia acreditar por um minuto sequer que John Coffey era o homem. Até mesmo a ideia de manter o cachorro quieto com comida até que lhe pudesse quebrar o pescoço estaria além da capacidade de Coffey.

"O que eu penso é que ele nunca chegou mais perto da fazenda dos Detterick do que a margem sul do Trapingus. A uns 10 quilômetros ou mais de distância. Ele estava apenas caminhando sem rumo, talvez pretendendo descer até a linha férrea e pegar um trem de carga para algum outro lugar, pois quando eles saem da ponte sobre pilastras, vão tão devagar que é fácil saltar num vagão, quando ouviu uma agitação para os lados do norte."

— O assassino? — indagou Brutal.

— O assassino. Ele podia já tê-las estuprado, ou talvez tenha sido o estupro o que Coffey ouviu. De qualquer modo, aquele pedaço de capim coberto de sangue foi onde o assassino terminou seu trabalho: esmagou as cabeças delas uma contra a outra, deixou-as caídas no chão e então saiu dali em disparada.

— Em disparada para o noroeste — disse Brutal. — A direção na qual os caça-gambás queriam ir.

— Certo. John Coffey chega através de um grupo de árvores baixas que crescem um pouco para sudeste do local onde as meninas foram abandonadas, provavelmente curioso, e encontra os corpos. Uma delas ainda poderia estar viva. Suponho que seja possível que ambas ainda estivessem vivas, embora não por muito mais tempo. John Coffey não teria sabido se elas estavam mortas ou não, isso é certo. Tudo que sabe é que tem nas mãos um poder de cura e tentou usá-lo em Cora e Kathe Detterick. Quando não funcionou, ele perdeu o controle, chorando e ficando histérico. Que foi como eles o encontraram.

— Por que ele não ficou ali, onde as encontrou? — indagou Brutal. — Por que levá-las para o sul, ao longo da margem do rio? Alguma ideia?

— Aposto que, inicialmente, ele ficou onde estava — disse eu. — No julgamento, eles estavam sempre se referindo a uma *grande* área pisoteada, com todo o capim amassado. E John Coffey é um homem grande.

— John Coffey é uma porra dum gigante — disse Harry, baixando bem a voz de modo que minha mulher não o escutasse falando palavrão caso ela estivesse ouvindo.

— Talvez ele tenha entrado em pânico quando viu que o que fez não estava funcionando. Ou talvez ele tenha achado que o assassino ainda estava ali, na mata rio acima, observando-o. Coffey é grande, mas não é muito valente, vocês sabem. Harry, lembra-se de quando ele perguntou se nós deixávamos uma luz acesa no bloco depois da hora de dormir?

— É. Lembro-me de ter pensado como era engraçado, ele com aquele tamanhão todo... — Harry parecia abalado e pensativo.

— Bem, se ele não matou as menininhas, quem matou? — perguntou Dean.

Abanei a cabeça.

— Alguma outra pessoa. Meu melhor palpite seria alguma outra pessoa *branca*. O promotor fez uma grande onda em torno de como teria sido preciso um homem forte para matar um cão tão grande como os que tinham os Detterick, porém...

— Isso é besteira — roncou Brutus. — Uma garota de 12 anos poderia partir o pescoço de um cão grande, se pegasse o animal de surpresa e soubesse onde agarrar. Se não foi Coffey quem fez, poderia ser praticamente qualquer pessoa... Isto é, qualquer homem. Provavelmente nós nunca iremos saber.

Eu disse:

— A menos que ele o faça de novo.

— Nem assim iríamos saber, se ele o fizesse lá no Texas ou lá na Califórnia — disse Harry.

Brutal recostou-se na cadeira, esfregou os olhos com os punhos fechados como uma criança cansada, depois os deixou cair de volta no colo.

— Isso é um pesadelo — falou. — Temos um homem que pode ser inocente, que provavelmente é inocente, e é tão certo que ele vai caminhar pelo Corredor Verde como o sol nascer todos os dias. O que é que devemos fazer? Se começarmos com essa porra dos dedos-que-curam, todo mundo vai rir de nós até cair e ele vai acabar no Fritador do mesmo jeito.

— Vamos deixar para nos preocuparmos com isso depois — disse eu, porque não tinha a mais vaga ideia de como responder. — A questão agora é o que fazemos ou não fazemos em relação a Melly. Eu diria que devemos parar e pensar durante uns dias, mas acho que cada dia que esperarmos aumenta a probabilidade de que ele não seja capaz de ajudá-la.

— Lembram-se de quando ele estendeu as mãos para receber o rato? — perguntou Brutal. — "Dá ele pra mim enquanto ainda dá tempo", foi o que ele disse. *Enquanto ainda dá tempo.*

— Eu me lembro.

Brutal ficou pensando e depois balançou a cabeça num sinal positivo.

— Eu topo. Também me sinto mal em relação a Del, mas sobretudo acho que quero ver o que vai acontecer quando ele tocar nela. Provavelmente nada, mas talvez...

— Duvido muito que nós sequer consigamos tirar aquele bobalhão grande de dentro do bloco — disse Harry, depois deu um suspiro e também concordou com a cabeça. — Mas quem se importa? Conte comigo.

— Comigo também — falou Dean. — Quem vai ficar no bloco, Paul? Vamos tirar a sorte?

— Não, senhor — disse eu. — Nada de tirar a sorte. Você fica.

— É assim, é? De jeito nenhum! — reagiu Dean, magoado e com raiva. Arrancou os óculos e começou a limpá-los furiosamente na camisa. — Que tipo de sacanagem é essa?

— O tipo que você recebe quando é jovem o bastante para ter filhos ainda na escola — disse Brutal. — Harry e eu somos solteiros. Paul é casado, mas pelo menos os filhos dele estão crescidos e vivendo por conta própria. Isso que nós estamos planejando é uma coisa *muy loca*; acho que é quase certo que vamos ser apanhados. — Olhou fixo para mim, com um ar sério. — Uma coisa que você não disse, Paul, é que se nós conseguirmos tirá-lo de dentro do xilindró e aí os dedos curadores de Coffey não funcionarem, Hal Moores é capaz de ele mesmo nos denunciar. — Ele me deixou a oportunidade de responder a isso, talvez de refutá-lo, mas eu não podia e por isso fiquei de boca calada. Brutal voltou-se para Dean e continuou. — Não me interprete mal. É provável que você também perca o emprego, mas pelo menos teria uma possibilidade de não ir para a prisão se as coisas ficarem realmente pretas. Percy vai pensar que é uma brincadeira; se você estiver na mesa de guarda, poderá dizer que pensou a mesma coisa e que nós nunca lhe dissemos que não era.

— Mesmo assim não gosto disso — falou Dean, mas ficou claro que ele ia topar, gostando ou não. Pensar nas crianças o convenceu. — E é para hoje à noite? Vocês têm certeza?

— Se nós vamos fazer isso, é melhor que seja hoje à noite — disse Harry. — Se eu parar para pensar a respeito, provavelmente vou perder a coragem.

— Deixem que eu passe pela enfermaria — disse Dean. — Pelo menos isso eu posso fazer, não posso?

— Desde que você possa fazer o que é preciso fazer sem ser apanhado — falou Brutal.

Dean ficou com um ar ofendido e eu dei-lhe um tapinha no ombro.

— O mais depressa possível depois de você bater o ponto... Está bem?

— Fique tranquilo.

Minha mulher enfiou a cabeça pela porta, como se nós lhe tivéssemos dado uma dica.

— Quem quer mais chá gelado? — perguntou num tom animado. — Você, Brutus?

— Não, obrigado — disse Brutal. — Eu gostaria é de uma boa dose de uísque, mas, nestas circunstâncias, talvez não seja uma boa ideia.

Janice olhou para mim, a boca sorrindo, os olhos preocupados.

— No que é que você está metendo esses rapazes, Paul? — Mas antes que eu pudesse sequer pensar em bolar uma resposta, ela ergueu a mão e disse: — Esqueça, não quero saber.

## 3

Mais tarde, muito depois de todos terem ido embora e enquanto me vestia para ir trabalhar, ela me pegou pelo braço, fez-me dar meia-volta e olhou bem nos meus olhos com uma intensidade feroz.

— Melinda? — indagou.

Confirmei com a cabeça.

— Você é capaz de fazer alguma coisa por ela, Paul? Realmente fazer algo por ela? Ou isso não passa de um anseio otimista gerado pelo que você viu ontem à noite?

Pensei nos olhos de Coffey, nas mãos de Coffey e na forma hipnotizada como fui até ele quando ele assim o quis. Pensei nele estendendo as mãos para receber o corpo partido e moribundo do sr. Guizos. *Enquanto ainda dá tempo*, dissera ele. E as coisas pretas rodopiando no ar, que ficavam brancas e desapareciam.

— Acho que nós talvez sejamos a única chance que resta para ela — disse por fim.

— Então vá em frente — disse ela, abotoando meu casaco novo de outono. Estava no armário desde o meu aniversário, no início de setembro, mas era apenas a terceira ou quarta vez que o usava — Vá em frente.

E praticamente me empurrou porta afora.

## 4

Naquela noite, a mais estranha de toda a minha vida por vários motivos, bati o ponto às 18h20. Achei que ainda sentia pairando no ar o odor fraco de carne queimada. Tinha que ser uma ilusão; as portas que davam para fora, tanto do bloco como do depósito, tinham ficado abertas durante a maior parte do dia, e o pessoal dos dois turnos anteriores tinha passado horas lavando e escovando tudo lá dentro. Isso, porém, não mudava o que meu nariz me dizia e acho que não conseguiria jantar nada mesmo que já não estivesse apavorado quase a ponto de morrer por causa da noite que me aguardava.

Brutal chegou ao bloco às 18h45, Dean às 18h50. Pedi a Dean que fosse até a enfermaria e visse se eles tinham uma almofada com aquecimento para as minhas costas, que eu parecia ter distendido no início da madrugada, ajudando a carregar o corpo de Delacroix pelo túnel. Dean disse que o faria com prazer. Creio que ele queria me dar uma piscadela de olho, mas se conteve.

Harry bateu o ponto faltando três minutos para as sete.

— E a caminhonete? — perguntei.

— Onde combinamos.

Até aí, tudo bem. Seguiu-se um período de tempo em que ficamos junto da mesa de guarda, tomando café e expressamente nos abstendo de mencionar o que estávamos pensando e pelo que estávamos torcendo: que Percy estivesse atrasado, que talvez nem fosse aparecer. Considerando-se as apreciações hostis que recebera pela forma como conduzira a eletrocussão, isso parecia pelo menos possível.

Entretanto, aparentemente Percy adotava o velho axioma sobre como você deve imediatamente tornar a montar no cavalo que o jogou no chão, porque ali veio ele entrando pela porta às 7h06, resplandecente em seu uniforme azul, com a pistola num lado da cintura e no outro o cassetete de peroba na sua ridícula capa feita sob encomenda. Bateu o ponto e depois deu uma olhada receosa para nós (exceto para Dean, que ainda não tinha voltado da enfermaria).

— Meu motor de arranque pifou — disse ele. — Tive que usar a manivela.

— Oh — disse Harry — tadinho dele.

— Devia ter ficado em casa e consertado a maldita da coisa — observou Brutal num tom neutro. — Não íamos querer, de jeito nenhum, que você distendesse seu braço, não é mesmo, rapazes?

— Vocês bem que gostariam disso, não é? — falou Percy com um ar de menosprezo, mas achei que ele tinha ficado aliviado pela relativa brandura da reação de Brutal. Isso era bom. Durante as próximas horas, teríamos que seguir uma certa linha em relação a ele, nem muito hostil, nem muito amistosa. Depois da noite passada, ele veria com desconfiança qualquer coisa que sequer se aproximasse de calor humano. Nós todos sabíamos que não iríamos pegá-lo com a guarda baixa, mas achei que poderíamos pegá-lo sem que a guarda estivesse a mais alta possível se jogássemos bem nossas cartas. Era importante que agíssemos rápido, mas também era importante, pelo menos para mim, que ninguém saísse ferido. Nem mesmo Percy Wetmore.

Dean voltou e me deu um pequeno aceno de cabeça.

— Percy — falei —, quero que você vá até o depósito e passe um pano úmido no chão todo. Nos degraus que vão para o túnel também. Depois, pode escrever seu relatório sobre a noite de ontem.

— *Isso* vai ser criativo — observou Brutal, enfiando os polegares no cinturão e olhando para o teto.

— Vocês são mais engraçados do que uma trepada dentro da igreja — disse Percy, sem mais reclamações. Nem ressaltou o óbvio, que o chão lá dentro já tinha sido lavado pelo menos duas vezes nesse dia. Meu palpite é que ele ficou contente por ter uma oportunidade de ficar longe de nós.

Examinei o relatório do turno anterior, não vi nada que me dissesse respeito, e então fui andando até a cela de Wharton. Ele estava sentado no catre, com os joelhos encostados no peito e os braços em volta das canelas, olhando-me com um sorriso reluzente e hostil.

— Ora, se não é o grande chefe em pessoa — disse ele. — Em tamanho natural e duas vezes mais feio. O senhor parece mais feliz do que um porco enfiado até os joelhos na merda, chefe Edgecombe. A patroa lhe deu uma puxada no pinto antes de sair de casa, foi?

— Como é que vai, Kid? — perguntei num tom natural e com isso ele se animou de verdade. Soltou as pernas e se espreguiçou. Seu sorriso se ampliou e perdeu um pouco da hostilidade.

— Que coisa! — falou. — Uma vez na vida, acertou o meu nome! O que há com o senhor, chefe Edgecombe? Está doente ou o quê?

Não, não estou doente. *Estava* doente, mas John Coffey deu um jeito nisso. As mãos dele tinham desaprendido a atar o cadarço de um sapato, se é que algum dia o souberam, mas conheciam outras artes. Conheciam mesmo.

— Meu amigo — disse-lhe —, para mim dá na mesma se você quer ser um Billy the Kid em vez de um Wild Bill.

Ele se eriçou todo, como um daqueles peixes abomináveis que vivem nos rios da América do Sul e que podem quase matá-lo com uma picada dos espinhos que têm nas costas e dos lados. Durante o tempo que passei no Corredor Verde lidei com uma porção de homens perigosos, mas poucos, se é que houve algum, tão repulsivos como William Wharton, que se considerava um grande fora da lei, mas cujo comportamento na cadeia raramente se elevava acima de mijar e cuspir por entre as grades da sua cela. Até então não lhe havíamos dispensado o respeito maravilhado a que ele julgava ter direito, mas nessa noite em particular eu o queria tratável. Se para isso era preciso puxar-lhe o saco, teria prazer em fazê-lo.

— Eu tenho muita coisa em comum com o Kid e é melhor não duvidar disso — retrucou Wharton. — Não vim para cá por roubar balas numa confeitaria barata — disse ele, com o mesmo orgulho de um homem que foi convocado para a Brigada de Heróis da Legião Estrangeira, em vez de alguém cujo rabo foi jogado numa cela a setenta longos passos da cadeira elétrica. — Cadê meu jantar?

— Vamos, Kid, o relatório diz que você jantou às 17h50. Bolo de carne com molho, purê de batatas, ervilhas. Você não me tapeia com tanta facilidade assim.

Ele deu uma risada solta e tornou a se sentar no catre.

— Ligue o rádio então. — Ele pronunciava rádio do jeito que as pessoas faziam antigamente, quando estavam brincando, de modo a acentuar a vogal final, rá-di-OU. É engraçado como uma pessoa é capaz de se lembrar de tanta coisa quando seus nervos estão tão alertas que quase chegam a tinir.

— Talvez mais tarde, garotão — disse eu. Afastei-me da cela e olhei pelo corredor. Brutal tinha ido devagar até a outra ponta, onde verificou se a porta da solitária estava fechada só com uma e não com as duas fechaduras. Eu sabia que estava, porque já tinha verificado eu mesmo. Mais tarde, íamos precisar abrir aquela porta o mais rápido possível. Não gastaríamos tempo tirando as tralhas que se tinham acumulado ali ao longo dos anos; tínhamos tirado tudo, arrumado e guardado em outros lugares pouco depois de Wharton ter se juntado a nosso alegre grupo. Achamos que o aposento com as paredes acolchoadas provavelmente ia ser muito usado, pelo menos até que "Billy the Kid" desse sua caminhada pelo Corredor.

John Coffey, que normalmente a essa hora estaria deitado, com as pernas compridas e grossas dependuradas e de cara para a parede, estava sentado no pé do catre com as mãos juntas, observando Brutal com uma atenção — uma *presença* — que não era típica dele. Tampouco estava vertendo água pelos olhos.

Brutal testou a porta da solitária, depois veio voltando pelo corredor. Ao passar pela cela de Coffey, deu uma olhada para ele, e Coffey disse uma coisa curiosa:

— Claro. *Gostaria* de um passeio. — Como se estivesse respondendo a alguma coisa que Brutal tivesse dito.

Os olhos de Brutal se encontraram com os meus. Quase pude ouvi-lo dizer: *Ele sabe. De algum modo, ele sabe.*

Encolhi os ombros e espalmei as mãos, como dizendo: *É claro que ele sabe.*

## 5

O velho Toot-Toot deu sua última volta da noite pelo Bloco E com seu carrinho por volta de 20h45. Compramos porcarias suficientes para fazê-lo sorrir de avareza.

— Digam, rapazes, vocês viram aquele rato? — indagou.

Abanamos a cabeça.

— Talvez o Menino Bonito tenha visto — disse Toot, e fez um gesto de cabeça na direção do depósito, onde Percy estava lavando o chão, escrevendo seu relatório ou coçando o rabo.

— Que diferença faz para você? De um jeito ou de outro, não é da sua conta — disse Brutal. — Vá rodando, Toot. Você está empestando o ambiente.

Toot deu seu sorriso peculiarmente desagradável, sem dentes e encovado, e ostensivamente cheirou o ar.

— Não sou eu quem está fedendo — falou. — É o Del dizendo até logo.

Com seu riso cacarejado, empurrou a carrocinha pela porta e saiu para o pátio de exercícios. E continuou a empurrá-la por mais dez anos, muito depois de eu ter saído, muito depois de Cold Mountain ter acabado, vendendo sonhos e refrigerantes para os guardas e presos que podiam pagar. Às vezes, mesmo agora, ouço-o nos meus sonhos, berrando que estava sendo fritado, estava sendo fritado, estava igual a um peru assado.

O tempo custou a passar depois que Toot foi embora. O relógio parecia estar se arrastando. Ficamos com o rádio ligado durante uma hora e meia, Wharton relinchando suas gargalhadas com Fred Allen e o *Allen's Alley*, embora duvide muitíssimo de que ele entendesse várias das piadas. John Coffey ficou sentado na ponta do catre, as mãos juntas, os olhos raramente se afastando de quem quer que estivesse na mesa de guarda. Já vi homens esperando desse jeito em estações da Greyhound pela chamada para seus ônibus.

Por volta de 22h45, Percy voltou do depósito e me entregou um relatório que tinha sido laboriosamente escrito a lápis. Havia migalhas de borracha sobre a folha de papel, em borrões sujos. Ele me viu passar o polegar por cima de um deles e disse apressadamente:

— Isso é só um primeiro rascunho, mais ou menos. Vou passar a limpo depois. O que você acha?

O que eu achei foi que era a mais indigna maldita tentativa de encobrimento que tinha lido desde que nascera. O que disse a ele foi que estava muito bem e ele foi embora, satisfeito.

Dean e Harry jogavam dominó, falando alto demais, discutindo demais por causa da contagem e olhando para os ponteiros lerdos do relógio a mais ou menos cada cinco segundos. Em pelo menos uma das partidas nessa noite, eles pareceram repetir as jogadas algumas vezes. Havia tanta tensão no ar que eu senti quase como se pudesse cortá-la feito argila, e as únicas pessoas que pareciam não senti-la eram Percy e Wild Bill.

Quando deu dez para a meia-noite, já não aguentava mais e fiz um pequeno sinal com a cabeça para Dean. Ele foi ao meu escritório com uma garrafa de R.C. Cola que comprara da carrocinha de Toot e voltou um ou dois minutos depois. O refrigerante agora estava numa caneca de lata, que um preso não podia partir e depois usar como arma de corte.

Peguei-a e olhei em volta. Harry, Dean e Brutal estavam todos me observando. O mesmo, aliás, fazia John Coffey. Mas Percy, não. Percy tinha voltado para o depósito, onde provavelmente se sentia mais à vontade, nessa noite especialmente. Dei uma cheirada rápida na caneca e não senti nenhum cheiro além do de refrigerante, que naquela época tinha um aroma de canela esquisito, mas agradável.

Levei-a até a cela de Wharton. Ele estava deitado no catre. Não estava se masturbando, pelo menos ainda não, mas tinha uma ereção e tanto por dentro da cueca e de vez em quando dava-lhe um bom puxão, como um contrabaixista drogado martelando uma corda grossa demais.

— Kid — disse eu.

— Não me aborreça — retrucou.

— Está bem — aquiesci. — Trouxe-lhe um refrigerante por ter-se portado como um ser humano a noite toda, o que para você é um recorde, mas eu mesmo vou tomar.

Fiz o movimento como se fosse realmente beber, erguendo a caneca de lata (cheia de marcas dos lados de tantas batidas furiosas em muitas grades de celas) até meus lábios. Wharton saltou do catre como um raio, o que não me surpreendeu. Não era um blefe muito arriscado: a maioria dos detentos profundos (era assim que chamávamos os condenados à prisão perpétua, os estupradores e os homens destinados à Velha Fagulha) faz qualquer negócio por doces, e ele não era exceção.

— Me dá isso, seu idiota — disse Wharton. Falou como se fosse um capataz e eu apenas um pobre peão. — Dá pro Kid.

Segurei-a junto das grades, mas do lado de fora, deixando que ele é que tivesse que estender o braço através delas. Fazer ao contrário era uma receita de desastre, como qualquer guarda penitenciário pode lhe dizer. Isso era o tipo de coisa em que a gente pensava sem nem saber que estava pensando: o modo como sabíamos que não podíamos deixar os presos nos chamar pelos prenomes, o modo como sabíamos que o som de chaves tinindo depressa significava encrenca no bloco, porque era o barulho de um guarda correndo e os guardas de uma prisão *nunca* correm a não ser que haja problemas no vale. Coisas que Percy Wetmore nunca iria captar.

Nessa noite, porém, Wharton não estava com nenhum interesse em agarrar ou estrangular. Pegou rápido a caneca de lata, bebeu o refrigerante em três goladas compridas, depois soltou um arroto sonoro.

— *Excelente!* — exclamou.

Estendi a mão.

— A caneca.

Ele a reteve por um instante, provocando-me com os olhos.

— E se eu ficar com ela?

Dei de ombros.

— Entraremos aí e a tomaremos de volta. Você vai lá pro quartinho. E terá bebido sua última R.C. Cola. Isto é, a menos que a sirvam lá no inferno.

Seu sorriso sumiu.

— Não gosto de piadas sobre o inferno, seu guardinha. — Empurrou a caneca para fora das grades. — Aí. Tome.

Peguei-a. De trás de mim, Percy disse:

— Em nome de Deus, por que você quis dar um refrigerante a um boçal como ele?

Porque estava carregado com suficiente soporífero da enfermaria para deixá-lo deitado de costas por 48 horas e ele nem sentiu o gosto, pensei eu.

— Em Paul — falou Brutal — o dom da caridade não se manifesta aos pouquinhos e sim se espalha como a chuva suave vinda do céu.

— Hã? — fez Percy, franzindo a testa.

— Quer dizer que ele tem o coração mole. Sempre teve, sempre vai ter. Quer jogar uma partida, Percy?

Percy rosnou:

— Com exceção de Burro em Pé e Batalha, esse é o jogo mais idiota que já se inventou.

— Foi por isso que pensei que você talvez quisesse jogar umas partidas — disse Brutal sorrindo docemente.

— Todos são muito engraçadinhos — falou Percy e entrou amuado no meu escritório. Não gostei nada daquele rato miserável estacionando o rabo por trás da minha escrivaninha, mas fiquei de boca calada.

O relógio foi se arrastando. Meia-noite e vinte; meia-noite e meia. À meia-noite e quarenta, John Coffey levantou-se do catre e ficou de pé junto da porta da cela, segurando as grades de leve. Brutal e eu fomos até a cela de Wharton e olhamos para dentro. Ele estava deitado no catre, sorrindo para o teto. Os olhos estavam abertos, mas pareciam duas bolas grandes de vidro. Uma das mãos estava sobre o peito e a outra estava dependurada frouxa do lado do catre, os nós dos dedos raspando no chão.

— Puxa — disse Brutal — de Billy the Kid para Willie o Chorão em menos de uma hora. Gostaria de saber quantas pílulas de morfina Dean colocou naquele refrigerante.

— O suficiente — retruquei. Minha voz estava ligeiramente trêmula. Não sei se Brutal percebeu, mas eu sim. — Venha. Vamos em frente.

— Você não quer esperar até o beleza aí desmaiar?

— Ele já está desmaiado, Bruto. Só está dopado demais para fechar os olhos.

— Você é quem manda. — Olhou em volta à procura de Harry, mas ele já estava ali. Dean estava sentado, empertigado, à mesa de guarda, misturando as pedras de dominó tão depressa que parecia que iam pegar fogo, a cada embaralhada lançando uma olhadela para a esquerda, para meu escritório. De olho em Percy.

— Já está na hora? — perguntou Harry. Seu rosto comprido e equino estava muito pálido sobre a camisa azul do uniforme, mas tinha uma expressão decidida.

— Está — falei. — Se nós vamos adiante com isso, está na hora.

Harry fez o sinal da cruz e beijou o polegar. Então foi até a solitária, destravou e abriu a porta, voltando com a camisa de força. Entregou-a a Brutal. Nós três fomos andando pelo Corredor Verde. Coffey ficou de pé junto da porta da cela, olhando-nos caminhar e sem dizer uma palavra. Quando chegamos à mesa de guarda, Brutal pôs a camisa de força atrás das costas, que eram suficientemente largas para ocultá-la com facilidade.

— Boa sorte — disse Dean. Estava tão pálido quanto Harry e com a fisionomia igualmente decidida.

Percy estava bem atrás da minha escrivaninha, sentado em minha cadeira e com a testa franzida lendo o livro que vinha carregando nas últimas noites, nem *Argosy* nem *Stag*, mas sim *Como Cuidar dos Doentes Mentais em Asilos*. Você poderia até pensar, pelo olhar culpado e receoso que nos lançou quando entramos, que era *Os Últimos Dias de Sodoma e Gomorra*.

— O quê? — perguntou, fechando o livro depressa. — O que vocês querem?

— Conversar com você, Percy — respondi. — Só isso.

Mas ele leu nos nossos rostos muito mais do que uma vontade de conversar e levantou-se de um salto, apressando-se, não chegando propriamente a correr, mas quase, na direção da porta aberta que dava para o depósito. Ele achou que tínhamos vindo para lhe fazer no mínimo uma provocação ou, mais provavelmente, dar-lhe uma boa sova.

Harry cortou seu caminho por trás e bloqueou o portal, os braços cruzados sobre o peito.

— Eeei! — Percy voltou-se para mim, alarmado, mas tentando não demonstrá-lo. — O que é isso?

— Não pergunte, Percy — disse eu. Pensei que eu estaria bem, ao menos de volta ao normal, depois que efetivamente déssemos início a esse negócio maluco, mas não estava funcionando desse jeito. Não podia acreditar no que estava fazendo. Era como se fosse um sonho ruim. Continuava esperando que minha mulher me acordasse e me dissesse que eu estava gemendo enquanto dormia. — Será mais fácil se você simplesmente não resistir.

— O que que Howell tem atrás das costas? — perguntou Percy com a voz trêmula, virando-se para ver melhor Brutal.

— Nada — falou Brutal. — Bem... *isso*, suponho...

Exibiu a camisa de força e sacudiu-a ao lado do quadril, como um toureiro sacudindo a capa para fazer o touro atacar.

Percy arregalou os olhos e projetou-se para a frente. Pretendia fugir, mas Harry agarrou-lhe os braços e tudo que ele conseguiu foi dar um salto para diante.

— Solte-me! — berrou Percy, tentando desvencilhar-se das mãos de Harry. Não ia conseguir. Harry pesava quase 50 quilos mais do que ele e tinha os músculos de um homem que passava a maior parte do seu tempo livre arando e cortando lenha, mas Percy fez um esforço suficientemente vigoroso para arrastar Harry até o meio da sala e fazer enrugar o carpete com aquela cor verde desagradável que eu estava sempre pretendendo substituir. Por um instante pensei que ele ia até livrar um braço. O pânico pode ser um motivador danado.

— Sossegue, Percy — falei. — Será mais fácil se você...

— Não venha me dizer para sossegar, seu ignorante! — berrou Percy, dando trancos nos ombros e tentando livrar os braços. — Trate de se afastar de mim! Todos vocês! Eu conheço gente! Gente *graúda*! Se vocês não pararem com isso, vão ter que ir até lá na Carolina do Sul só para conseguir uma refeição na fila da sopa dos pobres!

Deu outro impulso para a frente e esbarrou com a parte superior das coxas na minha escrivaninha. O livro que ele estava lendo, *Como Cuidar dos Doentes Mentais em Asilos*, saltou e o livreto menor, do tamanho de um panfleto, que estava escondido dentro dele, pulou para fora. Não era de espantar que Percy tivesse ficado com uma expressão de culpa quando entramos. Não era *Os Últimos Dias de Sodoma e Gomorra*, porém era um que nós às vezes dávamos aos detentos que estavam se sentindo com muito tesão e que tinham se portado bem o bastante para merecerem um prêmio. Acho que já o mencionei: o livrinho de história em quadrinhos em que Olívia Palito transa com todo mundo, só escapando o Bebê da história.

Achei triste o fato de Percy estar em meu escritório se entretendo com pornografia tão pobre, Harry, ou o que eu podia ver dele por cima dos ombros retorcidos de Percy, fez uma expressão um tanto enojada, mas Brutal caiu na gargalhada e isso fez Percy perder o ânimo de lutar, pelo menos por enquanto.

— Oh, Percizinho — disse ele. — O que iria dizer sua mãe? Aliás, o que iria dizer o governador?

Percy estava com o rosto inteiramente vermelho.

— Trate de calar a boca. E deixe minha mãe fora disso.

Brutal atirou-me a camisa de força e chegou com o rosto bem perto do de Percy.

— Sem dúvida. É só você esticar os braços para a frente, como um menino obediente.

Os lábios de Percy estavam tremendo e seus olhos estavam brilhando demais. Percebi que ele estava à beira das lágrimas.

— Não vou — retrucou com uma voz trêmula e infantil — e vocês não podem me obrigar. — Então elevou a voz e começou a berrar por socorro. Harry fez uma careta e eu também. Se em algum momento estivemos perto de abandonar a coisa toda, foi naquele momento. Poderíamos ter parado, se não fosse por Brutal, que não hesitou um segundo. Postou-se atrás de Percy, ficando ombro a ombro com Harry, que ainda estava com as mãos de Percy presas às costas. Brutal estendeu as mãos e agarrou as orelhas de Percy.

— Pare com essa gritaria — disse Brutal. — A menos que queira ter o par de olhos roxos mais sensacional do mundo.

Percy parou de gritar socorro e apenas ficou ali parado, tremendo e olhando para baixo, para a capa do livrinho tosco de histórias em quadrinhos, que mostrava Popeye e Olívia Palito transando numa maneira criativa que eu nunca tinha experimentado. "Oooh, Popeye!", dizia o balão por cima da cabeça dela. "Oda-oda-oda-oda!", dizia o que estava sobre a cabeça de Popeye. Ele continuava fumando seu cachimbo.

— Estenda os braços para a frente — ordenou Brutal — e chega de tolice por causa disso. Já.

— Não vou — disse Percy. — Não vou e você não pode me obrigar.

— Você está inteiramente enganado a esse respeito, sabe? — falou Brutal e então apertou as mãos nas orelhas de Percy e torceu-as como se torce o botão de controle de um forno. Um forno que não estivesse cozinhando de forma adequada. Percy soltou um grito infeliz de dor e surpresa, que eu gostaria muito de não ter ouvido. Não foi *apenas* de dor e de surpresa, entende, foi de compreensão. Pela primeira vez na vida, Percy estava se dando conta de que coisas horríveis não aconteciam só com outras pessoas, as que não tinham a felicidade de serem aparentadas com o governador. Queria mandar Brutal parar, mas, é claro, não podia. As coisas já tinham ido muito longe. Tudo o que podia fazer era lembrar a mim mesmo que Percy tinha submetido Delacroix a agonias que só Deus sabia simplesmente porque Delacroix tinha rido dele. A recordação não adiantou muito para suavizar o modo como eu me sentia. Talvez tivesse adiantado, se eu fosse semelhante a Percy.

— Estique esses braços para lá, benzinho — disse Brutal — ou vai levar outro apertão.

Harry já tinha soltado o jovem sr. Wetmore. Soluçando como um garotinho, as lágrimas que estavam enchendo seus olhos agora escorrendo-lhes pela face, Percy esticou as mãos de repente, bem para a frente, como um sonâmbulo num filme cômico. Eu enfiei as mangas da camisa de força por seus braços numa fração de segundo. Mal as tinha posto por cima dos ombros e Brutal soltou as orelhas de Percy e agarrou as correias que ficavam pendentes dos pulsos. Puxou as mãos de Percy em volta dos lados do corpo, de modo que seus braços ficaram cruzados, apertados, na frente do peito. Nesse meio-tempo, Harry abotoou as costas e prendeu as correias transversais. Depois do momento em que Percy se rendeu e esticou os braços, a coisa toda levou menos de dez segundos.

— Certo, meu bem — disse Brutal. — Em frente, marche!

Mas ele não se moveu. Olhou para Brutal, depois voltou seus olhos lacrimejantes e aterrorizados para mim. Nada sobre suas ligações ou como nós íamos ter que ir até a Carolina do Sul só para conseguir uma refeição grátis. Estava muito além disso tudo.

— Por favor — sussurrou com a voz rouca e chorosa. — Não me coloque lá dentro junto com ele, Paul.

Então compreendi por que ele tinha entrado em pânico, por que tinha lutado tanto conosco. Ele pensou que íamos colocá-lo na cela com Wild Bill Wharton, que seu castigo pela esponja seca ia ser uma estocada a seco por parte do nosso psicopata residente. Em vez de sentir pena de Percy quando me dei conta disso, tive asco e minha decisão se firmou ainda mais. Afinal de contas, ele estava esperando de nós o que ele teria feito se nossas posições fossem inversas.

— Wharton não — disse eu. — A solitária, Percy. Você vai passar umas três ou quatro horas lá dentro, inteiramente sozinho no escuro, pensando sobre o que você fez com Del. Provavelmente é tarde demais para que você aprenda qualquer nova lição sobre como as pessoas devem se comportar. Bruto, pelo menos, pensa assim, porém eu sou um otimista. Agora, ande.

Ele andou, resmungando baixinho que íamos nos arrepender, nos arrepender muito, era só esperar e iam ver, mas de forma geral parecia aliviado e tranquilizado.

Quando o escoltamos para o corredor, Dean fez uma expressão com os olhos arregalados de tanta surpresa e de tão pura inocência que eu poderia ter dado uma gargalhada se a situação não fosse tão grave. Já vi gente representar melhor em espetáculos de quermesses do interior.

— Ei, vocês não acham que a brincadeira já foi longe o bastante? — perguntou Dean.

— Cale a boca, se sabe o que é bom pra você — rosnou Brutal.

Eram frases que nós tínhamos composto no almoço e foi exatamente assim que elas me soaram, frases compostas previamente, mas se Percy estivesse suficientemente apavorado e confuso, elas talvez ainda salvassem o emprego de Dean Stanton num aperto. Pessoalmente eu não pensava assim, mas tudo é possível. Sempre que duvidei disso, naquela época ou desde então, bastou eu pensar em John Coffey e no rato de Delacroix.

Levamos Percy correndo pelo corredor, ele tropeçando e sem fôlego, pedindo que fôssemos mais devagar, que ia cair de cara no chão se não diminuíssemos a velocidade. Wharton estava no catre, mas nós passamos rápido demais para que eu pudesse ver se ele estava acordado ou dormindo. John Coffey estava de pé junto da porta da cela, observando.

— Você é um homem mau e merece ir para aquele lugar escuro — disse ele, mas acho que Percy não o escutou.

Entramos na solitária, as bochechas de Percy vermelhas e molhadas de lágrimas, os olhos girando nas órbitas, seus preciosos cachos caindo-lhe sobre a testa. Harry puxou a pistola de Percy com uma das mãos e seu tão prezado cassetete de peroba com a outra.

— Você os terá de volta, não se preocupe — disse Harry. Parecia ligeiramente embaraçado.

— Gostaria de poder dizer o mesmo sobre o seu emprego — respondeu Percy. — Os empregos de vocês *todos*. Vocês não podem fazer isso comigo! *Não podem!*

Obviamente ele estava disposto a continuar nessa mesma linha por algum tempo, mas nós não tínhamos tempo para ficar escutando seu sermão. No meu bolso havia um rolo de esparadrapo, o antepassado dos anos 1930 das fitas de atadura que as pessoas usam hoje em dia. Percy viu e começou a recuar. Brutal agarrou-o por trás e ficou abraçado com ele até que chapei o esparadrapo sobre sua boca, indo em volta da cabeça até a nuca, só por garantia. Quando se tirasse o esparadrapo, ele ia perder uns chumaços de cabelo e, de quebra, teria um par de lábios *seriamente* rachados, mas eu não me importava mais com isso. Estava cheio de Percy Wetmore.

Nós nos afastamos dele. Ele ficou parado no meio do aposento, debaixo da lâmpada protegida por uma grade, enfiado na camisa de força, respirando com as narinas dilatadas e fazendo uns sons abafados por trás do esparadrapo. Levando tudo em conta, ele parecia tão maluco quanto qualquer dos outros prisioneiros que já tínhamos jogado naquele aposento.

— Quanto mais quieto ficar, mais depressa sairá daqui — disse eu. — Tente se lembrar disso, Percy.

— E caso se sinta solitário, pense em Olívia Palito — falou Harry. — Oda-oda-oda-oda.

Então saímos. Eu fechei a porta e Brutal trancou-a. Dean estava de pé no corredor, um pouco mais adiante, bem em frente à cela de Coffey. Ele já tinha introduzido a chave mestra na fechadura superior. Nós quatro nos entreolhamos, sem que ninguém dissesse nada. Não havia necessidade. Tínhamos posto a maquinaria em funcionamento, agora tudo que nos restava fazer era torcer para que ela seguisse o rumo que tínhamos traçado, em vez de saltar fora dos trilhos em algum ponto do percurso.

— Você ainda quer dar aquele passeio, John? — perguntou Brutal.

— Sim, senhor — falou Coffey —, acho que sim.

— Bom — disse Dean. Girou a chave na primeira fechadura, retirou-a e introduziu-a na segunda.

— Precisamos acorrentá-lo, John? — perguntei.

Coffey pareceu pensar sobre isso.

— Pode, se o senhor quiser — disse por fim. — Não *precisa*.

Fiz um sinal com a cabeça para Brutal, que abriu a porta da cela, depois se virou para Harry, que estava mais ou menos apontando a .45 de Percy para Coffey quando ele saiu.

— Entregue essas coisas para Dean — disse eu.

Harry piscou, como alguém que está despertando de um cochilo rápido, viu a pistola e o cassetete de Percy ainda em suas mãos, e passou-os para Dean. Nesse meio-tempo, Coffey estava meio encurvado no corredor, com seu crânio liso quase tocando numa das lâmpadas do teto, protegidas por um gradeado. Ali de pé, com as mãos para a frente e os ombros inclinados também para diante, de cada lado do seu tórax que parecia um tonel, ele me fez pensar novamente, como tinha pensado na primeira vez em que o vi, num enorme urso capturado.

— Tranque os brinquedos de Percy na mesa de guarda até nós voltarmos — disse eu.

— *Se* nós voltarmos — acrescentou Harry.

— Assim farei — disse Dean, não tomando conhecimento de Harry.

— E se aparecer alguém, provavelmente ninguém vai aparecer, mas se alguém vier, o que que você diz?

— Que Coffey ficou agitado por volta da meia-noite — falou Dean. Tinha uma expressão tão concentrada como um aluno de científico prestando um exame importante. — Nós tivemos que metê-lo na camisa de força e colocá-lo na solitária. Se houver algum ruído, quem quer que escute apenas pensará que é ele. — Apontou para John Coffey com o queixo.

— E quanto a nós? — perguntou Brutal.

— Paul está na administração, examinando o arquivo de Del e revendo as testemunhas — disse Dean. — Isso é especialmente importante dessa vez, porque a execução foi aquela bagunça. Ele disse que provavelmente ficaria lá o resto do turno. Você, Harry e Percy estão na lavanderia, lavando suas roupas.

Bem, isso era o que as pessoas diziam. Em algumas noites, havia um jogo de dados no quarto de suprimentos da lavanderia, em outras era bacará, pôquer ou ronda. O que quer que fosse, dizia-se dos guardas que estavam participando que estavam lavando suas roupas. Geralmente nessas reuniões havia bebida alcoólica feita em casa e, ocasionalmente, um baseado era passado em círculo. Tem sido assim desde que as prisões foram inventadas, eu imagino. Quando você passa sua vida tomando conta da escória, não pode evitar se sujar um pouco também. De qualquer maneira, não era provável que alguém fosse verificar. A "lavagem de roupas" era encarada com grande discrição em Cold Mountain.

— Rente que nem pão quente — disse eu, fazendo Coffey dar meia-volta e pondo-o em movimento. — E se tudo desabar, Dean, você não sabe nada de nada.

— Isso é fácil de dizer, mas...

Naquele instante, um braço magricela se projetou por entre as grades da cela de Wharton e agarrou a massa de um bíceps de Coffey. Todos levamos um susto. Wharton devia estar morto para o mundo, quase em coma, e no entanto ali estava de pé, oscilando para a frente e para trás sobre os pés, como um pugilista muito golpeado, com um sorriso torto.

A reação de Coffey foi notável. Ele não puxou o braço, mas também se assustou como nós, aspirando o ar por entre os dentes como alguém que encostou em alguma coisa fria e desagradável. Seus olhos se arregalaram e, por um instante, ele deu a impressão de nunca ter tido nada de abestalhado e muito menos de se ter portado como tal todos os dias da sua vida. Quando quis que eu fosse até sua cela para que pudesse me tocar, ele parecera vivo, *por dentro*. No dialeto de Coffey, tocar era ajudar. Tinha a mesma aparência quando estendeu as mãos para receber o rato. Agora, pela terceira vez, seu rosto se iluminou, como se, de repente, um foco de luz se tivesse acendido dentro do seu cérebro. Só que dessa vez era diferente. Era *mais frio* agora e, pela primeira vez, me perguntei o que poderia acontecer se John Coffey subitamente ficasse desatinado. Tínhamos nossas pistolas, poderíamos atirar nele, mas abatê-lo de fato poderia não ser fácil.

Vi no rosto de Brutal pensamentos parecidos, mas Wharton simplesmente continuou com seu sorriso dopado, de lábios frouxos.

— Onde é que você pensa que vai? — indagou. Saiu algo como: *ondé qu'cê pens'qu'vai?*

Coffey ficou imóvel, olhando primeiro para Wharton, depois para a mão de Wharton, depois para o rosto dele. Não consegui interpretar aquela expressão. Quero dizer, podia vislumbrar inteligência nela, mas não consegui *interpretá-la*. Quanto a Wharton, eu não estava preocupado em absoluto. Ele não ia se lembrar de nada disso depois, pois estava como um bêbado caminhando num blecaute.

— Você é um homem mau — sussurrou Coffey, e não pude identificar o que ouvi na sua voz, se era sofrimento, raiva ou medo. Talvez os três. Coffey tornou a baixar os olhos para a mão sobre seu braço, da maneira como você olharia para um inseto que lhe poderia dar uma ferroada realmente desagradável.

— É isso mesmo, seu negro — falou Wharton com um sorriso torto e petulante. — Tão mau quanto você quiser.

De repente tive certeza de que alguma coisa terrível ia acontecer, alguma coisa que mudaria o rumo planejado para esse início de madrugada de modo tão completo como um terremoto cataclísmico pode mudar o curso de um rio. Ia acontecer e nada que eu ou qualquer de nós fizesse iria impedi-lo.

Então Brutal estendeu o braço, arrancou a mão de Wharton do braço de John Coffey e aquela sensação parou. Era como se algum circuito potencialmente perigoso tivesse sido interrompido. Já contei que, durante o tempo em que trabalhei no Bloco E, o telefone de linha direta com o governador nunca tocou. Isso era verdade, mas imagino que se algum dia tivesse tocado, teria sentido o mesmo alívio que me inundou quando Brutal retirou a mão de Wharton de cima do homenzarrão que se erguia ao meu lado. Os olhos de Coffey logo ficaram opacos e foi como se o holofote dentro da sua cabeça tivesse se apagado.

— Deite-se, Billy — falou Brutal. — Vá descansar. — Essa era a minha fórmula habitual para sossegar os presos, mas, nas circunstâncias, não me importei que Brutal a empregasse.

— Talvez eu vá mesmo — aquiesceu Wharton. Deu um passo para trás, oscilou, quase caiu e recuperou o equilíbrio no último segundo. — Caaalma, papai. O quarto todo tá girando. Feito tá bêbado.

Foi recuando para o catre, mantendo seu olhar enviesado em Coffey o tempo todo.

— Os malditos negros deviam ter sua própria cadeira elétrica — comentou. Então a parte de trás dos joelhos bateram de encontro ao catre e ele desabou de costas. Antes que sua cabeça tocasse no travesseiro baixo da prisão, já estava roncando, com olheiras fundas e azuladas sob a cavidade dos olhos e a ponta da língua caída para fora da boca.

— Meu Deus, como é que pôde se levantar tão dopado como está? — sussurrou Dean.

— Não tem importância, agora ele está apagado — disse eu. — Se começar a voltar a si, dê-lhe outra pílula dissolvida num copo-d'água. Mas só uma. Não queremos matá-lo.

— Fale por você mesmo — roncou Brutal e lançou um olhar de desprezo para Wharton. — De qualquer modo, não se pode matar macacos como ele com droga. Eles se alimentam dela.

— Ele é um homem mau — falou Coffey, mas dessa vez num tom mais baixo, como se não tivesse muita certeza do que estava falando ou do que isso queria dizer.

— É isso mesmo — falou Brutal. — Muito perverso. Mas isso agora não é problema, porque não vamos mais dançar tango com ele. — Recomeçamos a caminhar, nós quatro rodeando Coffey como adoradores em volta de um ídolo que adquiriu uma espécie de semivida cambaleante. — Diga-me uma coisa, John, você sabe aonde estamos levando você?

— Para ajudar — respondeu. — Acho que é para ajudar... uma senhora? — Olhou para Brutal com uma esperança ansiosa.

Brutal confirmou com a cabeça.

— É isso mesmo. Mas como é que você sabe disso? Como é que você *sabe*?

John Coffey refletiu cuidadosamente sobre a pergunta, depois balançou a cabeça e disse para Brutal:

— Não sei. Pra dizer a verdade, chefe, não sei muito de coisa nenhuma. Nunca soube.

E tivemos que nos contentar com isso.

## 6

Eu sabia que a portinha entre o escritório e os degraus que desciam para o depósito não tinha sido feita pensando em pessoas como Coffey, mas não me dera conta de como era grande a disparidade até ele ficar diante dela, olhando para ela com ar pensativo.

Harry deu uma risada, mas o próprio John pareceu não ver nenhuma graça num homem grande de pé diante de uma porta pequena. É claro que não veria, mesmo que fosse vários graus mais inteligente do que era. Ele tinha sido grande daquele jeito na maior parte da vida, e aquela porta era apenas um pouco menor do que a maioria.

Ele sentou-se, arrastou-se por ela, levantou-se de novo e desceu os degraus até onde Brutal estava esperando por ele. Lá se deteve, olhando para o outro lado do depósito vazio, para a plataforma onde a Velha Fagulha aguardava, tão silenciosa e tão assustadora como o trono no castelo de um rei morto. O capacete estava dependurado com uma elegância descabida de uma das quinas do espaldar, mas parecendo menos uma coroa de rei do que o gorro de um bobo da corte, que ele usaria ou sacudiria no ar para fazer seu público ilustre rir mais das suas piadas. A sombra da cadeira, alongada e angulosa, subia por uma parede como uma ameaça. E, de fato, achei que ainda podia sentir no ar o cheiro de carne queimada. Era tênue, mas achei que era mais do que apenas imaginação.

Harry abaixou-se e passou pela porta, depois eu. Não gostei do jeito como John estava olhando para a Velha Fagulha, petrificado e com os olhos arregalados. Menos ainda do que vi nos seus braços quando cheguei perto dele: a pele arrepiada.

— Vamos, garotão — disse eu. Peguei seu pulso e tentei puxá-lo na direção da porta que levava para o túnel. Inicialmente ele não se moveu e era como se eu estivesse tentando arrancar um pedregulho incrustado no chão apenas com as mãos.

— Vamos, John, temos que ir, a menos que você queira que a carruagem com os quatro cavalos se transforme de volta numa abóbora — falou Harry, dando sua risada nervosa novamente. Pegou o outro braço de John e puxou, mas John continuava sem se mexer. E então ele falou algo num tom baixo e sonhador. Não era para mim que estava falando, nem para qualquer de nós, mas mesmo assim nunca mais esqueci.

— Eles ainda estão ali. Pedaços deles, ainda ali. Ouço os gritos deles.

As risadinhas nervosas de Harry pararam, deixando-o com um sorriso que ficou pendurado nos seus lábios como uma janela torta pendurada para fora de uma casa vazia. Brutal lançou-me um olhar que era quase de terror e afastou-se de John Coffey. Pela segunda vez em menos de cinco minutos, senti que todo o empreendimento estava à beira do fracasso. Dessa vez fui eu que agi; quando surgisse pela terceira vez uma ameaça de desastre, um pouco depois, seria Harry. Nessa noite, cada um de nós teve sua oportunidade, pode acreditar.

Insinuei-me entre John e a vista que ele tinha da cadeira, ficando na ponta dos pés para ter certeza de bloquear sua linha de visão. Então estalei os dedos na frente de seus olhos, duas vezes, com força.

— Vamos! — falei. — Ande! Você disse que não precisava ser acorrentado, agora prove que era verdade! Ande, garotão! Ande, John Coffey! Para lá! Para aquela porta!

Seus olhos se desanuviaram.

— Sim, chefe. — E, Deus seja louvado, começou a andar.

— Olhe para a porta, John Coffey, só para a porta e para nada mais.

— Sim, chefe. — John fixou os olhos obedientemente na porta.

— Brutal — disse e apontei.

Ele foi depressa à frente, sacudindo seu molho de chaves, encontrando a chave certa. John manteve o olhar fixo na porta para o túnel e eu mantive meu olhar fixo em John, mas pelo canto de um olho pude ver Harry lançando umas olhadas nervosas para a cadeira, como se nunca a tivesse visto antes na vida.

*Ainda há pedaços deles lá... ouço os gritos deles.*

Se isso era verdade, então Eduard Delacroix tinha que estar gritando mais e mais alto do que todos, e fiquei feliz por não poder ouvir o que John Coffey ouvia.

Brutal abriu a porta. Descemos os degraus com Coffey na frente. No pé da escada, ele olhou com ar pesaroso pelo túnel adentro, com seu teto baixo de tijolo. Quando chegasse à outra extremidade, ia estar com as costas tortas, a menos que...

Puxei para perto a maca sobre rodas. O lençol sobre o qual tínhamos posto Del tinha sido retirado (e, provavelmente, incinerado), de modo que as almofadas de couro preto da maca estavam à vista.

— Suba — falei para John. Ele olhou para mim com ar intrigado, e acenei com a cabeça para encorajá-lo. — Vai ser mais cômodo para você e não será mais duro para nós.

— Está bem, chefe Edgecombe. — Sentou-se na maca, depois se deitou de costas, olhando para nós com uns olhos castanhos preocupados. Seus pés, calçados com os chinelos baratos da prisão, estavam pendurados, quase tocando no chão. Brutal se colocou no meio deles e empurrou John Coffey pelo corredor úmido como tinha empurrado tantos outros. A única diferença era que o atual passageiro ainda estava respirando. Mais ou menos na metade do percurso, estaríamos bem debaixo da rodovia e poderíamos escutar o ronco abafado de carros passando se houvesse algum tráfego àquela hora. John começou a sorrir.

— Ei — falou —, isso é divertido. — Ele não ia achar o mesmo da próxima vez em que andasse na maca, foi o pensamento que me cruzou a mente. Na realidade, da próxima vez que andasse na maca, não iria sentir nada. Ou sentiria? Ainda há pedaços deles lá, dissera ele; ele podia ouvi-los gritando.

Caminhando atrás dos demais e sem ser visto por eles, estremeci.

— Espero que tenha se lembrado de Aladim, chefe Edgecombe — disse Brutal quando chegamos ao final do túnel.

— Não se preocupe — retruquei. Aladim não era diferente das outras chaves que eu levava comigo naquela época (e eu tinha um molho que devia pesar uns 2 quilos), porém era a chave mestra das chaves mestras, a que abria tudo. Naquela época, havia uma chave Aladim para cada um dos cinco blocos de celas, cada uma propriedade do supervisor do bloco. Outros guardas podiam tomá-la emprestada, mas só os chefes dos guardas não precisavam assinar o registro para retirá-la.

No final do túnel, havia um portão com barras de aço. Ele sempre me recordava filmes que tinha visto de velhos castelos, dos tempos antigos em que os cavaleiros eram audazes e a cavalaria estava no auge. Só que Cold Mountain ficava muito longe de Camelot. Para lá do portão, um lance de degraus subia até uma porta metálica discreta, dessas que abrem para cima, com avisos pelo lado de fora que diziam PROIBIDA A PASSAGEM, PROPRIEDADE ESTADUAL e CERCA ELETRIFICADA.

Destranquei o portão e Harry abriu-o por completo. Subimos, John Coffey mais uma vez na frente, os ombros encurvados e a cabeça abaixada. No topo, Harry passou por ele (mas não sem alguma dificuldade, embora ele fosse o menor de nós) e destravou a porta metálica. Ela era pesada. Ele podia movê-la, mas não era capaz de erguê-la.

— Deixe comigo, chefe — disse John. Passou de novo para a frente, empurrando Harry de encontro à parede com o quadril ao passar, e ergueu a porta metálica com uma das mãos. Parecia que ela era feita de papelão e não de uma placa de aço.

O ar frio da noite, levado pelo vento que descia das montanhas e que teríamos agora quase sempre até março ou abril, soprou em nossos rostos. Com ele veio um rodamoinho de folhas secas e John Coffey pegou uma delas com a mão que estava livre. Nunca me esquecerei do modo como ele olhou para ela nem como ele a amassou sob seu nariz largo e bonito para que o aroma se desprendesse.

— Vamos — disse Brutal. — Vamos embora, em frente, marche!

Saímos. John abaixou a porta metálica e Brutal a trancou. Não se precisava da chave Aladim para esta porta, mas ela era necessária para destravar o portão do cercado de postes e cerca de arame que circundava a própria porta.

— Fique com as mãos grudadas ao corpo ao passar, grandalhão — murmurou Harry. — Não toque no arame, se não quiser ter uma queimadura feia.

Logo estávamos livres, de pé no acostamento da estrada, num pequeno grupo (três sopés em volta de uma montanha, foi como imaginei que parecíamos), olhando para o outro lado, para os muros, as luzes e as torres de sentinelas da Penitenciária de Cold Mountain. Podia mesmo ver o vulto esmaecido de um guarda dentro de uma daquelas torres, soprando nas mãos para esquentá-las, mas só por um instante: as janelas das torres que davam para a estrada eram pequenas e não tinham importância. Mesmo assim, tínhamos que nos manter muito, muito em silêncio. E se um carro *calhasse* de passar agora, estaríamos numa grande encrenca.

— Vamos — sussurrei. — Vá na frente, Harry.

Fomos nos movendo furtivamente para o norte, ao longo da rodovia, numa pequena fila indiana, Harry primeiro, depois John Coffey, depois Brutal, depois eu. Chegamos ao topo da primeira elevação e descemos pelo lado oposto, de onde tudo que podíamos ver da prisão era o brilho forte das luzes nas copas das árvores. E Harry continuava a nos guiar para diante.

— Onde foi que você estacionou? — soprou Brutal como se estivesse num palco, a condensação se formando na saída da boca como uma nuvem branca. — Baltimore?

— Está logo ali adiante — respondeu Harry, num tom nervoso e irritadiço. — Tenha um pouco de calma, Brutus.

Coffey, entretanto, pelo que eu tinha visto, estaria disposto a caminhar até o raiar do sol, talvez até que ele se pusesse de novo. Olhava para todos os lados e teve um sobressalto, não de medo, mas se deliciando, tenho certeza, quando uma coruja piou. Dei-me conta de que, embora pudesse ter medo do escuro dentro de um edifício, ali fora não o temia em absoluto. Estava acariciando a noite, esfregando nela seus sentidos do mesmo modo que um homem poderia esfregar o rosto nas curvas e concavidades dos seios de uma mulher.

— Entramos aqui — murmurou Harry.

Um pequeno ramal de estrada, estreito, de terra, com mato crescendo na elevação do centro, se abria para a direita. Entramos por ele e caminhamos mais uns 350 metros. Brutal estava começando a reclamar de novo quando Harry parou, foi para o lado esquerdo da estradinha e começou a retirar um leque de galhos partidos de pinheiro. John e Brutal ajudaram, e antes que eu pudesse juntar-me a eles, tinham descoberto o focinho amassado de uma velha caminhonete Farmall, cujos faróis amarrados com arame nos fitavam como dois olhos esbugalhados.

— Quis tomar todo o cuidado possível, sabe — explicou Harry a Brutal com uma voz fina de repreensão. — Isso pode ser uma grande brincadeira para você, Brutus Howell, mas eu venho de uma família muito religiosa. Tenho primos no interior tão santos que fazem os cristãos parecerem leões, e se eu for apanhado metido numa coisa dessas...!

— Está certo — disse Brutal. — Eu estou apenas nervoso, é só isso.

— Eu também — retrucou Harry. — Agora, se essa maldita coisa pelo menos pegar...

Deu a volta em torno do capô da caminhonete, ainda resmungando, e Brutal piscou um olho para mim. Para Coffey, nós tínhamos deixado de existir. Com a cabeça deitada para trás, estava absorvendo a visão das estrelas espalhadas pelo céu.

— Se você quiser, vou na traseira com ele — ofereceu-se Brutal. Atrás de nós, o motor de arranque da Farmall guinchou um pouco, parecendo um cachorro velho tentando pôr-se de pé numa manhã fria de inverno, e então pegou com um estrondo. Harry o manteve acelerado durante algum tempo e depois o deixou ficar numa marcha lenta irregular. — Não precisa nós dois irmos.

— Entre na frente — falei. — Você pode ir com ele na viagem de volta. Isto é, se não terminarmos fazendo-a trancafiados na traseira da nossa própria diligência.

— Não fale assim — disse ele, com um ar realmente inquieto. Foi como se ele tivesse se dado conta pela primeira vez de como seria grave para nós se fôssemos apanhados. — Meu Deus, Paul!

— Vamos — disse eu. — Entre na cabina.

Fez como mandei. Fiquei puxando o braço de Coffey até conseguir fazer com que sua atenção voltasse um pouco para a terra, então o levei para a traseira da caminhonete, que tinha estacas nas laterais. Harry tinha posto uma lona cobrindo essas estacas, o que seria de alguma utilidade se cruzássemos com carros ou caminhões indo na direção oposta. Mas não pudera fazer nada quanto ao teto.

— Upa cavalinho, garotão — disse eu.

— Vamos dar o passeio agora?

— Isso mesmo.

— Que bom. — Sorriu. Foi um sorriso doce e adorável, talvez mais ainda porque não era complicado por muita coisa em termos de ideias. Subiu na traseira. Subi atrás dele, fui até a parte da frente da plataforma da caminhonete e bati no teto da cabina. Harry engatou a primeira e a caminhonete saiu da pequena clareira em que ele a tinha escondido, sacudindo e balançando.

John Coffey ficou ali parado, no centro da plataforma do veículo, com as pernas abertas e a cabeça inclinada para cima, para as estrelas, com um sorriso largo, sem se preocupar com os ramos que o chicotearam quando Harry fez a curva para levar o veículo de volta para a estrada.

— Olhe, chefe! — exclamou com a voz baixa e embevecida, apontando para a noite negra lá em cima. — É Cassie, a dama na cadeira de balanço!

Ele tinha razão. Pude vê-la na alameda de estrelas entre as massas escuras das árvores que passavam. Mas não foi em Cassiopeia que pensei quando ele falou na dama na cadeira de balanço; foi em Melinda Moores.

— Estou vendo, John — disse eu e puxei seu braço. — Mas agora você tem que se sentar, está bem?

Sentou-se com as costas apoiadas na cabina, sem tirar por um instante os olhos do céu noturno. Havia no seu rosto uma expressão de felicidade sublime e sem pensamentos. A cada volta dos pneus carecas da Farmall, o Corredor Verde ficava mais longe, e por enquanto, pelo menos, o fluxo aparentemente interminável das lágrimas de John Coffey tinha parado.

## 7

Eram 40 quilômetros até a casa de Hal Moores, em Chimney Ridge, e no pequeno caminhão de fazenda lento e barulhento de Harry Terwilliger, a viagem levou mais de uma hora. Foi uma viagem estranha, e embora agora me pareça que cada instante dela me ficou gravado na memória, cada volta, cada tranco, cada virada, às vezes assustadoras (duas delas) quando caminhões passaram na direção oposta, acho que nem de longe sou capaz de descrever como me senti, sentado ali com John Coffey, os dois enrolados como índios nas mantas velhas que Harry tivera a boa ideia de trazer.

Era, acima de tudo, uma sensação de *estar perdido:* a dor terrível e profunda que uma criança sente quando percebe que se enganou em algum ponto, todos os marcos de referência são desconhecidos, e não sabe mais como encontrar o caminho de casa. Eu tinha saído no meio da noite com um preso, não apenas um preso *qualquer*, mas um que tinha sido julgado e condenado pelo assassinato de duas garotinhas e sentenciado à morte pelo crime. Minha convicção de que ele era inocente não faria diferença se fôssemos apanhados. Podíamos ir para a prisão, e Dean Stanton provavelmente iria também. Eu tinha abandonado uma vida de trabalho e crença por causa de uma execução malfeita e porque eu acreditava que o bobalhão gigante sentado ao meu lado *talvez* fosse capaz de curar o tumor cerebral inoperável de uma mulher. No entanto, observando John olhando para as estrelas, me dei conta, com desânimo, de que não tinha mais aquela convicção, se é que algum dia a tivera. Minha infecção urinária agora parecia distante e sem importância, como sempre acontece com coisas difíceis e dolorosas depois que passam (minha mãe uma vez disse que se uma mulher pudesse realmente se lembrar de como tinha doído para ter o primeiro filho, nunca teria um segundo). Quanto ao sr. Guizos, não seria possível, até mesmo provável, que nos tivéssemos enganado sobre quanto Percy o tinha machucado? Ou que John, que realmente tinha algum tipo de poder hipnótico, disso pelo menos não cabia muita dúvida, tinha de alguma maneira nos induzido a pensar que tínhamos visto algo que de fato não tínhamos visto? Depois havia a questão de Hal Moores. No dia em que o surpreendi no seu escritório, tinha encontrado um velho chorão e trêmulo. Porém não achava que aquele era o lado mais autêntico do diretor. Achava que o verdadeiro diretor Moores era o homem que um dia tinha quebrado o pulso de um facínora que tentara esfaqueá-lo; o homem que assinalara para mim, com precisão cínica, que as bolas de Delacroix iam ser cozinhadas independentemente de quem estivesse à frente da equipe de execução. Será que eu pensava que Hal Moores ia humildemente se pôr de lado e nos deixar entrar na sua casa com um assassino de crianças condenado para pôr as mãos na sua mulher?

Minha dúvida cresceu como uma doença à medida que íamos rodando. Eu simplesmente não conseguia entender como tinha feito as coisas que fizera ou por que persuadira os outros a acompanhar-me nessa louca excursão noturna, e não acreditava que tivéssemos qualquer probabilidade de escapar disso, nem a mais remota das possibilidades, como costumavam dizer os velhos. Contudo, não fiz nenhuma tentativa de berrar para parar, como podia ter feito, e as coisas não teriam ficado irrevogavelmente fora das nossas mãos até que chegássemos diante da casa de Moores. Alguma coisa, acho que podem ter sido apenas as ondas de excitação feliz que vinham do gigante sentado ao meu lado, me impediu de bater no teto da cabina e berrar para Harry dar meia-volta e regressar para a prisão enquanto ainda estava em tempo.

Esse era meu estado de espírito enquanto passamos da rodovia para a estrada municipal nº 5 e dela para a estrada de Chimney Ridge. Uns 15 minutos depois disso vi o formato de um telhado bloqueando as estrelas e percebi que tínhamos chegado.

Harry reduziu de segunda para primeira (acho que ele só andou em quarta uma vez durante toda a viagem). O motor deu um tranco, provocando um tremor na caminhonete toda, como se ela também receasse o que agora estava bem diante de nós.

Harry fez a curva e entrou pelo caminho de acesso ensaibrado da casa de Moores, estacionando o caminhão resmunguento atrás do sóbrio Buick preto de quatro portas do diretor. Adiante e ligeiramente à nossa direita havia uma casa impecável no estilo que creio ser chamado de Cape Cod. Talvez aquele tipo de casa devesse parecer deslocado na nossa região montanhosa, mas não parecia. A lua tinha saído, seu sorriso um pouco maior nessa madrugada, e com o luar pude ver que o jardim, sempre conservado com tanta beleza, agora parecia abandonado. Ele parecia ser quase todo feito de nada mais do que folhas que não tinham sido varridas. Em circunstâncias normais, teria sido tarefa de Melly, mas nesse outono ela não estivera em condições de varrer folhas secas e nunca mais veria as folhas caírem. Essa é que era a verdade dos fatos, e eu fora um louco em achar que esse idiota de olhar perdido poderia mudá-la.

Mas talvez ainda não fosse tarde demais para salvar-nos. Fiz menção de me levantar, e a manta em que estava enrolado escorregou dos meus ombros. Ia inclinar-me para a frente, bater na janela do lado do motorista, dizer a Harry para dar o fora dali rápido antes...

John Coffey segurou meu antebraço num dos seus punhos gigantescos, puxando de novo para baixo tão facilmente quanto eu o teria feito com um bebê.

— Olhe, chefe — disse, apontando. — Alguém está de pé.

Segui a direção do seu dedo e tive uma sensação de vazio, não no coração, mas na barriga. Havia uma faixa de luz em uma das janelas dos fundos. Mais provavelmente o quarto onde Melinda agora passava seus dias e suas noites; ela não tinha condição tanto de usar a escada como de varrer as folhas que tinham caído durante a recente tempestade.

Eles tinham escutado a caminhonete, é claro. O maldito Farmall de Harry Terwilliger, com o motor berrando e peidando por um cano de descarga sem o impedimento de algo tão simples como um silencioso. Que diabo, de qualquer maneira os Moores provavelmente não estavam dormindo assim tão bem ultimamente.

Acendeu-se uma luz mais próxima da frente da casa (a cozinha), depois a lâmpada do teto da sala de visitas, depois a do hall de entrada, depois a que ficava sobre a varanda da porta da frente. Acompanhei essas luzes marchando para a frente do modo como um homem de pé contra uma parede de cimento e fumando seu último cigarro poderia acompanhar o passo cadenciado de um pelotão de fuzilamento que se aproximava. Entretanto, não admiti inteiramente para mim nem mesmo então que era tarde demais, até que a batida irregular do motor da Farmall sumiu no silêncio e as portas rangeram e o cascalho fez ruído quando Harry e Brutal saíram.

John tinha se levantado, puxando-me com ele. Na luz fraca, sua fisionomia parecia cheia de vida e expectativa. *Por que não?*, lembro-me de ter pensado. Por que não haveria de ter essa expectativa? Ele é um tolo.

Brutal e Harry estavam parados ombro a ombro diante da traseira da caminhonete, como garotos numa tempestade, e vi que ambos pareciam tão assustados, confusos e inquietos como eu. Isso fez com que eu me sentisse pior ainda.

John desceu. Para ele era mais uma descida de degrau do que um salto. Segui-o, com as pernas duras e me sentindo infeliz. Teria me esparramado no cascalho frio se ele não me tivesse segurado pelo braço.

— Isso é um erro — disse Brutal com uma vozinha sibilante. Os olhos estavam muito arregalados e amedrontados. — Meu Deus do céu, Paul, onde é que estávamos com a cabeça?

— Agora é tarde demais — disse eu. Empurrei os quadris de Coffey e ele, bem obediente, foi ficar de pé ao lado de Harry. Depois agarrei o cotovelo de Brutal como se fosse um encontro de namorados e fomos juntos caminhando em direção à varanda, onde a luz agora estava acesa. — Deixe que eu falo, entendeu?

— Tá — disse Brutal. — Neste instante isso é mais ou menos tudo que eu entendo.

Olhei para trás, por cima do ombro.

— Harry, fique junto da caminhonete com ele até que eu chame vocês. Não quero que Moores o veja até que eu esteja pronto. — Só que nunca ia estar pronto. Agora sabia disso.

Brutal e eu tínhamos acabado de chegar ao pé dos degraus quando a porta da frente foi aberta repentinamente, com força suficiente para fazer a aldraba de bronze bater na placa. Lá estava Hal Moores, de calça de pijama azul e uma camiseta sem mangas, os cabelos cinza cor de aço eriçados em tufos e desgrenhados. Ele era um homem que tinha feito mil inimigos durante o curso de sua carreira e sabia disso. Seguro na mão direita, com o cano inusitadamente longo não apontando bem para o chão, estava o revólver que sempre ficava pousado sobre a lareira. Era um tipo de arma conhecido como um Ned Buntline Especial, tinha sido do seu avô e naquele preciso momento (vi isso com mais um vazio na barriga) estava perfeitamente engatilhado.

— Com os demônios, quem anda por aí às duas e meia nesta maldita madrugada? — indagou. Não detectei nenhum medo em absoluto na sua voz. E, pelo menos por enquanto, seu tremor tinha parado. A mão que segurava o revólver estava firme como uma pedra. — Respondam-me ou... — O cano do revólver começou a se erguer.

— Pare, diretor! — Brutal ergueu as mãos, com as palmas para a frente, na direção do homem com a arma. Nunca ouvira sua voz soar como soou naquele momento: era como se os tremores que tinham cessado nas mãos de Moores tivessem de alguma maneira penetrado na garganta de Brutus Howell. — Somos nós! É Paul e eu... somos nós!

Subiu no primeiro degrau, de modo que a luz de cima da entradinha pudesse cair em cheio sobre o seu rosto. Juntei-me a ele. Hal Moores ficou olhando de um para o outro, sua decisão irada cedendo lugar ao espanto.

— O que vocês estão fazendo aqui? — perguntou. — Não só estamos em plena madrugada, mas vocês estão de guarda. Sei que estão, tenho a escala pregada na minha oficina. Então... oh, meu Deus, não é uma greve, é? Ou um motim? — Olhou por entre nós dois e seu olhar se aguçou. — Quem mais está lá junto daquela caminhonete?

*Deixe que eu falo*. Foi como eu instruíra Brutal, mas agora tinha chegado a hora de falar e eu não conseguia nem abrir a boca. Naquela tarde, quando ia para o trabalho, tinha planejado cuidadosamente o que ia dizer quando chegássemos ali e tinha achado que não ia parecer muito doido. Normal não — nada nisso tudo era normal —, mas talvez *perto o bastante* da normalidade para permitir que entrássemos pela porta e tivéssemos uma oportunidade. Que *John* tivesse uma oportunidade. Agora, porém, todas as minhas palavras, cuidadosamente ensaiadas, se perderam num turbilhão confuso. Pensamentos e imagens — Del sendo queimado, o rato morrendo, Toot se agitando no colo da Velha Fagulha e berrando que era um peru bem assado — rodopiavam dentro da minha cabeça como areia colhida num rodamoinho de vento. Acredito que existe o bem no mundo, todo ele fluindo, de uma forma ou de outra, de um adorável Deus. Mas também acredito que existe uma outra força, tão exatamente real quanto o Deus para o qual rezei toda a minha vida, e que ela atua conscientemente para levar todos os nossos impulsos decentes ao desastre. Não Satanás, não estou me referindo a Satanás (embora também acredite que ele exista), mas uma espécie de demônio da discórdia, uma coisa travessa e estúpida que ri com alegria quando um velho se incendeia ao tentar acender seu cachimbo ou quando um bebê muito querido mete seu primeiro brinquedo de Natal na boca e morre sufocado. Tive muitos anos para pensar sobre isso, o trajeto inteiro desde Cold Mountain até Georgia Pines, e acredito que essa força estava trabalhando ativamente no meio de nós naquela madrugada, revolvendo por toda a parte como uma neblina, tentando manter John Coffey longe de Melinda Moores.

— Diretor... Hal... eu... — Nada do que tentei dizer fazia qualquer sentido.

Ele ergueu o revólver de novo, apontando-o entre Brutal e eu, sem escutar. Seus olhos injetados tinham se arregalado muito. E ali veio Harry Terwilliger, sendo mais ou menos puxado por nosso garotão, que estava exibindo seu sorriso largo e patetamente encantador.

— Coffey — expeliu Moores junto com a respiração. — John Coffey. — Respirou fundo e berrou numa voz que estava um pouco tensa, mas forte: — Alto! Alto aí mesmo ou eu atiro!

De algum ponto atrás dele, uma voz feminina fraca e trêmula falou alto:

— Hal? O que você está fazendo aí fora? Com quem está falando, seu chupador de pau fodido?

Hal voltou-se para aquela direção apenas por um instante, a fisionomia confusa e desesperada. Apenas por um instante, como disse, mas teria dado tempo suficiente para que eu lhe arrancasse da mão o revólver de cano longo. Só que eu não conseguia erguer minhas próprias mãos. Pareciam estar com pesos atados a elas. Minha cabeça parecia cheia de estática, como um rádio tentando transmitir durante uma tempestade elétrica. As únicas sensações de que consigo me lembrar eram pavor e uma espécie de vergonha surda por Hal.

Harry e John Coffey chegaram ao pé dos degraus. Moores virou-se na direção oposta ao som da voz de sua mulher e tornou a erguer a arma. Mais tarde ele disse que, sim, tinha toda a intenção de atirar em Coffey: ele suspeitou que todos nós tivéssemos sido feitos prisioneiros e que o cérebro por trás de tudo que estava acontecendo tivesse ficado lá atrás, junto da caminhonete, oculta nas sombras. Ele não entendia por que tínhamos sido trazidos até sua casa, mas vingança parecia ser a probabilidade maior.

Antes que ele pudesse disparar, Harry Terwilliger deu um passo à frente de Coffey e depois se postou diante dele, protegendo a maior parte do seu corpo. Coffey não o obrigou a fazer isso, Harry o fez por sua própria iniciativa.

— Não, diretor Moores! — exclamou. — Está tudo bem! Ninguém está armado, ninguém vai se ferir, estamos aqui para ajudar!

— Ajudar? — As sobrancelhas emaranhadas e eriçadas de Moores se juntaram. Os olhos faiscaram. Não conseguia tirar os olhos do gatilho do Buntline. — Ajudar *o quê*? Ajudar *quem*?

Como se em resposta, a voz trêmula da mulher idosa se elevou novamente, briguenta, convicta e inteiramente perdida:

— Venha aqui pra dentro e enfie no meu buraco quente, seu filho da puta! Traga seus amigos de merda também! Deixe todos eles terem vez!

Olhei para Brutal, abalado até a alma. Eu sabia que ela falava palavrões, que o tumor estava, de alguma maneira, *fazendo-a* falar palavrões, mas isso era mais. Muito mais.

— O que vocês estão fazendo aqui? — Moores tornou a nos perguntar. Muito da firmeza tinha desaparecido da sua voz; os gritos de sua mulher tinham surtido esse efeito. — Não estou entendendo. É uma fuga de presos ou...

John pôs Harry de lado — simplesmente levantou-o do chão e colocou-o para o lado — e depois subiu até a entradinha. Ficou entre Brutal e eu, tão grande que quase nos empurrou, um para cada lado, por cima das moitas de plantas ornamentais de Melly. Os olhos de Moores se elevaram para acompanhá-lo, do modo como os olhos de uma pessoa fazem quando ela está tentando enxergar o topo de uma árvore alta. E de repente o mundo se encaixou no lugar para mim. Aquele espírito de discórdia, que tinha embaralhado meus pensamentos como dedos poderosos remexendo dentro da areia ou de grãos de arroz, tinha desaparecido. Achei que também tinha entendido por que Harry fora capaz de agir, enquanto Brutal e eu só conseguíamos ficar de pé, inúteis e indecisos, diante de nosso chefe. Harry estava com John... E seja lá qual for o espírito que se opõe ao outro, o demoníaco, estava em John Coffey naquela noite. E quando John avançou para encarar o diretor Moores, foi aquele espírito — algo branco, é assim que penso nele, como algo branco — que tomou conta da situação. A outra coisa não foi embora, mas eu podia senti-la recuando como uma sombra debaixo de uma súbita luz forte.

— Eu quero ajudar — disse John Coffey. Moores ergueu os olhos para ele, os olhos fascinados, boquiaberto. Quando Coffey retirou o Buntline Especial da mão dele e passou-o para mim, acho que Hal nem percebeu que não tinha mais a arma. Cuidadosamente, desarmei o gatilho. Mais tarde, quando conferi o tambor, constatei que estivera vazio o tempo todo. Às vezes me pergunto se Hal sabia disso. Nesse meio-tempo, John ainda estava murmurando: — Eu vim pra ajudar. Só pra ajudar. É só o que eu quero.

— Hal! — gritou ela do quarto nos fundos. Sua voz agora parecia um pouco mais forte, mas também parecia temerosa, como se aquela coisa que tanto nos havia confundido e atemorizado tivesse agora recuado para ela. — Faça-os ir embora, quem quer que eles sejam! Não precisamos de vendedores no meio da noite! Nada de Eletrolux! Nada de Hoover! Nada de calcinhas francesas com porra no gancho! Ponha-os para fora! Diga-lhes que vão dar uma trepada voadora numa... — Alguma coisa se quebrou (podia ter sido um copo-d'água), e então ela começou a soluçar.

— Só pra ajudar — disse John Coffey com a voz tão baixa que era pouco mais do que um sussurro. Não tomou conhecimento dos soluços da mulher nem de seus palavrões. — Só pra ajudar, chefe, é só isso.

— Você não pode — retrucou Moores. — Ninguém pode. — Era um tom que eu já escutara antes, e depois de um instante dei-me conta de que era o mesmo tom que eu usara quando tinha entrado na cela de Coffey naquela noite em que ele curou minha infecção urinária. Hipnotizado. *Você trata dos seus assuntos que eu trato dos meus,* foi o que eu disse para Delacroix... Só que tinha sido *Coffey* quem tratara dos meus assuntos, como estava agora tratando dos de Moores.

— Nós achamos que ele pode sim — falou Brutal. — E não arriscamos nossos empregos, além de, talvez, uma temporada atrás das grades, só para chegar aqui, dar meia-volta e regressar sem fazer uma boa tentativa.

Mas a verdade é que, apenas três minutos antes, eu estivera pronto para fazer exatamente isso. E Brutal também.

John Coffey assumiu o controle da situação. Avançou pela entradinha e passou por Moores, que levantou uma só mão sem força para detê-lo (ela deslizou pelo quadril de Coffey e caiu; tenho certeza de que o homenzarrão nem sentiu) e então foi andando arrastadamente na direção da sala de visitas, da cozinha adiante dela e depois do quarto nos fundos, onde aquela voz aguda e irreconhecível se elevou novamente:

— Fique fora daqui! Quem quer que você seja, simplesmente fique fora daqui! Não estou vestida, meus peitos estão de fora e minha xoxota está tomando ar!

John não lhe deu atenção e apenas continuou indo, um passo atrás do outro, a cabeça encurvada para não quebrar os lustres, o crânio marrom e redondo reluzindo, as mãos balançando dos lados do corpanzil. Depois de um instante, fomos atrás dele, eu primeiro, Brutal e Hal lado a lado e Harry cerrando a fila. Uma coisa eu entendi perfeitamente bem: agora estava tudo fora de nossas mãos e nas de John.

## 8

A mulher que estava no quarto nos fundos, encostada na cabeceira da cama e olhando fixo, com os olhos vidrados, para o gigante que tinha surgido diante de sua vista confusa, não se parecia em absoluto com a Melly Moores que eu conhecera havia vinte anos. Não se parecia nem mesmo com a Melly Moores que Janice e eu tínhamos visitado pouco antes da execução de Delacroix. A mulher recostada naquela cama parecia uma criança doente fantasiada de bruxa de Halloween. Sua pele lívida era uma massa dependurada de rugas. Estava mais enrugada em volta do olho direito, dando a impressão de que ela estava tentando dar uma piscadela. Naquele mesmo lado, sua boca se curvava para baixo; um canino velho e amarelado estava por cima do lábio inferior escurecido. Os cabelos pareciam uma névoa rala e revolta em torno da cabeça. O quarto fedia das coisas de que nossos corpos se livram com muito decoro quando as coisas estão indo bem. O penico ao lado da cama estava cheio até a metade de uma nojenta gosma amarelada. Pensei, horrorizado, que tínhamos chegado tarde demais. Apenas alguns dias tinham transcorrido desde quando ela ainda era reconhecível. Doente, mas ela mesma. Desde então, a coisa dentro da cabeça dela devia ter avançado com uma velocidade assustadora a fim de consolidar sua posição. Achei que nem mesmo John Coffey poderia ajudá-la agora.

Quando Coffey entrou, a expressão dela foi de medo e horror, como se alguma coisa dentro dela tivesse reconhecido um doutor que talvez fosse capaz, afinal de contas, de chegar até ela e arrancar essa coisa fora... De borrifar sal sobre ela como se faz com uma sanguessuga para fazê-la se desprender. Preste muita atenção: não estou dizendo que Melly Moores estava possuída por algum demônio e tenho consciência de que, agitado como eu estava, todas as minhas percepções dessa noite devem ser encaradas com desconfiança. Mas também nunca descartei a possibilidade da possessão demoníaca. Havia algo nos olhos dela, estou-lhe dizendo, algo que se parecia com medo. Nisso acho que você *pode* confiar em mim. É um sentimento que vi muitas vezes e me confunde.

O que quer que fosse desapareceu rápido, substituído por um olhar de curiosidade intensa e irracional. Aquela boca indescritível estremeceu no que podia ser um sorriso.

— Oh, tão grande! — exclamou. O som da voz parecia de uma garotinha com um princípio de uma séria infecção de garganta. Ela retirou as mãos, de um branco esponjoso como seu rosto, de debaixo da colcha e juntou-as como se fosse bater palmas.

— Abaixe as calças! Ouvi falar dos perus de negros a vida inteira, mas nunca vi um!

Atrás de mim, Moores emitiu um gemido suave, cheio de desespero.

John Coffey não deu atenção alguma a nada disso. Depois de ficar imóvel por um instante, como se quisesse observá-la de uma certa distância, foi até a cama, que estava iluminada por um único abajur na mesinha de cabeceira. Ele lançava um círculo de luz intensa sobre a colcha branca puxada até a gola de renda da camisola. Além da cama, na penumbra, vi a espreguiçadeira que pertencia à sala de visitas. Uma manta que Melly tinha tecido com suas próprias mãos em dias mais felizes estava caída metade sobre a espreguiçadeira e metade no chão. Era ali que Hal estava dormindo — ou cochilando, pelo menos — quando chegamos com a caminhonete.

Quando John se aproximou, a fisionomia dela passou por uma terceira mudança. De repente enxerguei Melly, cuja bondade tinha significado tanto para mim ao longo dos anos e mais ainda para Janice quando nossos filhos alçaram voo do ninho e ela ficara se sentindo tão sozinha, inútil e melancólica. Melly ainda estava curiosa, mas agora a curiosidade parecia sadia e consciente.

— Quem é você? — perguntou ela com a voz clara e sensata. — E por que tem tantas cicatrizes nas mãos e nos braços? Quem o machucou tanto?

— Eu nem me lembro de onde elas vieram, dona — disse Coffey num tom humilde e se sentou ao lado dela na cama.

Melinda sorriu o melhor que pôde. O lado direito repuxado da boca tremeu, mas não chegou a conseguir se levantar. Ela tocou uma cicatriz branca, curva como um sabre, no dorso da mão esquerda dele.

— Que bênção isto é! Você entende por quê?

— Acho que quando a gente não sabe quem machucou e quem perseguiu a gente, não perde o sono de noite — disse John Coffey no seu sotaque quase sulista.

Ela riu ao ouvir isso, o som do riso tão puro como prata no quarto malcheiroso de doente. Hal estava agora ao meu lado, com a respiração acelerada, mas tentando não interferir. Quando Melly riu, a respiração rápida dele se deteve por um instante, presa na garganta, e uma de suas mãos grandes agarrou meu ombro. Agarrou-o com força suficiente para deixar uma marca, que vi no dia seguinte, mas naquele exato momento mal senti.

— Como é o seu nome? — indagou ela.

— John Coffey, dona.

— Coffey como o que se bebe com leite.

— É, dona, só que se escreve diferente.

Ela se encostou nos travesseiros, recostada mas não propriamente sentada, olhando para ele. Ele se sentou ao seu lado, olhando para trás, e a luz do abajur os circundou como se fossem atores num palco, o negro imenso no macacão da prisão e a pequena mulher branca moribunda. Ela fitou os olhos de John num fascínio luminoso.

— Dona?

— Sim, John Coffey? — as palavras mal expelidas junto com a respiração, mal deslizando até nós no ar malcheiroso. Senti os músculos se contraírem nos braços, nas pernas e nas costas. Em algum lugar, muito distante, podia sentir o diretor apertando meu braço e, no lado do meu campo de visão, podia ver Harry e Brutal com os braços um nos ombros do outro, como garotinhos perdidos na noite. Algo ia acontecer. Algo grande. Cada um de nós o sentia do seu próprio jeito.

John Coffey inclinou-se mais para perto dela. As molas da cama rangeram, as roupas de cama fizeram barulho e a lua, sorrindo fria, olhou para dentro por um dos painéis da vidraça da janela do quarto. Os olhos injetados de Coffey examinaram o rosto esquálido dela, voltado para cima.

— Estou vendo — falou. Não falava com ela, ao menos achei que não, mas com ele mesmo. — Estou vendo e posso ajudar. Fique quieta... Fique bem quieta...

Inclinou-se mais para perto, e depois mais para perto ainda. Por um instante, seu rosto enorme se deteve a menos de 5 centímetros do dela. Ele ergueu uma das mãos para o lado, com os dedos bem abertos, como se estivesse dizendo a alguma coisa para esperar, só esperar, e então baixou o rosto novamente. Seus lábios grossos e lisos se comprimiram contra os dela e forçaram-nos a se abrir. Por um instante pude ver um dos olhos dela, olhando fixo para além de Coffey, enchendo-se com uma expressão do que parecia ser surpresa. Então a cabeça dele, lisa e careca, moveu-se e aquela expressão também desapareceu.

Ouviu-se um som suave de assobio quando ele aspirou o ar que estava lá no fundo dos pulmões dela. Isso tudo durou um ou dois segundos, e então o chão se moveu sob nossos pés e a casa inteira se moveu ao nosso redor. Não foi imaginação minha: todos eles sentiram isso, todos comentaram depois. Foi uma espécie de pancada ondulante. Houve um baque como se algo muito pesado tivesse tombado na sala de visitas. Como se viu depois, tinha sido o relógio de pêndulo. Hal Moores tentou fazê-lo consertar, mas ele nunca mais funcionou direito por mais de 15 minutos.

Mais perto houve um estalo, seguido de um tilintar, quando se quebrou o painel da vidraça através do qual a lua estava espreitando. Um quadro na parede — um navio a velas cruzando um dos sete mares — caiu do gancho e se espatifou no chão, estilhaçando o vidro.

Senti o cheiro de algo quente e vi fumaça se elevando da parte inferior da colcha branca que a cobria. Um pedaço estava ficando preto, perto duma saliência trêmula que era seu pé direito. Sentindo-me como um homem num sonho, livrei-me da mão de Moores e fui até a mesinha de cabeceira. Havia ali um copo-d'água, cercado por três ou quatro frascos de pílulas que tinham sido derrubados durante a sacudida da casa. Peguei o copo e derramei a água no lugar fumegante. Houve um sibilar de vapor.

John Coffey continuou a beijá-la naquela forma profunda e íntima, aspirando sempre, uma das mãos ainda estendida para o lado, a outra sobre a cama, suportando seu peso imenso. Os dedos estavam bem abertos e a mão me dava a impressão de ser uma estrela-do-mar marrom.

De repente ela arqueou as costas. Uma das mãos se agitou no ar, os dedos se abrindo e fechando numa série de espasmos. Seus pés se debateram sobre a cama. Então algo gritou. Repito, não fui só eu; os outros homens também ouviram. Para Brutal pareceu um lobo ou um coiote cuja perna tivesse sido apanhada numa armadilha. Para mim foi como uma águia, do jeito que às vezes se podia escutar em manhãs sem vento naquela época, planando através das ravinas enevoadas, com as asas bem estendidas e imóveis.

Do lado de fora, o vento dava rajadas tão fortes que a casa se sacudiu uma segunda vez, e isso era estranho, porque até então não havia praticamente vento nenhum que se pudesse mencionar.

John Coffey afastou-se dela e vi que o rosto dela se tinha desanuviado. O lado direito da boca já não estava caído. Os olhos tinham recuperado seu formato normal e ela parecia dez anos mais moça. Ele a olhou embevecido por um ou dois segundos e então começou a tossir. Virou a cabeça para não tossir no rosto dela, perdeu o equilíbrio (o que não era difícil, grande como era, e estava sentado com metade do traseiro para fora da cama) e foi para o chão. Seu peso foi suficiente para dar uma terceira sacudida na casa. Caiu de joelhos e pendeu a cabeça para a frente, tossindo como um homem nos últimos estágios de tuberculose.

Pensei: *Agora os insetos. Ele vai expeli-los com a tosse e dessa vez vai haver um bocado deles.*

Mas não fez isso. Apenas continuou tossindo, como numa ânsia de vômito, mal conseguindo tempo entre um ataque e outro para respirar de novo. A pele escura, achocolatada, estava ficando cinzenta. Alarmado, Brutal foi até ele, apoiou-se num joelho ao seu lado e colocou um braço por cima de suas costas largas e abaladas por espasmos. Como se o movimento de Brutal tivesse quebrado um encantamento, Moores foi até a cama de sua mulher e sentou-se onde Coffey estivera sentado. Pareceu nem se dar conta da presença do gigante tossindo e se sufocando. Embora Coffey estivesse ajoelhado praticamente aos seus pés, Moores só tinha olhos para a mulher, que o estava fitando com um olhar límpido de espanto. Vê-la assim era como olhar para um espelho sujo que tivesse sido limpo por completo.

— John! — berrou Brutal. — Vomite! Vomite como você fez antes!

John continuou com aquela tosse sufocada. Os olhos estavam rasos d'água, não de pranto, mas de esforço. A saliva voava-lhe da boca num borrifado fino, mas nada mais saía.

Brutal bateu-lhe com força nas costas umas duas vezes, depois olhou para mim.

— Ele está sufocando! O que quer que ele tenha sugado de dentro dela o está fazendo sufocar!

Avancei, mas antes que pudesse dar dois passos, John afastou-se de mim andando de joelhos e foi para o canto do quarto, ainda tossindo violentamente e se esforçando para respirar a cada vez. Apoiou a testa no papel de parede (rosas silvestres vermelhas espalhando-se por uma parede de jardim) e emitiu um som horripilante, profundo e dilacerante, como se estivesse tentando vomitar o tecido da própria garganta. Lembro-me de ter pensado que, se alguma coisa pudesse fazê-lo vomitar, isso traria os insetos para fora, mas não houve nem sinal deles. Não obstante, o ataque de tosse pareceu atenuar-se um pouco.

— Estou bem, chefe — disse ele, ainda apoiando a testa de encontro às rosas silvestres. Os olhos continuaram fechados. Não tenho certeza de como ele sabia que eu estava ali, mas era claro que o sabia. — Estou mesmo, de verdade. Cuide da senhora.

Olhei para ele, em dúvida, depois virei-me para a cama. Hal estava afagando a testa de Melly e, acima dela, vi uma coisa espantosa: parte dos seus cabelos — não muitos, mas alguns — tinha ficado preta de novo.

— O que aconteceu? — ela perguntou a ele. Enquanto eu olhava, a cor começou a voltar à sua face. Era como se ela tivesse roubado um par de rosas do papel de parede. — Como é que vim parar aqui? Nós estávamos indo ao hospital em Indianola, não estávamos? Um médico ia disparar raios X dentro da minha cabeça e tirar fotografias do meu cérebro.

— Shhh — fez Hal. — Shhh, querida minha, nada disso tem importância agora.

— Mas eu não *compreendo*! — ela exclamou quase num queixume. — Paramos num quiosque na beira da estrada... Você me comprou um buquezinho de dez centavos... E depois, estou aqui. Está escuro! Você já jantou, Hal? Por que estou no quarto de hóspedes? Tiraram o raio X? — Seus olhos passaram por Harry quase sem vê-lo (imagino que isso tenha sido um choque) e se fixaram em mim. — Paul? Tiraram o raio X?

— Tiraram — respondi. — Não deu nada.

— Não encontraram um tumor?

— Não — disse eu. — Eles dizem que provavelmente as dores de cabeça agora vão parar.

Ao seu lado, Hal irrompeu em prantos.

Ela inclinou-se para a frente e beijou-lhe a têmpora. Depois seus olhos se moveram para o canto.

— Quem é esse negro? Por que ele está ali no canto?

Virei-me e vi John tentando se pôr de pé. Brutal ajudou-o e John conseguiu, com um último impulso. Entretanto, ficou de cara para a parede, como uma criança que se comportou mal. Ainda estava tossindo em espasmos, mas eles pareciam agora estar diminuindo.

— John — falei. — Dê meia-volta, garotão, e veja esta senhora.

Ele se voltou devagar. Seu rosto ainda estava cinza e parecia dez anos mais velho, como um homem que tinha sido forte e que estava por fim perdendo a batalha contra a tuberculose. Os olhos estavam baixos, presos às sandálias da prisão, e ele tinha o ar de quem gostaria de ter um chapéu para torcer nas mãos.

— Quem é você? — perguntou ela novamente. — Como é seu nome?

— John Coffey, dona — respondeu, ao que ela imediatamente retrucou:

— Mas não escrito como o que se bebe com leite.

Hal estremeceu ao lado dela. Ela o sentiu e deu umas palmadinhas tranquilizadoras na mão dele, sem tirar os olhos do negro.

— Sonhei com você — disse ela com uma voz macia e intrigada. — Sonhei que você estava vagando na escuridão e eu também. Encontramos um ao outro.

John Coffey não disse nada.

— Encontramos um ao outro na escuridão — falou. — Levante-se, Hal, você está me prendendo aqui.

Ele se levantou e viu incrédulo ela afastar a colcha.

— Melly, você não pode...

— Não seja bobo — disse ela e girou as pernas para fora da cama. — É claro que posso. — Ajeitou a camisola, esticou-se e depois ficou de pé.

— Meu Deus — sussurrou Hal. — Meu Santo Deus do céu, *olhe* só para ela.

Ela foi até John Coffey. Brutal afastou-se dela com uma expressão de espanto no rosto. Ela mancou ao dar o primeiro passo, apoiou-se apenas um pouco mais na perna direita por um instante, e depois até isso passou. Lembrei-me de Brutal dando o carretel colorido para Delacroix e dizendo: "Jogue-o; quero ver como ele corre." Naquela ocasião o sr. Guizos tinha mancado, mas na noite seguinte, quando Del percorreu o Corredor Verde, ele estava bom.

Melly colocou os braços em volta de John e deu-lhe um abraço apertado. Coffey ficou parado ali por um momento, deixando-se abraçar, e depois ergueu uma das mãos e alisou o topo da cabeça dela. Fez isso com uma delicadeza infinita. Seu rosto ainda estava cinza. Achei que estava com um ar gravemente doente.

Ela se afastou, o rosto erguido para ele.

— Obrigada.

— De nada, dona.

Ela se voltou e caminhou para Hal. Ele pôs os braços em volta dela.

— Paul... — Era Harry. Estendeu o pulso direito para mim e bateu no relógio. Eram quase três horas. A luz começaria a aparecer por volta das quatro e meia. Se queríamos levar Coffey de volta para Cold Mountain antes que isso acontecesse, tínhamos que ir logo. E eu queria levá-lo de volta. Em parte porque quanto mais isso demorasse, menores seriam nossas chances de escaparmos dessa, sem dúvida. Mas também queria John num lugar onde pudesse legalmente chamar um médico para vê-lo, se fosse preciso. Olhando para ele, achei que poderia ser preciso.

Os Moores estavam sentados na beirada da cama, abraçados. Pensei em pedir a Hal que fosse comigo até a sala de visitas para lhe falar a sós, depois percebi que podia pedir-lhe isso o quanto quisesse, que ele não se moveria de onde estava naquele momento. Ele seria capaz de tirar os olhos dela — por alguns segundos, pelo menos — quando o sol se levantasse, mas não agora.

— Hal — falei. — Agora nós temos que ir.

Ele assentiu com a cabeça, sem olhar para mim. Estava examinando a face da mulher, a curva natural e descansada dos lábios dela, o novo tom preto dos seus cabelos.

Bati no ombro dele, com força suficiente para que me desse atenção pelo menos por um momento.

— Hal, nós nunca viemos aqui.

— O quê...?

— Nós nunca viemos aqui — disse eu. — Podemos conversar mais tarde, mas por enquanto isso é tudo que você precisa saber. Nós nunca estivemos aqui.

— É, certo... — Obrigou-se a concentrar seu olhar em mim por um instante, com esforço evidente. — Você o tirou de lá. É capaz de pô-lo de volta?

— Acho que sim. Talvez. Mas precisamos ir embora.

— Como é que você sabia que ele podia fazer isso? — Depois abanou a cabeça, como se ele próprio se tivesse dado conta de que esse não era o momento. — Paul... obrigado.

— Não agradeça a mim — falei. — Agradeça a John.

Olhou para John Coffey, depois esticou a mão, tal como eu fizera no dia em que Harry e Percy tinham escoltado John para dentro do bloco.

— Obrigado. Muito, muito obrigado.

John olhou para a mão. Brutal deu-lhe uma cotovelada nada sutil nas costelas. John se assustou, depois pegou a mão estendida e apertou-a. Para cima, para baixo, para o centro, soltou.

— De nada — falou com a voz rouca. Para mim pareceu a voz de Melly quando ela tinha batido as palmas das mãos e dito a John para abaixar as calças. — De nada — repetiu para o homem que, no curso normal das coisas, iria com aquela mão pegar uma caneta e com ela assinar a ordem de execução de John Coffey.

Harry bateu no relógio, dessa vez com mais ênfase.

— Bruto? — disse eu. — Pronto?

— Olá, Brutus — disse Melinda num tom alegre, como se o estivesse notando pela primeira vez. — Que bom ver você. Vocês querem um chá? Quer, Hal? Posso preparar. — Levantou-se novamente. — Estive doente, mas agora me sinto muito bem. Melhor do que me senti durante muitos anos.

— Obrigado, sra. Moores, mas temos que ir embora — disse Brutal. — Já passou da hora de dormir de John. — Sorriu para mostrar que era brincadeira, mas o olhar que lançou para John tinha a mesma ansiedade que eu estava sentindo.

— Bem... Se você tem certeza...

— Sim senhora. Vamos, John Coffey. — Puxou o braço de John para que ele começasse a andar e ele foi.

— Esperem um minuto! — Melinda se desvencilhou da mão de Hal e correu, com a leveza de uma menina, até onde estava John. Colocou os braços em volta dele e deu-lhe outro abraço apertado. Depois ergueu as mãos até a nuca e retirou uma correntinha de dentro da camisola. Na ponta havia um medalhão de prata. Estendeu-o para John, que olhou para aquilo sem compreender.

— É São Cristóvão — disse ela. — Quero que fique com ele, sr. Coffey, e o use. Ele o protegerá. Por favor, use-o. Por mim.

John olhou para mim, perturbado, e eu olhei para Hal, que primeiro espalmou as mãos e depois fez que sim com a cabeça.

— Pegue-o, John — falei. — É um presente.

John o pegou, passou a corrente em volta do pescoço de touro e deixou o medalhão de São Cristóvão cair por dentro da camisa. Agora tinha parado inteiramente de tossir, mas achei que estava com a fisionomia mais cinzenta e mais doentia do que nunca.

— Obrigado, dona — disse ele.

— Não — retrucou ela. — Obrigada a *você*. Obrigada a *você*, John Coffey.

## 9

Na volta, fui na cabina com Harry e fiquei muito feliz por estar ali. O aquecimento estava quebrado, mas pelo menos não estávamos ao ar livre. Tínhamos rodado uns 15 quilômetros quando Harry enxergou um pequeno desvio e entrou nele com a caminhonete.

— O que foi? — perguntei. — É algum rolimã? — Na minha cabeça, o problema podia ser esse ou qualquer outra coisa; cada peça do motor e da transmissão da Farmall parecia estar prestes a funcionar mal de forma catastrófica ou quebrar por completo.

— Negativo — disse Harry, num tom de quem pede desculpas. — É só que preciso mijar. Minha bexiga está estourando.

Acabou que todos nós precisávamos, salvo John. Quando Brutal perguntou se ele não queria descer e nos ajudar a regar as moitas, ele se limitou a sacudir a cabeça, sem erguer os olhos. Estava encostado na parte de trás da cabina, com uma das mantas do Exército por cima dos ombros como um poncho mexicano. Não pude ler nada na fisionomia dele, mas podia ouvir-lhe a respiração, seca e áspera, como o vento soprando através de palha. Não gostei nada daquilo.

Fui até um grupo de salgueiros, abri o zíper e soltei. Ainda não tinha passado tempo suficiente desde a minha infecção urinária para que a amnésia do corpo funcionasse plenamente, mas pude me sentir grato pelo fato de ser capaz de mijar sem precisar gritar. Fiquei ali de pé, esvaziando a bexiga e olhando para a lua. Mal me dava conta de Brutal, de pé ao meu lado e fazendo o mesmo que eu, até que ele disse em voz baixa:

— Ele não vai nunca se sentar na Velha Fagulha.

Olhei para ele, surpreso e um pouco assustado com a certeza serena no tom de voz.

— O que você quer dizer?

— Quero dizer que foi por algum motivo que ele tragou aquela coisa em vez de cuspi-la como tinha feito antes. Pode levar uma semana, pois ele é um bocado grande e forte, mas aposto que vai ser mais rápido. Um de nós vai fazer a ronda de verificação e lá estará ele, morto como uma pedra no catre.

Achava que tinha terminado de mijar, mas com isso um pequeno tremor contorceu-me as costas e esguichou um pouquinho mais. Enquanto fechava o zíper, pensei que o que Brutal estava dizendo fazia muito sentido. E desejei, pesando tudo, que ele tivesse razão. John Coffey não merecia morrer, de jeito nenhum, se meu raciocínio sobre as meninas Detterick estava certo, mas se ele *de fato* morresse, não queria que fosse pela minha mão. Não tinha certeza de ser capaz de erguer minha mão para fazê-lo, se chegássemos a isso.

— Vamos — murmurou Harry no escuro. — Está ficando tarde. Vamos acabar com isso.

Ao caminharmos de volta para a caminhonete, dei-me conta de que tínhamos deixado John inteiramente sozinho, burrice no nível de Percy Wetmore. Pensei que talvez ele houvesse ido embora, que ele teria cuspido os insetos assim que viu que não estava sendo vigiado e então tinha simplesmente se mandado, como Huck e Jim no Grande Lamaçal. Iríamos encontrar apenas a manta que ele estivera usando sobre os ombros.

Mas lá estava ele, ainda sentado com as costas apoiadas na cabina e os antebraços escorados nos joelhos. Ergueu os olhos ao nos ouvir voltando e tentou dar-nos um sorriso, que ficou pairando ali no rosto sofrido e depois sumiu.

— Como é que você está indo, Grandão? — indagou Brutal, tornando a subir na traseira da caminhonete e pegando sua própria manta.

— Muito bem, chefe — respondeu John tristemente. — Estou muito bem.

Brutal deu-lhe um tapinha no joelho.

— Logo estaremos de volta. E quando arrumarmos tudo, sabe o que mais? Vou providenciar para que você tenha uma caneca cheia de café quente. Com leite e açúcar também.

*Pode ter certeza disso*, pensei, dando a volta para o lado do passageiro e subindo na cabina. Se antes não formos apanhados e nós próprios jogados na cadeia.

Mas eu estava com essa ideia na cabeça desde que atiramos Percy dentro da solitária e isso não me preocupou o suficiente para me manter acordado. Cochilei e sonhei com a Colina do Calvário. Havia trovão a oeste e um aroma que podia ser de moitas de framboesas. Brutal, Harry, Dean e eu estávamos num círculo, com umas túnicas e capacetes de metal como num filme de Cecil B. DeMille. Acho que éramos centuriões. Havia três cruzes, Percy Wetmore e Eduard Delacroix flanqueando John Coffey. Baixei os olhos para minha mão e vi que estava segurando um martelo ensanguentado.

— *Temos que descê-lo dali, Paul!* — gritou Brutal. — *Temos que descê-lo!*

Só que não podíamos, pois tinham retirado a escada. Comecei a dizer isso para Brutal e então um sacolejão mais violento da caminhonete me despertou. Estava dando marcha a ré para o lugar onde Harry tinha escondido a caminhonete antes num dia que já parecia se estender para trás, até o início dos tempos.

Nós dois descemos e fomos até a traseira. Brutal saltou bem, mas os joelhos de John Coffey cederam e ele quase caiu. Foi preciso nós três para segurá-lo e mal ele tinha pousado firme sobre seus pés quando disparou num daqueles acessos de tosse, esse o pior de todos. Curvou-se para a frente, os sons da tosse abafados nas palmas das mãos, que ele mantinha comprimidas sobre a boca.

Quando a tosse se abrandou, tornamos a cobrir a frente da Farmall com os galhos de pinheiro e voltamos por onde tínhamos vindo. A pior parte de toda essa expedição surrealista, pelo menos para mim, foram os últimos 200 metros, em que fomos furtivamente para o sul pelo acostamento da rodovia. Eu podia discernir (ou achei que podia) o primeiro tênue clarear do céu no leste e tive certeza de que algum fazendeiro madrugador, indo colher suas abóboras ou desenterrar sua última fileira de batatas-doces, iria se aproximar e nos ver. E mesmo que isso não acontecesse, iríamos escutar alguém (na minha imaginação parecia a voz de Curtis Anderson) berrar "Alto lá!" quando eu estivesse usando a chave Aladim para abrir o cercado em volta da porta metálica que levava para o túnel. Então duas dezenas de guardas, armados com carabinas, sairiam do mato e nossa pequena aventura estaria encerrada.

Quando efetivamente chegamos ao cercado, meu coração estava batendo tão forte que eu podia ver pontinhos brancos explodindo diante dos meus olhos a cada pulsação. Minhas mãos estavam frias, dormentes e pareciam longínquas, e durante um período interminável não consegui enfiar a chave na fechadura.

— Oh, meu Deus, faróis! — gemeu Harry.

Ergui os olhos e vi leques de luz que cresciam na estrada. O molho de chaves quase me caiu da mão, mas consegui agarrá-lo no último segundo.

— Entregue-as para mim — disse Brutal. — Deixe que eu faço isso.

— Não, já está na mão — retruquei. Por fim a chave entrou no buraco e girou. Um instante depois estávamos do lado de dentro. Agachamo-nos por trás da porta e ficamos olhando enquanto um caminhão de Pão Sunshine passou sacolejando diante da penitenciária. Podia ouvir a respiração torturada de John Coffey ao meu lado. Ele parecia um motor que estava quase sem óleo. Quando saíramos, ele tinha segurado no alto a porta metálica para nós sem qualquer esforço, mas nós nem lhe pedimos para ajudar dessa vez. Estava fora de questão. Brutal e eu levantamos a porta e Harry conduziu John pelos degraus abaixo. O homenzarrão cambaleava, mas conseguiu descer. Brutal e eu o seguimos o mais depressa possível, depois baixamos a porta atrás de nós e tornamos a trancá-la.

— Meu Deus, acho que vamos... — começou a dizer Brutal, mas interrompi-o com uma cotovelada firme nas costelas.

— Não diga isso — falei. — Nem pense nisso, até que ele esteja a salvo na cela.

— E ainda temos que pensar em Percy — disse Harry. Nossas vozes produziam um som seco e com eco no túnel de tijolos. — A noite não estará terminada enquanto ainda tivermos que lidar com ele.

Acabou que nossa noite estava *longe* de terminar.

# PARTE SEIS

---

# COFFEY NO CORREDOR

# 1

Eu estava sentado no solário do Georgia Pines, a caneta-tinteiro de meu pai na mão, e perdi a noção do tempo ao rememorar a noite em que Harry, Brutal e eu tiramos John Coffey do Corredor e o levamos a Melinda Moores, numa tentativa de salvar a vida dela. Escrevi sobre como dopamos William Wharton, que se considerava a reencarnação de Billy the Kid. Escrevi sobre como enfiamos Percy numa camisa de força e o atiramos na solitária, na ponta do Corredor Verde. Escrevi sobre nossa estranha excursão noturna — ao mesmo tempo aterrorizadora e excitante — e o milagre que ocorreu ao seu término. Vimos John Coffey arrastar uma mulher de volta à vida, não apenas da beira do túmulo, mas do que para nós parecia o fundo da sepultura.

Eu escrevia e estava apenas remotamente consciente da versão de vida de Georgia Pines ao meu redor. Pessoas idosas desciam para o jantar, depois marchavam para o Centro de Diversões (é, você está autorizado a dar uns risinhos) para a dose noturna de programas cômicos na televisão. Creio me lembrar de minha amiga Elaine trazendo-me um sanduíche, de agradecer-lhe e de comê-lo, mas não lhe saberia dizer a que horas da noite ela o trouxe ou de que era. A maior parte de mim estava de volta a 1932, quando nossos sanduíches geralmente eram comprados na carrocinha do velho Toot-Toot, de lombo de porco a cinco centavos, de carne a dez centavos.

Lembro-me de o lugar se aquietar à medida que as relíquias que vivem aqui se preparavam para outra noite de sono leve e agitado. Ouvi Mickey — talvez não o melhor auxiliar de enfermagem do lugar, mas certamente o de melhores sentimentos — cantando "Red River Valley" na sua boa voz de tenor enquanto ia circulando, distribuindo os medicamentos do fim do dia: *Dizem eles que estás partindo deste vale / Sentiremos falta dos teus olhos claros e do teu sorriso doce*. A canção me fez pensar em Melinda novamente e no que ela tinha dito a John depois que acontecera o milagre: *Sonhei com você. Sonhei que você estava vagando na escuridão e eu também. Encontramos um ao outro.*

Georgia Pines foi ficando em silêncio, a meia-noite veio e se foi, e eu continuei escrevendo. Cheguei ao ponto em que Harry nos recordou que, embora tivéssemos conseguido trazer John de volta para a prisão sem sermos descobertos, ainda tínhamos Percy à nossa espera. O que Harry disse foi mais ou menos o seguinte: "A noite não estará terminada enquanto ainda tivermos de lidar com ele."

Foi aí que o peso do meu longo dia empunhando a caneta de meu pai finalmente me alcançou. Pousei-a (apenas por alguns segundos, pensei, para que pudesse flexionar os dedos e reanimá-los) e então descansei a testa no braço e fechei os olhos para repousá-los. Quando tornei a abri-los e ergui a cabeça, o sol da manhã estava brilhando sobre mim através das janelas. Olhei para meu relógio e vi que passava das oito. Tinha dormido, com a cabeça sobre os braços como um velho bêbado, por mais ou menos umas seis horas. Levantei-me, fazendo caretas, tentando alongar as costas. Pensei em ir até a cozinha, pegar algumas torradas e sair para minha caminhada matutina, depois olhei para a pilha de páginas rabiscadas por cima da mesa. Prontamente resolvi adiar a caminhada por algum tempo. Eu tinha uma tarefa, sim, mas ela podia esperar e eu não estava com disposição para brincar de esconde-esconde com Brad Dolan nessa manhã.

Em vez de caminhar, iria terminar minha história. Às vezes é melhor insistir em continuar, não importa o quanto protestem sua mente e seu corpo. Às vezes é o único jeito de *chegar* ao fim. E do que eu mais me lembro naquela manhã era de como estava desesperado para me livrar do fantasma persistente de John Coffey.

— Está bem — falei. — Um quilômetro mais. Antes, porém...

Fui até o banheiro no final do corredor do segundo andar. Enquanto estava lá dentro de pé, urinando, por acaso olhei para cima, para o detector de fumaça no teto. Isso me fez pensar em Elaine e em como ela tinha distraído Dolan para que eu pudesse ir dar minha caminhada e cumprir minha pequena tarefa no dia anterior. Terminei de mijar com um sorriso largo no rosto.

Voltei para o solário, me sentindo melhor (e *muito* mais cômodo nos meus países baixos). Alguém — Elaine, não tenho a menor dúvida — tinha posto um bule de chá ao lado das minhas folhas. Bebi avidamente, uma xícara primeiro, depois outra, antes de sequer me sentar. Depois retomei meu lugar, destapei a caneta-tinteiro e comecei a escrever uma vez mais.

Estava a ponto de entrar com tudo na minha história quando uma sombra caiu sobre mim. Ergui os olhos e senti um vazio no estômago. Era Dolan, de pé entre mim e as janelas. Estava sorrindo.

— Senti falta de você dando sua caminhada matutina, Paulie — disse ele —, de modo que resolvi vir até aqui e ver em que você estava metido. Certificar-me de que você não estava, sabe como é, doente.

— Você é muito atencioso e está completamente enganado — disse eu. Minha voz pareceu bem, até então, pelo menos, porém meu coração estava batendo forte. Tinha medo dele e acho que essa percepção não era inteiramente nova. Ele me recordava Percy Wetmore e *dele* nunca tivera medo... mas quando conheci Percy, eu era moço.

O sorriso de Brad se ampliou, mas nem por isso ficou menos desagradável.

— As pessoas estão me dizendo que você ficou aqui a noite toda, Paulie, apenas escrevendo seu pequeno relatório. Ora, isso não é nada bom. Sacos de peidos velhos como você precisam de repouso para ficar bonitos.

— Percy... — comecei, depois vi seu sorriso se transformar num cenho franzido e me dei conta do meu equívoco. Respirei fundo e comecei de novo: — Brad, o que você tem contra mim?

Por um momento ele pareceu intrigado, talvez um pouco sem jeito. Depois o sorriso largo voltou.

— Velho — falou —, talvez seja porque não vou com a sua cara. O que você está escrevendo, afinal? Último desejo e testículos?

Ele avançou, esticando o pescoço. Bati com a mão espalmada sobre a página na qual estava trabalhando. Comecei a reunir as outras com a mão livre, amassando algumas na pressa de pô-las debaixo do braço e cobri-las.

— Vamos — disse ele, como se estivesse falando com um bebê —, isso não vai funcionar, meu velho querido. Se Brad quer olhar, Brad vai olhar. E você pode *apostar* a porra que quiser nisso.

Sua mão, jovem e terrivelmente forte, se fechou sobre meu pulso e apertou. A dor penetrou na minha mão como se fossem dentes e eu gemi.

— Solte — consegui dizer.

— Quando você me deixar ver — retrucou e não estava mais sorrindo. Sua fisionomia, entretanto, estava alegre, com o tipo de animação que só se vê nos rostos das pessoas que gostam de ser más. — Deixe-me ver, Paulie. Quero saber o que você está escrevendo. — Minha mão começou a se afastar da página de cima. Sobre nossa viagem com John de volta pelo túnel por baixo da estrada. — Quero ver se tem alguma coisa a ver com o lugar onde você...

— Deixe esse homem em paz.

A voz foi como o estalar áspero de um chicote num dia seco e quente, e do modo como Brad Dolan saltou você pensaria que seu traseiro tinha sido o alvo. Ele soltou minha mão, que caiu de volta sobre a papelada, e ambos olhamos para a porta.

Elaine Connelly estava ali de pé, parecendo mais vigorosa e mais forte do que tinha estado fazia muitos dias. Estava usando jeans que destacavam seus quadris esguios e as pernas compridas; tinha uma fita azul nos cabelos. Nas mãos com artrite, carregava uma bandeja: suco, um ovo mexido, torradas e mais chá. E os olhos estavam faiscando.

— O que você pensa que está fazendo? — perguntou Brad. — Ele não pode comer aqui em cima.

— Pode e vai — disse ela no mesmo tom seco de comando. Nunca o tinha ouvido antes, mas o recebi muito bem naquele momento. Procurei ver se havia medo em seus olhos e não vi nem um traço, apenas raiva. — E o que você vai fazer é dar o fora daqui antes que ultrapasse o nível de inconveniência de uma simples barata para passar para o daquela praga ligeiramente maior. *Rattus Americanus*, digamos.

Ele deu um passo na direção dela, parecendo inseguro de si mesmo e absolutamente furioso. Achei que era uma combinação perigosa, mas Elaine nem pestanejou enquanto ele se aproximava.

— Aposto que sei quem fez disparar aquele maldito alarme de fumaça — disse Dolan. — Bem que poderia ter sido uma certa vaca velha que tem garras em vez de mãos. Agora saia daqui. Eu e Paulie ainda não terminamos nossa conversa.

— O nome dele é *sr. Edgecombe* — disse ela —, e se eu voltar a ouvir você chamá-lo de Paulie de novo, acho que posso lhe prometer que seus dias de trabalho aqui no Georgia Pines vão terminar, sr. Dolan.

— E quem você pensa que é? — perguntou ele. Estava indo para cima dela agora, tentando rir, mas não chegando a conseguir.

— Acho — disse ela calmamente — que sou a avó do homem que é atualmente o Presidente da Câmara de Deputados do Estado da Geórgia. Um homem que adora seus parentes, sr. Dolan. Especialmente seus parentes *mais velhos*.

O sorriso forçado desapareceu do rosto dele exatamente como um texto escrito desaparece de um quadro-negro limpo com esponja molhada. Vi a incerteza, a possibilidade de estar sendo alvo de um blefe, o medo de que não fosse, e uma certa presunção lógica que começava a se formar: seria muito fácil conferir, ela deve saber disso, portanto ela estava dizendo a verdade.

De repente, comecei a rir, e embora o som saísse enferrujado, foi adequado. Estava me lembrando de quantas vezes Percy Wetmore nos tinha ameaçado com suas ligações, naqueles velhos tempos difíceis. Agora, pela primeira vez em minha longa vida, uma ameaça dessas estava sendo feita de novo, mas dessa vez estava sendo feita a meu favor.

Brad Dolan olhou para mim com intensidade, depois voltou a olhar para ela.

— Estou falando sério — disse Elaine. — No começo pensei em simplesmente deixar pra lá. Estou velha e parecia mais fácil assim. Mas quando meus amigos são ameaçados e espezinhados, eu simplesmente *não* deixo pra lá. Agora, saia daqui. E sem nenhuma palavra mais.

Seus lábios se moveram como os de um peixe. Oh, como ele queria dizer mais uma palavra (talvez a que rima com *luta).* Mas não disse.

Lançou-me um último olhar e depois passou por ela com passos fortes e foi para o corredor.

Soltei a respiração num suspiro comprido e irregular, enquanto Elaine colocou a bandeja diante de mim e depois se sentou em frente a mim.

— O seu neto é mesmo o Presidente da Câmara? — perguntei.

— É mesmo.

— Então, o que você está fazendo aqui?

— Ser o Presidente da Câmara estadual o faz poderoso o bastante para lidar com um verme como Brad Dolan, mas não o faz *rico* — falou rindo. — Além do mais, gosto daqui, gosto da companhia.

— Tomarei isso como um elogio — disse eu e tomei mesmo.

— Paul, você está bem? Está com uma aparência tão cansada. — Estendeu a mão por cima da mesa e tirou meus cabelos de cima da testa e das sobrancelhas. Seus dedos estavam tortos, mas seu toque era fresco e maravilhoso. Fechei os olhos por um instante. Quando tornei a abri--los, tinha tomado uma decisão.

— Estou bem — disse eu. — E quase terminando. Elaine, será que você leria algo? — Ofereci-lhe as folhas que tinha reunido desajeitadamente. Provavelmente não estavam mais na ordem certa, pois Dolan tinha realmente me amedrontado muito, mas estavam numeradas e ela poderia rapidamente pô-las em ordem.

Olhou pensativa para mim sem pegar o que lhe oferecia. Ainda não, pelo menos.

— Você acabou?

— Você vai levar até a tarde para ler o que está aí — disse eu. — Isto é, se conseguir entender.

Então ela pegou as folhas e olhou para elas.

— Você escreve com uma boa letra, mesmo quando a mão está obviamente cansada. Não terei nenhuma dificuldade com isso.

— Quando você terminar de ler, já terei terminado de escrever — falei. — Você poderá ler o resto em cerca de meia hora. E então, se você ainda estiver disposta, gostaria de lhe mostrar uma coisa.

— Tem a ver com aonde você vai na maioria das manhãs e das tardes?

Confirmei com a cabeça.

Ela ficou sentada, pensando pelo que pareceu muito tempo, depois assentiu com a cabeça e se levantou com as folhas na mão.

— Vou lá para trás — disse ela. — O sol está bem quente esta manhã.

— E o dragão foi derrotado — falei. — Dessa vez, pela linda donzela.

Ela sorriu, inclinou-se e me beijou acima da sobrancelha, naquele ponto sensível que sempre me faz estremecer.

— Esperemos que sim — retrucou —, mas, pela minha experiência, é difícil livrar-se de dragões como Brad Dolan. — Hesitou. — Boa sorte, Paul. Espero que você possa derrotar essa coisa que tem fermentado dentro de você.

— Também espero que sim — falei e pensei em John Coffey. "Não pude evitar. Tentei, mas era tarde demais", dissera John.

Comi os ovos que ela tinha trazido, tomei o suco e empurrei a torrada para o lado, para depois. Então peguei a caneta e comecei novamente a escrever, pelo que esperava fosse a última vez.

Um último corredor.

Um corredor verde.

## 2

Quando levamos John de volta para o Bloco E naquela noite, a maca de rodas foi uma necessidade e não um luxo. Duvido muito que ele tivesse conseguido atravessar o comprimento do túnel por conta própria: andar encurvado requer mais energia do que andar ereto, e o teto era baixo demais para pessoas como John Coffey. Não queria nem pensar nele desabando lá dentro. Como iríamos explicar isso, além de tentar explicar por que tínhamos vestido Percy num traje a rigor de loucos e o havíamos atirado na solitária?

Porém, graças a Deus, dispúnhamos da maca e John Coffey ficou deitado nela como uma baleia encalhada na praia enquanto o empurrávamos de volta para os degraus do depósito. Ele desceu dela, cambaleou, depois simplesmente ficou parado, com a cabeça baixa, respirando asperamente. Sua pele estava tão cinzenta que parecia que o tinham rolado sobre farinha. Achei que ele estaria na enfermaria por volta do meio-dia, se não estivesse morto naquele horário.

Brutal me lançou um olhar grave, desesperado, que retribuí.

— Não podemos carregá-lo para cima, mas podemos ajudá-lo a subir — falei. — Você debaixo do braço direito e eu do esquerdo.

— E eu? — perguntou Harry.

— Venha atrás de nós. Se parecer que ele vai cair para trás, empurre-o para a frente.

— E se isso não der certo, se agache onde achar que ele vai cair e amorteça o choque — disse Brutal.

— Puxa — disse Harry com ironia —, você devia ir trabalhar no Circuito Orpheum, Bruto, de tão engraçado que *você* é.

— É, tenho mesmo senso de humor — reconheceu Brutal.

No final, conseguimos levar John escada acima. Minha maior preocupação era de que ele desmaiasse, mas isso não aconteceu.

— Passe à minha frente e confira se o depósito está vazio — disse quase sem fôlego para Harry.

— O que devo dizer se não estiver? — perguntou Harry, espremendo-se para passar por baixo do meu braço. — "Avon chama" e depois pular de volta para cá?

— Não se faça de engraçadinho — disse Brutal.

Harry abriu um pouco a porta devagar e enfiou a cabeça. Achei que ficou assim durante muito tempo. Por fim ele retirou a cabeça, com um ar quase alegre.

— Caminho livre. E tudo em silêncio.

— Vamos torcer para que continue assim — disse Brutal. — Vamos, John Coffey, estamos quase em casa.

Ele conseguiu atravessar o depósito com os próprios pés, mas tivemos que ajudá-lo a subir os três degraus até o meu escritório e então quase empurrá-lo através da porta pequena. Quando ele se pôs de pé novamente, estava respirando ruidosamente e seus olhos tinham um brilho vítreo. Além disso (o que notei com verdadeiro horror), o lado direito da boca estava repuxado para baixo, ficando parecido com a de Melinda quando entramos no quarto e a vimos recostada nos travesseiros.

Dean nos ouviu e veio da mesa de guarda no começo do Corredor Verde.

— Graças a Deus! Pensei que vocês nunca mais iam voltar, achei que vocês tinham sido apanhados ou que o diretor tinha enchido vocês de chumbo ou... — Interrompeu-se ao ver John direito pela primeira vez. — Deus do céu, o que há com ele? Parece que está morrendo!

— Ele não está morrendo, não é, John? — disse Brutal. Com os olhos, advertiu Dean.

— Claro que não, eu não quis dizer *morrendo* de verdade. — Dean deu um risinho nervoso — Mas, puxa vida...

— Deixa pra lá — disse eu. — Ajude-nos a pô-lo de volta na cela.

Mais uma vez éramos sopés em volta de uma montanha, mas agora a montanha tinha sofrido alguns milhões de anos de erosão, uma montanha carcomida e triste. John Coffey se movia lentamente, respirando pela boca como um homem que fumava demasiado, mas pelo menos se movia.

— E Percy? — perguntei. — Ele está fazendo muito barulho?

— Um pouco no início — respondeu Dean. — Tentando berrar através do esparadrapo que você lhe grudou em cima da boca. Acho que xingando.

— Deus me livre — disse Brutal. — Ainda bem que nossos ouvidos delicados estavam em outro lugar.

— Desde então, só um coice de mula na porta de vez em quando. — Dean estava tão aliviado de nos ver que estava balbuciando. Os óculos escorregaram para a ponta do nariz, que estava lustroso de suor, e ele os empurrou de volta pro lugar. Passamos pela cela de Wharton. O jovem que não valia nada estava esticado de costas, roncando como uma tuba. Dessa vez seus olhos estavam fechados mesmo.

Dean viu que eu estava olhando para ele e riu.

— Nenhum problema com esse sujeito! Não se mexeu desde que caiu de costas no catre. Morto para o mundo. Quando Percy chutava a porta de vez em quando, não me importava nem um pouco. Para dizer a verdade, até gostei. Se ele não fizesse nenhum ruído, eu iria começar a pensar que talvez tivesse morrido sufocado com aquela mordaça que você lhe colocou na boca. Mas isso ainda não é o melhor. Sabe o que foi o melhor? Aqui está tranquilo como a manhã de Quarta-feira de Cinzas em Nova Orleans! Ninguém veio aqui durante a noite toda! — Disse essa última parte num tom de prazer triunfante. — Nós conseguimos, rapazes! Conseguimos!

Isso o levou a pensar por que tínhamos nos engajado em toda essa comédia para início de conversa e indagou sobre Melinda.

— Ela está ótima — disse eu. Tínhamos chegado à cela de John. O que Dean dissera estava apenas começando a se assentar: *Nós conseguimos, rapazes! Conseguimos!*

— Foi como... você sabe... com o rato? — perguntou Dean. Ele deu uma olhadela rápida para a cela em que Delacroix tinha morado com o sr. Guizos, depois para a solitária, que aparentemente era o ponto de origem do rato. Baixou o tom da voz, do jeito como ocorre com as vozes das pessoas quando entram numa igreja grande onde até o silêncio parece sussurrar. — Foi um... — Engoliu em seco. — Poxa, você sabe o que eu quero dizer... foi um milagre?

Nós três nos entreolhamos rapidamente, confirmando o que já sabíamos.

— O que ele fez foi trazê-la de volta do maldito túmulo — falou Harry. — É, foi um milagre mesmo.

Brutal destravou as duas fechaduras da cela e empurrou John de leve para dentro.

— Vamos, agora, garotão. Descanse um pouco. Você merece. Nós só vamos cuidar do assunto Percy...

— Ele é um homem mau — disse John em voz baixa, mecanicamente.

— Isso é verdade, sem dúvida alguma, perverso como um demônio — concordou Brutal no seu tom mais suave. — Mas não se preocupe nem um tiquinho com ele, não vamos deixar que ele chegue perto de você. Trate apenas de descansar nesse seu catre e lhe trarei aquela caneca de café bem depressa. Quente e forte. Você vai se sentir um novo homem.

John sentou-se pesadamente no catre. Pensei que ele fosse cair de costas sobre si e rolar de cara para a parede, como sempre fazia, mas ele ficou apenas sentado ali por enquanto, as mãos juntas, frouxas, entre os joelhos, a cabeça abaixada, respirando fundo pela boca. A medalha de São Cristóvão que ela lhe dera tinha caído para fora da camisa e balançava no ar como um pêndulo. Ela lhe dissera que a medalha o protegeria, mas John Coffey não parecia nada bem. Parecia que ele tinha assumido o lugar de Melinda na borda daquele túmulo a que se referira Harry.

Mas naquele exato momento não podia pensar em John Coffey.

Voltei-me para os outros.

— Dean, pegue a arma e o cassetete de Percy.

— Certo. — Foi até a mesa, destravou a gaveta em que estavam o revólver e o porrete, e trouxe-os de volta.

— Prontos? — perguntei-lhes. Meus homens (bons homens, e nunca tive tanto orgulho deles como naquela noite) confirmaram com a cabeça. Harry e Dean pareciam ambos nervosos; Brutal com a mesma disposição de sempre. — Muito bem. Eu me encarrego da falação. Quanto menos vocês falarem, provavelmente melhor será e mais depressa concluiremos isso, para o bem ou para o mal. Está bem?

Tornaram a confirmar com um gesto de cabeça. Respirei fundo e fui andando para a solitária do Corredor Verde.

Quando a luz caiu sobre ele, Percy ergueu a cabeça, apertando os olhos. Estava sentado no chão e lambendo o esparadrapo que eu tinha lhe colocado sobre a boca. A parte que eu passara por trás da cabeça dele tinha se soltado (provavelmente o suor e a brilhantina que ele usava no cabelo o tinham afrouxado) e quase conseguira soltar também o resto. Mais uma hora e ele estaria berrando por socorro a plenos pulmões.

Usou os pés para se empurrar um pouco para trás quando entramos, depois parou, sem dúvida percebendo que não tinha para onde ir a não ser para o canto sudeste do aposento.

Peguei o revólver e o cassetete de Dean e estendi-os na direção de Percy.

— Você os quer de volta? — perguntei.

Olhou desconfiado para mim e depois fez que sim com a cabeça.

— Brutal. Harry — disse eu. — Ponham-no de pé.

Os dois se inclinaram, engancharam as mãos por baixo dos braços de lona da camisa de força e ele foi erguido. Aproximei-me dele até estarmos quase nariz com nariz. Podia sentir o cheiro do suor azedo em que ele estava banhado. Parte dele provavelmente se devia aos seus esforços para se livrar do casaco de tranquilização ou para dar os chutes ocasionais na porta que Dean escutara, mas achei que a maior parte do suor tinha sido resultado do velho medo, puro e simples: medo do que poderíamos fazer com ele quando voltássemos.

Vou estar bem, eles não são *assassinos*, teria pensado Percy. E depois, talvez, teria pensado na Velha Fagulha, e lhe passaria pela cabeça que, sim, de certo modo, nós *éramos* assassinos. Eu mesmo tinha feito 77, mais do que qualquer dos homens que eu conduzi até a Velha Fagulha, mais até do que fora creditados ao próprio Sargento York na Primeira Guerra Mundial. Não seria lógico matar Percy, mas nós já nos tínhamos portado de forma ilógica, ele teria pensado enquanto estava sentado ali, com os braços presos às costas, trabalhando com a língua para tirar o esparadrapo que lhe tapava a boca. Além disso, o mais provável é que a lógica não tenha muita influência sobre os pensamentos de alguém quando está sentado no chão de um aposento com paredes acolchoadas, enrolado mais firme e apertado do que qualquer aranha jamais enrolou uma mosca.

O que equivale a dizer que, se não o tinha onde queria agora, jamais o teria.

— Vou retirar o esparadrapo de sua boca se você prometer que não vai começar a berrar — disse eu. — Quero ter uma conversa com você, não uma disputa pra ver quem berra mais alto. Então, o que me diz? Vai ficar quieto?

Vi o alívio surgir nos olhos dele à medida que percebia que, se eu queria conversar, ele de fato tinha uma boa chance de sair-se dessa com o pelo intacto. Fez que sim com a cabeça.

— Se você começar a fazer barulho, o esparadrapo volta pro lugar — adverti. — Entendeu isso também?

Outro assentimento de cabeça, um tanto impaciente dessa vez.

Estiquei a mão, segurei a ponta do esparadrapo que ele conseguira soltar e dei um puxão forte. Ouviu-se um ruído sonoro de descascar. Brutal fez uma careta. Percy ganiu de dor e seus olhos encheram-se d'água.

— Tire-me desse paletó de maluco, seu boçal — falou como se estivesse cuspindo.

— Num minuto — disse eu.

— *Já! Já! Imediatam...*

Dei-lhe uma bofetada. Saiu antes que eu sequer soubesse o que ia fazer, mas, é claro, eu sabia que *poderia* chegar a isso. Mesmo tempos atrás, durante a primeira conversa sobre Percy que tivera com o diretor Moores, aquela em que Hal me aconselhou a colocar Percy à frente da execução de Delacroix, eu sabia que *poderia* chegar a isso. A mão de um homem é como um animal que está só meio domesticado; na maioria das vezes, isso é bom, porém às vezes escapa e morde a primeira coisa que vê.

O som foi seco, como um galho que se parte. Dean levou um susto. Percy olhou fixamente para mim num estado de choque total, os olhos tão esbugalhados que parecia que iam saltar das órbitas. A boca se abria e fechava, se abria e fechava, como a boca de um peixe num aquário.

— Cale a boca e me ouça — disse eu. — Você mereceu ser castigado pelo que fez com Del e nós lhe demos o que merecia. Essa era a única maneira que tínhamos. Todos concordamos, com exceção de Dean, e ele nos acompanhará, porque nós o faremos se arrepender se não o fizer. Não é assim, Dean?

— É — sussurrou Dean. Estava branco feito folha de papel. — Acho que é.

— E faremos *você* se arrepender de ter nascido — continuei. — Providenciaremos para que as pessoas saibam como você sabotou a execução de Delacroix...

— *Sabotei!...*

—... e como você quase deixou que Dean fosse morto. Daremos com a língua nos dentes o suficiente para impedir que você tenha praticamente qualquer emprego que seu tio possa lhe conseguir.

Percy estava sacudindo a cabeça furiosamente. Não acreditava nisso, talvez não *pudesse* acreditar nisso. A marca da minha mão se destacava na face pálida como um anúncio de cartomante.

— E, independente de qualquer coisa, providenciaremos uma surra para deixá-lo a um centímetro da morte. Não precisaríamos aplicá-la nós mesmos. Nós também conhecemos pessoas, Percy, ou você é tão bobo que não percebe isso? Elas não estão na capital do estado, mas mesmo assim sabem como legislar sobre certos assuntos. São pessoas que têm amigos aqui dentro, pessoas que têm irmãos aqui dentro, pessoas que têm pais aqui dentro. Ficariam felizes de amputar o nariz ou o pênis de um borra-botas como você. Fariam isso só para que alguém a quem querem bem tivesse umas três horas a mais no pátio de exercícios todas as semanas.

Percy tinha parado de sacudir a cabeça. Agora estava apenas olhando fixo. Havia lágrimas nos seus olhos, mas elas não caíram. Acho que eram lágrimas de fúria e frustração. Ou, quem sabe, eu apenas queria que fossem.

— Muito bem, agora veja o lado positivo, Percy. Imagino que seus lábios estejam ardendo um pouco por causa do esparadrapo que arranquei, mas fora isso nada foi machucado a não ser o seu orgulho e ninguém precisa saber disso a não ser os que estão neste aposento neste exato momento. E nós nunca vamos contar nada, não é, rapazes?

Eles abanaram a cabeça.

— Claro que não — disse Brutal. — Os assuntos do Corredor Verde ficam no Corredor Verde. Sempre ficaram.

— Você vai para Briar Ridge e nós vamos deixá-lo em paz até você partir — disse eu. — Você quer deixar assim, Percy, ou quer jogar pesado conosco?

Houve um longo silêncio enquanto ele pensava. Eu quase podia enxergar as engrenagens dando voltas dentro da cabeça dele enquanto ele experimentava e descartava possíveis reações. E, por fim, acho que uma verdade mais básica deve ter suplantado o resto de seus cálculos: o esparadrapo tinha sido retirado da sua boca, mas ele continuava dentro da camisa de força e provavelmente precisava mijar desesperadamente.

Está certo — falou. — Daremos o assunto por encerrado. Agora me tirem desse casaco. Sinto-me como se meus ombros estivessem...

Brutal deu um passo à frente, empurrando-me para o lado com o ombro, e agarrou o rosto de Percy com sua mãozona, os dedos afundando na bochecha direita de Percy e o polegar fazendo uma cova profunda na esquerda.

— Dentro de alguns segundos — disse ele. — Primeiro, você vai me escutar. O Paul aqui é o chefão e por isso ele às vezes fala de um jeito elegante.

Tentei me lembrar de qualquer coisa elegante que pudesse ter dito para Percy e não encontrei muito. Mesmo assim, achei que era melhor ficar com a boca fechada; Percy estava com uma expressão convenientemente aterrorizada e eu não queria estragar o efeito.

— As pessoas nem sempre entendem que ser elegante não é o mesmo que ser mole, e é aí que eu entro. Não me preocupo em ser elegante. Eu simplesmente digo as coisas diretamente. Então aqui vai, direto: se você não cumprir sua promessa, nós provavelmente vamos nos foder. Mas aí você também vai, pois mesmo que nós tenhamos que ir até a Rússia, nós o encontraremos, e *nós* vamos foder *você*, não só pelo cu, mas por todos os buracos que você possui. Vamos fodê-lo até você desejar estar morto e então vamos esfregar vinagre nas partes que estiverem sangrando. Você me entendeu?

Ele confirmou com a cabeça. Com a mão de Brutal cravada nos lados macios do seu rosto, Percy estava impressionantemente parecido com o velho Toot-Toot.

Brutal soltou-o e deu um passo atrás. Fiz sinal com a cabeça para Harry, que foi para trás de Percy e começou a soltar ganchos e fivelas.

— Guarde isso na cabeça, Percy — disse Harry. — Guarde isso na cabeça e deixe para trás o que passou.

Tudo adequadamente assustador, três bichos-papões em uniformes azuis... mas mesmo assim senti uma espécie de desespero premonitório me invadir. Ele poderia ficar calado durante um dia ou uma semana, continuando a calcular as probabilidades de diversas linhas de ação, mas no final duas coisas iriam se combinar: a confiança nas suas ligações e a incapacidade de abandonar uma situação em que se via como perdedor. Quando isso acontecesse, iria despejar tudo que sabia. Talvez tivéssemos salvado a vida de Melly Moores ao levar John até ela, e eu não mudaria isso ("nem por todo o chá da China", como costumávamos dizer naquela época), mas no fim das contas nós íamos cair na lona e o juiz iria contar até dez e nos eliminar. Afora assassinato, não havia maneira alguma pela qual pudéssemos obrigar Percy a honrar sua parte da barganha, não uma vez que ele estivesse longe de nós e tivesse começado a recuperar o ele ele via como coragem.

Dei uma olhada de lado para Brutal e vi que ele também sabia disso. O que não me surpreendeu. O menino da sra. Howell, Brutus, de bobo nunca tivera nada. Deu ligeiramente de ombros, na verdade só um ombro se levantando uns 2 centímetros e depois caindo de novo, mas foi suficiente. *E daí?* dissera aquele dar de ombros. *O que mais pode haver, Paul? Fizemos o que tínhamos que fazer e fizemos o melhor que podíamos ter feito.*

Certo. E ainda por cima os resultados não tinham sido nada maus.

Harry soltou a última fivela da camisa de força. Fazendo caretas de nojo e fúria, Percy arrancou-a de qualquer jeito e deixou-a cair aos seus pés. Cuidou para não olhar de frente para nenhum de nós.

— Dê-me meu revólver e meu cassetete — disse ele. Entreguei-os a ele. Colocou a arma no coldre e enfiou o porrete de peroba na capa feita sob medida.

— Percy, se você pensar a respeito...

— Oh, pretendo fazer isso — disse ele, roçando em mim ao passar. — Pretendo pensar muitíssimo sobre isso. Começando agora mesmo. A caminho de casa. Um de vocês pode bater meu ponto de saída. — Chegou à porta da solitária e voltou-se para correr os olhos por nós com uma expressão de desprezo, raiva e vergonha, uma combinação mortal para o segredo que nós tínhamos tido a tolice de esperar que ele guardaria. — A menos, é claro, que vocês queiram tentar explicar por que saí mais cedo.

Saiu da solitária e foi caminhando com passos pesados pelo Corredor Verde, esquecendo-se, na sua agitação, por que o corredor central com o piso verde era tão largo. Tinha cometido esse erro uma vez antes e tinha conseguido escapar. Não escaparia uma segunda vez.

Saí pela porta atrás dele, tentando pensar num meio de apaziguá-lo. Não queria que ele deixasse o Bloco E do jeito que estava agora, suado e descabelado, com a marca vermelha da minha mão ainda visível na bochecha. Os outros três vieram atrás de mim.

O que aconteceu depois aconteceu muito depressa. Tudo estava terminado em não mais de um minuto, talvez até menos. No entanto, lembro-me de tudo até hoje. Sobretudo, penso eu, porque contei a Janice quando cheguei em casa e isso fez com que ficasse gravado na minha mente. O que aconteceu depois — a reunião de madrugada com Curtis Anderson, a sindicância, a entrevista coletiva que Hal Moores organizou para nós (a essa altura ele já estava de volta, é claro) e afinal a Junta de Inquérito na capital estadual — essas coisas ficaram, ao longo dos anos, borradas como tantas outras coisas na minha memória. Mas do que efetivamente aconteceu a seguir no Corredor Verde, sim, disso me lembro perfeitamente bem.

Percy estava indo pelo lado direito do Corredor, com a cabeça baixa, e isso eu direi: nenhum preso comum poderia tê-lo alcançado. Mas

John Coffey não era um preso comum. John Coffey era um gigante e seus braços tinham o alcance dos de um gigante.

Vi seus longos braços marrons dispararem por entre as grades e gritei:

— *Cuidado, Percy, cuidado!*

Percy começou a se voltar, a mão esquerda descendo para a empunhadura do cassetete. Ele foi então apanhado e puxado de encontro à frente da cela de John Coffey, o lado direito do rosto batendo com força nas grades.

Ele grunhiu e se virou na direção de Coffey, erguendo seu porrete de peroba. John sem dúvida era vulnerável a ele: seu próprio rosto estava tão apertado no espaço entre duas das grades do centro que parecia que estava tentando forçar sua cabeça toda a passar entre elas. Isso seria impossível, é claro, mas era assim que parecia. Sua mão direita tateou e encontrou a base do pescoço de Percy, se enrolou nela e deu um puxão para a frente na cabeça dele. Percy abateu o cassetete entre as grades, sobre a têmpora de John. O sangue correu, mas John nem prestou atenção. Sua boca se comprimiu sobre a boca de Percy. Ouvi um som sibilante, um som de exalação, como de ar retido por muito tempo nos pulmões. Percy se contorceu como um peixe num anzol, tentando escapar, mas não teve nenhuma chance: a mão direita de John estava apertada no dorso do pescoço, segurando-o com firmeza. Seus rostos pareceram se fundir, como os rostos de amantes que vi se beijando com paixão entre as grades.

Percy gritou, o som abafado como tinha ficado através do esparadrapo, e fez outra tentativa de puxar a cabeça para trás. Por um instante, os lábios deles se separaram um pouco e vi a maré negra e turbilhonante que fluía para fora de John Coffey e para dentro de Percy Wetmore. O que não estava entrando nele pela boca trêmula, estava fluindo para dentro através das narinas. Então a mão sobre a base do pescoço se flexionou e Percy foi novamente puxado para a frente, para cima da boca de John, sendo quase imobilizado por ela.

A mão esquerda de Percy se abriu de repente. Seu adorado cassetete de peroba caiu no linóleo verde. Ele nunca mais o pegou de novo.

Tentei lançar-me para a frente, acho que cheguei a me lançar para diante, porém meus movimentos me pareciam velhos e emperrados.

Estiquei a mão para meu revólver, mas a correia ainda estava por cima da coronha de nogueira polida e de início não consegui sacá-lo do coldre. Pareceu-me sentir o solo se sacudir por baixo de mim, como tinha acontecido no quarto dos fundos da casa bonitinha estilo Cape Cod do diretor. Disso não tenho certeza, mas sei que uma das lâmpadas do teto, protegidas por gradeado, estourou, lançando uma chuva de fragmentos. Harry deu um grito de surpresa.

Por fim consegui soltar com o polegar a correia de segurança por cima da coronha do meu .38, mas antes que pudesse sacá-lo do coldre, John tinha empurrado Percy para longe de si e recuou para o interior da cela. John estava fazendo caretas e esfregando a boca, como se tivesse provado alguma coisa de gosto ruim.

— O que ele fez? — berrou Brutal. — Paul, o que ele fez?

— O que quer que tenha tirado de Melly, agora está em Percy — respondi.

Percy estava de pé, encostado nas grades da antiga cela de Delacroix. Seus olhos estavam arregalados e vazios, como se fossem dois zeros. Acerquei-me dele com cuidado, esperando que ele começasse a tossir e a se sufocar do modo como acontecera com John depois que ele tinha terminado de cuidar de Melinda. Isso, porém, não aconteceu. De início, ele apenas ficou parado ali.

Estalei os dedos diante dos seus olhos.

— Percy! Ei, Percy! Acorde!

Nada. Brutal se juntou a mim e estendeu as duas mãos na direção do rosto sem expressão de Percy.

— Isso não vai dar certo — disse eu.

Sem tomar conhecimento de mim, Brutal bateu as mãos com força, duas vezes, bem na frente do nariz de Percy. E *de fato* deu certo, ou pareceu dar certo. Suas pálpebras tremelicaram e ele olhou ao redor, estonteado, como alguém que levou uma pancada na cabeça lutando para recuperar a consciência. Olhou de Brutal para mim. Todos esses anos depois, tenho certeza de que ele não viu nenhum de nós dois, mas naquele momento pensei que tinha, pensei que estava voltando a si.

Afastou-se das grades e oscilou um pouco nos pés. Brutal o firmou.

— Calma, rapaz, você está bem? — Percy não respondeu, apenas passou por Brutal e virou-se na direção da mesa de guarda. Não estava propriamente cambaleando, mas estava adernado para bombordo.

Brutal estendeu a mão na direção dele. Afastei sua mão.

— Deixe-o em paz. — Será que teria dito isso se soubesse o que ia acontecer depois? Já me fiz essa pergunta mil vezes desde o outono de 1932. Nunca consegui nenhuma resposta.

Percy deu 12 ou 14 passos, depois parou novamente, com a cabeça baixa. A essa altura estava diante da cela de Wild Bill Wharton, que ainda estava emitindo aqueles sons de tuba. Ele dormira durante a coisa toda. Agora que penso a respeito, ele dormiu durante sua própria morte, o que o fez ter muito mais sorte do que a maioria dos homens que terminou ali. Certamente mais sorte do que merecia.

Antes que percebêssemos o que estava acontecendo, Percy sacou o revólver, foi até as grades da cela de Wharton e disparou os seis tiros no homem adormecido. Simplesmente bam-bam-bam, bam-bam-bam, tão rápido quanto ele conseguiu puxar o gatilho. Naquele espaço confinado, o som foi ensurdecedor. Quando contei a história para Janice na manhã seguinte, ainda mal conseguia ouvir o som de minha própria voz devido ao zumbido nos ouvidos.

Corremos para ele, todos nós quatro. Dean chegou lá primeiro, não sei como, pois estava atrás de Brutal e de mim quando Coffey tinha segurado Percy, mas chegou. Agarrou o pulso de Percy, pronto para lutar a fim de tirar-lhe a arma da mão, mas não foi preciso. Percy simplesmente largou-a e a arma caiu no chão. Seus olhos passaram por nós como se fossem patins e nós fôssemos gelo. Ouviu-se um silvo baixo e um cheiro forte de amônia quando a bexiga de Percy se afrouxou, depois um som de *estouros* e um fedor mais denso quando ele encheu também o outro lado da calça. Seus olhos tinham pousado num ponto no extremo oposto do corredor. Até onde sei, eram olhos que não viam nada neste nosso mundo real. Bem no início disso, escrevi que Percy estava em Briar Ridge na ocasião, uns dois meses mais tarde, quando Brutal encontrou as farpas coloridas do carretel do sr. Guizos, e não menti a esse respeito. Porém, ele nunca chegou ao escritório com o ventilador no canto, nem jamais dispôs de um bando de lunáticos para empurrar de um lado para o outro. Mas imagino que, pelo menos, dispôs de seu próprio quarto particular.

Afinal de contas, ele tinha ligações.

Wharton estava deitado de lado, com as costas na parede da cela. Não pude ver muita coisa então, a não ser uma quantidade enorme de sangue empapando o lençol e borrifada no cimento, mas o médico legista disse que Percy tinha atirado como Annie Oakley. Lembrando-me da história de Dean de como Percy tinha atirado o cassetete de peroba no rato naquela vez e errara por pouco, não fiquei muito surpreso. Dessa vez a distância era mais curta e o alvo não estava se movendo. Um no baixo-ventre, um na barriga, um no peito, três na cabeça.

Brutal estava tossindo e abanando a mão para espalhar a névoa de fumaça de pólvora. Eu próprio estava tossindo, mas só então foi que notei.

— Fim da linha — disse Brutal. Sua voz estava calma, mas o brilho de pânico nos olhos era evidente.

Olhei pelo corredor e vi John Coffey sentado na ponta do catre. As mãos estavam novamente juntas, entre os joelhos, mas a cabeça estava erguida e não tinha mais, em absoluto, o ar de doente. Acenou ligeiramente com a cabeça para mim e fiquei surpreso, como tinha ficado no dia em que lhe estendi a mão, por lhe devolver o aceno de cabeça.

— O que nós vamos fazer? — balbuciou Harry. — Oh, meu Deus, Paul, o que nós vamos fazer?

— Não há nada que *possamos* fazer — disse Brutal com a mesma voz calma. — Estamos ferrados. Não estamos, Paul?

Minha cabeça começou a funcionar muito depressa. Olhei para Harry e Dean, que estavam me olhando fixo como garotos assustados. Olhei para Percy, que estava parado ali, com as mãos e a boca dependuradas. Depois olhei para meu velho amigo, Brutus Howell.

— Vai dar tudo certo para nós — disse eu.

Por fim Percy começou a tossir. Dobrou-se ao meio, com as mãos apoiadas nos joelhos, quase vomitando. Seu rosto começou a ficar vermelho. Abri a boca, pretendendo dizer aos outros que recuassem, mas não tive tempo. Ele emitiu um som que era um misto de engulho seco e um coaxar de sapo-boi, abriu a boca e expeliu uma nuvem de uma substância negra, num turbilhão. Era tão espessa que, por um instante, não podíamos enxergar sua cabeça. Harry disse, com a voz fraca e lamurienta:

— Oh, Deus, salvai-nos.

Depois a substância ficou de um branco tão ofuscante que parecia o sol de janeiro sobre a neve fresca. Um momento depois a nuvem se dissipou. Percy se empertigou lentamente e retomou seu olhar vago ao longo do Corredor Verde.

— Não vimos isso — falou Brutal. — Não é, Paul?

— Não. Eu não vi e você não viu. Você viu, Harry?

— Não — respondeu Harry.

— Dean?

— Viu o quê? — Dean tirou os óculos e começou a limpá-los. Achei que ele ia deixá-los cair das mãos trêmulas, mas conseguiu evitá-lo.

— "Viu o quê", gostei dessa. É exatamente isso. Agora ouçam seu chefe de escoteiros, rapazes, e entendam logo da primeira vez, porque o tempo é curto. É uma história simples. Vamos tratar de não complicá-la.

## 3

Contei tudo isso para Janice por volta das 11 horas daquela manhã. Quase escrevi *da manhã seguinte*, mas, é claro, era o mesmo dia. O dia mais longo de toda a minha vida, sem dúvida alguma. Contei basicamente como contei aqui, terminando em como William Wharton tinha acabado morto sobre o catre, recheado de chumbo da arma de Percy.

Não, isso não está correto. *Na realidade*, terminei foi com a substância que saiu de Percy, os insetos ou o que quer lá que fosse. Isso era uma coisa difícil de contar, mesmo para a própria mulher, mas contei.

Enquanto eu falava, ela me trouxe meia xícara de café preto. No início, minhas mãos estavam tremendo demais para segurar uma xícara cheia sem derramar. Quando terminei, o tremor tinha diminuído um pouco e senti que poderia até ingerir um pouco de comida, um ovo, talvez, ou um pouco de sopa.

— O que nos salvou foi que não tivemos realmente que mentir, nenhum de nós.

— Só deixar algumas coisas de fora — disse ela, e fez um sinal de aprovação com a cabeça. — Na maioria, coisas pequenas: como vocês tiraram um homem condenado da prisão, como ele curou uma mulher moribunda e como ele fez Percy Wetmore ficar louco por meio de... do que mesmo? Cuspir um purê de tumor cerebral por sua garganta abaixo?

— Não sei, Jan — retruquei. — Só sei que se você continuar falando assim, vai acabar tomando essa sopa você mesma ou dando-a para o cachorro.

— Desculpe. Mas estou certa, não estou?

— É — disse eu. — Só que nós conseguimos escapar com a... — A o quê? Não se podia chamar isso de fuga, e expedição tampouco estava certo. — ... a excursão. Nem mesmo Percy pode-lhes contar sobre isso, se ele algum dia voltar.

— Se ele voltar — ela ecoou. — Qual é a probabilidade de que isso aconteça?

Balancei a cabeça para indicar que não fazia a menor ideia. Mas, na realidade, fazia sim. Achava que ele *não iria* voltar, não em 1932, nem em 1942 ou 1952 tampouco. Nisso eu estava certo. Percy Wetmore ficou em Briar Ridge até que o hospício foi destruído inteiramente por um incêndio em 1944. Dezessete internos morreram nesse incêndio, mas Percy não estava entre eles. Ainda calado e vago em todos os sentidos (a palavra que aprendi para descrever esse estado é *catatônico),* ele foi conduzido para fora por um dos guardas muito antes de o fogo chegar à sua ala. Passou para outra instituição — de cujo nome não me lembro e acho que, de qualquer maneira, não faz diferença —, e morreu em 1965. Até onde eu sei, a última vez em que falou alguma coisa foi quando nos disse que podíamos bater o ponto de saída por ele a menos que quiséssemos explicar por que ele tinha saído mais cedo.

A ironia estava em que nunca tivemos de explicar muito sobre coisa alguma. Percy tinha enlouquecido e matara William Wharton à bala. Isso foi o que nós contamos e, sob esse aspecto, todas as palavras eram verdadeiras. Quando Anderson perguntou a Brutal como Percy tinha aparentado estar antes dos disparos e Brutal respondeu com uma única palavra — "Calado" — tive um momento terrível em que percebi que ia estourar na risada. Porque isso também era verdade. Percy *tinha* estado calado, pois durante a maior parte do seu turno estava com uma faixa de esparadrapo tapando-lhe a boca e o máximo que pudera emitir tinha sido *mmmff, mmmff, mmmff.*

Curtis manteve Percy lá até as oito horas, Percy calado como uma estátua de madeira, mas muito mais estranho. A essa altura Hal Moores tinha chegado, com uma expressão soturna, mas competente, pronto para retomar as rédeas. Curtis Anderson deixou que ele o fizesse e, aliás, com um suspiro de alívio que o resto de nós quase pôde escutar. O velho confuso e amedrontado tinha desaparecido. Foi o diretor que andou até Percy, agarrou-o pelos ombros com suas mãos grandes e sacudiu-o com força.

— Filho! — berrou bem junto do rosto sem expressão de Percy, um rosto que já estava começando a se amolecer como se fosse feito de cera, pensei eu. — *Filho!* Está me ouvindo? Se você me ouve, fale comigo! Quero saber o que aconteceu!

Nada de Percy, é claro. Anderson queria puxar o diretor para um lado, combinar com ele como iam lidar com isso (era uma batata quente política das maiores), porém Moores o afastou, pelo menos por enquanto, e levou-me mais adiante no Corredor. John Coffey estava deitado no catre, com a cara para a parede e as pernas dependuradas daquela forma chocante de sempre. Parecia estar dormindo e provavelmente estava, porém, como tínhamos descoberto, *nem sempre* ele estava como parecia estar.

— O que aconteceu na minha casa teve alguma coisa a ver com o que aconteceu aqui quando vocês voltaram? — perguntou Moores em voz baixa. — Eu darei cobertura a vocês o máximo que puder, mesmo que isso me custe meu emprego, mas preciso saber.

Abanei a cabeça negativamente. Quando falei, também mantive minha voz em tom baixo. Agora havia quase uma dúzia de guardas zanzando na ponta do corredor. Um deles estava tirando fotografias de Wharton na cela. Curtis Anderson tinha-se virado para olhar e naquele momento só Brutal estava nos observando.

— Não, senhor. Nós colocamos John de volta na cela, exatamente como o senhor está vendo, depois soltamos Percy da solitária, onde o havíamos metido por medida de segurança. Achei que ele ia estar danado da vida, mas não estava. Apenas pediu a arma e o cassetete de volta.

Não disse mais nada, simplesmente foi andando pelo corredor. Então, quando chegou diante da cela de Wharton, sacou o revólver e começou a atirar.

— Você acha que ter ficado na solitária afetou a mente dele de alguma maneira?

— Não, senhor.

— Vocês o puseram na camisa de força?

— Não, senhor. Não foi preciso.

— Ele ficou tranquilo? Não lutou?

— Nem um pouco.

— Mesmo quando viu que vocês pretendiam colocá-lo na solitária, ele ficou tranquilo e não lutou.

— Foi isso mesmo. — Senti um impulso de embelezar um pouco, atribuir pelo menos uma ou duas frases a Percy, mas me contive. Quanto mais simples, melhor, e eu bem sabia disso. — Não houve nenhuma agitação. Ele simplesmente foi para um dos cantos do fundo e se sentou.

— Não falou em Wharton nessa ocasião?

— Não, senhor.

— Não falou com Coffey tampouco?

Abanei a cabeça que não.

— É possível que Percy estivesse querendo pegar Wharton? Ele tinha alguma coisa contra esse homem?

— Isso é possível — disse eu, baixando ainda mais a voz. — Percy era descuidado quanto a por onde caminhava, Hal. Uma vez Wharton esticou os braços, puxou-o para junto das grades e mexeu um pouco com ele. — Fiz uma pausa. — Podia-se dizer que lhe passou a mão.

— Não foi mais do que isso? Apenas "mexeu com ele" e foi só isso?

— Foi, mas mesmo assim para Percy foi muito ruim. Wharton disse algo sobre como preferiria comer Percy do que a irmã de Percy.

— Humm. — Moores continuou olhando de soslaio para John Coffey, como se precisasse de confirmação reiterada de que Coffey era uma pessoa de verdade, que de fato existia neste mundo. — Isso não explica o que aconteceu com ele, mas serve muito bem para explicar por que ele se voltou contra Wharton e não contra Coffey ou um dos seus homens. E por falar nos seus homens, Paul, será que eles todos vão contar a mesma história?

— Sim, senhor — respondi-lhe. — E eles vão mesmo — disse para Jan, começando a tomar a sopa que ela trouxera para a mesa. — Providenciarei para que assim seja.

— Você mentiu, *sim* — disse ela. — Você mentiu para Hal.

Bem, mulher é assim mesmo, não é? Sempre procurando buracos de traça no seu melhor terno e geralmente encontrando um.

— Acho que sim, se você quiser encarar desse modo. Mas não disse a ele nada com o que nós dois não possamos conviver. Acho que Hal está a salvo. Ele nem estava *lá*, afinal de contas. Estava em casa, cuidando da mulher, até que Curtis o chamou.

— Ele disse como está Melinda?

— Não nessa ocasião, não houve tempo, mas tornamos a falar quando Brutal e eu estávamos saindo. Melly não se lembra de muita coisa, mas está ótima. De pé e caminhando. Falando sobre os canteiros de flores para o ano que vem.

Minha mulher ficou sentada durante algum tempo olhando-me comer. Então indagou:

— Paul, Hal sabe que foi um milagre? Ele compreende isso?

— Sabe. Nós todos sabemos, todos nós que estávamos lá.

— Uma parte de mim gostaria de também ter estado lá — falou —, mas acho que a maior parte está contente de não ter estado. Se tivesse visto as escamas caírem dos olhos de Saulo na estrada para Damasco, provavelmente teria morrido de um ataque do coração.

— Nada disso — falei, inclinando a tigela para pegar a última colherada —, provavelmente teria preparado um pouco de sopa para ele. Isso está muito bom, querida.

— Que bom. — Mas na realidade ela não estava pensando em sopa, cozinha ou na conversão de Saulo na estrada para Damasco. Estava olhando pela janela, na direção das colinas, o queixo apoiado na mão, os olhos tão enevoados como ficam aquelas colinas nas manhãs de verão quando o dia vai ser quente. Manhãs de verão como aquela em que as meninas Detterick foram encontradas, pensei eu, sem nenhuma razão em especial. Perguntei-me por que elas não tinham gritado. O assassino as havia ferido, havia sangue na varanda e nos degraus. Então por que elas não tinham gritado?

— Você acha que John Coffey na realidade matou aquele homem, Wharton, não é? — perguntou Janice, finalmente afastando os olhos da janela. — Que não foi um acidente ou qualquer coisa assim: você acha que ele usou Percy Wetmore em cima de Wharton como se fosse uma arma.

— Acho.

— Por quê?

— Não sei.

— Conte-me de novo o que aconteceu quando vocês tiraram Coffey do Corredor, está bem? Só essa parte.

Então lhe contei. Contei-lhe como o braço magricela se projetando por entre as grades e agarrando o bíceps de John me havia recordado uma cobra, uma das cobras coral de que tínhamos tanto medo quando éramos garotos nadando no rio, e como Coffey tinha dito que Wharton era um homem mau. Quase sussurrando.

— E Wharton disse...? — Minha mulher estava olhando pela janela de novo, mas estava ouvindo direitinho.

— Wharton disse: "É isso mesmo, seu negro. Tão mau quanto você quiser."

— E foi só isso.

— Foi. Tive a sensação de que alguma coisa iria acontecer naquele mesmo instante, mas não aconteceu nada. Brutal retirou a mão de Wharton de cima de John e disse-lhe que se deitasse, o que Wharton fez. Ele estava de pé, para começar. Disse algo sobre como os negros deviam ter sua própria cadeira elétrica e foi só isso. Nós fomos em frente com nossa tarefa.

— John Coffey chamou-o de homem mau.

— Certo. Aliás, disse a mesma coisa sobre Percy uma vez. Talvez mais de uma. Não consigo me lembrar exatamente quando, mas sei que disse.

— Mas Wharton nunca fez nada a John Coffey pessoalmente, fez? Como fez com Percy, quero dizer.

— Não. Do jeito que as celas deles ficavam, a de Wharton de um lado, perto da mesa de guarda, a de John bem adiante do outro lado, eles mal podiam se enxergar.

— Diga-me novamente como ficou Coffey quando Wharton o agarrou.

— Janice, isso não vai nos levar a nada.

— Talvez não e talvez sim. Diga-me novamente como ele ficou.

Suspirei.

— Acho que a expressão certa seria chocado. Ele aspirou o ar subitamente. Como você faria se estivesse tomando sol na praia e eu me esgueirasse por trás de você e deixasse pingar um pouco de água fria nas suas costas. Ou como se ele tivesse sido esbofeteado.

— Bem, é claro — disse ela. — Ser agarrado assim, sem saber de onde, o assustou, despertou-o por um segundo.

— Foi — disse eu. E logo: — Não.

— Bem, qual dos dois vai ser? Foi ou não?

— Não. Não foi *assustado*. Foi como quando ele quis que eu entrasse na cela para que pudesse curar minha infecção. Ou quando ele queria que eu lhe entregasse o rato. Foi ficar surpreso, mas não ficar afetado... não *exatamente*, pelo menos... oh, Deus meu, Jan, não sei.

— Está bem, vamos deixar isso de lado — falou. — Só que não consigo imaginar por que John fez isso. Ele não é violento por natureza. O que leva a outra pergunta, Paul: como é que você pode executá-lo se estiver certo a respeito daquelas meninas? Como é que você pode colocá-lo na cadeira elétrica se alguma outra pessoa...

Dei um salto na cadeira. Meu cotovelo bateu na tigela e jogou-a no chão, onde se quebrou. Tinha tido uma ideia. Àquela altura era mais intuição do que lógica, mas tinha uma certa elegância formal.

— Paul? — perguntou Janice, alarmada. — O que houve?

— Não sei — disse eu. — Não tenho certeza de nada, mas vou descobrir, se puder.

## 4

O desenlace do episódio dos tiros transformou-se num circo de três picadeiros, com o governador em um, a prisão no outro e o pobre Percy Wetmore, com os miolos em desordem, no terceiro. E o apresentador? Bem, os diversos cavalheiros da imprensa se revezaram nesse papel. Naquela época não eram tão ruins como são agora (eles não se *permitiam* ser tão ruins), mas mesmo então, antes de Geraldo e Mike Wallace e o resto deles, eram capazes de sair numa boa disparada quando realmente tomavam o freio nos dentes. Foi o que aconteceu nessa ocasião e, enquanto durou o espetáculo, foi bem divertido.

Porém, chega o dia em que mesmo o mais animado dos circos, o que tem as aberrações mais horripilantes, os palhaços mais engraçados e os animais mais ferozes, tem de deixar a cidade. Esse de que falo foi embora depois da reunião da Junta de Inquérito, que soa bastante importante e temível, mas que na verdade se revelou bastante mansa e superficial. Sob outras circunstâncias, o governador indubitavelmente teria exigido a cabeça de alguém numa bandeja, mas dessa vez não. Seu sobrinho afim, parente de sua mulher, tinha ficado biruta e assassinara um homem. Matara um assassino, havia isso, pelo menos e graças a Deus, mas mesmo assim Percy tinha atirado no homem enquanto este estava deitado, dormindo na cela, o que não revelava um bom espírito esportivo. Quando se acrescentava o fato de que o jovem em questão continuava louco como a Lebre, era fácil entender por que o governador só queria que aquilo acabasse, e o mais depressa possível.

Nossa excursão até a casa do diretor Moores no caminhão de Harry Terwilliger nunca foi descoberta. O fato de que Percy estava metido numa camisa de força e trancafiado na solitária durante o tempo em que estivéramos fora nunca foi descoberto. O fato de que William Wharton estava dopado até as orelhas quando Percy atirou nele também nunca foi descoberto. Por que haveria de ser? As autoridades não tinham razão alguma para desconfiar que houvesse qualquer coisa no metabolismo de Wharton além de meia dúzia de balas de chumbo. O médico legista retirou-as, o agente funerário colocou-o num caixão de pinho e esse foi o fim do homem que tinha *Billy the Kid* tatuado no antebraço direito. Não se perdeu nada, poder-se-ia dizer.

Tudo somado, o escândalo durou cerca de duas semanas. Durante esse tempo, não ousei dar um passo em falso, muito menos tirar um dia de folga para investigar a ideia que tivera na mesa da cozinha de minha casa na manhã seguinte a todos esses transtornos. Tive certeza de que o circo tinha deixado a cidade num dia pouco antes da metade de novembro, dia 12, acho eu, mas não me exija precisão. Foi nesse dia que encontrei no centro da minha mesa o pedaço de papel que vinha temendo receber: a DDE* relativa a John Coffey. Curtis Anderson a tinha assinado em vez de Hal Moores, porém é claro que ela tivera de passar por Hal para chegar a mim. Podia imaginar Hal, sentado à sua escrivaninha na Administração, com aquele pedaço de papel na mão, sentado ali e pensando em sua mulher, que se transformara numa espécie de oitava maravilha para os médicos no Hospital Geral de Indianola. Esses médicos lhe tinham entregado o papel de sua própria DDE, mas John Coffey o rasgara. Agora, contudo, era a vez de Coffey percorrer o Corredor Verde, e quem dentre nós podia impedir isso? Quem dentre nós *iria* impedir isso?

A data fixada no mandado de morte era 20 de novembro. Três dias depois de tê-lo recebido, dia 15, eu acho, pedi a Janice que avisasse que eu estava doente. Depois de tomar uma xícara de café, estava dirigindo para o norte no meu Ford velho, porém confiável. Janice me dera um beijo e me desejara boa sorte. Eu lhe agradecera, mas já não tinha uma noção clara do que seria boa sorte, encontrar o que estava procurando ou não encontrar. Tudo de que tinha certeza era que não estava com muita vontade de cantar enquanto dirigia. Não nesse dia.

Por volta das três da tarde, eu estava bem no meio da região montanhosa. Cheguei ao Tribunal do Condado de Purdom pouco antes da hora de encerrar o expediente, examinei alguns registros, depois recebi a visita do xerife, que tinha sido informado pelo escrivão de que havia um forasteiro fuçando no meio dos esqueletos locais. O xerife Catlett queria saber o que eu estava pretendendo fazer. Eu lhe disse. Catlett refletiu a respeito e depois me contou uma coisa interessante. Disse que negaria que algum dia dissera uma única palavra se eu espalhasse o que me contara, e que não era nada conclusivo, de qualquer modo, mas era algo, isso era. Sem dúvida que era algo. Pensei a respeito no caminho de volta para casa e durante a noite, do meu lado da cama, houve muita reflexão e pouquíssimo sono.

No dia seguinte, me levantei quando o sol ainda era apenas um boato no leste e dirigi para o sul do estado, até o condado de Trapingus. Evitei Homer Cribus, aquele saco grande de vísceras e líquidos, falando em lugar dele com o vice-xerife Rob McGee. McGee não queria ouvir o

---

* Data de Execução. [N. do T.]

que eu lhe estava dizendo. Não queria ouvir mesmo. Numa certa altura, tive bastante certeza de que ele ia me dar um soco na boca para *conseguir* parar de ouvir, mas no final concordou em sair e fazer algumas perguntas a Klaus Detterick. Sobretudo, acho eu, para certificar-se de que eu não iria fazê-las. McGee disse:

— Ele tem só 39 anos, mas hoje em dia parece um velho e não precisa que nenhum guarda penitenciário metido a esperto, que pensa que é detetive, vá agitá-lo quando um pouco da mágoa começou a se assentar. Você fica aqui mesmo na cidade. Não quero você a distância de um berro da fazenda dos Detterick, mas quero poder encontrá-lo quando terminar de falar com Klaus. Se começar a se sentir irrequieto, coma uma fatia de torta ali no restaurante. Vai aliviá-lo. — Acabei comendo duas fatias, e elas *eram* meio pesadas.

Quando McGee entrou no restaurante e se sentou ao meu lado no balcão, tentei ler sua expressão, mas não consegui.

— Então? — indaguei.

— Venha comigo até minha casa, conversaremos lá — disse ele. — Este lugar é um pouco público demais para o meu gosto.

Nossa reunião se realizou na varanda da frente da casa de Rob McGee. Ambos ficamos completamente enrolados e com frio, mas a sra. McGee não admitia que se fumasse em nenhum ponto dentro da casa. Era uma mulher adiante do seu tempo. McGee falou durante algum tempo. Falou como um homem que não está gostando nem um pouco do que está ouvindo da sua própria boca.

— Isso não prova nada, sabe disso, não sabe? — perguntou quando tinha praticamente concluído. Seu tom era belicoso e, ao falar, apontou seu cigarro de palha para mim de modo agressivo, mas sua fisionomia estava preocupada. Nem toda a prova é o que se vê e se ouve numa sala de julgamento, e nós dois sabíamos disso. Tenho a impressão de que essa foi a única ocasião em sua vida em que o vice-xerife McGee desejou ser tão ignorante e caipira quanto seu chefe.

— Eu sei — retruquei.

— E se você está pensando em conseguir um novo julgamento para ele com base nessa única coisa, pode mudar de ideia, *señor*. John Coffey é um negro, e no condado de Trapingus nós somos muito exigentes quanto a permitir novos julgamentos para negros.

— Também sei disso.

— Então, o que você vai fazer?

Joguei meu cigarro por cima da balaustrada da varanda, na rua. Depois fiquei de pé. Ia ser uma viagem longa e fria de volta para casa, e quanto antes me pusesse a caminho, mais depressa ela estaria terminada.

— Isso eu gostaria de saber, vice-xerife McGee — respondi —, mas não sei. A única coisa que sei com certeza nesta noite é que aquela segunda fatia de torta foi um erro.

— Vou lhe dizer uma coisa, espertinho — disse, ainda falando naquele tom de belicosidade vã. — Acho que você, em primeiro lugar, não deveria ter aberto a Caixa de Pandora.

— Não fui eu quem abriu — retruquei, e depois fui embora de carro para casa.

Cheguei em casa tarde, depois da meia-noite, mas minha mulher estava me esperando de pé. Desconfiei que ela faria isso, mas mesmo assim fez bem ao meu coração vê-la e que ela pusesse seus braços em volta do meu pescoço, seu corpo gostoso e firme de encontro ao meu.

— Olá, bonitão — disse ela e então me tocou lá embaixo. — Nada errado com esse camarada, não é? Ele parece tão saudável quanto é possível.

— Sim, senhora — confirmei e levantei-a nos braços. Levei-a para nosso quarto, fizemos amor de modo tão doce como o mel, e quando atingi meu clímax, aquela sensação deliciosa de liberdade e desprendimento, pensei nos olhos interminavelmente lacrimejantes de John Coffey. E em Melinda Moores dizendo: "*Sonhei que você estava vagando na escuridão e eu também.*"

Ainda deitado em cima de minha mulher, com os braços dela em volta do meu pescoço e nossas coxas unidas, comecei a chorar baixinho.

— Paul! — exclamou ela, de choque e receio. Acho que ela não me viu derramar lágrimas mais do que uma meia dúzia de vezes durante toda a nossa vida de casados. Nunca fui, em circunstâncias normais, homem de chorar. — Paul, o que foi?

— Sei tudo que há para saber — falei em meio às lágrimas. — Se você quer saber a verdade, sei de coisas demais. Devo eletrocutar John

Coffey dentro de menos de uma semana, mas foi William Wharton quem matou as meninas Detterick. Foi Wild Bill.

## 5

No dia seguinte, o mesmo grupo de guardas penitenciários que almoçara na minha cozinha depois da execução malfeita de Delacroix almoçou lá de novo. Dessa vez havia uma quinta pessoa no nosso conselho de guerra: minha mulher. Foi Jan quem me convenceu a contar aos outros, meu primeiro impulso tinha sido contrário. Já não era ruim o bastante, perguntei a ela, que *nós* soubéssemos?

— Você não está raciocinando bem a esse respeito — respondera ela. — Provavelmente porque você ainda está abalado. Eles já sabem a parte pior, que John vai ter que pagar por um crime que não cometeu. No mínimo, isso vai fazer com que eles se sintam melhor.

Não tinha tanta certeza disso, mas concordei com a avaliação dela. Eu esperava muita agitação quando dissesse a Brutal, Dean e Harry o que eu sabia (não podia provar, mas sabia muito bem), porém inicialmente houve apenas um silêncio pensativo. Então, pegando outro dos biscoitos de Janice e começando a pôr uma quantidade incrível de manteiga nele, Dean falou:

— Você acha que John o viu? Será que ele viu Wharton jogar as meninas no chão, talvez até estuprá-las?

— Acho que, se ele tivesse visto, teria tentado impedi-lo — respondi. — Quanto a ter visto Wharton, talvez quando ele fugiu. Acho que pode ter visto. Mas se viu, depois se esqueceu.

— Claro — disse Dean. — Ele é uma pessoa especial, mas isso não faz com que seja inteligente. Ele só descobriu que foi Wharton quando Wharton esticou as mãos por entre as grades e tocou nele.

Brutal estava concordando com a cabeça.

— Foi por isso que John pareceu tão surpreso, tão chocado. Lembra-se de como seus olhos se arregalaram?

Eu assenti.

— Ele usou Percy contra Wharton como se fosse uma arma, foi o que Janice disse, e foi nisso que fiquei pensando. Por que John Coffey iria querer matar Wild Bill? *Percy*, talvez. Percy tinha dado um pisão no rato de Delacroix bem diante dele. Percy queimou Delacroix vivo e John sabia disso, mas Wharton? Wharton se meteu com quase todos nós, de uma forma ou de outra, mas, até onde eu sei, não se meteu com John de maneira nenhuma. Mal trocou quatro dezenas de palavras com ele durante todo o tempo em que estiveram juntos no Corredor, e metade delas foi ontem à noite. Por que iria querer fazer isso? Ele era do condado de Purdom, e no que se refere aos rapazes brancos de lá, eles nem enxergam um negro a menos que aconteça de ele entrar no caminho deles. Então, por que o fez? O que poderia ter visto ou sentido quando Wharton o tocou que era tão ruim que ele guardou o veneno que tirou do corpo de Melly para usar depois?

— E quase se matou para fazer isso — disse Brutal.

— Quase mesmo. E as gêmeas Detterick foram tudo em que consegui pensar que era ruim o suficiente para explicar o que ele fez. Disse a mim mesmo que eu estava doido, era coincidência demais, simplesmente não podia ser. Então me lembrei de algo que Curtis Anderson escreveu naquele primeiro memorando que recebi sobre Wharton: que Wharton era um louco furioso e que tinha vagado por todo o estado antes do assalto em que matou todas aquelas pessoas. *Vagou por todo o estado*. Isso ficou na minha cabeça. Depois, havia o modo como ele tentou estrangular Dean quando chegou aqui. Isso me fez pensar...

— No cachorro — disse Dean, esfregando o pescoço onde Wharton tinha enrolado a corrente. Acho que ele nem se deu conta do que estava fazendo. — Como o pescoço do cachorro foi partido.

— De qualquer modo, fui até o condado de Purdom para examinar os documentos do tribunal sobre Wharton. Nós só tínhamos os documentos relativos aos assassinatos que o fizeram vir para o Corredor Verde. Em outras palavras, a parte final da carreira dele. Eu queria o princípio.

— Muita encrenca? — perguntou Brutal.

— Muita. Vandalismo, pequenos furtos, incêndio de montes de feno, até furto de um explosivo: ele e um amigo afanaram uma banana de dinamite e a detonaram perto de um riacho. Começou cedo, aos 10 anos de idade, mas o que eu queria não estava ali. Então o xerife apareceu para ver quem eu era e o que estava fazendo, e isso, na verdade, foi um golpe de sorte. Disse uma mentirinha, falei que uma busca na cela de Wharton tinha revelado um bolo de fotografias no colchão dele, de meninas despidas. Disse que queria ver se Wharton tinha quaisquer antecedentes como pedófilo, porque tinha ouvido falar de um par de casos não solucionados no Tennessee. Tive o cuidado de não mencionar as gêmeas Detterick em momento algum. Acho que elas tampouco lhe passaram pela cabeça.

— Claro que não — falou Harry. — Por que haveria de ter pensado nelas? Afinal de contas, esse caso está resolvido.

— Disse que não tinha sentido continuar atrás dessa ideia, pois não havia nada no arquivo de antecedentes de Wharton. Quero dizer, tinha *muita coisa* no arquivo, mas nada sobre aquele tipo de coisa. Então o xerife Catlett riu e disse que nem tudo que uma maçã podre como Bill Wharton fez está nos documentos do tribunal, e que diferença fazia, de qualquer modo? Ele estava morto, não estava?

— Eu disse que estava fazendo isso apenas para satisfazer minha própria curiosidade, nada mais, e isso o deixou à vontade. Levou-me para seu escritório, fez-me sentar, deu-me uma xícara de café e um sonho e me contou que, 16 meses atrás, quando Wharton mal tinha 18 anos, um homem no lado oeste do condado o pegou no celeiro com sua filha. Não foi exatamente estupro: o camarada descreveu a coisa para Catlett como "não mais do que esfregar o dedo". Desculpe-me, querida.

— Não tem importância — disse Janice. Mas estava pálida.

— Que idade tinha a menina? — perguntou Brutal.

— Nove anos — respondi, e ele fez uma careta. — O homem poderia ter saído atrás de Wharton por sua própria conta se tivesse alguns irmãos ou primos mais velhos para ajudá-lo, mas não tinha. Então ele foi procurar Catlett, mas deixou claro que só queria que Wharton fosse advertido. Ninguém quer uma coisa desagradável assim tornada pública, se for possível evitar. De qualquer modo, o xerife C. estivera lidando com os problemas de Wharton já havia algum tempo, quando ele tinha 15 anos o pusera num reformatório durante uns oito meses, e resolveu que já era demais. Chamou três auxiliares, foram até a casa da família Wharton, afastou a sra. Wharton quando ela começou a chorar e a se lamuriar, e então advertiram o sr. William "Billy the Kid" Wharton sobre o que acontece com sujeitos grandes e de cara espinhenta quando sobem no sótão de celeiros com meninas que ainda nem têm idade para saber sobre menstruação, muito menos para já haver começado a tê-la. Catlett me disse:

— Advertimos aquele vagabundinho muito bem. Ele foi advertido até ficar com a cabeça sangrando, o ombro deslocado e o quadril quase partido.

Brutal não conseguiu controlar o riso.

— Isso parece típico do condado de Purdom — disse ele. — Gostem ou não.

— Uns três meses depois, Wharton fugiu e começou a festança que terminou com o assalto — falei. — Isso e os assassinatos que o trouxeram a nós.

— Então ele já se envolvera com uma garota menor de idade uma vez — disse Harry. Tirou os óculos, deu um bafo neles, limpou-os. — *Muito* menor de idade. Uma vez não chega propriamente a constituir um padrão de comportamento, não é mesmo?

— Um homem não faz uma coisa dessas só uma vez — falou minha mulher, depois apertou tanto os lábios que eles praticamente desapareceram.

Em seguida lhes contei sobre minha visita ao condado de Trapingus. Tinha sido muito mais franco com Rob McGee. Na verdade, eu não tinha escolha. Até hoje não tenho a menor ideia de que história ele inventou para o sr. Detterick, mas o McGee que se sentou ao meu lado no restaurante parecia ter envelhecido sete anos.

Em meados de maio, cerca de um mês antes do assalto e dos assassinatos que puseram um fim à curta carreira de Wharton como um fora da lei, Klaus Detterick tinha pintado seu celeiro (bem como a casinha do Bowser, ao lado dele). Não queria o filho subindo em andaimes altos e, de qualquer maneira, o menino tinha que ir à escola, então contratou um sujeito. Um sujeito bastante agradável. Muito calado. Tinham sido três dias de trabalho. Não, o sujeito não tinha dormido na casa. Detterick não era idiota a ponto de achar que agradável e calado sempre queria dizer inofensivo, especialmente naquela época em que as estradas estavam cheias da ralé vinda das zonas de seca. Um homem que tinha família precisava ter cuidado. De qualquer modo, o rapaz não precisara de alojamento. Disse a Detterick que tinha alugado um quarto na cidade, na pensão de Eva Price. Em Tefton *havia* uma senhora chamada Eva Price e ela de fato alugava quartos, mas não tinha tido um hóspede naquele mês de maio que coincidisse com a descrição do homem contratado por Detterick; só os camaradas de sempre, de terno quadriculado e chapéu-coco, carregando maletas com amostras — em outras palavras, caixeiros-viajantes. McGee pôde me contar isso porque tinha parado na pensão da sra. Price, no caminho de volta da fazenda de Detterick — isso mostrou o quanto estava perturbado.

— Mesmo assim — acrescentou ele —, não há nenhuma lei que proíba um homem de dormir ao ar livre no mato, sr. Edgecombe. Eu próprio já fiz isso uma ou duas vezes.

O rapaz contratado não dormira na casa dos Detterick, mas jantou com eles duas vezes. Teria conhecido Howie. Teria conhecido as meninas, Cora e Kathe. Teria escutado suas conversas, algumas das quais teriam sido sobre como estavam torcendo para chegar o verão, porque, se elas se comportassem bem e o tempo estivesse bom, mamãe às vezes as deixava dormir lá na varanda, onde elas podiam fingir que eram mulheres de pioneiros, atravessando as Grandes Planícies em carroças cobertas.

Posso imaginá-lo sentado à mesa, comendo galinha assada e o pão de centeio da sra. Detterick, escutando, mantendo seus olhos de lobo bem velados, assentindo com a cabeça, sorrindo um pouco, armazenando todas as informações.

— Isso não se parece com o alucinado de que você me falou quando ele chegou ao Corredor, Paul — disse Janice num tom de dúvida. — Nem um pouco.

— A senhora não o viu no Hospital de Indianola — disse Harry. — De pé, com a boca aberta e o traseiro aparecendo na parte de trás do camisolão de hospital. Deixando que nós o vestíssemos. Nós pensamos que ele estava drogado ou era débil mental. Não foi, Dean?

Dean confirmou com a cabeça.

— No dia em que ele terminou o celeiro e foi embora, um homem usando uma máscara feita de uma bandana assaltou o escritório da Hampey's em Jarvis — contei para eles. — Fugiu com setenta dólares. Também levou um dólar de prata de 1892, que o gerente carregava consigo como talismã. Esse mesmo dólar de prata foi encontrado com Wharton quando foi capturado, e Jervis está apenas a 45 quilômetros de Tefton.

— Então esse ladrão, esse alucinado, vocês acham que ele simplesmente se conteve por três dias para ajudar Klaus Detterick a pintar o seu celeiro — disse minha mulher. — Jantou com eles e disse por favor passe-me as ervilhas como qualquer pessoa normal.

— A coisa que dá mais medo de homens como ele é como são imprevisíveis — falou Brutal. — Ele podia estar planejando matar os Detterick e saquear a casa, depois mudou de ideia porque uma nuvem cobriu o sol na hora errada ou alguma coisa parecida. Talvez só quisesse descansar um pouco. Porém, o mais provável é que já estivesse de olho naquelas duas meninas e estivesse planejando voltar. Você acha isso, Paul?

Assenti. É claro que pensava isso.

— E depois há a questão do nome que ele deu a Detterick.

— Que nome? — perguntou Jan.

— Will Bonney.

— Bonney? Eu não...

— Era o verdadeiro nome de Billy the Kid.

— Oh. — Então os olhos dela se arregalaram. — Oh! Então vocês *podem* salvar John Coffey! Graças a Deus! Tudo que vocês têm de fazer é mostrar um retrato de William Wharton ao sr. Detterick. O retrato de presidiário deve servir.

Brutal e eu nos entreolhamos, sentindo-nos embaraçados. Dean tinha uma expressão mais esperançosa, mas Harry estava olhando para as próprias mãos, como se de súbito tivesse ficado fabulosamente interessado nas próprias unhas.

— O que há de errado? — perguntou Janice. — Por que estão olhando uns para os outros desse jeito? Sem dúvida esse homem, McGee, terá que...

— Rob McGee me deu a impressão de ser um bom homem e acho que é um excelente policial — disse eu —, mas não tem nenhuma influência no condado de Trapingus. O poder lá é o xerife Cribus, e no dia em que ele reabrir o caso Detterick com base no que fui capaz de descobrir será o dia em que nevará no inferno.

— Mas se Wharton esteve lá, se Detterick puder identificá-lo por um retrato e eles *souberem* que ele esteve *lá*...

— O fato de ele ter estado lá em maio não quer dizer que ele tenha voltado e assassinado aquelas meninas em junho — disse Brutal. Falou com a voz baixa e suave, como se fala quando se está dizendo a alguém que houve uma morte na família. — Por um lado existe esse sujeito que ajudou Klaus Detterick a pintar o celeiro e depois foi embora. Acontece que ele estava cometendo crimes a torto e a direito, mas não há nada contra ele nos três dias de maio em que esteve na área de Tefton. Por outro lado, há esse negro grandão, esse negro *descomunal*, que foi encontrado na margem do rio, segurando em seus braços duas menininhas mortas, ambas nuas.

Abanou a cabeça.

— Paul tem razão, Jan. McGee pode ter suas dúvidas, mas McGee não faz diferença. Cribus é o único que pode reabrir o caso e Cribus não quer mexer no que ele considera um final feliz: "Foi um negro", pensa ele, "e, de qualquer jeito, nem era um dos nossos. Ótimo. Vou até Cold Mountain, comer um filé e tomar um chope no Restaurante da Mamãe, depois vê-lo ser fritado e acabou-se a história".

Janice escutou tudo isso com uma expressão de horror cada vez maior, depois se virou para mim:

— Mas McGee acredita nisso, não é, Paul? Pude ver na sua fisionomia que você acha isso. O vice-xerife McGee sabe que prendeu o homem errado. Será que ele não vai enfrentar o xerife?

— Tudo que ele pode conseguir enfrentando o xerife é perder o emprego — respondi. — É, acho que, intimamente, ele sabe que foi Wharton. Porém, o que ele diz para si mesmo é que, se ficar de bico calado e seguir as regras do jogo até que Cribus se aposente ou morra de tanto comer, ele fica com o cargo. E aí as coisas vão ser diferentes. É isso que ele diz para si mesmo para conseguir dormir, imagino eu. E provavelmente ele não difere muito de Homer em uma coisa. Ele dirá para si mesmo: "afinal de contas, não passa de um negro. Não é como se fossem queimar um branco por causa disso".

— Então você tem que ir falar com eles — disse Janice, e meu coração ficou gelado ante o seu tom de voz, decidido e de que não-há-a-menor-dúvida-a-respeito. — Vá e diga a eles o que você descobriu.

— E como vamos dizer a eles que nós descobrimos, Jan? — indagou Brutal com a mesma voz baixa. — Devemos dizer-lhes como Wharton agarrou John quando estávamos levando-o para fora da prisão para realizar um milagre na mulher do diretor?

— Não, claro que não, mas... — Ela percebeu como o gelo estava fino nessa direção e mudou de rumo. — Então, mintam — falou. Lançou um olhar desafiador para Brutal, depois virou o mesmo olhar para mim. Era suficientemente quente para abrir um buraco numa folha de jornal, poder-se-ia dizer.

— Mintam — repeti. — Mintam sobre o quê?

— Sobre o que botou você em marcha, primeiro indo até o condado de Purdom e depois ao de Trapingus. Vá lá ver aquele velho e gordo xerife Cribus e diga que Wharton contou a você que tinha estuprado e assassinado as meninas Detterick. Que ele confessou. — Voltou o olhar em brasa para Brutal por um instante. — Você pode apoiá-lo, Brutus. Você pode dizer que estava lá quando ele confessou, que você também ouviu. Ora, provavelmente Percy também ouviu e provavelmente foi isso que o embirutou. Ele matou Wharton a tiros porque não pôde suportar a ideia do que Wharton tinha feito com aquelas crianças. Desequilibrou-lhe a mente. Apenas... o quê? O que, *agora*, em nome de Deus?

Não éramos só eu e Brutal; Harry e Dean também estavam olhando para ela com uma espécie de horror.

— Nós nunca *informamos* nada parecido com isso, dona — disse Harry. Falou como se estivesse se dirigindo a uma criança. — A primeira coisa que as pessoas iriam perguntar seria por que não informamos. Nós somos obrigados a informar qualquer coisa que nossos meninos nas celas digam sobre crimes anteriores. Deles ou de outras pessoas.

— Não que teríamos acreditado nele — acrescentou Brutal. — Um homem como Wild Bill Wharton mente sobre qualquer coisa, Jan. Crimes que cometeu, figurões que conheceu, mulheres que foram para a cama com ele, gols que fez no time do colégio, até sobre a maldita condição do tempo.

— Mas... — Ela ficou com a fisionomia em agonia. Fui pôr meu braço em volta dela e ela me empurrou com violência.— *Mas ele esteve lá! Ele pintou o maldito celeiro deles! ELE JANTOU COM ELES!*

— Razão a mais para que pudesse querer assumir a autoria do crime — explicou Brutal. — Afinal de contas, que mal haveria? Por que não se vangloriar? Afinal, um homem não pode ser fritado duas vezes.

— Deixem-me ver se entendi isso direito. Nós aqui em volta dessa mesa sabemos que não só John Coffey não matou aquelas meninas, como estava tentando salvar-lhes a vida. O vice-xerife McGee não sabe disso tudo, é claro, mas tem *de fato* uma noção muito boa de que o homem que foi condenado à morte pelos assassinatos não os cometeu. E ainda assim, *ainda assim,* vocês não podem conseguir um novo julgamento para ele. Não podem nem reabrir o caso.

— Sim, senhora — falou Dean. Estava limpando os óculos furiosamente. — É mais ou menos isso mesmo.

Ela ficou sentada, com a cabeça baixa, pensando. Brutal ia dizer alguma coisa e eu ergui a mão, fazendo-o ficar calado. Não que eu achasse que Janice seria capaz de encontrar um meio de livrar John do beco mortal em que estava metido, mas tampouco achava que seria impossível. Minha mulher era tremendamente inteligente. E também tremendamente decidida. Essa é uma combinação que às vezes transforma montanhas em vales.

— Está certo — falou finalmente. — Então vocês têm de tirá-lo de lá por sua própria conta.

— Dona? — Harry fez um ar atônito. Assustado também.

— Vocês podem fazer isso. Fizeram antes, não fizeram? Podem fazer de novo. Só que, dessa vez, não vão trazê-lo de volta.

— A senhora está disposta a ser a pessoa que vai explicar aos meus filhos por que o papai deles está na cadeia, sra. Edgecombe? — perguntou Dean. — Acusado de ter ajudado um assassino a fugir da prisão?

— Não vai haver nada disso, Dean. Nós vamos arquitetar um plano. Fazer com que pareça uma fuga de verdade.

— Então certifique-se de que seja um plano que poderia ter sido arquitetado por um sujeito que não consegue nem se lembrar de como atar os cadarços dos próprios sapatos — falou Harry. — Eles vão precisar acreditar nisso.

Ela olhou-o com um ar incerto.

— Não ia adiantar nada — disse Brutal. — Mesmo que pudéssemos pensar num jeito, não ia adiantar nada.

— Por que não? — Seu tom de voz era de quem estava quase chorando. — Só me diga por que, diabos, não?

— Porque ele é um negro de um metro e noventa, careca, com miolos suficientes apenas para comer com a própria mão — disse eu. — Quanto tempo você pensa que demoraria para que ele fosse recapturado? Duas horas? Seis?

— Ele conseguiu vagar sem despertar muita atenção antes — falou ela. Uma lágrima deslizou-lhe pelo rosto. Bateu sobre a lágrima com a base da palma da mão.

Isso pelo menos era verdade. Eu tinha escrito cartas a alguns amigos e parentes meus mais para o sul, perguntando se tinham visto qualquer coisa nos jornais sobre um homem correspondendo à descrição de John Coffey. Qualquer coisa. Janice fizera o mesmo. Até então tínhamos conseguido apenas uma possível ocasião, na cidade de Muscle Shoals, no Alabama. Um tornado atingira uma igreja de lá durante um ensaio do coro (isso tinha sido em 1929), e um negro grandalhão tinha arrancado dois sujeitos dos escombros. Os espectadores acharam inicialmente que ambos estavam mortos, mas acabou que nenhum dos dois tinha sequer sofrido ferimentos graves. Foi mencionado o comentário de uma das testemunhas de que fora como se tivesse havido um milagre. O negro, um andarilho que fora contratado pelo pastor da igreja para fazer tarefas por um dia, tinha desaparecido no meio da agitação.

— Você tem razão, ele conseguiu passar despercebido — disse Brutal. — Mas você tem que se lembrar que a maior parte do tempo em que conseguiu isso foi antes de ser condenado por estuprar e assassinar duas menininhas.

Ela ficou sentada sem retrucar. Ficou assim durante quase um minuto inteiro e então fez algo que me deu um choque tão grande quanto o meu pranto súbito lhe deve ter causado. Estendeu os braços e empurrou tudo para fora da mesa, com um movimento amplo: pratos, copos, xícaras, talheres, a tigela de couve, a tigela de tomates, o prato com fatias de presunto, o leite, a jarra de chá gelado. Tudo para fora da mesa e para o chão.

— Puta merda! — exclamou Dean, empurrando a cadeira para trás com tanta força que quase caiu de costas.

Janice não tomou conhecimento dele. Estava olhando mesmo para Brutal e para mim, sobretudo para mim.

— Vocês pretendem matá-lo, seus covardes? — perguntou. — Vocês pretendem matar o homem que salvou a vida de Melinda Moores, que tentou salvar as vidas daquelas menininhas? Bem, pelo menos vai haver um negro a menos no mundo, não é? Vocês podem ter esse consolo. *Um negro a menos.*

Levantou-se, olhou para sua cadeira e chutou-a de encontro à parede. A cadeira voltou e caiu sobre os tomates espalhados no chão. Peguei seu pulso e ela se desvencilhou com um puxão.

— Não me toque — disse ela. — Na semana que vem, a essa hora, você será um assassino, em nada melhor do que aquele homem, Wharton, então não me toque.

Saiu para a entradinha dos fundos, cobriu o rosto com o avental e começou a soluçar. Nós quatro nos entreolhamos. Depois de algum tempo, pus-me de pé e comecei a limpar a lambança. Brutal se juntou a mim primeiro, depois Harry e Dean. Quando o lugar parecia estar novamente em ordem, foram embora. Nenhum de nós disse uma única palavra esse tempo todo. Não havia realmente nada a ser dito.

## 6

Essa era minha noite de folga. Fiquei sentado na sala de visita de nossa casa modesta, fumando cigarros, ouvindo o rádio e olhando a escuridão sair do chão e subir para engolir o céu. Não tenho nada contra a televisão, mas não gosto do modo como ela nos afasta do resto do mundo na direção de nada além de sua própria existência vítrea. Nesse sentido, pelo menos, o rádio era melhor.

Janice veio, ajoelhou-se ao lado do braço da minha poltrona e pegou minha mão. Durante algum tempo nenhum de nós disse nada, apenas ficamos desse jeito, ouvindo o "Kollege of Musical Knowledge", de Kay Kyser, e olhando as estrelas aparecerem. Por mim estava bem.

— Lamento muito tê-lo chamado de covarde — disse ela. — Sinto-me pior por isso do que por qualquer outra coisa que jamais tenha dito a você durante todo o nosso casamento.

— Inclusive quando fomos acampar e você me chamou de velho fedorento? — perguntei, e então ela riu e trocamos um ou dois beijos e as coisas melhoraram entre nós. Ela era linda, minha Janice, e ainda sonho com ela. Velho e cansado de viver como estou, sonho que ela entra no meu quarto, nesse lugar solitário e esquecido, onde os corredores todos cheiram a mijo e a repolho cozido velho, sonho que ela está moça e linda, com seus olhos azuis e seus belos seios empinados, dos quais mal conseguia manter as mãos afastadas, e ela diz: *Ora, meu bem, eu não estava naquele acidente de ônibus. Você se enganou, foi só isso*. Até hoje tenho esse sonho e, às vezes, quando acordo e vejo que foi um sonho, eu choro. Eu, que quase nunca chorava quando era jovem.

— Hal sabe? — perguntou por fim.

— Que John é inocente? Não vejo como possa saber.

— Ele pode ajudar? Ele tem alguma influência com Cribus?

— Nenhuma, querida.

Ela fez um sinal positivo com a cabeça, como se esperasse isso.

— Então não conte pra ele. Se ele não pode ajudar, pelo amor de Deus não conte pra ele.

— Não.

Ela ergueu o rosto para mim com os olhos firmes.

— E nessa noite você não vai faltar porque está doente. Nenhum de vocês vai faltar. Vocês não podem.

— Não, não podemos. Estando lá, poderemos pelo menos fazer com que seja rápido para ele. Isso pelo menos podemos fazer. Não vai ser como foi com Delacroix. — Por um instante, felizmente breve, vi a máscara negra queimando, descobrindo o rosto de Del e revelando os glóbulos gelatinosos cozidos que tinham sido seus olhos.

— Você não tem saída, não é? — Ela pegou minha mão, passou-a de leve pelo veludo suave de sua face. — Pobre Paul. Pobre velho.

Não disse nada. Nunca antes ou depois em minha vida senti tanta vontade de fugir de algo. Simplesmente levar Jan comigo, nós dois com uma só maleta cheia para ambos, fugindo para qualquer lugar.

— Meu pobre velho — repetiu, e depois: — Fale com ele.

— Com quem? John?

— É. Fale com ele. Descubra o que *ele* quer.

Refleti sobre isso e depois assenti com a cabeça. Ela tinha razão. Ela geralmente tinha.

## 7

Dois dias depois, no dia 18, Bill Dodge, Hank Bitterman e mais alguém — não me lembro quem, algum temporário — levaram John Coffey até o Bloco D para seu banho de chuveiro e nós fizemos o ensaio da sua execução enquanto ele estava ausente. Não permitimos que Toot-Toot fizesse o papel de John. Nós todos sabíamos, sem nem mesmo termos conversado a respeito, que isso teria sido uma obscenidade.

Eu fiz o papel dele.

— John Coffey — falou Brutal num tom que não estava muito firme enquanto eu estava sentado, preso na Velha Fagulha — você foi condenado a morrer na cadeira elétrica, por sentença proferida por um júri de seus semelhantes...

Semelhantes de John Coffey? Que piada. Pelo que eu sabia, não havia ninguém como ele no planeta. Então pensei no que John tinha dito quando ficara parado ao pé dos degraus que desciam do meu escritório, olhando para a Velha Fagulha: *Eles ainda estão lá. Ouço os gritos deles.*

— Tirem-me daqui — falei com a voz rouca. — Soltem essas alças e deixem-me ficar de pé.

Assim fizeram, mas por um momento senti-me imobilizado ali, como se a Velha Fagulha não quisesse deixar-me sair.

Quando voltávamos para o bloco, Brutal falou-me em voz baixa, para que nem mesmo Dean e Harry, que estavam armando as últimas cadeiras atrás de nós, pudessem escutar:

— Fiz algumas coisas na vida das quais não me orgulho, porém essa é a primeira vez que realmente me senti correndo perigo de ir para o inferno.

Olhei para ele para ter certeza de que não estava brincando. Achei que não estava.

— O que você quer dizer?

— Quero dizer que estamos providenciando a morte de uma dádiva de Deus — disse ele. — Alguém que nunca causou mal algum a nós nem a nenhuma outra pessoa. O que direi se acabar de pé diante de Deus, o Pai Todo-Poderoso, e Ele me pedir que explique por que fiz isso? Que era meu trabalho? Meu *trabalho*?

# 8

Quando John voltou do chuveiro e depois que os temporários foram embora, destravei as fechaduras de sua cela, entrei e me sentei no catre ao seu lado. Brutal estava na mesa de guarda. Ergueu os olhos, viu-me lá dentro sozinho com ele, mas não falou nada. Simplesmente voltou para o que quer que fosse o expediente com que estava se debatendo naquele momento, lambendo a ponta do lápis o tempo todo.

John me fitou com seus olhos estranhos, injetados, distantes, à beira das lágrimas, entretanto calmos também, como se ficar chorando não fosse uma forma de vida tão ruim assim, pelo menos depois que você se acostumasse a ela. Chegou até a sorrir um pouco. Lembro-me de que estava cheirando a sabonete, limpo e fresco como um bebê depois do banho da tarde.

— Olá, chefe — disse ele, e depois esticou os braços e tomou as minhas mãos nas suas. Fez isso com uma naturalidade perfeita, espontânea.

— Olá, John. — Senti um nó na garganta e tentei engolir em seco para me livrar dele. — Acho que você sabe que está chegando a hora. Mais uns dois dias.

Ele não disse nada, apenas ficou ali segurando minhas mãos nas suas. Lembrando agora, acho que alguma coisa já tinha começado a acontecer comigo, mas eu estava concentrado demais, mental e emocionalmente, em cumprir com meu dever para notar.

— John, há alguma coisa em especial de que você gostaria para jantar nesse dia? Nós podemos arranjar praticamente qualquer coisa para você. Até lhe trazer uma cerveja, se você quiser. Só terei que pôr numa caneca de café, mais nada.

— Nunca tomei gosto por cerveja — retrucou.

— Alguma coisa especial para comer, então?

Sua testa se franziu abaixo daquela superfície lisa do crânio marrom. Depois o franzido se desfez e sorriu.

— Bolo de carne seria bom.

— Pois será bolo de carne. Com molho e purê de batata. — Senti um formigamento, como o que você sente num braço quando dorme

em cima dele, só que o estava sentindo pelo corpo. *Por dentro* do corpo.
— E o que mais para acompanhar?

— Não sei, chefe. O que o senhor tiver, eu acho. Quiabo, talvez, mas eu não sou exigente.

— Está certo — disse eu e pensei que ele ia ter de sobremesa a torta de pêssego da sra. Janice Edgecombe. — Agora, e quanto a um padre? Alguém com quem você possa rezar uma pequena prece, na noite depois de amanhã? Dá consolo a um homem, já vi isso muitas vezes. Eu posso contatar o reverendo Schuster, é o homem que veio quando Del...

— Não quero nenhum padre — disse John. — O senhor foi bom pra mim, chefe. O senhor pode rezar uma prece, se quiser. Isso seria bom. Eu poderia ficar de joelhos com o senhor um pouco, eu acho.

— *Eu!* John, eu não posso...

Ele apertou um pouco minhas mãos e aquela sensação ficou mais forte.

— O senhor *podia* — falou. — Não podia, chefe?

— Imagino que sim — ouvi minha voz dizendo. Ela parecia ter criado um eco. — Imagino que poderia, se fosse o caso.

A essa altura a sensação dentro de mim era forte e parecida com a de antes, quando ele curara minha infecção, mas ao mesmo tempo era diferente. E não apenas porque não havia nada de errado comigo dessa vez. Era diferente porque *dessa vez ele não sabia o que estava fazendo*. De repente fiquei aterrorizado, quase sufocado com uma necessidade de sair dali. Dentro de mim acendiam-se luzes onde nunca tinha havido luz alguma. Não só no meu cérebro, mas pelo corpo todo.

— O senhor e o sr. Howell e os outros chefes foram bons pra mim — disse John Coffey. — Sei que o senhor tem ficado preocupado, mas deve parar agora. Porque eu *quero* ir, chefe.

Tentei falar, mas não consegui. Ele, ao contrário, conseguiu. O que falou a seguir foi o máximo que jamais ouvira dele.

— Chefe, estou muito cansado da dor que escuto e que sinto. Estou cansado de andar vagando, sozinho como um pardal na chuva. Sem nunca ter nenhum companheiro pra ir junto comigo nem pra dizer de onde nós estamos vindo nem pra onde vai nem por quê. Estou cansado das pessoas serem más umas com as outras. Sinto como se tivesse cacos de vidro dentro da cabeça. Estou cansado de todas as vezes que tentei ajudar e não pude. Estou cansado de ficar no escuro. Mais que tudo é a dor. Tem demais. Se eu pudesse acabar com ela, acabava. Mas não posso.

Pare com isso, tentei lhe dizer. Pare com isso, solte minhas mãos. Se você não parar, vou me afogar. Afogar-me ou explodir.

— O senhor não vai explodir — disse ele, sorrindo um pouco diante dessa ideia, mas me soltou as mãos.

Inclinei-me para a frente, arfando. Por entre meus joelhos, podia ver cada racha no piso de cimento, cada ranhura, cada reluzir de mica. Ergui os olhos para a parede e vi os nomes que tinham sido escritos ali em 1924, 1926, 1931. Aqueles nomes tinham sido apagados, aqueles homens que os tinham escrito também tinham sido apagados, por assim dizer, mas acho que não se pode apagar completamente coisa alguma, não desse frasco escuro do mundo. Agora os via todos novamente, uma confusão de nomes amontoados uns sobre os outros, e olhar para eles era como ouvir os mortos falando, cantando e implorando por misericórdia. Senti meus olhos latejando dentro das órbitas, ouvi meu próprio coração, senti o marulhar do meu sangue correndo através das avenidas do meu corpo como cartas sendo enviadas para todos os lados.

Escutei um apito de trem ao longe: o das três e quinze para Priceford, imaginei, mas não podia ter certeza, porque nunca o escutara antes. Não em Cold Mountain, porque o mais perto que passava da penitenciária estadual era 15 quilômetros a leste. Era impossível que eu o escutasse da penitenciária, você teria dito, e o mesmo teria dito eu, até novembro de 1932, e assim teria acreditado, mas naquele dia escutei.

Em algum lugar uma lâmpada estourou, forte como uma bomba.

— O que você fez comigo? — sussurrei. — Oh, John, o que você fez?

— Desculpe, chefe — disse ele do seu jeito calmo. — Eu não estava pensando. Não é muita coisa, acho. O senhor vai se sentir bem logo.

Levantei-me e fui até a porta da cela. Parecia que estava caminhando num sonho. Quando cheguei ali, ele falou:

— O senhor se pergunta por que elas não gritaram. É a única coisa que ainda intriga o senhor, não é? Por que aquelas duas menininhas não gritaram quando ainda estavam na varanda.

Voltei-me e olhei para ele. Podia enxergar todos os vasos sanguíneos nos seus olhos, podia enxergar todos os poros do seu rosto e podia sentir seu sofrimento, a dor que ele extraía de outras pessoas como uma esponja absorve água. Também podia enxergar a escuridão de que ele tinha falado. Ela estava em todos os espaços do mundo tal como ele a via e, naquele momento, senti, ao mesmo tempo, pena dele e um grande alívio por ele. É, o que nós íamos fazer era uma coisa terrível, isso nada podia mudar, e, no entanto, lhe estaríamos fazendo um favor.

— Eu vi quando aquele sujeito mau foi e me agarrou — disse John. — Foi ali que eu soube que foi ele quem tinha feito. Eu o vi naquele dia, eu estava no meio das árvores e o vi jogá-las no chão e fugir, mas...

— Você se esqueceu — completei.

— Isso mesmo, chefe. Até ele me tocar, eu esqueci.

— Por que elas *não* gritaram, John? Ele as machucou o bastante para tirar sangue, os pais delas estavam logo no andar de cima, então por que elas não gritaram?

John olhou para mim do fundo dos seus olhos atormentados.

— Ele disse para uma: "Se você fizer barulho, é sua irmã que eu mato, não você." Disse o mesmo para a outra. Entende?

— Entendo — sussurrei e *podia* de fato entender. A varanda da casa dos Detterick no escuro. Wharton debruçando-se sobre elas como um monstro. Uma delas pode ter começado a gritar, de modo que Wharton bateu nela e ela sangrou pelo nariz. A maior parte do sangue tinha sido por isso.

— Ele as matou com o amor delas — falou John. — O amor delas uma pela outra. Entende como é que foi?

Respondi que sim com a cabeça, incapaz de uma palavra.

Ele sorriu. As lágrimas estavam correndo novamente, mas ele sorriu.

— É assim todos os dias — falou — pelo mundo afora. — Então se deitou e virou-se para a parede.

Saí para o Corredor, tranquei a cela e caminhei para a mesa de guarda. Ainda me sentia como se estivesse sonhando. Dei-me conta de que podia ouvir os pensamentos de Brutal, um sussurro muito tênue, como soletrar uma certa palavra, acho que era *receber*. Ele estava pensando: *Tem s antes do c ou não, como é que a danada da coisa se escreve?*

Então ergueu os olhos, começou a sorrir e parou quando me deu uma boa olhada.

— Paul? Você está bem? — perguntou.

— Estou. — E lhe contei o que John tinha me dito. Não tudo, e certamente nada sobre o que o toque dele fizera comigo (essa parte nunca contei a ninguém, nem mesmo a Janice; Elaine Connelly será a primeira a saber, isto é, se ela quiser ler estas últimas páginas depois de ler todas as outras), mas repeti o que John dissera sobre querer ir embora. Isso pareceu aliviar Brutal (pelo menos, um pouco), mas pressenti (ouvi?) que estava se perguntando se eu não tinha inventado isso só para tranquilizá-lo. Então senti que ele resolvera acreditar, simplesmente porque facilitaria as coisas para ele quando chegasse a hora.

— Paul, aquela sua infecção está voltando? — indagou. — Você está com o rosto todo vermelho.

— Não, acho que estou bem — disse eu. Não estava, mas a essa altura tinha certeza de que John estava certo e de que logo estaria bem. Podia sentir aquele formigamento começar a ceder.

— Mesmo assim, não faria mal você ir pro seu escritório e se deitar um pouco.

Deitar-me era o que eu *menos* estava com vontade de fazer naquele momento. A ideia parecia tão ridícula que eu quase dei uma risada. O que estava com vontade de fazer era talvez construir eu próprio uma casinha, depois cobri-la com um telhado de placas de madeira, arar o solo para uma horta nos fundos e depois plantar. Tudo antes da hora do jantar.

*É assim* — pensei. — *Todos os dias. Pelo mundo afora. Essa escuridão. Pelo mundo afora.*

— Em vez disso, vou dar um giro até a Administração. Tenho umas coisas para conferir por lá.

— Como você quiser.

Fui até a porta, abri-a e então olhei para trás.

— Você acertou — disse eu. — r-e-c-e-b-e-r, sem s antes do c.

Saí, sem precisar olhar para trás para saber que ele estava olhando fixamente para mim, boquiaberto.

Continuei me movendo durante o resto desse turno, não conseguindo ficar sentado por mais de cinco minutos de cada vez antes de me pôr de pé novamente, de um salto. Fui até a Administração, depois marchei para cima e para baixo pelo pátio de exercícios vazio; os guardas nas torres devem ter achado que eu tinha ficado maluco. Quando acabou o turno, comecei a me acalmar novamente e aquele farfalhar de pensamentos na minha cabeça, como folhas agitadas pelo vento, tinha diminuído bastante.

Ainda assim, porém, quando ia para casa naquela manhã, recomeçou com intensidade. Tive que estacionar meu Ford no acostamento, sair e correr à toda por uns 500 metros, a cabeça abaixada, os braços se movendo rápido, o ar entrando e saindo da garganta com força e quente como o sol do meio-dia. Então, por fim, comecei a me sentir realmente normal. Corri devagar a metade do caminho de volta para onde o Ford estava estacionado e caminhei o resto do trajeto, minha respiração fumegando no ar frio. Quando cheguei em casa, contei a Janice que John me dissera que estava pronto, que queria ir embora. Ela confirmou com a cabeça, parecendo aliviada. Ela estava mesmo? Eu não tinha como dizer. Seis horas antes, talvez três, teria sabido, mas então não tinha mais como. E isso era bom. John ficara repetindo que estava cansado e agora eu podia entender por quê. O que ele tinha cansaria qualquer pessoa. Faria qualquer um ansiar por descanso e silêncio.

Quando Janice me perguntou por que eu estava tão vermelho e cheirava tanto a suor, contei-lhe que parara o carro voltando para casa e tinha corrido por algum tempo, bem rápido. Contei-lhe isso, pois como posso já ter dito (há folhas demais aqui agora para que me disponha a procurar para ter certeza), a mentira não fazia parte do nosso casamento, mas não lhe contei por quê.

E ela não perguntou.

## 9

Não houve nenhuma tempestade violenta na noite em que chegou a vez de John Coffey caminhar pelo Corredor Verde. Acho que fazia o frio normal para aquela época do ano naquela região, nos anos 1930, e um milhão de estrelas se derramava por sobre campos gastos, colheita já terminada, com a geada reluzindo nos moirões das cercas e faiscando como brilhantes sobre os esqueletos secos do milho de julho.

Brutus Howell estava na posição de destaque para essa execução: ele colocaria o capacete e diria a Van Hay para acionar quando chegasse o momento. E, na noite de 20 de novembro, por volta das 23h30, Dean, Harry e eu fomos até a nossa única cela ocupada, na qual John Coffey estava sentado na ponta do catre, com as mãos juntas penduradas entre os joelhos e uma manchinha de molho de bolo de carne na gola da camisa azul. Olhou-nos por entre as grades, parecendo muito mais tranquilo do que nós. Senti as mãos frias e as têmporas latejando. Uma coisa era saber que ele estava desejando aquilo, pelo menos tornava possível para nós realizarmos nosso trabalho, e outra era saber que íamos eletrocutá-lo pelo crime de outro.

Vira Hal Moores pela última vez em torno das sete nessa noite. Ele estava no seu gabinete, abotoando o sobretudo. Tinha o rosto pálido e suas mãos tremiam tanto que estava tendo a maior dificuldade com os botões. Quase tive vontade de afastar seus dedos e abotoar eu mesmo seu sobretudo, como se faz com um garotinho. A ironia é que, quando Jan e eu fôramos visitar Melinda no fim de semana anterior, ela estava com aparência melhor do que Hal no início dessa noite da execução de John Coffey.

— Não vou ficar para esta — dissera —, Curtis estará lá e sei que Coffey estará em boas mãos com você e Brutus.

— Sim, senhor, faremos o melhor que pudermos — falei. — Alguma notícia de Percy? — É claro que o que eu queria saber era se ele tinha se recuperado. Se ele estava ao menos sentado num quarto em algum lugar contando para alguém, mais provavelmente para um médico, sobre como o tínhamos amarrado no paletó de doido e o atirado na solitária como qualquer criança-problema, como qualquer boçal, para usar a linguagem de Percy. E, caso estivesse, se alguém lhe estava dando crédito.

Porém, segundo Hal, Percy estava exatamente na mesma. Sem falar e, até onde se podia ver, completamente fora do mundo. Ainda estava em Indianola, "sendo avaliado", dissera Hal com uma expressão perplexa ante essa frase, mas se não houvesse nenhuma melhora, seria mandado para outro lugar dentro em breve.

A essa altura, tendo finalmente conseguido abotoar o último botão do sobretudo, Hal perguntara:

— Como é que Coffey está aguentando?

Com um sinal positivo de cabeça, respondi:

— Ele vai ficar bem.

Ele retribuiu o gesto de cabeça, depois se encaminhou para a porta, parecendo velho e doente.

— Como é possível que haja tanto bem e tanto mal reunidos num mesmo homem? Como o homem que curou minha mulher pode ser o mesmo homem que matou aquelas menininhas? Você é capaz de entender isso?

Respondi-lhe que não, que misteriosos eram os desígnios de Deus, que em todos nós havia o bem e o mal, que não nos cabia tentar saber por que, bla-bla-blá, nhém-nhém-nhém. A maior parte do que disse a ele foram coisas que tinha aprendido na igreja de Jesus Seja Louvado, O Senhor É Poderoso, e Hal ficou o tempo todo balançando a cabeça afirmativamente e com um ar meio comovido. Ele podia-se permitir balançar a cabeça afirmativamente, não podia? Claro. E também ter um ar comovido. Sua fisionomia mostrava uma tristeza profunda, pois estava abalado, nunca duvidei disso, mas dessa vez não havia lágrimas, porque ele tinha uma mulher esperando em casa por ele, sua companheira esperando em casa por ele, e ela estava muito bem. Graças a John Coffey, ela estava muito bem de saúde e o homem que tinha assinado a ordem para a morte de John podia sair e voltar para ela. Ele não tinha que assistir ao que vinha a seguir. Ele ia poder dormir nessa noite, junto ao calor de sua mulher, enquanto John Coffey estaria jazendo numa mesa no porão do hospital do condado, esfriando à medida que as horas silenciosas e sem amigos avançavam pela madrugada. E por essas coisas tive raiva de Hal. Só um pouco, e iria passar, mas foi raiva mesmo. O sentimento autêntico.

Entrei então na cela dele, seguido por Dean e Harry, ambos pálidos e cabisbaixos.

— Está pronto, John? — perguntei.

Ele fez que sim com a cabeça.

— Estou, chefe. Acho que sim.

— Muito bem, então. Tenho uma coisa para dizer antes de sairmos.

— Diga o que o senhor precisar, chefe.

— John Coffey, como funcionário desse tribunal...

Falei tudo, até o fim, e quando terminei, Harry Terwilliger postou-se ao meu lado e estendeu a mão. John pareceu surpreso por um instante, depois sorriu e apertou-lhe a mão. Dean, mais pálido do que nunca, estendeu a sua e disse com a voz rouca:

— Você merece mais do que isso, Johnny. Desculpe.

— Vou ficar bem — disse John. — Essa é a parte difícil. Daqui a pouco vou ficar bem. — Pôs-se de pé, e a medalha de São Cristóvão que Melly lhe dera balançou para fora da camisa.

— John, devo ficar com isso — falei. — Posso colocá-la de volta em você depois da... Depois, se você quiser, mas agora devo ficar com isso. — Era de prata, e se estivesse encostada na pele dele quando Jack Van Hay ligasse a corrente, poderia ser fundida com a pele. Mesmo que isso não ocorresse, ela tenderia a se galvanizar, deixando uma espécie de fotografia sua queimada na pele do peito. Já vira isso antes. Já vira quase de tudo durante os anos que passei no Corredor. Agora me dava conta de que vira mais do que devia.

Ele retirou a corrente por cima da cabeça e colocou-a na minha mão. Meti o medalhão no bolso e disse-lhe que saísse da cela. Não era preciso conferir seu crânio para ter certeza de que haveria bom contato e boa indução: era tão liso como a palma da minha mão.

— Sabe, hoje de tarde dormi e tive um sonho, chefe — disse ele. — Sonhei com o rato de Del.

— Foi, John? — Coloquei-me do lado esquerdo, Harry do direito, Dean atrás dele e fomos andando pelo Corredor Verde. Foi a última vez que andei ali com um preso.

— Foi — confirmou. — Sonhei que ele tinha ido para aquele lugar que o chefe Howell falou, aquele lugar Mouseville. Sonhei que tinha crianças e como elas riam das coisas que ele fazia! Puxa vida! — Ele próprio deu uma risada ao se lembrar, depois ficou sério novamente. — Sonhei que aquelas duas menininhas louras estavam lá. Elas também estavam rindo. Coloquei os braços em volta delas e não tinha sangue saindo dos cabelos delas e elas estavam muito bem. Todos nós ficamos olhando o sr. Guizos rolar aquele carretel e como rimos. Quase que nós estouramos, quase mesmo.

— Foi mesmo? — Estava pensando que não ia conseguir ir até o final, simplesmente não ia conseguir, de jeito nenhum. Ia chorar ou gritar ou talvez meu coração arrebentasse de tristeza e pusesse um fim a isso tudo.

Entramos no meu escritório, John olhou em volta por um ou dois segundos, depois caiu de joelhos sem ser mandado. Atrás dele, Harry estava olhando para mim com uma expressão atormentada. Dean estava branco como uma folha de papel.

Ajoelhei-me ao lado de John e pensei que se estava armando uma inversão curiosa ali: depois de todos os presos que eu tinha tido que ajudar a se levantar para que pudessem terminar o percurso, dessa vez eu era quem provavelmente ia precisar de ajuda. Pelo menos era assim que estava me sentindo.

— Chefe, o que nós devemos pedir na oração? — perguntou John.

— Força — respondi sem pensar. Fechei os olhos e disse: — Senhor Deus Todo-Poderoso, por favor ajude-nos a terminar o que começamos e por favor receba este homem, John Coffey, como o que se toma com leite mas escrito diferente, no céu e lhe dê a paz. Por favor, ajude-nos a mandá-lo embora da maneira que ele merece e não permita que nada dê errado. Amém. — Abri os olhos e olhei para Dean e Harry. Ambos estavam com a fisionomia um pouco melhor. Provavelmente foi por terem tido alguns momentos para recuperar o fôlego. Duvido que tenha sido minha prece.

Comecei a me levantar e John pegou-me pelo braço. Deu-me um olhar que era, ao mesmo tempo, tímido e esperançoso.

— Eu me lembro de uma oração que alguém me ensinou quando eu era pequeno — falou. — Pelo menos acho que lembro. Posso rezar?

— Vá em frente e reze sua oração — disse Dean. — Ainda há muito tempo, John.

John fechou os olhos e franziu a testa, se concentrando. Esperei algum ato de contrição ou talvez uma versão embaralhada do Padre-Nosso, mas não foi nada disso que veio. Nunca ouvira antes a prece que ele falou e nunca mais tornei a ouvi-la, não que os sentimentos ou as expressões fossem especialmente inusitadas. Erguendo as mãos diante dos olhos fechados, John Coffey disse:

— Menino Jesus, meigo e humilde, reze por mim, uma criança órfã. Seja minha força, seja meu amigo, fique comigo até o fim. Amém.

— Abriu os olhos, começou a se levantar e então olhou atentamente para mim.

Enxuguei os olhos com a manga. Enquanto ouvia sua prece, pensei em Del: ele também quis rezar mais uma prece no final. *Santa Maria, Mãe de Deus, rogai por nós pecadores agora e na hora da nossa morte.*

— Desculpe-me, John.

— Não tem de que — falou. Apertou meu braço e sorriu. E então, conforme achara que talvez ele tivesse de fazer, ajudou-me a me pôr de pé.

## 10

Não havia muitas testemunhas, talvez 14 ao todo, metade do número das que estavam no depósito para a execução de Delacroix. Homer Cribus estava ali, transbordando da cadeira, como sempre, mas não vi o vice-xerife McGee. Tal como o diretor Moores, aparentemente ele tinha resolvido deixar passar essa.

Na primeira fila, estava sentado um casal que não identifiquei de início, embora tivesse visto suas fotografias em uma boa quantidade de artigos de jornais antes desse dia da terceira semana de novembro. Então, quando nos aproximávamos da plataforma sobre a qual a Velha Fagulha estava à espera, a mulher cuspiu:

— Morra lentamente, seu filho da puta! — Dei-me conta de que eram os Detterick, Klaus e Marjorie. Não os reconhecera porque é raro se ver pessoas velhas que ainda não passaram dos trinta e poucos anos de idade.

John encolheu os ombros ao ouvir a voz da mulher e o grunhido de aprovação do xerife Cribus. Hank Bitterman, que estava na posição de guarda perto da frente do pequeno grupo de espectadores, não tirou os olhos de Klaus Detterick nem por um instante. Isso era por ordem minha, mas Detterick em momento algum fez qualquer gesto na direção de John nessa noite. Detterick parecia estar em outro planeta.

Brutal, de pé ao lado da Velha Fagulha, fez um pequeno sinal com o dedo quando subimos na plataforma. Colocou o revólver no coldre e pegou o pulso de John, escoltando-o na direção da cadeira elétrica com a mesma delicadeza de um rapaz levando sua namorada para a pista para a primeira dança juntos.

— Tudo em ordem, John? — perguntou-lhe em voz baixa.

— Está, chefe, mas... — Seus olhos estavam se movendo de um lado para o outro nas órbitas e pela primeira vez sua fisionomia e seu tom de voz demonstravam que ele estava com medo. — Mas tem uma porção de gente aqui que tem ódio de mim. Uma *porção*. Posso sentir isso. Dói. Entra feito ferroada de abelha e *dói*.

— Então, sinta como nós sentimos — falou naquela mesma voz baixa. — *Nós* não temos ódio de você. Você pode sentir isso?

— Posso, chefe. — Porém sua voz estava mais trêmula agora e seus olhos começaram a deixar correr suas lágrimas lentas novamente.

— *Matem-no duas vezes, rapazes!* — berrou Marjorie Detterick de repente. Sua voz estridente e irregular foi como uma bofetada. John se encolheu de encontro a mim e gemeu. — *Vocês tratem de matar esse estuprador assassino de crianças duas vezes, isso vai ser ótimo!* — Klaus, sempre parecendo um homem sonhando acordado, puxou-a para junto do seu ombro. Ela começou a soluçar. Vi com desânimo que Harry Terwilliger também estava chorando. Até então nenhum dos espectadores tinha visto suas lágrimas, pois ele estava de costas, mas ele estava chorando sim. Entretanto, o que podíamos fazer? Quero dizer, além de seguir adiante com isso.

Brutal e eu demos meia-volta em John. Brutal fez pressão num dos ombros do homenzarrão e John se sentou. Agarrou com força os braços de carvalho da Fagulha, os olhos se movendo de um lado para o outro, a língua saindo rápida entre os lábios para umedecer primeiro um dos cantos da boca, depois o outro.

Harry e eu nos apoiamos num joelho. Na véspera, tínhamos mandado um dos presos de confiança soldar prolongamentos móveis às alças de tornozelos da cadeira, pois os tornozelos de John Coffey eram quase tão grossos quanto as batatas das pernas de um sujeito comum. Mesmo assim tive um momento de susto horrível ao achar que elas ainda estariam pequenas e iríamos ter de levá-lo de volta para sua cela enquanto Sam Broderick, que era o chefe do pessoal da oficina naquela época, era localizado para trabalhar um pouco mais naquilo. Dei um último empurrão, com mais força ainda com a base da palma das mãos, e a alça do meu lado se fechou. John repuxou a perna e sorveu o ar entre os dentes. Tinha-lhe dado um beliscão.

— Desculpe-me, John — murmurei e dei uma olhada para Harry, que tinha fechado sua alça com mais facilidade (ou o prolongamento do seu lado era um pouco maior ou o tornozelo da perna direita de John era um pouco mais fino), mas ele estava olhando para a alça com uma expressão intrigada. Achei que podia entender por que: as alças modificadas tinham uma aparência *faminta*, suas metades parecendo ser bocas de jacarés.

— Vai dar tudo certo — falei, na esperança de parecer convincente e de estar dizendo a verdade. — Enxugue o rosto, Harry.

Limpou o rosto com a manga, enxugando as lágrimas das bochechas e as gotas de suor da testa. Nos viramos. Homer Cribus, que estava falando em voz alta demais com o homem sentado ao seu lado (o promotor, a julgar pela gravatinha fina e o terno preto gasto), se calou. Estava quase na hora.

Brutal tinha prendido a alça em um dos pulsos de John, Dean no outro. Por cima do ombro de Dean, podia enxergar o médico, discreto como sempre, de pé, encostado na parede, com sua maleta preta entre os pés. Acho que, atualmente, são eles que mais ou menos fazem isso, especialmente as execuções com injeção na veia, mas naquela época praticamente se tinha que arrastá-los para a frente caso fosse preciso. Talvez naquele tempo eles tivessem uma ideia mais nítida do que estava certo para um médico fazer e o que constituía uma deturpação da promessa especial que fazem, quando eles juram acima de tudo não causar nenhum mal.

Dean fez um sinal de cabeça para Brutal. Este virou a cabeça, pareceu dar uma olhadela para o telefone que nunca iria tocar para pessoas como John Coffey, e berrou "Primeira etapa!" para Jack Van Hay.

Ouviu-se aquele zumbido, como uma geladeira velha ligando o compressor, e as luzes ficaram um pouco mais fortes. Nossas sombras se delinearam um pouco mais nítidas, formas negras que subiam pela parede e pareciam pairar sobre a sombra da cadeira como abutres. John respirou fundo. Os nós dos dedos dele estavam brancos.

— *Já está doendo?* — gritou a sra. Detterick com a voz entrecortada, a cabeça encostada no ombro do marido. — *Espero que sim! Espero que doa como o diabo!* — O marido abraçou-a mais apertado. Vi que uma de suas narinas estava sangrando, um fio vermelho delgado escorrendo para seu bigode estreito. Quando abri o jornal no mês de março seguinte e li que ele tinha morrido de um derrame, não tive nem uma ponta de surpresa.

Brutal postou-se diante do campo de visão de John. Tocou-lhe o ombro ao falar. Isso era irregular, mas, das testemunhas, só Curtis Anderson sabia disso e não pareceu notá-lo. Achei que ele estava com um ar de quem quer apenas terminar sua tarefa do momento. Está desesperado para terminá-la. Alistou-se no Exército depois de Pearl Harbor, mas nunca chegou a ser enviado para fora do país. Morreu no Forte Bragg, num acidente de caminhão.

Nesse meio-tempo, John se descontraiu sob o contato dos dedos de Brutal. Acho que não entendeu muita coisa, se é que entendeu qualquer coisa, do que Brutal lhe estava dizendo, mas sentiu alívio com a mão de Brutal no seu ombro. Brutal, que morreu de um ataque do coração uns 25 anos depois (sua mulher disse que ele estava comendo um sanduíche de peixe e assistindo à luta livre na TV quando aconteceu), era um bom homem. Meu amigo. Talvez o melhor de nós todos. Não teve dificuldade em entender como um homem podia simultaneamente querer ir embora e ainda assim estar aterrorizado com a viagem.

— John Coffey, você foi condenado a morrer na cadeira elétrica, por sentença passada por um júri de seus semelhantes e aplicada por um juiz respeitável deste estado. Deus salve o povo deste estado. Você tem algo a dizer antes que a sentença seja executada?

John umedeceu os lábios de novo, depois falou com clareza. Cinco palavras:

— Eu lamento pelo que sou.

— *E deve lamentar!* — gritou a mãe das duas meninas mortas. — O*h, seu monstro, você deve sim! VOCÊ BEM QUE DEVE LAMENTAR, COM OS DEMÔNIOS!*

John voltou os olhos para mim. Não vi neles nenhuma resignação, nenhuma esperança do céu, nenhuma paz nascente. Como gostaria de lhe dizer que vi. Como gostaria de dizer a mim mesmo que vi. O que vi foi medo, infelicidade, vazio e perplexidade. Eram os olhos de um animal apanhado numa armadilha e aterrorizado. Pensei no que ele dissera sobre como Wharton tinha tirado Cora e Kathe Detterick da varanda sem despertar o resto da casa: "*Ele matou elas com o amor delas. É assim todos os dias. Pelo mundo afora.*"

Brutal pegou a máscara nova do gancho de metal atrás da cadeira, mas assim que a viu e entendeu para que era, John arregalou os olhos de pavor. Olhou para mim e então pude ver enormes gotas de suor se destacando na curvatura de seu crânio pelado. Pareciam do tamanho de ovos de pintassilgo.

— Por favor, chefe, não coloque essa coisa no meu rosto — falou num pequeno sussurro gemido. — Por favor, não me coloque no escuro, não me faça ir pro escuro, eu tenho medo do escuro.

Brutal estava olhando para mim, as sobrancelhas erguidas, imóveis, a máscara nas mãos. Seus olhos indicavam que a decisão era minha, que faria o que eu decidisse. Pensei o mais rápido e o melhor que pude, mas era difícil, com a cabeça latejando como estava. A máscara era uma tradição, não era lei. Na realidade, ela se destinava a poupar as testemunhas. E, de repente, decidi que elas não precisavam ser poupadas, não dessa vez. Afinal de contas, John não tinha feito uma única maldita coisa na vida para merecer morrer com uma máscara. Eles não sabiam disso, mas nós sim, e resolvi que lhe ia conceder seu último pedido. Quanto a Marjorie Detterick, provavelmente ela iria me mandar um bilhete de agradecimento.

— Está bem, John — murmurei.

Brutal recolocou a máscara no gancho. De detrás de nós, Homer Cribus falou em voz alta, num tom indignado, com sua voz de taquara rachada:

— Ei, rapaz! Ponha essa máscara nele! Você acha que nós queremos ver os olhos dele saltarem?

— Fique calado, senhor — eu disse sem me virar. — Isto é uma execução e o senhor não é o responsável por ela.

— Nem você foi responsável por capturá-lo, seu saco de merda — sussurrou Harry. Harry morreu em 1982, com quase 80 anos de idade. Um velho. Não no meu nível, mas nele poucos estão. Foi algum tipo de câncer intestinal.

Brutal se inclinou e retirou o disco de esponja de dentro do balde. Apertou um dedo na esponja e lambeu-o, mas nem precisava fazer isso:

pude ver que aquela coisa feia, marrom, estava pingando. Ele a encaixou dentro do capacete, depois colocou o capacete na cabeça de John. Pela primeira vez vi que Brutal estava pálido, amarelo como cera, a ponto de desmaiar. Lembrei-me de ele dizer que, pela primeira vez na vida, sentia que corria perigo de ir para o inferno, porque estava providenciando a morte de uma dádiva de Deus. Subitamente, senti uma necessidade forte de vomitar. Controlei-a, mas com grande esforço. A água da esponja estava gotejando pelos lados do rosto de John.

Dean Stanton esticou a correia, dessa vez até o máximo do comprimento, na frente do peito de John e entregou-me a ponta. Tínhamos tomado tantas precauções para tentar proteger Dean na noite de nossa expedição por causa dos filhos dele, sem jamais imaginar que ele tinha menos de quatro meses de vida. Depois de John Coffey, ele solicitou e conseguiu sua transferência da Velha Fagulha para o Bloco C, onde um preso o apunhalou na garganta com uma haste de metal e deixou sua vida se esvair com o sangue num piso sujo de tábuas. Eu nunca soube por quê. Acho que ninguém jamais soube por quê. Quando olho para trás, para aqueles tempos, a Velha Fagulha parece uma coisa de tanta perversidade, uma dose mortífera tão grande de loucura. Mesmo sob as melhores condições, nós somos frágeis como vidro soprado. Matar-nos uns aos outros com gás e eletricidade, e a sangue-frio? A loucura. O *horror*.

Brutal conferiu a correia, depois recuou. Esperei que ele falasse, mas não falou. Quando ele cruzou as mãos às costas e ficou em posição de descansar, vi que não iria falar. Talvez não conseguisse. Achei que eu tampouco conseguiria falar, mas então olhei nos olhos aterrorizados e lacrimejantes de John e me dei conta de que tinha que falar. Mesmo que isso fosse minha maldição eterna. Tinha que falar.

— Segunda etapa — falei com uma voz tão áspera e insegura que mal a reconheci como sendo minha.

O capacete zumbiu. Oito dedos grandes e dois polegares grandes se ergueram das extremidades dos braços largos de carvalho da cadeira e se abriram, tensos, em dez direções diferentes, as pontas estremecendo. Seus joelhos grandes faziam movimentos de pistões contidos, mas as alças dos tornozelos não se soltaram. Acima de nossas cabeças três das lâmpadas dependuradas estouraram. O barulho fez Marjorie Detterick gritar e desmaiar nos braços do marido. Ela morreu em Memphis, 18 anos mais tarde. Harry me mandou a notícia do óbito. Foi um acidente de bonde.

John se projetou para a frente, forçando a correia do peito. Por um instante, seus olhos encontraram os meus. Estavam conscientes. Eu fui a última coisa que ele viu quando nós o lançamos da beirada do mundo. Depois ele caiu de encontro ao espaldar, o capacete deslizou um pouco para o lado e deixou escapar um pouco de fumaça, uma espécie de bruma queimada. Mas no conjunto, foi rápido. Duvido que tenha sido indolor, do jeito que os que advogam o uso da cadeira geralmente alegam (este é um aspecto que até os mais fervorosos defensores jamais pareçam querer investigar pessoalmente), mas foi rápido. As mãos ficaram inertes de novo, as meias-luas branco-azuladas nas bases das unhas agora tinham uma tonalidade roxa escura, e havia uma espiral de fumaça se elevando das bochechas ainda úmidas com a água salgada da esponja e suas lágrimas.

As últimas lágrimas de John Coffey.

## 11

Até chegar em casa, eu estava bem. A essa altura, já estava amanhecendo e havia pássaros cantando. Estacionei meu carrinho, saí e subi os degraus dos fundos da casa, e então a segunda maior tristeza que jamais senti se derramou sobre mim. O que a provocou foi me lembrar de como ele tinha medo do escuro. Recordei-me da primeira vez em que nos encontramos, como ele tinha me perguntado se deixávamos uma luz acesa durante a noite, e minhas pernas cederam embaixo de mim. Fiquei sentado nos degraus de minha casa, pendurei a cabeça sobre os joelhos e chorei. Aliás, não senti como se esse choro fosse só por John, mas por todos nós.

Janice saiu e se sentou ao meu lado. Passou um braço sobre meus ombros.

— Você não o fez sofrer mais do que precisava, não foi?

Sacudi a cabeça, respondendo que não.

— E ele queria ir embora.

Confirmei com a cabeça.

— Venha para dentro — disse ela, ajudando-me a ficar de pé. Isso me fez pensar no modo como John me tinha ajudado a me levantar depois que havíamos rezado juntos. — Venha e tome um café.

Assim fiz. Passou-se a primeira manhã, e a primeira tarde, depois o primeiro turno de volta ao trabalho. O tempo cuida de tudo, quer se queira ou não. O tempo cuida de tudo, o tempo carrega tudo e no fim tudo que existe é a escuridão. Às vezes encontramos outras pessoas nessa escuridão e às vezes as perdemos lá novamente. Isso é tudo que sei, salvo que isso aconteceu em 1932, quando a penitenciária estadual ainda ficava em Cold Mountain.

E a cadeira elétrica, é claro.

## 12

Por volta das 14h15 da tarde, minha amiga Elaine Connelly veio até onde eu estava sentado no solário, com as últimas páginas da minha história empilhadas certinhas na minha frente. Seu rosto estava muito pálido e havia pontos brilhantes por baixo dos olhos. Acho que ela tinha chorado.

Eu estivera olhando. Só isso. Olhando pela janela, para as colinas no leste, a mão direita latejando na ponta do pulso. Mas era um latejar de alguma forma tranquilo. Sentia-me vazio, oco por dentro. Uma sensação que era terrível e maravilhosa ao mesmo tempo.

Era difícil olhar Elaine nos olhos. Tive medo da raiva e do desprezo que poderia ver neles, mas eles estavam bem. Tristes e intrigados, mas bem. Nada de raiva, nada de desprezo e nada de descrença.

— Você quer o resto da história? — perguntei. Bati na pequena pilha de manuscrito com minha mão dolorida. — Está aqui, mas entenderei se você preferir não ler.

— Não se trata do que eu *quero* — disse ela. — Preciso saber como terminou, embora eu ache que não há dúvida de que você o executou. Acho que se exagera muito a intervenção da Providência-com-P-maiúsculo nas vidas das pessoas comuns. Porém, antes que pegue essas folhas... Paul...

Ela parou, como se estivesse insegura sobre como continuar. Esperei. Às vezes, não se pode ajudar as pessoas. Às vezes, é melhor nem tentar.

— Paul, você fala aqui no texto como se tivesse dois filhos crescidos em 1932. Não apenas um, mas *dois*. Se você não se casou com a sua Janice quando tinha 12 anos e ela 11, algo assim...

Dei um pequeno sorriso.

— Éramos jovens quando nos casamos. Muita gente das montanhas se casa assim, minha própria mãe era jovem, mas não éramos *tão* jovens assim.

— Então, que *idade* você tem? Sempre supus que você estivesse com oitenta e poucos, minha idade, possivelmente até um pouco mais moço, mas de acordo com isso...

— Eu tinha 40 no ano em que John caminhou pelo Corredor Verde — disse eu. — Nasci em 1892. Isso faz com que eu tenha 104 anos, a menos que minha conta esteja errada.

Ela ficou olhando fixamente para mim, sem fala.

Estendi a mão com o restante do manuscrito, lembrando-me novamente de como John tinha tocado em mim na cela dele. "*O senhor não vai explodir*", dissera ele, sorrindo um pouco com a própria ideia e eu não explodi... Mas, mesmo assim, alguma coisa aconteceu comigo. Alguma coisa duradoura.

— Leia o resto da história — falei. — As respostas que tenho estão aí.

— Está bem — disse ela quase num sussurro. — Estou com um pouco de medo. Não posso mentir a esse respeito, porém... Está bem. Onde é que você vai estar?

Levantei-me, espreguicei-me, ouvi minha espinha estalar nas costas. De uma coisa eu tinha certeza: estava de saco cheio do solário.

— Lá no campo de croqué. Ainda há uma coisa que quero lhe mostrar e fica naquela direção.

— É algo de dar medo? — No seu olhar tímido, vi a garotinha que ela fora na época em que os homens usavam chapéu de palha no verão e sobretudo de pele no inverno.

— Não — respondi sorrindo. — Não é de dar medo.

— Está bem. — Ela apanhou as folhas. — Vou levar isso para o meu quarto. Encontrarei você no campo de croquê por volta das... — correu as folhas nos dedos, avaliando — ...quatro? Está bem assim?

— Perfeito — respondi, pensando no supercurioso Brad Dolan. A essa hora, ele já teria ido embora.

Ela estendeu a mão, deu-me um pequeno aperto no braço e saiu da sala. Fiquei onde estava por um momento, olhando para a mesa, absorvendo o fato de que ela agora estava vazia de novo, salvo pela bandeja de café da manhã que Elaine me trouxera. Meus papéis espalhados finalmente não estavam mais ali. De algum modo, não podia acreditar que tinha terminado e, como você está vendo, já que tudo isto foi escrito depois de ter descrito a execução de John Coffey e entregue o último maço de folhas a Elaine, não tinha terminado. E, mesmo então, parte de mim sabia por quê.

Alabama.

Peguei o último pedaço de torrada fria da bandeja, desci a escada e saí para o campo de croqué. Lá fiquei sentado ao sol, olhando uma meia dúzia de pares e um grupo de quatro pessoas lento, mas animado, passar por mim balançando seus tacos, entregando-me aos meus pensamentos de velho e deixando o sol aquecer meus ossos de velho.

Por volta das 14h45, o pessoal do turno das 15h às 23h começou a chegar, vindo do pátio de estacionamento, e às 15h a turma do turno do dia foi embora. A maioria saiu em grupos, mas vi que Brad Dolan estava caminhando sozinho. Isso foi uma visão um tanto animadora: talvez, afinal de contas, o mundo não estivesse inteiramente perdido. Um dos livrinhos de anedotas aparecia no bolso de trás da calça. O caminho para o pátio de estacionamento passa pelo campo de croqué, de modo que ele me viu ali, mas não me dirigiu nem um aceno de mão nem uma cara feia. Por mim estava ótimo. Entrou no Chevrolet velho, com o adesivo no para-lama que dizia EU VI DEUS E O NOME DELE É NEWT. Aí ele foi embora, para onde quer que ele vai quando não está aqui, seu carro deixando uma trilha fina de óleo barato.

Por volta das 16 horas, Elaine veio ao meu encontro, tal como tinha prometido. Pela aparência dos olhos dela, ela tinha feito algo mais do que chorar. Envolveu-me nos braços e me apertou com força.

— Pobre John Coffey — falou. — E pobre Paul Edgecombe também.

*Pobre Paul*, ouvi Jan dizendo. *Pobre velho.*

Elaine começou a chorar novamente. Abracei-a ali no campo de croqué, sob a luz do fim da tarde. Nossas sombras pareciam estar dançando. Talvez como no programa Salão de Baile Imaginário, que costumávamos ficar escutando no rádio naqueles tempos idos.

Finalmente ela recuperou o controle e se afastou de mim. Encontrou um lenço de papel no bolso do vestido e enxugou os olhos cheios de lágrimas.

— Paul, o que aconteceu com a mulher do diretor? O que aconteceu com Melly?

— Ela foi considerada como a maravilha da sua época, pelo menos pelos médicos do Hospital de Indianola — respondi. Tomei-a pelo braço e começamos a andar na direção do caminho que saía do pátio de estacionamento e entrava pelo bosque. Na direção do galpão perto do muro que separava Georgia Pines do mundo das pessoas mais jovens. — Ela morreu, de um ataque do coração, não de um tumor cerebral, uns dez ou onze anos depois. Em 1943, acho. Hal morreu de derrame bem perto do Dia de Pearl Harbor. Pode ter sido *no próprio* Dia de Pearl Harbor, pelo que me lembro. Então ela viveu uns dois anos mais do que ele. Uma certa ironia.

— E Janice?

— Não estou bem preparado para isso hoje — retruquei. — Contarei para você em alguma outra ocasião.

— Promete?

— Prometo. — Mas esta foi uma promessa que nunca cheguei a cumprir. Três meses depois do dia em que caminhamos juntos pelo bosque (teria segurado a mão dela, não fosse pelo receio de fazer doer seus dedos deformados e inchados), Elaine Connelly morreu pacificamente no leito. Como ocorreu com Melinda Moores, a morte veio em consequência de um ataque cardíaco. O auxiliar de enfermagem que a encontrou disse que ela estava com uma expressão tranquila, como se a morte tivesse vindo de repente e sem muita dor. Espero que ele estivesse certo a esse respeito. Amava Elaine. Ela, Janice, Brutal, todos eles.

Chegamos ao segundo galpão ao longo do caminho, o que ficava perto do muro. Ficava recuado, no meio de um grupo de pinheiros baixos, o telhado meio despencado e as janelas cobertas com tábuas e cheias de sombras. Comecei a andar na direção dele. Elaine resistiu por um instante, parecendo temerosa.

— Não há problema — disse eu. — Não mesmo. Venha.

A porta não tinha trava. Um dia tivera, mas havia sido arrancada, então eu utilizava um quadrado de papelão dobrado para servir de cunha para mantê-la fechada. Abri a porta e entrei no galpão. Deixei a porta escancarada, pois estava escuro lá dentro.

— Paul, o que... Oh. *Oh!* — Esse segundo "oh" foi quase um grito.

Havia uma mesa empurrada para um lado. Sobre ela havia uma lanterna de pilhas e uma sacola de papel pardo. No chão sujo estava uma caixa de charutos Hav-A-Tampa que eu conseguira do homem que tinha o contrato para reabastecer as máquinas de vender refrigerantes e balas. Tinha expressamente feito esse pedido, e como sua empresa também vende produtos de tabaco, foi fácil para ele conseguir-me uma. Ofereci-me para pagar por ela (quando trabalhei em Cold Mountain essas caixas eram objetos valiosos, como é possível que lhe tenha dito), mas ele se limitou a dar uma gargalhada.

Espreitando por cima da borda da caixa havia um par de olhos brilhantes, negros feito piche.

— Sr. Guizos — falei em voz baixa. — Venha até aqui, vamos, venha até aqui, meu velho, e veja essa senhora.

Fiquei de cócoras. Doeu, mas consegui, e estiquei a mão. Primeiro achei que dessa vez ele não ia conseguir passar por cima do lado da caixa, mas conseguiu com um último impulso. Caiu de lado, depois voltou a apoiar-se nos pés e veio para mim. Ao correr mancava com uma das patas traseiras: o ferimento que Percy lhe causara tinha voltado na velhice do sr. Guizos. Sua *grande* velhice. Salvo o topo da cabeça e a ponta da cauda, seu pelo estava completamente cinza.

Saltou para a palma da minha mão. Ergui-o e ele esticou o pescoço para a frente, cheirando meu hálito, as orelhas para trás e os diminutos olhos negros cheios de avidez. Estendi a mão na direção de Elaine, que olhava para o rato com os olhos arregalados e maravilhados, os lábios entreabertos.

— *Não é possível* — falou e ergueu os olhos para mim. — Oh Paul, ele não é... *não é possível*!

— Fique olhando — falei — e depois repita isso.

Do saco de papel sobre a mesa, retirei um carretel que eu mesmo pintara, não com lápis de cera, mas com pincéis atômicos, uma invenção insuspeitada em 1932. Mas no final era a mesma coisa. As cores eram tão vivas quanto as que Del tinha escolhido, talvez ainda mais vivas. — *Messieurs et mesdames* — pensei. — *Bienvenue au cirque du mousie!*

Tornei a ficar de cócoras e o sr. Guizos saiu da palma da minha mão. Estava velho, porém continuava obcecado como sempre. Desde o momento em que retirara o carretel do saco, ele não olhara para mais nada. Fiz o carretel rolar pelo piso irregular e cheio de farpas do galpão e ele imediatamente saiu atrás. Não corria mais com sua antiga velocidade e doía vê-lo mancar, mas por que haveria ele de ser veloz ou de pisar firme? Como disse, ele estava velho, um Matusalém dos ratos. Pelo menos 64 anos.

Chegou ao carretel, que bateu na parede oposta e voltou. Contornou-o e então se deitou de lado. Elaine fez menção de ir até ele e eu a contive. Depois de um instante, o sr. Guizos conseguiu pôr-se de pé novamente. Lentamente, muito lentamente, empurrou o carretel com o focinho de volta para mim. Quando apareceu aqui pela primeira vez (eu o encontrara deitado nos degraus que levavam para a cozinha praticamente desse mesmo jeito, como se tivesse percorrido uma longa distância e estivesse exausto) ele ainda era capaz de guiar o carretel com as patas, como fazia no Corredor Verde há tantos e tantos anos. Agora, isso estava acima das suas forças: suas patas traseiras não aguentavam mais o peso do corpo. Entretanto, o focinho continuava perfeitamente capaz: tudo que tinha que fazer era ir de um lado do carretel para o outro para mantê-lo no rumo certo. Quando chegou a mim, peguei-o em uma das mãos (ele não pesava mais do que uma pluma) e o carretel na outra. Seus olhos escuros e luminosos não desgrudavam do carretel.

— Não torne a fazer isso, Paul — disse Elaine com a voz trêmula. — Não suporto vê-lo fazer isso.

Compreendi como ela se sentia, mas achei que estava errada em pedir. Ele adorava correr atrás do carretel e trazê-lo de volta. Depois de todos esses anos, ele ainda adorava isso da mesma maneira. Nós devíamos, todos, ser igualmente afortunados em nossas paixões.

— No saco há também balas de hortelã — disse eu. — Canada Mints. Acho que ele ainda gosta delas. Quando seguro uma, ele não para de ficar cheirando, mas sua digestão ficou muito debilitada e não permite que ele as coma. Em vez disso, trago-lhe torradas.

Fiquei de cócoras novamente, parti um fragmento do pedaço de torrada que trouxera do solário e coloquei-o no chão. O sr. Guizos cheirou-o, depois pegou-o com as patas dianteiras e começou a comer. A cauda estava enrolada certinha em volta do corpo. Terminou e então ergueu os olhos para mim, cheios de expectativa.

— Às vezes, velhos como nós são capazes de surpreender com nossos apetites — falei para Elaine e entreguei-lhe o pedaço de torrada. — Experimente você.

Ela partiu outro fragmento e deixou-o cair no chão. O sr. Guizos se aproximou, cheirou, olhou para Elaine, então pegou-o e começou a comê-lo.

— Está vendo? — disse eu. — Ele sabe que você não é um guarda temporário.

— De onde é que ele veio, Paul?

— Não tenho a menor ideia. Um dia, quando saí para dar minha caminhada de manhã cedo, ele estava ali deitado num dos degraus da cozinha. Imediatamente me dei conta de quem era, mas, para ter certeza, peguei um carretel na cesta da lavanderia. E lhe consegui uma caixa de charutos. Forrei-a com o que encontrei de mais macio. Acho que ele é como nós, Ellie. Na maioria dos dias, apenas uma área grande dolorida. Mesmo assim, ele não perdeu seu entusiasmo pela vida. Ainda gosta do carretel e ainda gosta da visita do velho companheiro do bloco. Durante sessenta anos, mantive a história de John Coffey dentro de mim, mais de sessenta, e agora a contei. Eu como que tenho a impressão de que foi por isso que ele voltou. Para me fazer saber que eu deveria me apressar e contá-la enquanto ainda havia tempo. Porque sou como ele. Estou chegando lá.

— Chegando aonde?

— Oh, você sabe — disse eu, e ficamos por algum tempo olhando em silêncio para o sr. Guizos. Então, por nenhuma razão que lhe possa dizer, atirei o carretel de novo, apesar de Elaine ter me pedido que não o fizesse. Talvez porque, de certa forma, ele correndo atrás do carretel era como pessoas velhas engajadas na sua versão lenta e cuidadosa de fazer sexo. *Você* talvez não quisesse olhar, você que é jovem e convencido de que, quando chegar à velhice, será feita uma exceção no seu caso, mas *elas* ainda gostam de fazer.

O sr. Guizos saiu atrás do carretel de novo, visivelmente sentindo dores, mas também visivelmente (pelo menos para mim) com todo o seu antigo prazer obsessivo.

— Janelas de mica — sussurrou ela, olhando-o sair atrás do carretel.

— Janelas de mica — confirmei, sorrindo.

— John Coffey tocou o rato do mesmo modo que tocou você. Ele não se limitou então a fazer você ficar melhor daquilo que estava mal, mas fez você ficar... o que, resistente?

— Essa palavra é talvez a melhor possível, acho eu.

— Resistente às coisas que acabam por derrubar a todos nós como árvores comidas por cupim. Você... e ele, o sr. Guizos. Quando o segurou entre as mãos.

— É isso mesmo. A força que atuava por intermédio de John fez isso, pelo menos é o que eu acho, e agora está, por fim, se esvanecendo. O cupim abriu caminho por dentro da nossa cortiça. Demorou um pouco mais do que o comum, mas chegaram lá. Posso ter mais alguns anos, pois acho que os homens vivem mais do que os ratos, mas o prazo do sr. Guizos está quase no fim.

O rato chegou ao carretel, mancou ao seu redor, caiu de lado, com a respiração acelerada (podíamos ver sua respiração movendo-se sob seu pelo cinzento como marolas), depois se pôs de pé e começou a empurrá-lo desajeitadamente de volta com o focinho. Seu pelo estava cinzento, seu andar cambaleante, mas os pontos de piche que eram seus olhos luziam tão intensamente como antes.

— Você acha que ele queria que escrevesse o que você escreveu — falou ela. — É isso, Paul?

— Não o sr. Guizos — respondi. — Não ele, e sim a força que...

— Ora, Paulie! E Elaine Connelly também! — exclamou uma voz pela porta aberta. Veio carregada de uma espécie de horror satírico. — Não posso acreditar! O que, em nome dos céus, podem vocês dois estar fazendo aqui?

Voltei-me, de algum modo nada surpreso por ver Brad Dolan ali no portal. Tinha um sorriso largo, que um homem só exibe quando acha que o tapeou por completo. Até que ponto ele tinha ido pela rua, depois do término do seu turno? Talvez só até o The Wrangler, para tomar uma ou duas cervejas antes de voltar.

— Saia daqui — disse Elaine com frieza. — Saia daqui, imediatamente.

— Não me venha mandar sair daqui, sua vaca velha e enrugada — falou ele, ainda sorrindo. — Talvez você possa me dizer isso lá em cima da colina, mas você não está lá em cima da colina agora. Você não tem o direito de estar aqui. Isso aqui é uma área vedada a você. Um ninhozinho de amor, Paulie? É isso que você arranjou aqui? Uma espécie de clube da *Playboy* para os geriátricos... — Arregalou os olhos quando por fim viu quem era o inquilino do galpão. — Que *merda* é isso?

Não me virei para olhar. Por um lado porque sabia o que estava ali; por outro, porque de repente o passado tinha-se superposto ao presente, formando uma única imagem terrível, tridimensional na sua realidade. Não era Brad Dolan de pé ali no portal, mas Percy Wetmore. Num instante, ele iria precipitar-se para dentro do galpão e esmagar o sr. Guizos (que não tinha mais nenhuma possibilidade de correr mais depressa do que ele) sob o sapato. E, dessa vez, não havia nenhum John Coffey para trazê-lo de volta da beira da morte. Da mesma maneira que não houvera um John Coffey quando precisei dele naquele dia chuvoso no Alabama.

Pus-me de pé, dessa vez sem sentir dor alguma nas juntas nem nos músculos, e avancei na direção de Dolan.

— Deixe-o em paz! — berrei. — Você vai deixá-lo em paz, Percy, ou, por Deus, que eu vou...

— Quem é que você está chamando de Percy? — perguntou ele e me empurrou para trás com tanta força que quase caí de costas. Elaine me agarrou, embora deva ter sentido dor ao fazer isso, e me equilibrou. — Aliás, não é a primeira vez que faz isso. E pare de mijar nas calças. Não vou tocar nele. Não preciso. Ali está um roedor morto.

Voltei-me, pensando que o sr. Guizos estava apenas deitado de lado para recuperar o fôlego, como fazia às vezes. De fato estava de lado, mas aquele movimento de marolas por baixo do pelo tinha parado. Tentei me convencer de que ainda podia vê-lo e então Elaine explodiu em soluços sonoros. Ela se inclinou penosamente e pegou o rato que eu vira pela primeira vez no Corredor Verde, vindo para a mesa de guarda tão destemidamente como um homem se aproximando de seus semelhantes... Ou seus amigos. Ele estava caído mole na palma da mão dela. Os olhos estavam opacos e imóveis. Estava morto.

Dolan sorria de forma desagradável, exibindo dentes que tinham muito pouco contato com o dentista.

— Ah, puxa, *que pena*! — disse ele. — Acabamos de perder o bichinho de estimação da família? Devíamos fazer um pequeno enterro, com flores de papel e...

— *CALE A BOCA!* — berrou Elaine para ele, tão alto e com tanta autoridade que ele recuou um passo e o sorriso se desfez. — *SAIA DAQUI! SAIA DAQUI OU VOCÊ NUNCA MAIS TRABALHARÁ OUTRO DIA AQUI! NEM OUTRA HORA! JURO!*

— Você não conseguirá nem um prato de sopa na fila dos pobres — falei, mas em voz tão baixa que nenhum dos dois me ouviu. Não podia tirar os olhos do sr. Guizos, estirado na palma da mão de Elaine como se fosse o menor tapete de pele do mundo.

Brad pensou em reagir, pagar pra ver o blefe dela. Ele tinha razão, o galpão não era propriamente território autorizado para os internos do Georgia Pines, até eu sabia disso, mas acabou não reagindo. No fundo, ele era um covarde, exatamente como Percy. E era possível que tivesse conferido a afirmação dela de que o neto era uma Pessoa Importante e descoberto que era verdade. Porém, mais do que tudo, sua curiosidade talvez tivesse sido satisfeita, sua sede de saber, saciada. E, depois de toda sua especulação, o mistério tinha acabado não sendo grande coisa. Um rato de estimação de um velho aparentemente vivia no galpão. Agora ele tinha morrido, tinha sofrido um ataque do coração ou algo parecido quando estava empurrando um carretel colorido.

— Não sei por que vocês estão tão agitados — falou. — Vocês dois. Vocês estão se portando como se fossem um *cachorro* ou coisa assim.

— Saia — ela cuspiu as palavras. — Saia, seu ignorante. O pouco de cérebro que você tem é repugnante e deformado.

Ficou ruborizado e os pontos em que tivera espinhas quando adolescente ficaram de um vermelho mais escuro. A julgar por sua aparência, tivera muitas delas.

— Vou-me embora — disse ele —, mas quando você vier aqui amanhã, *Paulie*, vai encontrar uma nova fechadura nesta porta. Este lugar é proibido para os residentes, independentemente das coisas mal-humoradas que a sra. Meu Cocô Não Fede tenha a dizer sobre mim.

Olhe para o chão! As tábuas todas empenadas e podres! Se você atravessasse uma delas, sua perna velha e esquelética era capaz de se partir como uma lasca de lenha para acender lareira. Então apenas peguem esse rato morto, se quiserem, e sumam. Por ordem minha, a Cabana do Amor está fechada.

Deu meia-volta e saiu com passadas largas, fazendo ares de quem acha que conseguiu pelo menos um empate. Esperei até que tivesse ido e então, delicadamente, peguei o sr. Guizos de Elaine. Meus olhos caíram por acaso sobre o saco com as balas de hortelã e isso foi a conta: as lágrimas começaram a cair. Não sei não, hoje em dia eu simplesmente choro com mais facilidade.

— Você me ajudaria a enterrar um velho amigo? — perguntei a Elaine quando o som dos passos pesados de Brad Dolan sumiu.

— Claro, Paul. — Colocou o braço em volta da minha cintura e deitou a cabeça no meu ombro. Com um dedo velho e torto, acariciou o lado imóvel do corpo do sr. Guizos. — Terei prazer em ajudá-lo.

E assim tomamos emprestado uma pazinha no galpão de jardinagem e enterramos o rato de estimação de Del quando as sombras da tarde se alongavam por entre as árvores, e depois voltamos para jantar e ir em frente com o que restava de nossas vidas. E foi em Del que me pus a pensar. Del ajoelhado no carpete verde do meu escritório, com as mãos juntas e o cocuruto careca reluzindo sob a luz da lâmpada do teto. Del que nos pediu para tomarmos conta do sr. Guizos, para garantir que o malvado não mais lhe fizesse mal. Só que o malvado nos faz mal a todos no final, não é mesmo?

— Paul? — falou Elaine. Seu tom de voz era, ao mesmo tempo, de bondade e de exaustão. Até mesmo cavar uma pequena cova com uma pazinha e colocar um rato para repousar constitui um bocado de excitação para velhos doces como nós, acho eu. — Você está bem?

Estava com meu braço em volta da sua cintura. Apertei-a.

— Estou bem — respondi.

— Olhe — falou. — Vai ser um lindo pôr do sol. Vamos ficar aqui fora e olhá-lo?

— Está bem — disse eu, e ficamos lá no gramado por bastante tempo, o braço em volta da cintura um do outro, primeiro vendo as cores vivas subirem pelo céu, depois vendo-as se dissolver em tonalidades de cinza.

*Sainte Marie, Mère de Dieu, priez pour nous, pauvres pécheurs, maintenant et à l'heure de notre mort.*

Amém.

## 13

1956.

Alabama sob a chuva.

Nossa terceira neta, uma menina linda chamada Tessa, estava se formando pela Universidade da Flórida. Fomos num ônibus Greyhound. Eu tinha então 64 anos, um mero rapaz. Jan tinha 59, e estava linda como sempre. Pelo menos para mim. Estávamos sentados no banco bem no fundo e ela estava reclamando por eu não lhe ter comprado uma máquina fotográfica nova para registrar o bendito acontecimento. Abri a boca para dizer-lhe que, depois que chegássemos lá, teríamos um dia para fazer compras, e se ela quisesse, podia comprar uma câmera nova, que estaria dentro do nosso orçamento sim. Além disso, achava que ela estava reclamando só porque estava cheia da viagem e não gostava do livro que trouxera. Era um de Perry Mason. É então que tudo em minha lembrança fica branco por um momento, como um filme que foi deixado exposto ao sol.

Você se lembra daquele acidente? Acho que algumas pessoas que lerem isso se lembrarão, mas a maioria não. No entanto, quando ocorreu, foi manchete de costa a costa. Estávamos perto de Birmingham, debaixo de uma chuva forte, Janice reclamando por causa da câmera velha, e um pneu estourou. O ônibus dançou de lado na estrada molhada e foi atingido no meio por um caminhão carregado de fertilizante. O caminhão empurrou o ônibus de encontro ao muro de uma ponte a mais de 90 quilômetros por hora, esmagou-o contra o concreto e partiu-o em dois. Duas partes brilhantes, cobertas de chuva, rodaram em direções opostas, a que tinha o tanque de óleo diesel explodindo num clarão que mandou uma bola de fogo vermelha e negra pelo céu cinzento de chuva. Num instante Janice estava se queixando da sua velha Kodak e no seguinte me vi caído no lado oposto debaixo do viaduto, na chuva, olhando fixo para uma calcinha azul de náilon que tinha caído para fora da mala de alguém. Tinha QUARTA-FEIRA bordado em preto. Havia malas abertas por toda a parte. E corpos. E pedaços de corpos. Naquele ônibus viajavam 73 pessoas e apenas quatro sobreviveram ao desastre. Uma delas era eu, o único que não estava gravemente ferido.

Levantei-me e cambaleei por entre as malas arrebentadas e as pessoas destroçadas, berrando o nome de minha mulher. Chutei para o lado um despertador, lembro-me disso, e também de ver um menino morto, de uns 13 anos, caído no meio de vidro estilhaçado, com um par de tênis nos pés e sem metade do rosto. Senti a chuva caindo-me no rosto e então passei por baixo do viaduto e ela parou por um instante. Quando saí do outro lado, lá estava ela de novo, fustigando-me as bochechas e a testa. Enxerguei Jan, caída ao lado da cabina do caminhão de fertilizante capotado. Reconheci-a por seu vestido vermelho, seu segundo melhor vestido. O melhor, é claro, estava reservado para a própria cerimônia da colação de grau.

Ela não estava morta ainda. Muitas vezes pensei que teria sido melhor, para mim, se não para ela, se ela tivesse morrido instantaneamente. Isso me teria possibilitado deixá-la ir-se um pouco antes, com um pouco mais de naturalidade. Ou talvez eu esteja apenas me iludindo a esse respeito. Tudo de que tenho certeza é que *nunca* a deixei ir-se, não de verdade.

Ela tremia toda. Um dos sapatos tinha caído e pude ver seu pé estremecendo. Os olhos estavam abertos, mas vazios, o esquerdo coberto de sangue e, ao cair de joelhos ao seu lado na chuva que cheirava a fumaça, só conseguia pensar que aquele estremecimento significava que ela estava sendo eletrocutada. Ela estava sendo eletrocutada e eu tinha que sustar a corrente antes que fosse tarde demais.

— Socorro! — gritei. — Socorro, alguém me ajude!

Ninguém socorreu, ninguém apareceu. A chuva caía forte, uma chuva dura, de encharcar, que assentou meus cabelos ainda pretos sobre o crânio. Segurei-a nos braços e ninguém apareceu. Seus olhos vazios se ergueram para mim com uma espécie de intensidade estonteada, enquanto o sangue escorria da parte de trás de sua cabeça numa torrente. Ao lado de uma mão que tremia e tinha espasmos inconscientes havia um pedaço de aço cromado com as letras GREY. Logo adiante estava um quarto do que tinha sido um homem de negócios com um terno de lã marrom.

— *Socorro!* — gritei de novo e me voltei na direção do viaduto, e ali divisei John Coffey, de pé nas sombras, ele próprio apenas uma sombra, um homenzarrão com braços compridos, dependurados, e uma cabeça careca. — *John!* — berrei — *Oh, John, por favor, me ajude! Por favor, ajude Janice!*

A chuva me entrou nos olhos. Pisquei e ele sumiu. Podia ver as sombras que confundira com John... Mas não tinham sido apenas sombras. Tenho certeza. Ele esteve ali. Talvez apenas como um espírito, mas esteve ali, a chuva no seu rosto se misturando com suas lágrimas intermináveis.

Ela morreu nos meus braços, na chuva, ao lado daquele caminhão de fertilizante, sentindo nas narinas o cheiro do óleo diesel em chamas. Não houve um momento de consciência: olhos que se desanuviaram, lábios que se moveram numa sussurrada declaração final de amor. Houve o tremor de uma contração no corpo sob minhas mãos e aí ela se foi. Nesse momento, pensei em Melinda Moores pela primeira vez depois de muitos anos. Melinda sentada na cama em que todos os médicos no Hospital Geral de Indianola achavam que ela ia morrer. Melinda Moores, parecendo renovada e descansada, fitando John Coffey com olhos luminosos e intrigados. Melinda dizendo: "*Sonhei que você estava vagando na escuridão e eu também. Encontramos um ao outro.*"

Pousei a pobre cabeça destroçada da minha mulher na superfície molhada da rodovia interestadual, pus-me de pé (foi fácil, eu tinha apenas um pequeno corte no lado da minha mão esquerda) e gritei o nome dele para as sombras do viaduto.

*John! John Coffey! Onde está você, garotão?*

Caminhei na direção daquelas sombras, chutando para um lado um ursinho de pelúcia com sangue no pelo, um par de óculos com armação de metal e uma lente partida, uma mão decepada com um anel de brasão no dedo mindinho.

— *Você salvou a mulher de Hal, por que não minha mulher? Por que não Janice? Por que não a minha Janice?*

Nenhuma resposta, só o cheiro do diesel se queimando e de corpos queimados, só a chuva caindo sem parar do céu cinzento e tamborilando no concreto enquanto minha mulher jazia morta na estrada atrás de mim. Nenhuma resposta então e nenhuma resposta agora. Porém, é claro que não foi só Melly Moores que John Coffey salvou em 1932, nem só o rato de Del, o que sabia fazer aquele número bonitinho com o carretel e parecia estar procurando por Del muito antes que ele aparecesse e muito antes que John Coffey aparecesse.

John também me salvou e, anos mais tarde, de pé debaixo daquela chuva torrencial no Alabama e procurando por um homem que não estava lá nas sombras do viaduto, de pé em meio a malas espalhadas e mortos despedaçados, aprendi uma coisa terrível: às vezes não há absolutamente nenhuma diferença entre a salvação e a danação.

Senti que uma das duas se derramava sobre mim enquanto estávamos sentados no catre dele, em 18 de novembro de 1932. Derramando-se de dentro dele para dentro de mim, aquela força estranha que tinha dentro de si, vindo através de nossas mãos juntas de uma maneira que jamais pode nosso amor, nossa esperança e nossas boas intenções. Uma sensação que começou como um arrepio e depois se transformou em algo enorme, diluviano, uma força além de qualquer coisa que jamais sentira antes e que nunca mais senti desde então. Desde aquele dia, nunca mais tive pneumonia, nem gripe, nem mesmo uma garganta inflamada. Nunca mais tive outra infecção urinária nem sequer um corte infeccionado. Tive resfriados, mas foram raros, com intervalos de seis ou sete anos, e embora se diga que as pessoas que não têm resfriados frequentes, quando os têm são mais graves, isso nunca me aconteceu. Uma vez, no início daquele ano terrível de 1956, expeli uma pedra da vesícula. E, ainda que isso possa parecer estranho a algumas pessoas que leiam isto apesar de tudo que já disse, uma parte de mim ficou contente com a dor que veio quando a pedra se foi. Foi a única dor forte que senti desde aquele problema urinário, 24 anos antes. Os males que levaram meus amigos e entes queridos da mesma geração, até que não sobrasse mais nenhum (os derrames, os cânceres, os ataques cardíacos, as doenças do fígado, as doenças do sangue), todos me deixaram incólume, deram guinadas para se desviar de mim como alguém dirigindo um carro dá uma guinada para se desviar de um veado ou de um gambá na estrada. O único acidente grave em que estive envolvido me deixou incólume a não ser por um arranhão na mão. Em 1932, John Coffey me vacinou com a vida. Podia-se dizer que me *eletrocutou* com a vida. Acabarei por morrer, é claro que sim, quaisquer ilusões de imortalidade que pudesse ter tido morreram com o sr. Guizos, mas terei desejado a morte muito antes de que ela me encontre. Para dizer a verdade, já anseio por ela e a desejo desde que Elaine Connelly morreu. Preciso lhe dizer isso?

Olho para trás por essas páginas, folheando-as com minhas mãos trêmulas e manchadas, e me pergunto se há algum significado aqui, como naqueles livros que se supõe sejam edificantes e enobrecedores. Rememoro os sermões da minha infância, afirmações com voz de trovão na igreja de Jesus Seja Louvado, O Senhor É Poderoso, e me lembro de como os pregadores costumavam dizer que o olho de Deus está no pardal, que Ele vê e assinala até mesmo a menor de Suas criações. Quando penso no sr. Guizos e nos pequenos fragmentos de madeira que encontramos naquele buraco na viga, acho que é assim mesmo. No entanto, esse mesmo Deus sacrificou John Coffey, que tentou apenas fazer o bem na sua maneira cega, tão cruelmente como qualquer profeta do Velho Testamento sacrificou um cordeiro indefeso, como Abraão teria sacrificado seu próprio filho se efetivamente fosse chamado a fazê-lo. Penso em John dizendo que Wharton matara as gêmeas Detterick com o amor de uma pela outra e que isso acontece todos os dias, pelo mundo afora. Se isso acontece, é porque Deus *deixa* que aconteça, e quando dizemos "eu não compreendo", Deus responde: "Eu não me importo."

Penso no sr. Guizos morrendo quando eu estava de costas, com minha atenção usurpada por um homem cruel, cujo melhor sentimento parecia ser uma espécie de curiosidade vingativa. Penso em Janice, estremecendo nos seus últimos segundos inconscientes enquanto eu ficava ajoelhado ao seu lado debaixo da chuva.

*Pare com isso*, tentei dizer a John naquele dia, na cela dele. *Solte minhas mãos. Se você não parar, vou me afogar. Afogar-me ou explodir.*

— O senhor não vai explodir — respondeu ele, lendo meus pensamentos e sorrindo diante dessa ideia. E o terrível é que não explodi, nem então nem nunca mais.

Pelo menos tenho um dos males de velho: sofro de insônia. Tarde da noite, fico deitado na cama, ouvindo o som úmido e inútil de homens e mulheres enfermos, tossindo sem parar mais para o fundo de sua velhice. Às vezes ouço uma campainha de chamada, o ruído de um sapato no corredor ou a pequena TV da sra. Javits sintonizada no noticiário do fim da noite. Fico deitado ali, e se a lua está na minha janela, fico olhando para ela. Fico deitado ali e penso em Brutal, Dean e, às vezes, em William Wharton dizendo: *É isso mesmo, seu negro, tão mau quanto você quiser*. Penso em Delacroix dizendo: *Olhe só isso, chefe Edgecombe. Ensinei ao sr. Guizos um número novo*. Penso em Elaine, de pé à porta do solário, mandando Brad Dolan deixar-me em paz. Às vezes cochilo e vejo aquele viaduto sob a chuva, com John Coffey parado embaixo dele, nas sombras. Nesses sonhos curtos, nunca é apenas uma ilusão de ótica. É sempre ele mesmo, meu garotão, simplesmente ali de pé e observando. Fico deitado e espero. Penso em Janice, em como a perdi, em como ela se esvaiu num caudal vermelho por entre os meus dedos sob a chuva, e espero. Cada um de nós tem compromisso com a morte, não há exceções, sei disso, mas às vezes, oh meu Deus, o Corredor Verde é muito comprido.

# Posfácio do Autor

Não sei como isso foi para você, mas para mim foi muito divertido. Acho que não gostaria de fazer isso de novo (no mínimo porque os críticos podem chutá-lo no traseiro seis vezes em vez de apenas uma), mas daria qualquer coisa para não perder essa experiência. Enquanto escrevo este posfácio na véspera da publicação da Parte 2 de *À Espera de um Milagre*, a experiência da serialização está pintando como um sucesso, pelo menos em termos de vendas. Por esse resultado quero agradecer-lhe, Leitor Fiel. E talvez uma coisa um tanto diferente nos desperte um pouco a todos: vejamos o velho negócio de contar histórias de uma maneira nova. Pelo menos, foi assim que funcionou para mim.

Escrevi às pressas porque o formato exigia que escrevesse às pressas. Isso foi parte do entusiasmo, mas também produziu uns tantos anacronismos. Os guardas e os presos escutam a *Allen's Alley* no seu rádio no Bloco E, mas tenho minhas dúvidas se Fred Allen já estava transmitindo em 1932. O mesmo pode-se aplicar a Kay Kyser e seu *Kollege of Musical Knowledge*. Não é para me justificar, mas acho que às vezes parece que é mais difícil pesquisar um pedaço da história que acaba de desaparecer no horizonte do que a Idade Média ou a época das Cruzadas. Consegui verificar que Brutal poderia mesmo ter apelidado o rato no Corredor de Willy do Barco a Vapor, pois então o desenho animado de Disney já existia havia quatro anos, mas tenho uma ligeira desconfiança de que aquele livrinho pornográfico com Popeye e Olívia Palito como personagens principais é um elemento fora do seu tempo. Poderia corrigir uma parte dessas coisas se e quando resolver fazer *À Espera de um Milagre* num único volume, mas talvez mantenha essas mancadas. Afinal de contas, o grande Shakespeare não começa, ele próprio, *Júlio César* com o anacronismo de batidas de um relógio muito antes de que os relógios mecânicos tivessem sido inventados?

Acabei por me dar conta de que fazer *À Espera de um Milagre* como um único volume apresentaria seus próprios desafios peculiares. Não há dúvida de que o texto não poderia ser publicado tal como apareceu em capítulos. Como eu tinha tomado Charles Dickens por modelo, andei indagando sobre como Dickens havia lidado com o problema de refrescar a memória dos leitores no início de cada novo episódio. Esperara algo parecido com as sinopses que precediam cada capítulo dos meus adorados seriados do *Saturday Evening Post*, mas descobri que Dickens não tinha sido tão primário: ele embutiu a sinopse na própria história.

Enquanto estava tentando decidir como fazer isso, minha mulher começou a me dizer (ela não chega propriamente a ficar ranzinzando, porém às vezes ela defende algo de forma um tanto incansável) que eu, na verdade, jamais chegara a acabar a história do sr. Guizos, o rato de circo. Achei que ela tinha razão e comecei a perceber que, fazendo do sr. Guizos um segredo de Paul Edgecombe em sua velhice, podia criar uma "história de fachada" bastante interessante. (O resultado ficou um pouco como o formato que assumiu a versão para o cinema de *Tomates Verdes Fritos*.) Na realidade, tudo na história de fachada de Paul — a história de sua vida no asilo para idosos Georgia Pines — saiu como eu queria. Gostei especialmente da maneira como aquele Dolan, o auxiliar de enfermagem, e Percy Wetmore se entrelaçam na mente de Paul. E isso não foi algo que eu tivesse feito de propósito: como na melhor das histórias de ficção, isso simplesmente veio vindo ao acaso e encaixou-se no lugar.

Desejo agradecer a Ralph Vicinanza por ter sido o primeiro a me trazer a ideia de uma "história de suspense em série" e a todos os meus amigos de Viking Penguin e Signet por me darem seu apoio, embora no princípio estivessem morrendo de medo (todos os escritores são malucos e eles sabiam disso). Também desejo agradecer a Marsha DeFilippo, que datilografou um caderno de estenografia cheio de minha caligrafia espremida e nunca reclamou. Bem... *Pouco* reclamou.

Entretanto, acima de tudo, quero agradecer a minha mulher, Tabitha, que leu esta história e disse que gostou dela. Acho que os escritores quase sempre escrevem com um leitor ideal em vista, e para mim, é minha mulher. Nem sempre temos a mesma opinião quando se trata do que cada um de nós escreve (que diabo, nós raramente estamos de acordo quando vamos fazer compras juntos no supermercado), mas quando ela diz que está bom, geralmente está. Porque ela é exigente e se tento trapacear ou dar uma embromada, ela sempre o percebe.

E a você, Leitor Fiel. Agradeço-lhe também e, se tiver alguma ideia sobre *À Espera de um Milagre* como um único volume, por favor me escreva.

*Stephen King*
28 de abril, 1996
Cidade de Nova York

2ª EDIÇÃO [2013] 16 reimpressões

ESTA OBRA FOI COMPOSTA EM ADOBE GARAMOND PELA ABREU'S SYSTEM
E IMPRESSA EM OFSETE PELA GEOGRÁFICA SOBRE PAPEL PÓLEN
DA SUZANO S.A. PARA A EDITORA SCHWARCZ EM JULHO DE 2024